L’amour l’après-midi

JUNE FLAUM SINGER

L'amour l'après-midi

HARLEQUIN
LES BEST-SELLERS

Cet ouvrage a été publié en langue anglaise
sous le titre :
SEX IN THE AFTERNOON

Traduction française de
CHRISTIANE COZZOLINO

Illustration de couverture
Visage de femme : © PIX / JOHN PRICE

83-85, boulevard Vincent-Auriol, 75013 Paris — Tél. : 42 16 63 63
ISBN 2-280-16435-5 — ISSN 1248-511X

A ma fille cadette, Valérie,
dont la valeur n'a d'égale que le courage.

Remerciements

Merci à Jordan Crovatin et Kaylee Davis qui ont eu la gentillesse de me faire partager leurs connaissances, ainsi qu'à mon éditrice, Nancy Coffey, pour ses conseils avisés et pour son dévouement. Travailler sous sa direction a été un véritable plaisir. Et comme d'habitude, merci à Joe, dont l'aide m'est toujours précieuse.

PROLOGUE

Los Angeles
1990

14 février

Debout devant la fenêtre de sa chambre, elle prenait le frais tout en contemplant le jour naissant, si absorbée dans ses pensées qu'elle ne s'aperçut pas de sa présence tout de suite. Lorsqu'il se trouva juste derrière elle, elle sentit ses lèvres sur sa nuque et son corps chaud contre le sien.

Pendant quelques secondes, elle demeura totalement immobile, respirant à peine, attentive aux sensations grisantes qui déferlaient en elle. Puis il la fit pivoter vers lui, et elle l'attira à elle, pressa ses lèvres contre les siennes, caressa son visage, passa les mains dans ses cheveux, avide de s'offrir à lui.

Ils sacrifiaient à un rite, accomplissant l'un et l'autre des gestes mille fois répétés, des gestes qui n'avaient rien d'original mais qu'ils effectuaient avec une ferveur et un émerveillement à chaque fois renouvelés. Puis, quand le désir qui les consumait exigea d'être satisfait sans autre délai, quand l'attente devint intolérable, il la souleva dans ses bras et l'emporta vers le lit.

Après son départ, elle s'attarda paresseusement entre les draps, différant le plus possible le moment d'émerger de sa délicieuse torpeur, savourant ces précieux instants de plénitude volés à l'éternité. Elle songea à cette merveilleuse surprise qu'il lui avait faite, et se dit que sa mère avait bien raison : l'amour en plein jour avait décidément du bon !

Elle remua et battit des cils. D'instinct, avant même d'ouvrir les yeux, elle sut qu'elle n'était pas dans son lit, immense et douillet avec ses oreillers de dentelle, ses draps de satin et son édredon de duvet. Non, ce lit étroit, tous ces tuyaux autour d'elle... *L'hôpital !* Elle était à l'hôpital, en train de mourir...

— Mon Dieu, faites que je m'en sorte. Je ne veux pas mourir ! Je ne suis pas prête. Pas encore ! s'écria-t-elle, en proie à un profond sentiment d'injustice.

Non qu'elle eût peur de la mort, mais la vie lui paraissait si belle, à présent, qu'elle ne voulait plus la quitter. Pas si tôt. Elle ne pouvait s'y résigner, et lui non plus.

Dans un murmure, d'un ton suppliant, elle répéta :

— Je ne suis pas prête, Seigneur. Je ne veux pas mourir. Pas maintenant...

Elle sentit la fraîcheur d'une main sur son front et distingua les silhouettes de plusieurs personnes — des médecins et des infirmières en blouses blanches — qui allaient et venaient dans la chambre en échangeant des commentaires à mi-voix.

Ils sont si occupés, et moi, si fatiguée...

— Où suis-je ? demanda-t-elle à l'infirmière qui tripotait l'un des tuyaux fixés à son bras.

La jeune femme lui sourit avec douceur.

— Tout va bien, ne vous en faites pas. Vous êtes tirée d'affaire.

— Dans quel hôpital suis-je ?

— Cedars-Sinai.

— Cedars-Sinai ? Vous êtes sûre ? Comme c'est étrange...

— Etrange ? répéta l'infirmière. Pourquoi ?

— Parce que les chambres des amis à qui j'ai rendu visite ici avaient toujours une vue superbe.

Seules certaines chambres devaient donner sur les collines d'Hollywood, songea-t-elle. Celles que l'hôpital réservait à quelques privilégiés... Dans ce cas, pourquoi pas la sienne ? Pourquoi *elle* — *sa* femme — n'occupait-elle pas une suite au huitième étage ? Une chambre avec vue ?

— Je ne sais pas ce que l'on voit d'ici, gémit-elle d'une voix presque enfantine. Il n'y a pas de fenêtre !

— En réanimation, c'est normal. Mais rassurez-vous : vous allez bientôt être transférée dans une chambre magnifique ; l'une de celles qui ont la plus belle vue.

En *réanimation* ? Le terme lui causa un choc. Et pourtant, à la réflexion, où auraient-ils pu la mettre d'autre ? Elle avait été prévenue. On l'avait avertie des risques qu'elle courait. Mais elle avait passé outre. Sans pour autant prendre les choses à la légère. C'était un choix. Après tout, elle *lui* devait bien ça.

— Quel jour sommes-nous ? demanda-t-elle à l'infirmière.

— Mercredi 14 février, jour de la Saint-Valentin. Peut-être vous apportera-t-on un cadeau... Ce serait bien, non ?

— Vous êtes sûre que c'est la Saint-Valentin ?

— Absolument certaine.

— Alors c'est un grand jour, déclara-t-elle à l'infirmière.

— Sans aucun doute.

Mais l'infirmière ne pouvait pas comprendre. Ce jour était à marquer d'une pierre blanche parce qu'il représentait une étape importante pour *lui* : de simple millionnaire, il allait devenir milliardaire. A cette occasion, elle *devait* recevoir un cadeau somptueux. Il le lui avait promis et, contrairement à elle, il ne mentait jamais. Elle savait, cependant, qu'il ne fallait désormais plus rien attendre de lui. Lorsqu'il apprendrait qu'elle avait été hospitalisée, et découvrirait le pot aux roses, il lui en voudrait terriblement. Jamais il ne le lui pardonnerait. En vérité, elle se moquait bien de son cadeau. La seule chose qui comptait, c'était le cadeau qu'elle lui avait fait, *elle*.

— Surtout, ne le prévenez pas que je suis ici, supplia-t-elle. Il risque de se mettre en colère.

— Non, personne ne sera en colère. Il ne faut pas vous tracasser pour ça.

— Je sais qu'il sera furieux. Et pour cause !

En réalité, elle ne l'avait jamais vu *vraiment* en colère. Mais cette fois, il serait fou furieux. Elle ne trouverait aucune grâce à ses yeux et partagerait le sort de Cathy, dans les *Hauts de Hurlevent*, à qui Heathcliff n'avait jamais pardonné. Son âme serait condamnée à errer pour l'éternité.

— Il faudrait à présent que vous nous donniez le nom de votre médecin traitant, dit l'infirmière en se penchant vers elle. C'est très important. Nous le ferons venir, et tout rentrera dans l'ordre.

— Non, il sera furieux aussi. Qui m'a amenée ici ?

— D'après ce que j'ai compris, ce serait votre femme de ménage qui aurait appelé police secours.

— Tant mieux ! Pour rien au monde je n'aurais voulu *le* déranger aujourd'hui. Pas en un jour pareil.

— Vous ne voulez pas déranger votre médecin ? A mon avis, il aimerait pourtant être prévenu. Et je vous promets qu'il ne sera pas fâché contre vous.

— Non, pas le médecin ! Heathcliff !

Elle ne comprend pas ! Il faut que je lui explique !

— Si vous dérangez Heathcliff, il sera furieux ! Si mécontent, en vérité, qu'il risque de me maudire ! Il se jettera sur le lit et éclatera en sanglots. Puis il condamnera mon âme à errer pour l'éternité. Il dira : « Catherine Earnshaw, puisses-tu ne pas trouver le repos aussi longtemps que je vivrai ! Tu *es* mon âme et je ne peux vivre sans mon âme. »

L'infirmière lui tapota la main en soupirant.

— Mais non, voyons. Personne ne va vous maudire. Je vous en donne ma parole. Mais à présent, il faut que vous vous reposiez. Fermez les yeux et cessez de vous tourmenter.

Docile, elle baissa les paupières. Garder les yeux ouverts était de toute façon au-dessus de ses forces.

Elle entendit quelqu'un — une voix d'homme — demander à l'infirmière :

— Avez-vous réussi à obtenir le nom de son médecin ?

Non, rien à faire ! Je ne le dirai à personne ! C'est un secret !

— Malheureusement non, docteur. J'ai l'impression qu'elle n'a pas toute sa tête. Je dirais même qu'elle divague. Elle craint qu'un certain Heathcliff ne se mette en colère contre elle et ne la maudisse. D'après elle, il va se jeter sur le lit et dire quelque chose comme : « Catherine Earnshaw, que ton âme soit damnée pour l'éternité ! » Mais elle ne s'appelle pas Catherine Earnshaw, n'est-ce pas, docteur Hale ?

— Pas exactement, répondit le médecin d'une voix sèche et pourtant empreinte de tristesse. Heathcliff et Catherine Earnshaw sont des personnages de roman, mademoiselle Peter. Des amants tragiques.

— Apparemment, elle se prend pour Cathy !

— Dans son état, il est assez normal qu'elle ait... des moments d'égarement.

— Vous croyez, docteur, que nous allons réussir à... ?

La jeune femme laissa sa phrase en suspens.

— Peut-être, si nous arrivons à découvrir qui est son médecin. Il faut que nous sachions de quoi elle souffrait au départ... Bon sang ! Jamais je n'aurais cru qu'on nous amènerait un jour une femme aussi riche dans un état pareil. Et dire que personne n'est fichu de nous donner le nom de son médecin ! Ça me dépasse !

Une autre voix masculine se mêla alors à la conversation — un second médecin, peut-être? — et déclara :

— On a fini par joindre son mari.

Oh, non! Il ne faut pas le déranger aujourd'hui! En aucun cas!

Elle aurait voulu le leur crier, mais aucun son ne franchit ses lèvres.

— Il a appelé de sa voiture et prévenu qu'il arrivait.

— A-t-on pensé à lui demander qui était son médecin? s'enquit le Dr Hale avec une impatience grandissante. Lui a-t-on dit que nous avions absolument besoin de son dossier? Que sans ses antécédents médicaux, nous ne pouvions rien entreprendre?

— Je n'en sais rien. Ce n'est pas moi qui ai pris la communication. Mais je suis sûr qu'on lui a expliqué la situation. Quoi qu'il en soit, il ne devrait pas tarder à arriver; nous pourrons l'interroger et...

— Pas tarder? Espérons-le, parce que si elle tombe dans le coma, nous serons dans de beaux draps! C'est tout de même un comble que dans l'un des hôpitaux les plus modernes au monde, nous en soyons réduits à regarder une patiente — qui plus est la femme de l'une des quatre cents personnalités figurant dans le *Forbes* — se débattre entre la vie et la mort! C'est incroyable que personne ne soit arrivé à se procurer son dossier médical!

Détrompez-vous, docteur, c'est au contraire parfaitement plausible. Ma vie a toujours été faite de secrets...

Mais sa vie se désagrégeait. Ses secrets allaient tous être révélés au grand jour, impitoyablement. Lui en voudrait-il surtout parce qu'elle lui avait caché une partie de son existence, ou parce qu'on l'avait dérangé aujourd'hui, le jour où son rêve se réalisait enfin?

Plus personne ne parlait, à présent, mais la tension qui régnait dans la pièce était presque palpable. Au prix d'un violent effort de volonté, elle parvint à soulever les paupières. Ils avaient tous le regard braqué sur elle. Elle les dévisagea, l'un après l'autre, étonnée de leur voir des expressions si différentes. Tristesse. Désespoir. Compassion. Fureur, même.

Ce visage en colère devait être celui du Dr Hale, songea-t-elle.

Elle ferma les yeux. Elle ne supportait pas l'étalage indécent de leurs sentiments.

— C'est vraiment malheureux. Une si belle femme...

Mlle Peter parlait d'elle comme si elle était déjà morte ! Avant de sombrer de nouveau dans l'inconscience, elle entendit le second médecin confier à mi-voix :

— C'est une grande première pour moi. Je n'avais encore jamais soigné la femme d'un milliardaire.

— Il est *vraiment* milliardaire ? demanda l'infirmière.

— S'il ne l'est pas, il est en passe de le devenir, répondit le médecin.

— Milliardaire ou pas, intervint le Dr Hale d'une voix rauque, je ne suis pas du tout certain que sa femme s'en tirera...

A son réveil, elle mit plusieurs secondes à recouvrer ses esprits et se rappeler où elle était et pourquoi elle se trouvait là. De nouveau, une sourde appréhension s'empara d'elle. Combien de temps avait-elle dormi ? Etait-ce toujours la Saint-Valentin ? Etait-*il* venu ? Dans quel état d'esprit était-il reparti ? Dépité et malheureux comme les pierres ? Ou affichant au contraire une froide indifférence, accusant le coup sans broncher, en homme d'affaires habitué à faire front ?

Un jour, il lui avait dit : « Quand on sent qu'on a raté son coup, mieux vaut ne pas insister. Tenter de rectifier le tir et de compenser les pertes mène tout droit à la catastrophe. Il faut savoir faire la part du feu. »

Avec elle, en tout cas, il avait bel et bien raté son coup !

Mais peut-être avait-il réagi tout autrement? Et s'il s'était laissé emporter par la colère, comme elle l'avait imaginé au départ?

Tout à coup, elle l'aperçut. Il se tenait dans l'encadrement de la porte. Et, Dieu soit loué, il avait *réellement* l'air fou furieux! Jamais elle ne l'avait vu dans un état pareil. Mais ce n'était pas tout... Si son visage était blême de rage, il était aussi inondé de larmes!

Avant de le connaître, elle méprisait le passé, estimant que ressasser était une perte de temps, et évitait de penser à l'avenir, beaucoup trop incertain. Avant de tomber amoureuse de lui, elle se contentait de vivre au jour le jour. Puis elle l'avait rencontré et s'était mise à faire des projets, à rêver d'amour, de passion partagée, d'après-midi au lit...

Est-il venu pour me maudire ou pour me dire adieu?

Il s'avança vers le lit. Malgré les larmes et la colère, jamais il ne lui avait paru si beau. Pas même la première fois. Oh! elle n'était pas près d'oublier ce jour béni où, pour la première fois, elle avait vu Jonathan West...

PREMIÈRE PARTIE

Le *Queen Elizabeth II*
9-13 novembre 1988

1.

Mercredi matin

C'était comme un film en technicolor défilant devant ses yeux. Elle se souviendrait toujours de la première fois où elle avait vu Jonathan West. L'automne était déjà bien avancé, il faisait froid, et elle s'apprêtait à embarquer à bord du *Queen Elizabeth II* au départ de Southampton pour arriver à New York cinq jours plus tard.

Elle se trouvait encore sur le quai, en compagnie de Dwight Rumson, qui avait tenu à l'accompagner en limousine, et essayait désespérément de la convaincre de rester. Elle savait qu'il chercherait à la retenir. Comme tous les hommes riches, Dwight ne renonçait pas facilement.

Il voulait l'épouser et jurait qu'il l'aimait à la folie.

Il était tout près d'elle, à présent, l'exhortant, la suppliant de remonter avec lui dans la voiture. Le paquebot partirait sans elle. Pour lui, c'était aussi simple que ça. Mais il se trompait. Elle ne *pouvait* pas faire machine arrière.

Cependant, elle l'écoutait; aucune des paroles qu'il prononçait ne lui échappait. Elle lui devait tant! Il avait toujours été si dévoué, si gentil avec elle...

Mais lorsqu'elle vit qu'un homme l'observait depuis le pont, un grand blond qu'elle ne connaissait pas, son cœur, imperceptiblement, se mit à battre un peu plus vite. Cet émoi inattendu l'effraya. Il y avait tellement longtemps qu'elle n'avait éprouvé pareille sensation...

Elle baissa les yeux, les releva un instant plus tard et de nouveau, s'empressa de regarder ailleurs. Elle n'avait pas entendu la dernière remarque de Dwight qui, en revanche, s'était aperçu de son petit manège.

— Qu'y a-t-il? demanda-t-il avec agacement.

— Rien. Pourquoi cette question?

Il lui adressa un regard réprobateur.

— J'ai bien vu que tu ne m'écoutais pas, Andy.

Un léger soupir lui échappa. Elle détestait qu'il l'appelle Andy.

— Mais si, je t'écoutais.

Elle le rassura d'un sourire, tout en se jurant de ne plus tourner la tête en direction du bel inconnu. Après tout, ce n'était pas le premier homme séduisant qui croisait son chemin...

— Je crois qu'il vaut mieux que j'y aille, Dwight. Tu m'accompagnes à bord? Ne t'y sens surtout pas obligé. On peut tout aussi bien se dire au revoir ici.

Il y avait des mois, en fait, qu'elle se préparait au départ. Elle n'aurait jamais dû s'attarder aussi longtemps à Londres. Mais elle s'était laissé dorloter par Dwight sans réagir, s'était habituée au confort et à la sécurité que lui offrait sa présence constante et amoureuse. A chaque fois, c'était la même chose. En d'autres lieux, avec d'autres hommes, déjà...

D'ailleurs, quoi qu'en dise Dwight, en restant elle ne ferait que lui donner de faux espoirs. Il ne comprenait pas que pour elle, le mariage, que ce soit avec lui ou avec un autre, était exclu. Jamais elle ne l'épouserait, même si elle était éperdument amoureuse de lui, ce qui de toute façon n'était pas le cas.

Bien sûr, à sa manière, elle l'aimait. Et il lui manquerait certainement. Quant à en être amoureuse, ce n'était plus de son âge. A trente-cinq ans passés, une femme ne pouvait plus se permettre de s'éprendre follement, comme l'une de ces midinettes qui croyaient encore au prince charmant.

Tandis que Dwight la saisissait par le bras comme pour l'empêcher de partir, elle leva de nouveau les yeux et découvrit que le bel inconnu la regardait toujours, comme hypnotisé.

Au premier coup d'œil, on devinait qu'il était américain. Etait-ce à cause de la façon dont il se tenait? se demanda-t-elle, intriguée. Les épaules rejetées en arrière comme un champion de football... Ou bien à cause de sa taille? A moins que ce ne fût cet air sûr de soi que les Américains arboraient toujours avec un incroyable naturel?

Mais peut-être étaient-ce tout simplement ses vêtements qui lui faisaient penser qu'il était américain... Malgré le froid et l'humidité, particulièrement intenses sur le port, il ne portait en effet ni manteau ni imperméable. Or les Américains adoraient jouer les fiers-à-bras, insensibles à la température extérieure. D'autre part, son costume n'avait rien à voir avec le complet veston de financier — confectionné sur mesure dans un tissu à fines rayures par l'un des grands tailleurs de Savile Row — que portait Dwight sous son pardessus de cachemire. Il n'était pas en tweed, comme ceux des grands propriétaires terriens, ni outrageusement à la mode et portant la griffe d'un de ces couturiers italiens qui rivalisaient d'audace... et de mauvais goût. Il avait ce chic inimitable qu'on ne trouvait qu'aux Etats-Unis : beau, impeccable et sobre. Rien de remarquable, en somme. Pourtant, elle sentait confusément que l'homme qui arborait ce costume était, lui, quelqu'un de remarquable. Et cette intime conviction la troublait plus que de raison.

Sans parler de cette façon qu'il avait de la fixer!

Malgré la distance qui les séparait, elle sentait son

regard sur elle. Un regard qui ne trahissait ni de la simple curiosité, comme celle que lui témoignaient parfois les gentlemen anglais, ni de la concupiscence, si fréquente dans les yeux des Français. Mais plutôt de l'intérêt. Oui, c'était le regard d'un homme qu'elle intriguait, et qui cherchait à la percer à jour.

Quelle sotte elle faisait ! songea-t-elle en se détournant. Voilà qu'elle se montait la tête parce qu'un homme jeune et séduisant la dévisageait avec insistance !

Mais tout en feignant l'indifférence, elle savait que l'inconnu la suivait des yeux tandis que Dwight et elle traversaient la passerelle, suivis par le chauffeur qui portait ses nombreux bagages à main, assortis au coffret à bijoux qu'elle tenait serré contre elle.

En y réfléchissant, cet ensemble de bagages, auquel s'ajoutaient plusieurs malles qui se trouvaient déjà dans sa cabine, en disait sans doute beaucoup plus long sur sa personne, en cet instant précis, que le bras de Dwight autour de sa taille, le chauffeur en livrée, la limousine noire dans laquelle ils étaient arrivés, la suite luxueuse qui avait été réservée à son nom à bord du *Queen*.

Ces bagages grenats, en veau souple et brillant, était le cadeau d'adieu que lui avait fait Dwight, son millionnaire anglais. Presque trente ans plus tôt, c'était avec des bagages Vuitton qu'elle avait quitté l'Amérique pour commencer ailleurs une nouvelle vie. Ils lui avaient été offerts par un autre millionnaire : Andrew Wyatt, l'amant de sa mère.

Dans le fond, il n'était guère étonnant que les millionnaires aient joué dans sa vie un rôle prépondérant. Cette prédilection était inscrite dans ses gènes. Elle en avait hérité, comme on hérite d'un penchant pour la lecture... ou même d'une maladie incurable.

Cependant, le cas de sa mère était *quelque peu* différent. Elena avait vraiment aimé Andrew Wyatt. Elle l'avait aimé plus que sa vie, tandis qu'elle-même trouvait simplement plaisants les millionnaires qu'elle fréquentait. Dans le meilleur des cas, elle les aimait bien, comme elle aimait bien Dwight Rumson.

Aujourd'hui encore, il lui suffisait de penser à ces bagages Vuitton pour se remémorer le passé — cette époque lointaine où, petite fille farouche aux yeux démesurément grands et aux longues tresses noires, elle avait quitté les vignobles et le soleil californiens pour s'exiler dans un pays inconnu, dotée d'un nouveau nom et d'une nouvelle identité. En ce temps-là, elle ignorait que bien des années plus tard, elle s'amuserait à changer sans cesse d'identité et de patronyme, et deviendrait l'une de ces mystérieuses voyageuses qui hantent les grandes métropoles et les lieux de villégiature, errant d'un bout à l'autre de la terre dans une quête inaccessible, une citoyenne du monde sans aucune attache particulière, une vagabonde apatride.

— D'où êtes-vous originaire ?

A cette question, elle répondait généralement : « de Londres » ou « de Paris » ou bien encore « de Zurich ». Parfois, « de Rome ».

— Vous y êtes née ?

Quelquefois, elle se contentait d'acquiescer, et les choses en restaient là. Mais il lui arrivait aussi de répondre : « En fait, je suis de nationalité britannique (ou française, ou suisse, selon le cas), mais je suis née en Italie (ou en Afrique du Sud, en Malaisie, ou en Suède). Mon père était diplomate, vous comprenez... »

Parfois aussi, elle déclarait qu'elle s'était retrouvée orpheline très tôt et qu'elle avait été élevée par le frère de son père. Dans ce cas, le diplomate, c'était son oncle.

Et quand on lui faisait remarquer qu'elle parlait anglais sans aucun accent, elle expliquait : « Quel que soit l'endroit où j'ai vécu, j'ai toujours fréquenté des écoles anglophones, voyez-vous. » C'était l'un des rares points sur lesquels elle ne mentait pas, cette affirmation comportant effectivement un fond de vérité.

Si d'aventure on lui demandait à brûle-pourpoint : « Mais qui êtes-vous ? », elle avait volontiers recours à ces vers d'Emily Dickinson :

Mon nom est Personne ! Et vous, qui êtes-vous ?
Vous appelleriez-vous aussi Personne, par hasard ?
En ce cas, nous faisons la paire, tous les deux !
Mais chut ! Pas la peine qu'on nous fasse de la
[publicité !

Elle récitait ce poème avec une délicieuse humilité, et terminait avec un sourire plein de dérision. Mais personne ne s'y trompait. Ses interlocuteurs étaient tous convaincus qu'elle était Quelqu'un, même s'ils ne pouvaient dire qui au juste.

Une femme mystérieuse ? Sans aucun doute. Mais le mystère ne fait-il pas partie de la panoplie de toute séductrice accomplie ?

Une femme riche ? Comment savoir ? Elle *paraissait* riche. De son allure à son comportement, en passant par ses vêtements et ses bijoux, tout en elle respirait le luxe, le raffinement.

Une femme célèbre ? Pas au point de faire tourner toutes les têtes sur son passage, en tout cas, la célébrité ne faisant généralement pas bon ménage avec le mystère. Mais il y avait quelque chose en elle qui laissait penser que peut-être, elle l'était... ou l'avait été — ce n'était qu'une impression, aussi insaisissable que l'ensemble de son personnage.

Certains faits, cependant, s'imposaient d'eux-mêmes : elle était incontestablement belle et élégante, et on ne la rencontrait que dans les endroits les plus sélects, en compagnie d'hommes du monde, toujours riches et séduisants. Et quoi qu'elle fût ou ne fût pas par ailleurs, elle était en tout cas un phénomène unique en son genre.

Elle n'ignorait évidemment pas que, où qu'elle aille, on se poserait toujours des questions à son sujet. Les gens étaient partout les mêmes. Il y avait une chose, toutefois, que personne n'avait jamais deviné : en réalité, elle fuyait, cherchait à échapper non seulement à son passé mais aussi à son destin.

Lorsque Jonathan West vit pour la première fois la silhouette mince et élancée de la femme au manteau de fourrure, il se tenait soigneusement à l'écart des autres passagers qui, tout à la joie de s'embarquer pour une croisière transatlantique, parlaient fort, riaient et adressaient de grands signes à ceux qui restaient à quai. Dans son coin, indifférent à la liesse ambiante, il profitait de ce moment de répit — si rare dans son emploi du temps chargé — pour jeter sur le papier réflexions et remarques diverses. Il possédait à cet effet un petit carnet de cuir dont il ne se séparait jamais, au cas où. Au cours des années, cette habitude lui avait beaucoup servi.

Dès qu'il posa les yeux sur elle, cependant, il oublia ce qu'il s'apprêtait à noter. Jamais encore une femme n'avait produit sur lui un effet aussi saisissant...

Ce qui le frappa tout d'abord, ce furent ses cheveux. Longue, couleur de jais, sa chevelure, soulevée par la brise de mer, flottait derrière elle comme un drapeau noir. Il remarqua ensuite son allure. Elle se tenait le dos droit, le cou bien dégagé afin de donner encore plus de majesté à son port de tête, le menton légèrement incliné, comme si elle avait pleinement conscience de n'être pas n'importe qui, et d'en tirer fierté.

Son regard s'attarda un moment sur le somptueux manteau de fourrure qui, l'enveloppant jusqu'aux chevilles, dissimulait ses jambes, sans aucun doute superbes.

Ce manteau devait valoir une fortune mais il aurait été incapable de dire s'il était en vison ou en zibeline, ce qui n'avait d'ailleurs aucune espèce d'importance. Plus que la nature de la fourrure, ce qui l'intéressait, c'était cette façon si caractéristique qu'elle avait de la tenir serrée autour d'elle. De toute évidence, elle la portait moins pour se préserver du froid ou par souci d'élégance que pour se protéger des agressions extérieures, comme un bouclier s'interposant entre elle et un monde hostile.

Cette attitude piquait la curiosité de Jonathan West, qui s'était découvert une passion pour la gestuelle. Cette femme l'intriguait. Le fascinait, même.

Son regard se porta ensuite sur l'homme qui l'accompagnait : plus âgé qu'elle, d'allure distinguée, il parlait vite, avec une véhémence qui semblait indiquer qu'il cherchait à la convaincre. Il se tenait d'ailleurs tout près d'elle, comme s'il voulait la dominer, ou la protéger. Pour avoir vu plusieurs fois sa photo dans les journaux, Jonathan n'eut aucun mal à le reconnaître. Cet homme était Dwight Rumson, le grand financier britannique et l'une des plus grosses fortunes d'Europe.

Jonathan, de plus en plus intéressé, ne pouvait détacher les yeux du couple. Il enviait Rumson : d'une part à cause de sa situation au sein de la finance internationale, et de l'autre, parce qu'il était manifestement très lié à cette belle femme.

Belle ? s'interrogea Jonathan. Le terme paraissait faible. Les belles femmes étaient légion, surtout à Los Angeles, son lieu de résidence. *Eblouissante* semblait plus adéquat, mais un simple mot pouvait-il décrire une créature aussi exquise et peu commune ?

Lorsque Dwight Rumson et sa compagne furent sur le pont, Jonathan se rapprocha d'eux subrepticement afin de pouvoir mieux détailler le visage de la femme. Avec un peu de chance, il surprendrait des bribes de leur conversation... Il voulait savoir ce qu'ils étaient l'un pour l'autre, espérant que Rumson était *seulement* venu l'accompagner. Auquel cas, songea Jonathan, il l'aurait toute à lui pendant cinq jours.

Il fit encore deux pas dans leur direction. A présent, il se trouvait à moins d'un mètre d'eux. Le col relevé du manteau de fourrure formait comme un écrin au centre duquel le visage de la femme resplendissait, mélange étrange de délicatesse et de force.

Elle avait des pommettes saillantes, un menton bien dessiné, une bouche aux lèvres pleines, un nez droit, ni trop long ni trop court. Un nez de patricienne. Quant aux yeux, ils étaient immenses, en amande.

Il aurait voulu en définir la couleur exacte mais pour cela, il fallait qu'il la voie de face. Feignant la maladresse, il fit tomber son calepin et s'empressa de se baisser pour le ramasser, profitant de la manœuvre pour plonger son regard dans les yeux de la femme.

Des yeux couleur d'ambre, pareils à des agates. Il en eut le souffle coupé. *Il le savait!* Sans pouvoir se l'expliquer, il savait avant même de les voir qu'elle avait les yeux de cette couleur, des yeux de chat. S'il avait eu un esprit moins rationnel, il aurait été tenté de croire qu'il l'avait déjà rencontrée dans une autre vie.

Cette coïncidence lui semblait d'autant plus troublante qu'il se trouvait là, à bord de ce paquebot, tout à fait par hasard. Il s'apprêtait à partir pour Heathrow et embarquer sur le Concorde lorsqu'il avait appris, au dernier moment, que le *Queen Elizabeth II*, en partance pour New York, levait l'ancre un peu plus tard dans la journée et qu'il était encore possible d'y réserver une suite — l'une des plus luxueuses, la Queen Elizabeth qui comportait une véranda. Contrairement à ses habitudes, il avait alors modifié ses plans sans la moindre hésitation.

Il cherchait une explication plausible à ce brutal changement de programme. Peut-être avait-il considéré que ces quelques jours de traversée lui donneraient l'occasion de se détendre... ? Mais il n'avait pas non plus l'habitude de se détendre, et n'y prenait aucun plaisir. En dehors des affaires, peu de choses l'intéressaient. Travailler était tout à la fois son gagne-pain, son passe-temps favori, son sport préféré et sa raison d'être.

Soit ! songea-t-il. Ce n'était pas pour se distraire qu'il avait décidé d'effectuer cette traversée. Peut-être, alors, avait-il estimé qu'il avait besoin de tenter l'expérience de la transatlantique à bord d'un grand paquebot avant de se lancer dans de nouveaux projets... ? Il songeait en effet à étendre son domaine d'activités. La promotion immobilière, dans laquelle il avait débuté et rapidement fait fortune, commençait à le lasser. Bien sûr, il éprouvait toujours autant de fierté à acheter de plus en plus grand, à transformer un ancien palace en plusieurs petits hôtels ultramodernes, mais à la longue, ce genre d'opération perdait un peu de son attrait. Dans le fond, un hôtel restait et resterait toujours un hôtel. Une compagnie de navigation, c'était tout de même autre chose ! La mer véhiculait une telle charge de romantisme... Au cas où l'occasion se présenterait brusquement de racheter une compagnie de navigation, il valait mieux qu'il ait au préalable une idée assez précise du déroulement d'une croisière.

A présent, il en venait à se demander si c'était vraiment le hasard qui l'avait conduit à s'embarquer sur le *Queen*. Ou la chance ? Ou encore ses projets d'avenir ? N'était-il pas plutôt le jouet d'une force mystérieuse et inconnue, d'une puissance supérieure qui l'aurait mis sur le chemin de la femme aux yeux d'ambre ?

Etait-ce le destin ? La Providence ? Sa bonne étoile ? Mais quelle importance, en vérité ? Ils étaient réunis, et c'était tout ce qui comptait. Dès lors, l'avenir leur souriait.

Jusque-là, l'avenir lui avait toujours souri. Quand on

lui demandait à quoi il attribuait son extraordinaire succès, à trente-cinq ans à peine, — il passait pour un prodige de la finance —, il répondait invariablement, un sourire ingénu aux lèvres : « A ma confiance en moi-même, à mon intuition et à mon absence de scrupules. » Souvent, après avoir marqué une pause, il ajoutait : « A une certaine dose d'inconscience, aussi. Mais on ne peut pas aller de l'avant et regarder tout le temps derrière soi pour éviter les coups de couteau dans le dos. »

Et en cet instant, son intuition lui disait qu'à l'arrivée à New York, cette femme ne serait plus pour lui une étrangère.

A condition, bien sûr, qu'elle ne soit pas la femme de Rumson...

Mais il était à peu près certain du contraire. Il fouilla sa mémoire. Dwight Rumson était-il marié ? Impossible à dire. Il ne l'avait jamais su ou ne s'en souvenait pas.

Peut-être est-elle sa maîtresse ? Les potentats tels que Rumson n'avaient-ils pas toujours des maîtresses ?

Correspond-elle vraiment à l'idée qu'on se fait d'une maîtresse ? Peut-être... En fait, il n'avait pas d'opinion sur la question. A quoi ressemblait la maîtresse d'un homme riche ? Etait-elle plus jeune ? Plus âgée ? Sophistiquée et cynique, ou au contraire spontanée et naïve ? Dans ce cas, cessait-elle de plaire lorsqu'elle avait perdu sa naïveté ? Pour lui, cette femme était intemporelle et possédait la séduction des grandes amoureuses de l'histoire — comme Hélène de Troie, Cléopâtre ou Joséphine Bonaparte —, le charme des enchanteresses qui ne cessent jamais de plaire.

Dans le fond, peu lui importait qu'elle fût l'épouse ou la maîtresse de Rumson. Il n'allait pas se laisser arrêter par un détail ! Ce n'était pas son genre. Il sourit en se remémorant ce que Harley Thompson, le richissime promoteur de la côte Ouest — son ennemi juré —, avait déclaré un jour dans une interview accordée à un rédacteur de *Fortune* qui lui avait demandé ce qu'il pensait des coups de couteau dans le dos dont parlait Jonathan : « Ce type pourrait bien avoir une demi-douzaine de surins plantés dans le dos, il trouverait encore le moyen de sourire en serrant la main de sa prochaine victime. Ensuite, seulement, il se rendrait à l'hôpital... »

Jonathan avait fait agrandir et encadrer cette repartie, qui ornait le mur de son bureau depuis maintenant trois ans.

Elle n'était pas dupe et se rendait parfaitement compte des efforts que déployait l'Américain pour se rapprocher d'elle et de son compagnon. Son manège l'amusait, la flattait, l'exaltait et l'agaçait tout à la fois. En fait, ce qui l'agaçait, c'était de savoir que l'intérêt qu'il lui portait l'exaltait. Car en réalité, elle était surtout furieuse contre elle-même. Il était bien trop jeune et trop séduisant pour elle.

Cependant, lorsque leurs regards se rencontrèrent, ce qu'elle vit dans ses yeux incroyablement bleus juste avant de baisser pudiquement les paupières la fit frémir. Cette femme insouciante, cette femme imprudente qui se reflétait dans les pupilles de l'inconnu était bel et bien en train de tomber amoureuse.

Elle souriait toujours à Dwight, feignant de lui accorder toute son attention, mais elle n'attendait qu'une chose : qu'il s'en aille. Elle pourrait alors se réfugier dans sa cabine, fuir cet Américain trop sûr de lui. En outre, elle était fatiguée. Si fatiguée...

Mais Dwight ne semblait pas pressé de se séparer d'elle.

— Tu m'écriras ? Tu me téléphoneras ? implorait-il.

— Naturellement.

— Je t'aime, ne l'oublie pas.

— Non, Dwight. Jamais je n'oublierai combien tu as été bon pour moi.

— *Bon!* répéta Dwight avec mépris. Je rêve de t'épouser, et tu me parles de ma bonté!

— Mais Dwight, je t'avais prévenu dès le début qu'il ne pouvait être question de mariage entre nous, que c'était impossible.

Ces quelques mots comblèrent Jonathan. *Rumson et elle ne sont absolument pas faits l'un pour l'autre; cela saute aux yeux!*

Rumson prit la main de sa compagne.

— C'est vrai, mais tu ne m'as jamais dit pourquoi! Ce sont des paroles en l'air, si rien ne vient les justifier.

Jonathan entendit le banquier soupirer.

— Moi qui croyais que tu finirais par m'aimer!

— Mais je t'aime, Dwight...

— Pas assez. Pas comme il le faudrait.

Jonathan, qui retenait son souffle, se réjouit de ce qu'elle ne cherchât point à le contredire.

Pour la seconde fois, les sirènes du paquebot retentirent, invitant ceux qui ne partaient pas à regagner le quai.

— Attends-toi à recevoir ma visite aux Etats-Unis plus tôt que tu ne penses, déclara Rumson.

— Ce serait merveilleux, Dwight. Dès que je serai installée, je te donnerai mon adresse.

— Je n'ai pas encore dit mon dernier mot, tu sais. Je finirai bien par te faire changer d'avis. Jamais je ne renoncerai à toi. Jamais, tu m'entends?

Jamais! Quelle incroyable arrogance! Mais ne faisait-il pas lui-même preuve d'arrogance — l'arrogance que confère la jeunesse contre celle que confère la richesse? Après tout, songea Jonathan en haussant les épaules, c'était de bonne guerre. Un jour, à coup sûr, un homme plus jeune se poserait en rival...

Ils échangèrent un baiser d'adieu — fougueux de la part de Rumson, affectueux de sa part à elle. Enfin! songea Jonathan, qui avait hâte de voir partir le banquier.

Il la suivit des yeux tandis qu'elle raccompagnait Rumson jusqu'à la passerelle, lui faisait de grands signes, lui envoyait un baiser du bout des doigts. Mais à peine s'était-il engouffré dans sa limousine qu'elle s'éloignait du bastingage en ramenant d'un geste machinal les pans de son manteau de fourrure contre elle. Se sentait-elle brutalement seule au monde, fragile et vulnérable ? Ou bien éprouvait-elle déjà des regrets ?

Et s'il attachait trop d'importance à ce qui n'était peut-être qu'une manie ne prêtant pas véritablement à conséquence... ? Jonathan, pourtant, ne croyait pas se tromper. S'il était metteur en scène et tournait un film dans lequel l'héroïne, une femme sophistiquée et pleine d'assurance, se trouvait tout à coup confrontée à d'insurmontables difficultés, c'était exactement le genre de geste qu'il préconiserait. Le geste d'une femme qui, devant passer une frontière, découvre au dernier moment que les douaniers exigent la présentation des passeports, des cartes d'identité, alors qu'elle ne possède aucun papier...

Puis elle parut se ressaisir, redressa les épaules et rejeta la tête en arrière dans un mouvement plein de grâce qui fit voltiger dans son dos sa longue chevelure noire. Elle avait recouvré son air hautain et mystérieux.

Comme il avançait vers elle, prêt à l'aborder, elle le regarda bien en face, impassible. Mais le message qu'il lut dans ses yeux était clair : *Stop!*

Elle tourna les talons, échangea quelques mots avec un officier de bord et s'éloigna rapidement.

Jonathan West n'en éprouva aucun dépit. Bien au contraire ; l'adrénaline se distillait dans ses veines comme un puissant aphrodisiaque. Il adorait jouer au chat et à la souris, et relevait les défis d'autant plus volontiers qu'il savait que la victoire finale n'en serait que plus savoureuse. Mais chaque chose en son temps ; la partie venait tout juste de commencer. Tout d'abord, il devait découvrir le nom de la dame. L'officier de bord se ferait un plaisir de le renseigner.

En plus de son nom, Jonathan apprit que sa cabine, la Queen Ann, se trouvait sur le pont supérieur, comme la sienne.

Il prononça son nom avec délectation. C'était un joli nom, songea-t-il, qui lui allait comme un gant. Appuyé contre le bastingage, il regarda la côte s'éloigner en répétant à mi-voix ce nom magique : Andrianna DeArte... Andrianna DeArte... Andrianna DeArte...

C'était un nom romantique, un nom de princesse de légende, tout droit sorti d'un conte de fées moderne. Or, toute sa vie, Jonathan avait rêvé d'épouser une princesse de légende. A San Diego, alors qu'il sortait à peine de l'enfance, il y pensait déjà. C'était son vœu le plus cher après celui de devenir un jour millionnaire.

Brusquement, il éprouva le besoin d'en savoir plus à son sujet.

Il appela aussitôt son bureau à Los Angeles et communiqua à sa secrétaire de direction le nom de la passagère en lui demandant un portrait rapide. Puis, conscient que sa requête mettrait plusieurs heures à aboutir, il décida d'aller patienter dans l'un des salons du paquebot.

Il attaquait son second scotch au bar du Yacht Club, ce deuxième verre constituant une entorse à ses principes de sobriété, lorsqu'il reçut, plus tôt que prévu, la réponse qu'il attendait. Sa secrétaire lui expliqua qu'on n'avait pas réussi à apprendre grand-chose sur la dame en question, si ce n'est qu'elle était comédienne — de second ordre —, vivait à Londres depuis deux ou trois ans, avait joué pendant cet intervalle dans quelques pièces mineures, et était la compagne de Dwight Rumson, grand financier britannique en passe d'être annobli par la Reine.

— Mais je sais déjà tout ça ! protesta Jonathan. Que pouvez-vous m'apprendre d'autre ? Où vivait-elle avant de venir en Angleterre ? Est-elle mariée ? Divorcée ? Que sait-on de son passé ?

Apparemment, il n'était pas facile d'obtenir ces renseignements. Désirait-il qu'on entreprenne une enquête plus approfondie ?

Jonathan était perplexe. Comment se pouvait-il qu'une femme comme elle, très certainement célèbre dans le monde entier pour sa beauté, connue d'autre part pour être la maîtresse de Rumson, fût aussi secrète ? C'était insensé. En fait, ces maigres renseignements contribuaient à renforcer le mystère plutôt qu'ils ne l'éclaircissaient.

De dépit, il se mit à crier dans l'appareil qu'il avait affaire à des incapables ou qu'il y avait erreur sur la personne. Quoi qu'il en soit, il tenait, *bien entendu*, à ce qu'on entreprenne *immédiatement* une enquête approfondie. Il attendait la réponse pour le lendemain matin. Sur ce, il raccrocha et vida son verre. Encore un peu de patience, songea-t-il, et il saurait tout d'elle. Pas un instant il ne lui vint à l'esprit que ce qu'il supposait être une simple routine pour n'importe quel enquêteur compétent se présentait en réalité comme un véritable casse-tête.

Comment aurait-il pu se douter que la dame en question changeait de pays de résidence comme d'autres de sacs à main ? Et qu'elle changeait de patronyme par la même occasion ? Il ignorait encore qu' Andrianna DeArte avait été, tour à tour, Ann Sommer, Anna della Rosa, Andrea de Sommer et Annabel DeRosa, autant de variations sur le nom d'Andrianna Duarte qu'elle avait reçu à sa naissance, dans le nord de la Californie, au cœur de la paisible et verdoyante Napa Valley.

2.

Napa Valley,
mai 1959

Elle n'avait que sept ans, à l'époque, et ignorait tout de la mort. Cependant, bien que personne — ni l'infirmière, ni le médecin, ni même sa chère Rosa — n'eût cherché à la préparer à la séparation, elle sentait confusément que sa jolie maman était en train de s'éteindre.

Lorsque l'ami de sa mère — grand, droit comme un I et d'autant plus impressionnant qu'il avait toujours un air sévère — arriva dans sa longue voiture noire, cette intuition se mua en conviction.

Elle avait eu beau fouiller sa mémoire, *jamais* encore l'homme aux yeux aussi bleus que les billes de verre qu'elle collectionnait, et aux cheveux de la même nuance que le marron de sa grande boîte de crayons de couleur, n'était venu leur rendre visite dans leur belle maison blanche, à l'écart d'un groupe d'habitations beaucoup plus modestes, plus d'une ou deux fois par mois. Or, sa dernière visite remontait à seulement deux jours. Cette fois, il n'avait pas son air sévère habituel. Cette fois, contre toute attente, il lui sourit. C'était la première fois, aussi, qu'il ne lui apportait pas de cadeau.

D'ordinaire, dès que Ralph, son chauffeur, ouvrait la portière de la limousine, il en sortait avec un présent qu'il lui offrait immédiatement, sans un mot, sans un baiser ni la moindre tape amicale sur la tête. Ses cadeaux étaient toujours magnifiquement emballés — dans du papier rose orné de rubans de satin fuchsia ou dans du papier jaune d'or avec des fleurs de soie piquées dans un bolduc orange. Une fois, il lui avait apporté une si jolie robe que sa mère en avait presque pleuré.

— Oh, Andy ! s'était-clle exclamée en se jetant dans les bras de son ami. C'est la plus belle robe que j'ai jamais vue !

Puis elle s'était tournée vers Andrianna, ses grands yeux pailletés d'or brillant d'excitation.

— Regarde, mon ange ! Elle est merveilleuse !

C'était le genre de robe dont toutes les petites filles rêvaient, en velours bleu roi brodée de perles minuscules, avec un grand col blanc en dentelle et une longue jupe volantée. Une robe de princesse.

Andrianna s'était contentée d'acquiescer d'un signe de tête. Alors, gentiment, sans la brusquer, Elena avait insisté :

— Eh bien, ma chérie, qu'est-ce qu'on dit ?

En petite fille bien élevée, elle avait répondu :

— Merci, monsieur.

Au même moment, elle s'était rendu compte que Rosa, qui vivait sous leur toit, les aimait toutes deux beaucoup, sa mère et elle, et se chargeait de toutes les tâches ménagères — Elena étant de santé « délicate » et contrainte au repos — ronchonnait dans son coin en assistant à la scène.

— Je voudrais bien savoir quand elle la portera, cette robe ! Pour rendre visite à la reine ? Ou peut-être pour aller prendre le thé avec vous et votre épouse d'opérette, monsieur Le Richard ?

Elle avait compris alors que Rosa, qui semblait toujours *tout* savoir, n'aimait pas l'homme que sa mère appelait Andy — ne l'aimait pas et ne lui faisait aucune confiance malgré tous ses cadeaux. Cette découverte avait fait à la petite fille l'effet d'une bombe, elle qui croyait que quelqu'un qui offrait tant de jolies choses était forcément quelqu'un de *gentil*, même s'il ne souriait pas beaucoup.

A chaque fois qu'Andy leur rendait visite, Ralph, le chauffeur, les emmenait, Rosa et elle, faire une longue promenade dans sa belle voiture noire. Ils roulaient sur les petites routes de campagne, allaient parfois manger une glace dans une ville voisine, et plus rarement, se rendaient à un festival ou à une foire. Rosa bougonnait, mais elle était toujours ravie de monter dans la superbe limousine — de s'installer sur les sièges de cuir souple, de caresser du bout des doigts les boiseries des portières, lisses comme du satin, de humer le parfum des roses piquées dans des vases de verre et d'argent de part et d'autre du luxueux salon roulant.

— Tu ne trouves pas qu'elle est magnifique, cette voiture ? demandait systématiquement Andrianna.

Et Rosa lui faisait à chaque fois la même réponse :

— Evidemment ! Pourquoi voudrais-tu qu'il en soit autrement ? C'est une voiture de millionnaire !

D'un ton amer, elle ajoutait parfois :

— On peut tout avoir, quand on est millionnaire ! Mais encore faut-il le vouloir...

Quand Andrianna répliquait que les millionnaires étaient des gens merveilleux et très très gentils, Rosa se contentait de grommeler entre ses dents qu'ils n'étaient gentils que s'ils dépensaient leur argent de façon utile — pour offrir, par exemple, un nom respectable à ceux qu'ils aimaient.

Si la plupart de ces remarques passaient au-dessus de

la tête d'Andrianna, elle retint au moins une chose — désormais, elle n'appellerait plus l'ami de sa mère que « le millionnaire ».

Bien des années plus tard, elle découvrirait que la voiture du millionnaire était une Rolls-Royce, et que les vases de verre et d'argent portaient également un nom prestigieux : Tiffany. A peu près à la même époque, elle apprit en outre que le vrai nom de l'homme que sa mère appelait Andy était Andrew Wyatt, des célèbres Wyatt de San Francisco, et que dans le nord de la Californie, ce nom était magique alors que Duarte, le sien, ne l'était pas, et cela d'autant moins qu'il était le nom de jeune fille de sa mère.

Adulte, elle comprit aussi ce que cette bonne vieille Rosa voulait dire quand elle parlait de nom *respectable*. Elle pensait à Rolls-Royce, Tiffany... ou Wyatt.

En revanche, Andrianna n'avait pas eu besoin d'atteindre l'âge adulte pour se rendre compte qu'Andrianna était le féminin d'Andrew. *Cela*, il y avait belle lurette qu'elle l'avait compris.

En grandissant, bien d'autres choses encore prendraient pour elle une signification nouvelle et insoupçonnée jusque-là. Elle se rappelait brusquement un certain jour, un certain après-midi, où des paroles avaient été prononcées qu'elle n'avait pas comprises sur le moment mais qui, tout à coup, devenaient limpides. L'attitude de Rosa, ses remarques amères et ses sinistres prédictions, la réaction de sa mère, aussitôt sur la défensive, ses tentatives de justification et son éternel optimisme...

Une conversation, en particulier, lui était revenue à l'esprit dans ses moindres détails. Une conversation qui avait eu lieu tout de suite après l'avant-dernière visite de M. Wyatt...

⁂

Cet après-midi-là, Rosa et elle avaient à peine eu le temps de sortir de la Rolls, au retour de leur promenade habituelle, qu'Andrew Wyatt s'y était engouffré après leur avoir jeté un rapide au revoir par-dessus son épaule. Avec un sourire navré et d'une toute petite voix, Elena avait expliqué à Rosa qu'il avait un rendez-vous très important à San Francisco.

— Et M. Le Richard, qu'a-t-il trouvé comme excuse, aujourd'hui ? demanda Rosa. A-t-il dit, par hasard, qu'il allait donner son nom à tu-sais-qui ? Ou se charger d'assurer son avenir ?

Elena poussa un profond soupir.

— Nous n'en avons pas parlé.

— Et pourquoi, s'il te plaît ? insista Rosa en haussant le ton. Qu'aviez-vous de plus important à faire que de parler de l'avenir de... ?

Elle s'interrompit net lorsque Elena se laissa tomber dans un fauteuil en jetant un coup d'œil anxieux en direction d'Andrianna.

— Rosa, je t'en prie ! Pas maintenant ! Nous reparlerons de tout cela plus tard. Essaie de comprendre ! Il m'aime, il *nous* aime de tout son cœur. Je le ferai. Je te le jure ! Je lui parlerai le moment venu. Mais aujourd'hui... le temps a passé si vite. Je ne me suis pas rendu compte. Tout à coup, vous étiez de retour et... Enfin, tu sais ce que c'est...

— Non, répliqua sèchement Rosa. Je ne sais pas ce que c'est. Tout ce que je sais, c'est qu'il faut faire quelque chose avant qu'il ne soit trop tard ! Le temps presse, Elena !

Mais Elena paraissait si vulnérable, si frêle dans son déshabillé rose et gris argent, si pitoyable avec ses cheveux noirs tirés en arrière qui accentuaient encore la maigreur de son joli visage que la vieille gouvernante n'eut pas le cœur de la pousser dans ses derniers retranchements.

Cherchant à lui arracher un sourire, et oubliant qu'Andrianna était dans la pièce, Rosa leva les bras au ciel et s'exclama d'un ton faussement enjoué :

— Voilà ce que c'est que de faire l'amour l'après-midi ! J'ai toujours dit qu'avant le coucher du soleil, cela ne pouvait rien donner de bon. Ne te l'ai-je pas répété cent fois, Elena ? Que ce n'était pas le moment adéquat ?

— Oh, Rosa !

L'air profondément soulagée, Elena se leva et se jeta dans les bras de Rosa, couvrant d'une pluie de baisers son visage — son front plissé, ses joues ridées comme de vieilles pommes, sa bouche crispée qui s'efforçait de sourire.

— Comment peux-tu dire une chose pareille ? Faire l'amour l'après-midi est... merveilleux, un peu comme un cadeau qu'on n'attendait pas ! Ces moments-là sont comme des instants de plénitude volés à l'éternité !

Andrianna n'avait pas compris grand-chose aux paroles de sa mère. Pour elle, le seul amour possible était celui qu'elles éprouvaient l'une pour l'autre, ou encore pour Rosa. Et si elle savait ce qu'était un cadeau, elle ne connaissait pas en revanche le sens du mot « éternité ».

Elle s'apprêtait à demander des explications à sa mère, mais au même moment, celle-ci commença à avoir du mal à respirer et dut regagner son lit.

Croyant qu'il s'agissait une fois de plus d'un malaise passager et qu'après quelques heures de repos, tout rentrerait dans l'ordre, Andrianna tint à tapoter elle-même les oreillers d'Elena.

Mais ce soir-là, contre toute attente, sa mère ne se releva pas, ne se mit pas à chanter ou à danser autour de la maison comme cela lui arrivait parfois quand elle était particulièrement heureuse. Andrianna attendit en vain.

Le lendemain matin, elle attendit de nouveau, espérant cette fois qu'Elena se lèverait pour aller à la fenêtre et s'exclamer : « Il fait un temps superbe ! » Après le petit déjeuner, elles pourraient peut-être sortir pour s'occuper du jardin... De toutes les fleurs qui y poussaient, c'étaient les roses — blanches, pourpres, jaunes et orangées — que sa mère préférait.

Mais la matinée s'écoula, puis la journée entière, sans qu'Elena se levât. Le Dr Hernandez vint à plusieurs reprises. Andrianna sentait croître son angoisse au fil des heures. L'horrible pressentiment qui l'avait saisie la veille au soir devint de plus en plus oppressant, jusqu'au moment où elle vit arriver Andy et comprit que sa mère était perdue.

Quelques instants plus tard, cependant, elle reprenait espoir. Rosa ne prétendait-elle pas que les millionnaires pouvaient avoir tout ce qu'ils voulaient ?

Aussi, lorsque Rosa et elle furent invitées à aller faire un tour en voiture, Andrianna partit le cœur léger. *A leur retour, sa mère serait en pleine forme !*

Forte de cette pensée, elle sourit. Le millionnaire allait guérir sa mère !

Lorsque Ralph, toujours aussi impassible, les ramena à la maison, Andrianna se précipita hors de la limousine, impatiente de se blottir dans les bras de sa mère, qu'elle imaginait assise dans son lit.

Elle entra dans la maison comme une tornade et se rendit tout droit dans la chambre d'Elena. Sur le seuil, elle se figea. Sa mère était toujours couchée, totalement immobile et plus pâle que jamais. Ses yeux étaient fermés et ses mains jointes sur le drap blanc. Quant à lui — le millionnaire —, assis sur une chaise à côté du lit, le visage enfoui dans ses mains, il restait là sans rien, *strictement rien* faire du tout.

Epouvantée, Andrianna se tourna vers Rosa, qui était juste derrière elle. Mais Rosa ne la regardait pas. Elle avait les yeux rivés sur Elena. Et soudain, le visage convulsé par la douleur, elle se rua vers le lit au pied duquel elle s'agenouilla en pleurant.

Andrianna sentit sa vue se brouiller et ses jambes devenir aussi lourdes que du plomb. Brusquement, tandis que, bouche bée, elle contemplait la scène, la douleur monta en elle telle une lame de fond. Elle aurait voulu crier, mais une boule s'était formée dans sa gorge qui l'en empêchait. Seul un gargouillis grotesque franchit ses lèvres.

Rosa, qui dans son chagrin l'avait oubliée, se retourna et, toujours à genoux, lui tendit les bras. Le Dr Hernandez s'approcha, lui posa une main sur l'épaule.

— Elle s'en remettra, dit-il à Rosa. Il faut lui laisser du temps. A son âge, c'est évidemment un choc terrible, un...

Le cri jaillit de sa gorge d'un seul coup, un hurlement déchirant qui résonna dans toute la pièce, suivi d'une série de gémissements pathétiques.

Le médecin se pencha vers elle et Rosa se releva péniblement pour se porter à son secours, elle aussi. Mais Andrianna les repoussa. Comme une tigresse, elle se jeta sur Andrew Wyatt, qui n'avait pas bougé, et qui semblait muré dans son petit monde.

Toutes griffes dehors, elle lui lacéra le visage, le roua de coups de poing, de coups de pied, lui arracha les cheveux à pleines poignées.

Andrew Wyatt essaya de la neutraliser, mais elle s'acharnait sur lui avec une telle férocité que le médecin et Rosa durent venir à la rescousse.

Epuisée, la petite fille fondit en larmes, donnant enfin libre cours à sa peine. Elle avait mis tant d'espoirs en lui, elle était tellement persuadée qu'il était venu sauver sa mère ! Lui, un millionnaire, un preux chevalier dont le destrier était une longue voiture noire...

Mais elle n'avait que sept ans, à l'époque, et il y avait tant de choses qu'elle ne comprenait pas ! Malgré son jeune âge, au retour de l'enterrement, en découvrant qu'Andrew Wyatt, qui n'avait pas assisté à la sépulture, les attendait à la maison, Rosa et elle, Andrianna avait eu peur.

Au point que, quand elle fut priée de sortir de la pièce, où Rosa et lui devaient s'entretenir de choses importantes, Andrianna eut l'idée d'écouter à la porte. A leurs intonations, à leurs voix — celle de Rosa dominait, aiguë et tendue tandis que celle de M. Wyatt était douce et étouffée —, elle comprit que la hauteur de la voix ne préjugeait en rien de l'issue de la discussion. A la fin, le millionnaire aurait gain de cause, elle le savait.

— Vous n'avez aucun souci à vous faire, Rosa. J'ai donné ma parole à Elena de ne jamais vous abandonner. Vous pouvez rester dans cette maison jusqu'à... jusqu'à ce que vous décidiez d'habiter ailleurs. D'autre part, vous recevrez un chèque chaque mois. Une sorte de pension, si vous voulez.

— Mais vous savez bien que la question n'est pas là ! protesta Rosa. Je me moque de la maison et je n'ai pas besoin de votre pension ! C'est pour elle... pour Andrianna que je m'inquiète. Laissez-la-moi, puisque vous ne voulez pas d'elle. J'aime cette enfant et je veillerai sur elle comme sur ma propre fille. Je suis sûre que c'est ce qu'Elena aurait souhaité...

— Non, justement. Je sais que vos intentions sont louables et que vous aimez Andrianna, mais ce n'est *pas* ce qu'Elena voulait. Je lui ai promis de...

Rosa émit une sorte de ricanement.

— Quelle promesse lui avez-vous faite ? s'enquit-elle d'un ton railleur. Lui avez-vous promis d'aimer sa petite fille, de lui donner *votre* nom, de la prendre sous *votre* toit, dans *votre* famille ?

— Allons, Rosa, soyez raisonnable ! Ce que vous me

demandez là est impossible ! Elena en était parfaitement consciente, et elle l'acceptait. Je ne lui ai jamais fait de fausses promesses. Ce à quoi je me suis engagé, c'est à prendre soin d'Andrianna, à faire en sorte qu'elle ait un foyer respectable, un cadre de vie agréable et une bonne éducation. Tout cela, je vais le lui donner, car contrairement à ce que vous semblez croire, je me soucie autant que vous du bien-être et du bonheur d'Andrianna.

— Non ! s'écria Rosa d'une voix enrouée. Vous vous souciez de son bonheur comme d'une guigne ! Sans amour, sans une vraie famille, cette petite ne sera jamais heureuse !

— Je crains que vous ne m'ayez mal compris, Rosa. Andrianna *va* avoir une vraie famille — une famille honorable et un nom respectable — comme je l'ai promis à Elena. C'est ce que vous avez toujours souhaité aussi, non ? Vous devriez être contente...

Ensuite, il se mit à parler si bas qu'Andrianna ne put saisir le sens de ses paroles. Mais elle entendit Rosa pleurer.

Elles étaient à l'aéroport de San Francisco et l'heure des adieux avait sonné. Rosa la serrait dans ses bras à l'étouffer, sous le regard impassible d'Eva Hadley, à qui Andrianna allait être confiée pour le voyage.

— Je t'en prie, Rosa, viens avec moi ! supplia Andrianna, terrorisée à l'idée de se séparer de la seule personne au monde qui l'aimât vraiment.

— Je ne peux pas, mon ange. Tu sais bien que c'est impossible.

— Mais pourquoi ?

— Là-bas, une nouvelle vie va commencer pour toi ; une vie agréable, dans une famille formidable, répondit Rosa en essayant de sourire à travers ses larmes.

— Mais je ne veux pas d'une nouvelle famille ! Je ne

veux pas partir ! Je préfère rester avec toi, Rosa. Pourquoi veut-on me séparer de toi ?

— Parce que M. Wyatt pense que c'est mieux ainsi. C'est lui qui décide, tu sais.

Le visage ruisselant de larmes, Rosa l'étreignit de plus belle lorsque les passagers du vol 1020 furent invités à se présenter à la porte 5 pour un embarquement immédiat.

— Mais on n'est pas obligées de l'écouter, reprit la petite fille d'une toute petite voix.

— Hélas ! si, murmura Rosa.

Avec un grand sourire, Mlle Hadley s'approcha et prit Andrianna par la main.

— Il faut y aller, déclara-t-elle. Embrasse Rosa une dernière fois et viens avec moi.

Rosa baissa les bras.

— Va ! dit-elle dans un souffle en s'écartant de quelques pas.

— Mais pourquoi, Rosa, pourquoi ? sanglotait Andrianna par-dessus son épaule tandis qu'Eva Hadley, inflexible, l'entraînait vers la porte d'embarquement.

Les épaules tombantes, pleurant dans son mouchoir, Rosa se détourna.

Eva Hadley accepta le verre de champagne que lui proposait l'hôtesse.

— Et toi, mon petit cœur, que désires-tu boire ? demanda la jeune femme à Andrianna. Un jus d'orange ? Un Schweeps ?

Du revers de la main, Andrianna sécha ses larmes.

— Ou peut-être un Coca-Cola ?

Comme la fillette gardait le silence, Eva Hadley se chargea de répondre pour elle. D'un ton enjoué, elle déclara :

— Je suppose qu'Ann ne veut rien pour l'instant. Tout à l'heure, peut-être...

— Comme tu voudras, Ann, dit l'hôtesse. Si tu as soif, n'hésite pas à me prévenir, d'accord ?

Andrianna jeta un regard noir à sa compagne de voyage.

— Je ne m'appelle pas Ann, mais Andrianna ! Andrianna Duarte !

— Non, plus maintenant, rétorqua Eva d'un ton sans réplique. A présent, tu t'appelles Ann Sommer.

— Vous êtes une menteuse !

— Tu dois mesurer tes paroles, Ann, et ne *jamais* élever la voix. Si tu persistes dans cette voie, M. et Mme Sommer n'apprécieront pas du tout, tu sais. Dis-moi, est-ce que tu sais lire ?

— Qui sont M. et Mme Sommer ? Evidemment, que je sais lire ! J'ai presque huit ans, au cas où vous ne le sauriez pas ! Et à l'automne prochain, je rentre en neuvième.

— Dans ce cas, jette un coup d'œil à ceci, dit Eva en lui tendant un petit carnet à couverture plastifiée. C'est un passeport. Quand on passe une frontière, on doit le présenter à la police ; c'est obligatoire. Celui-là, tu vois, c'est le tien. Il y a ta photo.

Andrianna constata avec stupeur qu'Eva Hadley avait raison. C'était bien sa photo.

— Maintenant, puisque tu es une grande fille, et que tu sais lire, dis-moi un peu quel nom est écrit là...

Andrianna ne lut pas le nom à haute voix, mais elle n'eut aucun mal à le déchiffrer. Le nom qui figurait sur le passeport, en face de *sa* photo, était Ann Sommer !

3.

Mercredi après-midi

Comme il terminait son second scotch, Jonathan songea tout à coup qu'il avait intérêt à s'occuper tout de suite de sa réservation au Queens Grill, le restaurant auquel avaient accès les passagers des suites, s'il voulait être sûr de prendre ses repas à la même table qu'Andrianna DeArte. Par chance, il n'y avait qu'un service, ce qui simplifiait considérablement les choses.

De nouveau, il décrocha le téléphone.

— Jonathan West à l'appareil, annonça-t-il en éloignant le barman d'un geste. Je voulais m'assurer que lorsqu'elle avait réservé sa place au restaurant, Mlle DeArte avait pensé à préciser que nous souhaitions dîner à la même table.

— Mlle DeArte ? Un instant, je vous prie... Non, monsieur, je n'ai reçu aucune consigne dans ce sens. Mais il semblerait que Mlle DeArte n'ait pas encore réservé sa place. Cela ne pose, bien entendu, aucun problème. Nous ferons en sorte de vous placer à la même table.

Après avoir raccroché, Jonathan jeta un coup d'œil à sa montre : il avait largement le temps de faire quelques emplettes avant le dîner. Au Queens Grill, la tenue de soirée était de rigueur. Or, en quittant Los Angeles, il n'avait emporté qu'une chemise propre et des sous-vêtements de rechange, car il comptait ne passer qu'une nuit à Londres et reprendre le Concorde le lendemain.

Il y avait à bord un magasin Harrods, où il trouva un smoking à son goût. La veste lui allait comme un gant et le pantalon nécessitait si peu de retouches qu'on le lui promit pour le lendemain. En prévision des promenades sur le pont, Jonathan fit également l'acquisition d'un blazer de cuir. Puis il songea aux diverses activités proposées à bord, auxquelles Andrianna et lui auraient peut-être envie de prendre part. A tout hasard, il choisit un maillot de bain, un peignoir en éponge, deux chandails de cachemire et un pull-over à torsades, ainsi qu'une tenue de sport pour son jogging matinal. Andrianna était-elle une adepte de la course à pied? se demanda-t-il. Ou préférait-elle les promenades romantiques au soleil couchant?

Ses achats terminés, Jonathan se trouva confronté à un problème inhabituel pour lui : comment allait-il tuer le temps jusqu'au dîner? A quoi un bourreau de travail pouvait-il bien s'occuper quand il n'avait rien à faire? Mais puisqu'il avait entrepris cette croisière pour observer la vie à bord, pourquoi ne s'y mettrait-il pas tout de suite? songea-t-il, rasséréné. De quels équipements ce palace flottant disposait-il donc?

Il commença par les installations sportives. Après avoir jeté un coup d'œil au centre de thalassothérapie, il essaya le parcours de golf électronique, fit quelques exercices dans la salle de musculation, enchaîna avec quelques longueurs dans l'une des quatre piscines, ensuite de quoi il s'offrit le luxe d'un massage relaxant. Enfin, il se rendit chez le coiffeur pour un rasage et une coupe dont il n'avait absolument pas besoin. Puis il ouvrit sa serviette et en retira une pile de dossiers. Mais il avait du mal à se concentrer, tant il attendait l'heure du dîner avec impatience.

⁂

Jonathan fut l'un des premiers à prendre place dans la salle à manger, où il tenait à arriver avant Andrianna afin de pouvoir, lorsqu'elle paraîtrait, devancer le maître d'hôtel et l'installer lui-même à la table qui leur avait été assignée.

Il eut tout le temps d'admirer le cadre luxueux et raffiné dans lequel il se trouvait — les somptueuses boiseries de sycomore, le sol en marbre de Carrare, les lithographies qui ornaient les murs, les tables croulant sous la porcelaine Haviland et le cristal de Baccarat. Et tout en saluant poliment mais brièvement les autres convives qui partageaient sa table, il surveillait du coin de l'œil l'entrée du restaurant.

Puis, en se servant avec indifférence une part de terrine de homard, Jonathan songea qu'Andrianna DeArte comptait probablement au nombre de ces femmes qui adorent arriver en retard et donc, se faire remarquer. A moins qu'au dernier moment, pour une raison ou pour une autre, elle n'eût brusquement décidé de changer de robe. Mais son absence se prolongeait et gâchait le plaisir gustatif de Jonathan, qui toucha à peine à son velouté de cèpes et à sa salade de wakamé. Il se consola en pensant que lorsque, enfin, elle apparaîtrait, il ferait d'autant plus honneur aux mets délicieux qui leur étaient servis.

Mais quand on leur apporta le plat principal, un superbe canard au sang, Jonathan fut bien obligé de se rendre à l'évidence : elle ne viendrait pas dîner. Dès qu'il eut terminé, il se leva en s'excusant auprès des autres convives. Les trois femmes qui avaient dîné à sa table le regardèrent s'éloigner d'un air rêveur, tandis que leurs compagnons poussaient des soupirs de soulagement.

Il finit la soirée au casino. Passant tour à tour du baccara à la roulette et aux tables de blackjack, il jouait machinalement, gagnait souvent et empochait ses gains en pensant à autre chose. A un certain moment, il crut reconnaître Andrianna, à une autre table, et quitta précipitamment la sienne sans même prendre le temps de ramasser son argent. Une petite brune le rattrapa par le bras et, en jouant de ses longs cils, risqua d'une toute petite voix :

— Si toutes ces plaques vous encombrent... ?

Jonathan lui décocha un sourire étincelant. Il n'eut pas à se forcer; c'était comme un réflexe.

— Elles sont à vous ! déclara-t-il en poussant galamment vers elle le tas de plaques.

Puis il coupa court à tout autre suggestion de sa part en tournant les talons.

Mais Mlle DeArte n'était pas là non plus. Dépité, Jonathan s'installa à une table de blackjack.

— Pas de chance, ce soir? s'enquit aimablement sa voisine, une blonde platine vêtue d'une robe du soir bleu nuit.

— Ça va, je n'ai pas à me plaindre, répondit-il avec un sourire.

— Combien avez-vous gagné ?

— Je n'ai pas compté, admit-il, l'air un peu embarrassé.

— C'est vrai ?

Elle avait visiblement du mal à le croire.

— Oui, je vous assure.

Lorsqu'il jouait pour se distraire, comme ce soir, l'argent n'avait strictement aucune importance. Du moment qu'il gagnait, peu lui importait combien.

Il avait toujours aimé gagner, même quand il n'y avait pas réellement de compétition et de prix à la clé. Tout petit déjà, à la plage, quand il jouait avec d'autres gosses de son âge à celui-qui-garderait-le-plus-longtemps-la-tête-sous-l'eau, il s'arrangeait toujours pour gagner. Il aurait préféré se faire éclater les poumons plutôt que de sortir la tête avant les autres.

— Nous pourrions peut-être compter ensemble..., suggéra la blonde d'une voix traînante. Comme ça, vous en auriez le cœur net...

— C'est très aimable de votre part, mais je crois que je vais aller me coucher.

En d'autres circonstances, il aurait peut-être accepté son invite. C'était à n'en pas douter une très jolie femme, songea-t-il en regardant sa blonde chevelure, ses grands yeux bleus fixés sur lui, et sa bouche rouge et charnue. Tout à fait charmante, en vérité...

Quelque chose clochait, pourtant. Mais quoi ?

Soudain, il comprit : la couleur de ses yeux ! Elle avait de beaux yeux, certes, mais pas de la couleur qu'il fallait.

L'esprit accaparé par la femme aux yeux dorés, se demandant toujours pourquoi elle n'était pas venue dîner, Jonathan décida de regagner sa cabine, où l'attendaient ses dossiers. S'il n'arrivait pas à se concentrer, il pourrait toujours écouter de la musique ou regarder un film au magnétoscope. Au besoin, il essaierait le Jacuzzi... Ce serait bien le diable si avec tous les équipements luxueux que comportait sa suite, il ne parvenait pas à se changer les idées !

Comme il se dirigeait vers la porte de sa cabine, une silhouette en manteau de fourrure, penchée au-dessus du bastingage et scrutant les profondeurs marines, attira soudain son attention. Elle était presque invisible tant le brouillard était dense, mais il la reconnut tout de suite et, comme dans la chanson qu'il fredonnait enfant sans en comprendre les paroles, son cœur s'arrêta brusquement de battre.

Tandis que les pensées se bousculaient dans sa tête, il avançait dans sa direction. Mais il n'avait pas fait trois pas qu'elle ramenait son manteau de fourrure autour d'elle et s'évanouissait dans le brouillard, la porte de sa cabine se trouvant juste derrière elle. Comprenant alors que la suite qu'elle occupait — la Queen Ann — était contiguë à la sienne, Jonathan sentit une vague de bonheur l'inonder. Une simple cloison les séparait...

⁂

A toute vitesse, il se débarrassa de ses vêtements et se glissa dans son lit. Les yeux clos, il l'imagina en train de se déshabiller, sans se presser, ôtant avec nonchalance son manteau de fourrure, puis sa robe, puis sa combinaison qui suivait voluptueusement les courbes de son corps parfait, puis ses sous-vêtements arachnéens, ses doigts détachant le porte-jarretelles en dentelle, s'attardant sur ses cuisses soyeuses. Puis elle faisait glisser ses bas le long de ses jambes — des jambes qu'il devinait extraordinaires — en se regardant dans le miroir, en souriant, peut-être, tout à la joie de se voir si belle. Puis elle enfilait une chemise de nuit de satin, ses mains caressant au passage ses seins ronds et ses hanches galbées. A moins, songea-t-il, rêveur, qu'elle ne porte pas de chemise de nuit...

Etait-elle dans son lit, à présent ? se demanda-t-il tandis qu'une onde de désir lui incendiait les reins. Du bout des doigts, il caressa son sexe durci. Un court instant, il fut tenté d'assouvir seul ses pulsions, mais se ravisa aussitôt.

Non, pas question de risquer de compromettre par un acte irréfléchi la délicieuse intimité qu'ils partageraient bientôt ! Il devait brider son impatience, oublier sa solitude et se réserver pour ce moment-là. Ce n'était qu'une question de temps. *Demain... ou, au plus tard, après-demain...*

Brusquement, Jonathan se dressa sur son séant, alluma la lumière et décrocha le téléphone.

Au bout de quelques instants qui lui parurent interminables, la voix de sa secrétaire se fit entendre.

— Oui, monsieur, répondit Patti d'un ton cassant. Le rapport sera prêt dès...

— Laissez tomber. Je vous appelais pour vous dire que je n'en avais plus besoin. Vous pouvez annuler l'enquête sur Andrianna DeArte.

— Bien, monsieur. Dites-moi, monsieur West, pendant que je vous ai au téléphone, Bob Dugan aurait besoin de...

— Dites-lui de s'adresser à Martin. Avant de partir, je l'ai mis au courant de tout ce qui concernait la fusion Brewster.

— Je comprends, monsieur, mais il a dit que...

— Dites-lui ce que *moi* j'ai dit, d'accord ?

Le cœur léger, Jonathan raccrocha. Tout ce qu'il rêvait d'apprendre sur Andrianna DeArte, il le découvrirait par lui-même, pas à pas, au fil de leurs rencontres. Infiniment plus stimulantes seraient les recherches, et infiniment plus gratifiantes les découvertes, s'il se chargeait lui-même de dévoiler un à un les secrets de la belle intrigante. Ce serait un peu comme son tout premier coup financier : la victoire avait été d'autant plus savoureuse qu'il ne la devait qu'à lui seul.

En y réfléchissant, il y gagnerait sur tous les tableaux : d'une part ce serait beaucoup plus amusant, de l'autre, moins risqué. Car un jour ou l'autre, fatalement, elle aurait découvert le pot aux roses. Il aurait toujours pu rétorquer que la fin justifie les moyens, bien sûr, mais une femme de sa classe n'en aurait pas moins jugé son initiative déplacée, voire indigne.

Or, bien qu'en l'état actuel des choses leurs relations n'aient pas dépassé le stade zéro, il tenait à passer à ses yeux pour quelqu'un de respectable, pour un homme d'honneur, aussi démodé que cela puisse paraître aujourd'hui.

Andrianna laissa tomber à ses pieds sa robe de soie avant de se glisser vivement entre les draps. Elle pensait au jeune Américain de tout à l'heure, à ce bel inconnu dont elle ignorait jusqu'au nom. Il n'était pas pour elle, soit, mais rien ne lui interdisait de rêver ! Quel dieu vengeur ou quel démon — peu importe le nom que l'on donnât au gardien des destinées — serait assez cruel pour lui ôter ce petit plaisir ? De quel crime impardonnable était-elle donc coupable pour qu'on lui déniât cette simple faveur ?

Mais elle *devait* expier, et ne savait toujours pas quoi. Etait-ce sa faute si elle était la fille d'Elena Duarte, qui avait eu le tort d'être toute sa vie insouciante et de mourir trop tôt en la confiant à un homme sans scrupules ?

Si pour une fois, une seule petite fois, songeait-elle avec mélancolie, elle pouvait se permettre avec ce bel inconnu toutes les folies que n'importe quelle femme commettrait probablement, à sa place, dans les mêmes circonstances, sur ce paquebot où ils n'avaient rien à faire pendant cinq jours... ! Rien d'autre à faire que de tomber amoureux. *Cinq jours...* C'était si peu demander...

Pour une femme ordinaire, c'était effectivement peu de choses. Mais Andrianna DeArte, Andrianna Duarte de son vrai nom, qui retournait pour la première fois dans son pays natal trente ans après l'avoir quitté, n'était pas exactement une femme ordinaire. A l'époque, déjà, elle n'était pas une petite fille ordinaire. Comment aurait-elle pu l'être quand, dans l'avion qui l'emmenait de San Francisco à Bagdad, on lui annonçait de but en blanc qu'elle changeait d'identité pour devenir Ann Sommer et aller vivre chez des étrangers ?

Terrifiée, incapable de comprendre ce qui lui arrivait, elle se tourna du côté du hublot, feignant de s'absorber dans la contemplation des nuages.

— Ann, tu peux m'appeler Eva, si tu veux, déclara Mlle Hadley d'une voix doucereuse.

Mais elle ne réagit pas.

— Tu es très impolie, Ann. Si tu veux que les choses se passent bien dans ton nouveau foyer, tu auras intérêt à faire des efforts. Tout le monde n'a pas ma patience, tu sais... Tu entends ce que je te dis, Ann ?

— Je ne m'appelle pas Ann ! Mon nom est Andrianna Duarte et rien d'autre ! Je ne serai jamais Ann Sommer !

Eva soupira en fermant le magazine qu'elle était en train de feuilleter. La tâche se révélait plus ardue qu'elle l'avait pensé. Non que la petite lui déplût. Elle admirait au contraire le cran dont elle faisait preuve. Mais elle avait des ordres...

— Ecoute, Ann, je sais que tu es une petite fille très intelligente. Alors je vais te confier un grand secret, quelque chose que j'ai appris quand j'étais toute petite. Tout d'abord, il faut que tu saches que dans la vie, on ne fait pas toujours ce qu'on veut. Il y a parfois des contraintes. Soit on les accepte sans faire d'histoires et tout se passe bien, soit on rechigne, comme tu le fais en ce moment. Mais ça ne sert strictement à rien, crois-en mon expérience. Que tu le veuilles ou non, dorénavant, tu *seras* Ann Sommer. Plus vite tu te feras à cette idée, et mieux cela vaudra pour toi. Tu as compris, Ann ?

Andrianna se tourna lentement vers sa voisine. Ses yeux rouges et gonflés reflétaient sa haine et son angoisse.

— Je ne m'appelle pas Ann ! Mon nom est Andrianna Duarte !

Puis l'hôtesse leur apporta leurs plateaux-repas. Dès qu'Andrianna vit le bœuf bourguignon, elle vomit — sur le plateau, sur elle et aussi sur Eva Hadley.

Une limousine et un chauffeur vêtu d'un étrange accoutrement les attendaient à l'aéroport de Bagdad, où elles atterrirent enfin après deux escales au cours desquelles elles avaient changé d'appareil. Pendant le trajet, Andrianna constata avec surprise que les gens qu'elle voyait dans la rue avaient une drôle d'allure : ils portaient tous le même genre de vêtements que le petit homme qui conduisait la voiture. Les maisons aussi étaient étranges, et si différentes de celle qu'elle avait habitée avec sa mère et Rosa.

Les larmes qu'elle avait retenues pendant tout le voyage se mirent soudain à couler. En se frottant les yeux, elle confia à Eva Hadley d'une voix pitoyable :

— Je n'aime pas cette ville et je ne veux pas qu'on me donne un nouveau nom. Rendez-moi mon nom et laissez-moi retourner chez moi ! Je vous en prie, laissez-moi partir ! Rosa m'attend. Je veux aller la rejoindre. Je serai très sage, je vous le promets. Mais ramenez-moi chez moi ! Je suis désolée d'avoir vomi sur vous. Je ne l'ai pas fait exprès. Dites à M. Wyatt que je regrette de m'être mal conduite. Que maintenant, je serai sage...

De gros sanglots lui secouaient la poitrine, à présent.

— Je serai gentille... plus jamais je ne désobéirai...

Eva Hadley secoua tristement la tête et prit Andrianna sur ses genoux.

— Je sais bien que tu es gentille, mon petit cœur, et M. Wyatt le sait aussi.

Elle se mit à bercer tendrement la fillette, ses propres larmes coulant sur le visage de l'enfant.

— Tu seras heureuse, tu verras, murmura-t-elle en souhaitant de toute son âme qu'elle le fût réellement.

Pourvu qu'Helen Sommer et son mari soient de braves gens ! songea-t-elle, la gorge nouée. Seigneur ! Jamais elle n'aurait dû accepter cette mission... Son patron, ce monstre sans cœur d'Andrew Wyatt, aurait alors été obligé de se débrouiller tout seul. Et il y aurait peut-être réfléchi à deux fois avant d'expatrier la petite à l'autre bout du monde ! Pauvre gosse ! Qu'allait-elle devenir dans une contrée aux mœurs si étranges ?

4.

Jeudi

Lorsqu'il sortit de sa cabine, à l'aube, Jonathan ne remarqua même pas qu'il faisait froid. Il avait d'autres soucis en tête.

Il avait décidé de monter la garde devant la porte d'Andrianna. Si elle était matinale, il était au moins sûr de ne pas la manquer.

Malgré la brume épaisse et chargée d'humidité qui opacifiait l'air glacial au point qu'il ne voyait même pas la buée qui sortait de sa bouche tandis qu'il inspirait et expirait avec entrain, Jonathan se sentait en pleine forme. Les chandails et le blazer achetés la veille chez Harrods se révélaient fort utiles. Il les avait pris à tout hasard, n'imaginant pas une seconde qu'il se lèverait aux aurores pour faire le pied de grue sur le pont.

Au bout de deux heures, le soleil se décida enfin à percer le brouillard, mais Jonathan ne sentait plus ses pieds. Il se mit à battre la semelle pour rétablir sa circulation. Pas question de quitter son poste maintenant ! Et tant pis s'il devait se passer de petit déjeuner ! Dieu sait pourtant s'il en rêvait ! Que n'aurait-il donné pour une simple tasse de café...

Il patienta jusqu'au moment où il vit le steward entrer dans sa cabine en poussant une table roulante devant lui.

Puisqu'elle prenait son petit déjeuner, Jonathan en profita pour filer au bar et avaler à toute vitesse une grande tasse de café noir et deux croissants. En fait, il en mangea un sur place et emporta le second, tant il avait hâte de regagner son poste.

Tôt ou tard, songeait-il, elle finirait bien par sortir. Pour prendre l'air, aller à la piscine ou au gymnase, se rendre à l'institut de beauté Elisabeth Arden qu'il avait remarqué la veille... Ou peut-être pour faire quelques emplettes, elle aussi.

Cependant, même quand il devint évident qu'elle ne mettrait pas le nez dehors de la matinée, Jonathan refusa d'abandonner ses positions. Dans son abnégation, il se sentait un peu l'âme d'un chevalier. Sa dame n'avait pas encore daigné paraître, certes, mais elle sortirait à l'heure du déjeuner. Sa persévérance serait alors récompensée.

Il n'avait pas plus tôt conçu cette pensée qu'un garçon de cabine se présentait de nouveau à la porte d'Andrianna avec un chariot.

Lorsqu'il ressortit de la cabine, Jonathan l'intercepta.

— J'espère que Mlle DeArte n'est pas souffrante ? s'enquit-il aimablement.

— Souffrante... ? Non, monsieur, je ne le pense pas. Elle a l'air d'aller bien. En tout cas, elle a bon appétit.

— Tant mieux, voilà qui me rassure, déclara Jonathan avec conviction.

Se souvenant qu'il avait lui-même un solide appétit, il demanda :

— Pourriez-vous m'apporter quelque chose, à moi aussi ?

— Tout de suite, monsieur. Je vais vous chercher la carte.

— Non, ce ne sera pas nécessaire. Je me contenterai d'un en-cas. Qu'avez-vous servi à Mlle DeArte ?

— De l'espadon fumé. Mlle DeArte a d'ailleurs déclaré qu'il avait l'air succulent. Désirez-vous le goûter ?

Après un instant d'hésitation, Jonathan secoua la tête.

— Non, pas d'espadon pour moi. Un sandwich fera l'affaire. Mettez-en plutôt deux. L'un au jambon et au fromage, l'autre au rosbif. Saignant, s'il vous plaît.

— Et que souhaitez-vous boire ?

Le steward s'autorisa un sourire imperceptible avant d'ajouter :

— Mlle DeArte a pris du thé.

— Oui, mais elle est anglaise ! répondit Jonathan en riant. Nous autres Américains, nous préférons le café.

— Très bien, monsieur. Du café. Dois-je vous apporter tout ça dans votre cabine ?

— Non, je déjeunerai ici, sur le pont.

— Vous n'avez pas peur d'avoir froid ?

— Non, pas du tout. J'aime beaucoup cette température. Il n'y a rien de plus tonifiant que l'air du large. D'ailleurs, le soleil ne va pas tarder à percer, on dirait...

— Vous avez sans aucun doute raison, monsieur.

Mais le soleil joua toute la journée à cache-cache avec les nuages. De temps à autre, il faisait une brève apparition, puis disparaissait de nouveau pendant une demi-heure. L'après-midi fut d'autant plus morose que pas une fois, Jonathan ne vit celle qu'il guettait depuis l'aube.

Profondément déçu et ne sachant que penser, il regagna sa cabine pour se changer avant le dîner. Elle ne pouvait tout de même pas rester cloîtrée indéfiniment... Elle finirait bien par sortir pour profiter de la croisière ! Sinon, pourquoi n'avait-elle pas pris le Concorde, comme il avait lui-même eu l'intention ? Une chose était sûre, en tout cas : elle n'était pas pressée d'arriver aux Etats-Unis. Qu'allait-elle donc y faire ?

Les questions se bousculaient dans sa tête, des questions auxquelles Jonathan était totalement incapable de répondre. Lorsque, enfin, elle se déciderait à sortir, que ferait-elle? Irait-elle dîner, danser, ou jouer au casino? Etait-elle une adepte de la roulette ou du blackjack? A moins qu'elle ne préférât les machines à sous? Mais peut-être irait-elle sagement au cinéma? Et ensuite, après le film, peut-être assisterait-elle à un spectacle?

Où qu'elle aille, les têtes se retourneraient sur son passage. Il la voyait déjà repousser les avances de ses admirateurs, se débarrassant des importuns aussi aisément qu'elle s'était débarrassée de Dwight Rumson : poliment, mais avec une détermination propre à décourager les plus assidus.

Il se plaisait à l'imaginer froide et distante, mais qu'en serait-il *réellement*? s'interrogea soudain Jonathan avec une pointe d'inquiétude. A quel type d'homme était-elle susceptible de céder? Que fallait-il pour se faire remarquer, puis aimer d'elle?

Il se demanda ensuite quelle sorte de femme elle était au lit. Qu'elle fût belle et désirable ne faisait aucun doute, mais était-elle ardente et volcanique, ou plutôt introvertie? Restait-elle maîtresse d'elle-même ou s'abandonnait-elle corps et âme à la passion? Parvenait-elle facilement à l'extase? Poussait-elle des cris aigus, des gémissements rauques?

Quoi qu'il en soit, il aurait parié jusqu'à son dernier sou qu'avec un partenaire à la hauteur, Andrianna DeArte était une amante hors pair.

Ce fut en sifflotant que Jonathan, une fois changé, quitta sa cabine à l'heure du dîner. Mais cette bonne humeur fut de courte durée. Comme il s'apprêtait à fermer la porte derrière lui, il vit entrer chez Andrianna une stewardess poussant une table roulante. Une fois de plus!

Une fois de trop! songea-t-il en réprimant une furieuse envie d'arracher son chariot à la jeune femme et de le flanquer par-dessus bord. Avec quelle joie il regarderait s'enfoncer dans les flots cette maudite table roulante et tout son chargement !

Presque instantanément, cependant, sa fureur s'apaisa. A la fois épuisé, dérouté, excédé et démoralisé, Jonathan retourna dans sa cabine. Il n'avait plus envie de sortir.

Il se laissa tomber sur le canapé du salon. *Que diable peut-elle bien faire là-dedans ?*

Incapable de rester en place, il se mit à faire les cent pas. *Que trouve-t-elle de si extraordinaire à sa suite pour ne pas vouloir la quitter ?*

Passe-t-elle tout son temps au téléphone ? Que lui raconte-t-on de si intéressant ?

Il se jeta sur le lit.

Est-elle en train d'écrire des lettres d'amour, de regarder un film au magnétoscope, d'écouter de la musique ?

Il avait l'impression d'entendre une mélodie. Quelque chose de mélancolique. Une chanson d'amour qui finit mal. Son vague à l'âme était tel qu'il n'aspirait plus qu'à fredonner lui aussi cet air triste à pleurer.

Andrianna n'ignorait pas que l'inconnu avait passé la journée à la guetter. Réveillée bien avant l'aube, elle avait passé un long moment à scruter les ténèbres à travers son hublot. Si bien que lorsqu'il était sorti sur le pont, aux premières lueurs du jour, pour se poster devant sa cabine, elle l'avait vu. Plusieurs fois ensuite, elle avait jeté un coup d'œil par le hublot : il patientait toujours, arpentant inlassablement le pont.

Elle savait très bien qu'il l'attendait. Il voulait l'aborder et faire sa connaissance. De son côté, elle rêvait de se lier avec ce bel inconnu.

Mais que lui importait ce qu'il attendait ? se morigéna-t-elle à plusieurs reprises. Pourquoi se préoccupait-elle tant de ce qu'il faisait ? Et pourquoi pas, après tout ? C'était une manière comme une autre de passer le temps.

Cependant, quand elle constata que l'après-midi touchait à sa fin et qu'il était toujours là, fidèle au poste, la curiosité l'emporta sur l'amour-propre. Beaucoup d'hommes avaient cherché à la séduire, et certains avaient réussi, ou croyaient avoir réussi, pendant un temps. Bon nombre d'entre eux s'étaient donné un mal fou pour parvenir à leurs fins. Mais jamais encore elle n'avait rencontré un homme capable, après l'avoir aperçue une seule fois, de passer des heures devant sa porte dans l'espoir de la revoir. Un homme capable d'affronter le froid pour une femme qu'il ne connaissait pas, dont il ne savait strictement rien et avec laquelle il n'était même pas sûr de s'entendre...

Et s'il s'agissait d'un jeu, tout simplement?

Dans ce cas, il se rendrait vite compte qu'elle pouvait être une adversaire redoutable. Pour commencer, contrairement à ce qu'elle avait prévu, elle ne mettrait pas fin à sa réclusion pour aller dîner. Son envie de sortir était grande, pourtant, mais celle de voir comment il réagirait l'était plus encore.

Andrianna n'avait pas plus tôt pris cette décision que, frappée par l'incroyable fascination que cet homme exerçait sur elle, elle se mettait à le maudire. Comment osait-il lui imposer sa présence? De quel droit se permettait-il de l'importuner? Pourquoi venait-il la narguer? Sa seule présence devant sa porte la mettait au supplice, suscitant en elle mille fantasmes inaccessibles, alimentant ses rêves stériles au point qu'elle en arrivait presque à les prendre pour la réalité.

Bien des années plus tôt, alors qu'elle n'avait que sept ans, elle s'était pourtant bien juré de ne plus jamais s'y laisser prendre.

Durant le trajet jusqu'à la maison des Sommer, dans la banlieue de Bagdad, Eva Hadley réussit à persuader

Andrianna d'essayer de s'habituer à son nouveau nom et à son nouveau foyer.

— Si tu n'y mets pas un peu du tien, expliqua Eva, tu seras forcément malheureuse. Mme Sommer ne deviendra une mère pour toi que si tu décides que tu vas l'aimer et qu'elle va t'aimer. Son mari et elle n'ayant jamais pu avoir d'enfant, ils vont être très contents de t'avoir comme fille adoptive. En un sens, tu as de la chance, parce que s'ils ont *choisi* d'adopter un enfant, c'est qu'ils le désirent vraiment.

Mais Eva se trompait. Andrianna le sut à la minute même où elles pénétrèrent dans la maison d'Helen Sommer. Toute menue, avec des yeux d'un bleu si pâle qu'ils paraissaient délavés et des cheveux presque blancs tant ils étaient blonds, Helen Sommer était la froideur incarnée. Elle serra la main d'Eva Hadley, mais se contenta de regarder sa fille adoptive et soi-disant désirée.

Ce faisant, elle se passa la langue sur les lèvres avec circonspection, comme si elle goûtait un aliment amer.

— Avec la tête qu'elle a, c'est une bonne chose qu'elle soit censée être la nièce de mon mari et non la mienne ! dit-elle à Mlle Hadley. Pas un instant je n'avais imaginé qu'elle serait aussi grande ou qu'elle aurait les cheveux aussi noirs. En fait, je ne la voyais pas aussi... *typée*. Je suppose qu'Ann est au courant de la situation. Vous la lui avez expliquée, n'est-ce pas ?

— Tout dépend de la situation à laquelle vous faites allusion, risqua Eva, l'air embarrassé.

— Je parle de son passé, de ses origines, répliqua Helen Sommer d'un ton excédé. Comme il fallait bien trouver quelque chose, Andy — M. Wyatt — et moi avons eu l'idée de raconter qu'elle était la fille du frère défunt de mon mari, Hugh Sommer, qui était anglais, bien sûr, mais travaillait et vivait en Espagne, où il avait épousé une aristocrate espagnole. Ce qui explique le teint de l'enfant. Elle parle un peu espagnol, j'espère?

— A vrai dire, je n'en sais rien, murmura Eva. Je ne savais pas que... On ne m'avait pas parlé de cette histoire de... d'origines. Jusqu'ici, nous n'avons parlé qu'anglais...

Helen Sommer esquissa un geste d'impatience.

— Parles-tu espagnol, Ann? Oui ou non?

Andrianna, qui suçait son pouce, ce qu'elle ne faisait pourtant plus depuis plusieurs années, ne répondit pas.

— Aucune importance! déclara sèchement Mme Sommer. Nous n'aurons qu'à dire qu'elle a eu des gouvernantes anglaises et qu'elle a toujours fréquenté des écoles américaines, et le problème de la langue sera réglé. Et pour que l'histoire soit plausible jusqu'au bout, elle nous appellera tante Helen et oncle Alex.

« De toute façon, elle passera le plus clair de son temps à l'école. En fait, puisque nous devons partir pour Zurich dans quelques semaines — M. Wyatt vous a-t-il dit que M. Sommer avait été muté là-bas? — je pense que dans notre intérêt à tous, il vaudrait mieux qu'Ann intègre dès que possible le pensionnat. Nous lui choisirons une école anglaise, tant qu'à faire; en espérant qu'elle troquera son accent californien contre un accent britannique.

Elle s'interrompit et eut un rire bref.

— J'ai passé quelque temps à San Francisco, à une certaine époque. Eh bien, pour être tout à fait franche, je n'ai pas trouvé l'accent particulièrement beau, soit dit sans vouloir vous offenser, bien sûr. L'Angleterre, je pense, est un excellent choix. Je suis sûre que notre petite Ann y sera très bien.

L'air piteux, Eva Hadley jeta un rapide coup d'œil à Andrianna. En voyant sa mine catastrophée, elle s'empressa d'intervenir :

— Ecoutez, madame Sommer, étant donné que j'avais prévu de passer quelques jours à Bagdad — j'ai un ami qui travaille dans une compagnie pétrolière américaine implantée dans cette ville—, je peux tout aussi bien rester *ici*, avec Andrianna, jusqu'à...

— *Ann*, rectifia Helen Sommer avec un sourire glacial. Franchement, mademoiselle Hadley, comment voulez-vous qu'on y arrive si les adultes eux-mêmes n'y mettent pas un peu de bonne volonté ? Quant à rester ici avec elle, il ne saurait en être question. Plus vite l'enfant apprendra à être autonome, mieux cela vaudra pour tout le monde. Cela dit, vous pourriez peut-être monter avec elle un moment ? Répétez-lui sa biographie jusqu'à ce qu'elle la connaisse par cœur. Ensuite, vous pourrez partir.

Quand le moment fut venu pour Eva de s'en aller, elle serra Andrianna dans ses bras, en présence d'Helen et Alexander Sommer, et lui murmura à l'oreille avec une conviction toute feinte :

— Ne t'en fais pas, tout va s'arranger, ma petite Ann Sommer.

Mais Andrianna repoussa brutalement celle qui l'avait trahie et se mit à crier :

— Je ne m'appelle pas Ann Sommer ! Mon nom est Andrianna Duarte... Andrianna Duarte... Andrianna Duarte !

C'était comme un leitmotiv ; ce nom et ce prénom, elle ne voulait jamais les oublier.

Après le départ d'Eva, Helen Sommer darda sur sa pupille un regard froid comme une lame d'acier.

— Je pense qu'il serait préférable que tu montes dans ta chambre, Ann, et que tu y restes jusqu'à ce que tu saches comment tu t'appelles. Il faut que tu te mettes dans la tête que ton nom est Ann Sommer. Ann Sommer, tu m'entends ?

Dans l'escalier, Ann entendit tante Hélène dire à oncle Alexander :

— Tu as vu ? Elle a dit et répété qu'elle s'appelait Andrianna Duarte ! Quelle sale petite peste ! Aucune gratitude ! Voilà ce que c'est, aussi, que de se lier avec des gens en dessous de sa condition ! Andrew aurait mieux fait d'y réfléchir à deux fois avant de s'amouracher de...

Le rire d'oncle Alexander couvrit la fin de la phrase. Un rire horrible, qui résonna longtemps aux oreilles d'Andrianna.

— J'imagine combien cela doit être pénible, pour toi, d'avoir à t'occuper de la fille illégitime que ton ex-fiancé a eu avec la Mexicaine qui te l'a soufflé...

— Pénible ? Ce que je trouve pénible, surtout, c'est de penser que *tu* es un incapable, et que c'est à cause de toi que j'ai été obligée d'accepter la gosse ! Si tu n'étais pas aussi nul, je n'aurais pas eu à la prendre pour obtenir que nous puissions enfin quitter ce trou perdu et retourner à la civilisation.

— Tu sembles oublier, ma chérie, que si nous nous sommes retrouvés dans ce trou perdu, c'est à cause de *toi* ! Parce que ton ex-fiancé, ce salaud de Wyatt, était si pressé de se débarrasser de toi qu'il a fait jouer ses relations pour que je sois nommé ici.

— Il n'empêche que c'est grâce à lui que tu as pu obtenir le poste de Zurich, et Andy a beau être un salaud, tu n'as pas refusé son offre, que je sache ! Pas plus que tu n'as refusé son fric !

Mais Andrianna ne comprit pas grand-chose à leur conversation. Elle gravissait péniblement les marches en se concentrant pour ne pas pleurer et en se répétant inlassablement : « Je m'appelle Andrianna. Andrianna Duarte... »

Une semaine plus tard, Andrianna entrait à Huxley, une école privée où tous les petits Européens de la bonne société poursuivaient leur scolarité pendant que leurs parents couraient après le pouvoir, le prestige et l'argent. Lorsqu'elle revit les Sommer, au moment des vacances, ils vivaient à Zurich. Ils habitaient un chalet adorable et Alexander travaillait au consulat de Grande-Bretagne.

Mais Andrianna n'eut pas beaucoup l'occasion de voir Helen, car juste après son arrivée, sa tante partit à Paris pour une quinzaine de jours. Aux vacances suivantes, ce fut la même chose. Et pendant des années, il en fut ainsi. A son arrivée, Helen partait. Andrianna était la dernière à s'en plaindre. Dès les premières minutes, elle avait compris qu'Helen ne serait jamais ni une amie ni une alliée, et encore bien moins unc mère pour elle.

Andrianna écrasa rageusement la larme qui coulait sur sa joue. *Maudits soient Helen, Alex et Andrew Wyatt! Qu'ils aillent tous au diable! Dire qu'après toutes ces années, ils arrivent encore à me faire pleurer!*

Puis elle laissa échapper un rire amer : en réalité, c'est *elle* qui avait été maudite. Bel et bien maudite.

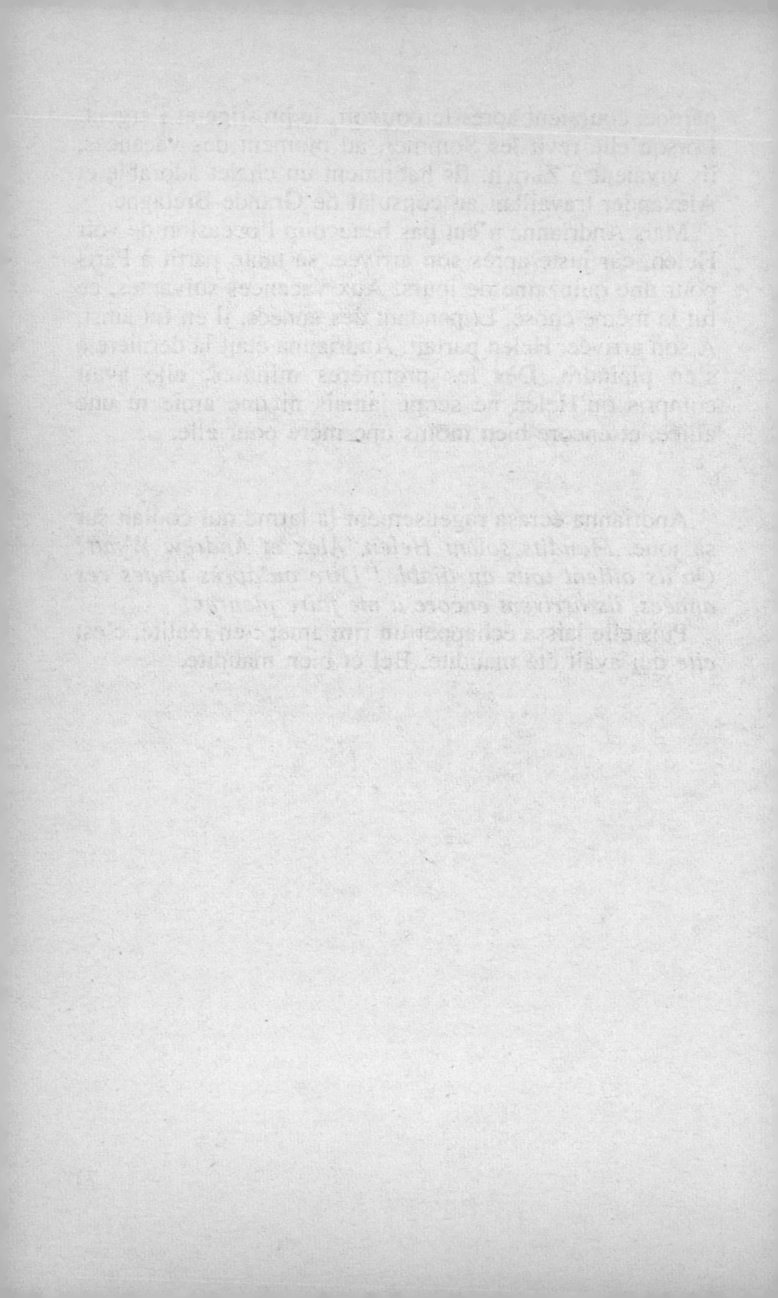

5.

Vendredi matin

La sonnerie stridente du téléphone le tira de son sommeil. Machinalement, Jonathan tendit le bras vers le combiné en jetant un coup d'œil à sa montre, qu'il ne quittait pratiquement jamais. *Déjà 7 heures! Zut! Je suis resté endormi!*

— Jonathan West à l'appareil.

— Bonjour, monsieur West, dit la voix enjouée de sa secrétaire, à l'autre bout du fil. Désolée de vous appeler si tôt, mais je voulais vous joindre avant que vous ne sortiez faire votre jogging matinal. Je ne vous ai pas réveillé, au moins ?

— Non, non... Mais que se passe-t-il, Patti ?

— Rien de grave. Il se trouve simplement que *Time Magazine* a appelé, en vue d'une interview. Il leur faut une réponse le plus vite possible. Ils s'intéressent à vous parce que vous figurez dans le *Forbes*, l'annuaire des quatre cents personnes les plus riches du pays.

— Merci, je connais le *Forbes*, répliqua-t-il sèchement. Mais cela ne me dit pas pourquoi ils m'ont choisi, moi. Je ne fais pourtant pas partie des premiers ; loin s'en faut !

— Peu importe le rang, du moment que vous êtes dans le *Forbes*. Et d'ailleurs, c'est *vous* qu'ils veulent interviewer. Ils estiment que vous êtes l'un des plus *pittoresques*.

— C'est ce qu'ils ont dit ? Ils me trouvent « pittoresque » ?

Il plaisantait, mais en réalité, la requête de *Time Magazine* le comblait d'aise. Il avait toujours considéré la publicité comme une alliée.

— Oui, monsieur. « Pittoresque » est le qualificatif qu'ils ont utilisé. Ils ont dit aussi que vous étiez l'homme d'affaires le plus talentueux de toute la Californie. Un véritable prodige.

— Dans ce cas, rappellez-les de ma part et dites-leur que le *prodige* accepte avec plaisir d'être interviewé. Ont-ils parlé d'une date ?

— C'est bien là le problème, monsieur West. Ils sont très pressés. L'interview doit impérativement avoir lieu la semaine prochaine.

— Pas de problème. En début de semaine, je risque d'être débordé. Mais jeudi ou vendredi, ça devrait pouvoir s'arranger.

Une fois qu'il eut raccroché, Jonathan se rendit compte qu'il n'avait pas demandé à Patti si l'interview en question serait mentionnée en page de couverture. Probablement pas. Ils n'auraient pas attendu le dernier moment. Quoi qu'il en soit, petit ou grand, un article dans *Time Magazine* était une aubaine dont il eût été dommage de ne pas profiter. Cela confirmait une fois de plus qu'il faisait partie des gens importants. Sans compter que jusque-là, la publicité s'était toujours révélée bénéfique. C'était grâce à l'article que lui avait consacré *Los Angeles Times* à ses débuts, alors qu'il venait de réaliser son premier million de chiffres d'affaires, qu'il avait pu signer un contrat pour la construction d'un complexe hôtelier sur les hauteurs de Santa Cruz. Cette affaire avait attiré l'attention de *Forbes*. Puis il avait fait main basse sur plusieurs hôtels de la côte Ouest, ce qui lui avait valu d'être qualifié de « surdoué » dans *Business Week*. Ensuite, il y avait eu cet article dans *Fortune*. Et d'autres encore avaient suivi. Il y en avait eu tant que Jonathan ne savait plus très bien dans quel ordre les choses s'étaient produites, si sa réussite était à l'origine de toute cette publicité, ou bien l'inverse.

Comme il se glissait sous la douche, il se demanda si une femme habituée à fréquenter des hommes de l'envergure de Dwight Rumson serait impressionnée par un article qui n'avait pas les honneurs de la couverture. Brusquement, tandis qu'un frémissement voluptueux le parcourait, Jonathan sut pourquoi il ne s'était pas réveillé à 6 heures, comme d'habitude. Il avait rêvé qu'il partageait le lit de la belle Andrianna ! Des images fugitives lui revinrent à la mémoire, de simples flashes, mais cette vision kaléidoscopique agit sur lui comme une drogue puissante. Stimulé, sûr de lui, plus déterminé que jamais, il se sentait prêt à soulever des montagnes.

Veni, vidi, vici. Je suis venu, j'ai vu, j'ai vaincu. Il sourit en se remémorant les paroles de César, persuadé que bientôt, il pourrait les faire siennes. La conquête d'Andrianna DeArte n'était qu'une simple formalité, il n'en doutait pas.

Fort de cette pensée, il s'habilla pour aller déjeuner, constatant avec plaisir que le soleil entrait à flots par les hublots. *Un heureux présage.* Il consulta sa montre. 8 h 05, et il était mort de faim. A croire qu'il avait *réellement* passé la nuit à faire des folies !

Une partie de la matinée fut occupée par les activités qu'il avait l'habitude de pratiquer chez lui. Comme chaque matin, Jonathan commença par prendre son petit déjeuner, puis il passa chez le coiffeur pour se faire raser, se rendit au gymnase pour s'adonner à quelques exercices de musculation et termina par quelques longueurs à la piscine. Tous ces gestes, il les accomplissait machinalement, l'esprit accaparé par le plan d'action qu'il essayait d'élaborer pour la journée. Aujourd'hui, pas question de louvoyer. L'offensive devait être décisive. Il irait droit au but, puisque les tentatives d'approche de la veille avaient échoué lamentablement. Comment diable avait-il pu commettre une erreur de stratégie aussi grossière? Andrianna DeArte était une femme extrêmement sophistiquée. Par conséquent, une tactique beaucoup plus complexe s'imposait.

Jaugeant d'un rapide coup d'œil l'étalage dans la boutique du fleuriste, Jonathan désigna du doigt le contenu d'une vitrine réfrigérée et demanda que le tout fût porté à Mme DeArte. Le fleuriste ne manifesta aucune surprise. Sur le *Queen Elizabeth II*, on ne s'étonnait plus de rien. Et quand on avait affaire à un riche Américain, il fallait s'attendre à tout.

Comme on lui demandait s'il désirait joindre un mot à son envoi, Jonathan hésita un court instant puis se décida pour une simple carte de visite sur laquelle il nota le nom de sa suite. Le message était clair, et ce n'était pas le fleuriste — ce messager du cœur — qui allait le contredire. Jonathan regagna allègrement sa cabine pour épier par le hublot la livraison des fleurs.

Une heure plus tard, huit stewards croulant sous des brassées de fleurs se présentaient à la porte d'Andrianna. Une bonne chose de faite ! songea Jonathan en s'installant sur son canapé devant un épisode de *Dallas*. Il ne lui restait plus qu'à attendre un coup de téléphone. Les machinations de J.R. l'aideraient à patienter.

Il ne s'était pas écoulé plus de cinq minutes quand on frappa à sa porte. Jonathan se leva d'un bond. *Elle venait le remercier en personne !*

Machinalement, il se passa une main dans les cheveux, comme pour les aplatir, puis il fonça sur la porte qu'il ouvrit toute grande. Les huit stewards se tenaient sur le seuil. Ils lui rapportaient ses fleurs.

Les bras lui en tombèrent. Sans un mot, il les regarda faire, tandis qu'ils disposaient les fleurs un peu partout dans la cabine. En lui, la déception fit très vite place à la colère. *Mais pour qui se prend-elle, à la fin ?*

Ce mouvement d'humeur se dissipa presque aussitôt, cependant. Après avoir tiré de sa poche quelques billets qu'il distribua aux stewards, Jonathan les regarda s'en aller, un sourire aux lèvres. Refuser les fleurs était moins un affront qu'une façon subtile de le mettre au défi ! La partie promettait d'être serrée, car Andrianna DeArte était une partenaire plus redoutable encore qu'il ne l'avait imaginée.

Du coup, il remit sa tactique en question. N'était-il pas allé trop loin ? Ces montagnes de fleurs ne témoignaient-elles pas d'un certain mauvais goût ? Dans ce cas, il opterait pour un hommage plus discret.

Il décrocha le téléphone et commanda une bouteille de champagne — du dom-pérignon, le seul qui pût convenir à une femme aussi raffinée. Précisant que le champagne devait être apporté de sa part à Mme DeArte, avec *deux* verres, il demanda qu'on y ajoutât une verrine de caviar Petrossian. Ensuite, il regagna son canapé et se replongea dans *Dallas* et ses multiples rebondissements. Mais il ne prêtait guère attention à ce qui se déroulait sur l'écran, son propre drame se révélant cent fois plus captivant.

Allait-elle de nouveau refuser son présent ? Ou bien lui saurait-elle gré de sa délicate attention et l'inviterait-elle par téléphone à prendre un verre chez elle ?

A moins qu'elle ne vienne en personne lancer l'invitation ?

Mais elle pouvait tout aussi bien griffonner un mot de remerciement et ne pas l'inviter, lui laissant l'initiative d'appeler et de suggérer qu'ils boivent le champagne ensemble.

Vingt minutes à peine après son coup de fil, champagne et caviar étaient livrés à leur destinataire. De son côté, Jonathan passait son temps à faire des allers et retours entre le hublot et le canapé. Cette fois, il s'écoula exactement quatre minutes avant qu'on ne frappe à sa porte. Avant d'ouvrir, il prit une profonde inspiration. Le steward se tenait sur le seuil, avec son chariot... un mot à la main.

Jonathan le décacheta avec des gestes fébriles. « J'adore le champagne mais je ne mange jamais de caviar. Pendant que je boirai le premier, pourquoi ne mangeriez-vous pas le second ? »

Frappé de stupeur, il resta plusieurs secondes à considérer ces deux lignes qui n'étaient même pas signées. Et lui qui s'attendait à des remerciements... ! Et lui qui espérait qu'elle lui tenderait une perche et qu'il lui suffirait de décrocher son téléphone pour aller boire le champagne avec elle... !

Il éclata de rire.

Mme DeArte, deux ; M. West, zéro.

Dans sa vie, Jonathan avait disputé pas mal de compétitions, mais aucune, jusque-là, n'avait été aussi drôle.

Embusquée derrière son hublot, Andrianna vit Jonathan sortir de chez lui en sifflotant. *Où va-t-il donc, cet imbécile ? Que mijote-t-il encore ?*

Quand les fleurs étaient arrivées, tout à l'heure — des centaines de fleurs plus belles les unes que les autres —, elle avait été éblouie. Du coup, elle avait failli oublier ses résolutions de la veille et sa décision de ne pas entrer dans le jeu de l'inconnu.

Mais l'hommage qu'il lui rendait était si prétentieux qu'elle finit tout de même par demander aux garçons de cabine de rapporter immédiatement toutes ces fleurs à — elle jeta un coup d'œil à la carte de visite — M. Jonathan West.

En les voyant repartir avec les fleurs, *ses* fleurs, elle se retint pour ne pas pleurer. *C'était trop injuste !*

Elle se pelotonna sur le canapé, la carte à la main. Elle n'avait pas tout perdu : à présent, elle connaissait son nom ! Jonathan West... Et par une étrange ironie du sort, M. West vivait en Californie, là où elle était née.

Elle se mit à sangloter comme une enfant.

Lorsque le champagne et le caviar arrivèrent, et qu'elle comprit qu'il n'avait pas encore déclaré forfait, sa joie et son soulagement furent si intenses qu'elle faiblit. Quel mal y aurait-il à jouer le jeu un jour ou deux ? D'ailleurs, elle aurait juré qu'il ne cherchait rien de plus qu'une aventure sans lendemain, qu'un moyen de passer le temps agréablement jusqu'à New York. Cela ne prêtait vraiment pas à conséquence.

En griffonnant sa réponse et en la tendant au steward, elle songea que le jeu se corsait et qu'elle y prenait goût. *La balle est dans votre camp, M. West !*

Dans la galerie marchande, Jonathan regardait les vitrines et réfléchissait. Il avait affaire à une femme qui renvoyait les fleurs et le caviar mais gardait le champagne. Il convenait à présent de la pousser dans ses derniers retranchements en lui offrant un cadeau qui lui permettrait de savoir exactement ce qu'elle était prête à accepter et ce qu'elle refuserait.

Il voulait quelque chose d'assez intime. Mais il ne fallait pas non plus que ce le soit trop. La difficulté, là encore, consistait à trouver le juste milieu. En fin de compte, il jeta son dévolu sur une robe d'hôtesse Christian Dior en satin gris perle, à laquelle était assortie une longue tunique. Cet ensemble était parfait. La robe *pouvait* être portée dans l'intimité... mais pas uniquement.

Puis, incapable de résister à la tentation, il ajouta à la robe un flacon de parfum, dont le nom — Passion — lui sembla particulièrement évocateur. Cependant, il sentait confusément qu'il manquait encore quelque chose. Mais quoi ?

Soudain, une idée lumineuse lui traversa l'esprit : *des bijoux!* Mais ne risquait-elle pas de se sentir offensée par un cadeau aussi onéreux ? N'était-ce pas trop présomptueux ? Comment le prendrait-elle ? Mal, peut-être, mais avec un peu de chance, elle pouvait tout aussi bien être touchée. La seule façon de le savoir était d'essayer. Sa réaction serait instructive, de toute façon.

Son choix se porta sur un bracelet, un jonc en or jaune incrusté de diamants et de saphirs minuscules — un bijou somme toute discret et pas vraiment ruineux.

Après quoi, sa triple offensive en marche, Jonathan se replia dans sa cabine pour attendre la suite des événements.

Sur le point de se servir un verre de champagne, Andrianna se ravisa. Après tout, elle ne buvait pas du champagne tous les jours, alors autant faire les choses en grand, comme elle les ferait probablement si Jonathan West était là, assis en face d'elle, ou peut-être même à côté d'elle, sur le canapé de soie damassée bleu pâle, son verre à la main...

C'était l'occasion d'allumer quelques bougies parfumées, décida-t-elle en se précipitant vers une malle dans laquelle elle se mit à fouiller. Elle ne voyageait jamais sans un stock de bougies parfumées, dont elle aimait la lumière flatteuse et les effluves capiteux. L'un de ses plus grands plaisirs consistait à se plonger dans un bain moussant tandis qu'autour d'elle, les bougies diffusaient leur lumière rougeoyante et leur parfum enivrant. Cette habitude datait de l'époque où elle avait commencé à avoir besoin de ce genre de petites gâteries pour tenir le coup, autant moralement que physiquement.

Dans le fond, songea-t-elle, la salle de bains était l'endroit idéal pour boire ce champagne. Elle s'installerait dans la baignoire à remous et savourerait son champagne en écoutant de la musique.

Avec une ferveur quasi enfantine, elle s'occupa de tout mettre en place : elle apporta le champagne dans la salle de bains, jeta dans l'eau du bain une grosse poignée de sels parfumés à la lavande, alluma les bougies qui sentaient bon la violette et inséra dans le lecteur de la chaîne stéréo une cassette de Billie Holiday, dont elle aimait la voix incomparable et les chansons d'amour et de cœurs brisés. Ces préparatifs terminés, elle se plongea dans son bain et porta le verre à ses lèvres tandis que la mélodie plaintive emplissait la pièce.

Andrianna contenait difficilement son impatience. Qu'allait-il faire, à présent ? Quelle offensive préparait-il, cette fois ? Elle était sûre qu'il tenterait une nouvelle manœuvre. Mais laquelle ? L'inviterait-il à passer la soirée avec lui ? Iraient-ils danser, voir un spectacle ou se promener sur le pont et admirer le coucher de soleil ? Ou bien lui offrirait-il un autre cadeau ?

Des cadeaux, elle en avait toujours reçu beaucoup. Ils faisaient partie intégrante de sa vie. Mais si les hommes l'avaient souvent gâtée, elle avait scrupuleusement veillé à ne jamais se laisser acheter, sa décision d'accepter ou de refuser un présent étant motivée par l'intérêt qu'elle portait à la personne qui le lui offrait et non au cadeau lui-même.

De sorte qu'aucun de ces présents, même le plus somptueux, ne comptait à ses yeux. Tous ces cadeaux ne possédant généralement aucune valeur sentimentale, elle n'hésitait pas à s'en servir comme d'un viatique quand les temps se faisaient durs et qu'elle se retrouvait sans le sou.

Cette habitude n'était pas née d'une intention délibérée de sa part. Elle lui avait été imposée par les circonstances et la nécessité. Et bien qu'elle fût devenue un véritable mode de vie, Andrianna n'avait jamais imaginé, au départ, qu'elle en arriverait là un jour...

Parfois, elle se comparait à Blanche DuBois dans

Un tramway nommé Désir, rôle qu'elle avait interprété à Londres, autrefois. A la ville comme à la scène, elle dépendait de la bonté des êtres qui croisaient son chemin. En réalité, cependant, malgré les cadeaux et l'aide qu'elle avait reçue, elle était toujours restée indépendante, farouchement attachée à sa liberté. Quoi qu'on lui ait donné, elle n'avait jamais fait aucune promesse en échange. C'était un principe auquel elle s'était juré de ne pas déroger. Elle vivrait et mourrait... plus tôt encore qu'elle n'avait pensé... sans rien devoir à personne.

Quant aux cadeaux — et aux hommes qui les lui avaient offerts — certains avaient été plus amusants que d'autres.

Le tout premier cadeau qu'elle eût reçu des mains d'un homme était une chemise de nuit : une longue chemise de nuit blanche, entièrement brodée à la main. Aussi curieux que cela puisse paraître, c'était oncle Alex qui la lui avait offerte, un jour où elle arrivait du pensionnat, toute contente de passer à Zurich une semaine de vacances.

Oncle Alex lui apporta le paquet dans sa chambre, au deuxième étage du chalet, et le lui tendit en lui expliquant que tante Helen regrettait de ne pas avoir pu rester pour l'accueillir. Elle était partie faire une croisière en Méditerranée sur le yacht d'Ari Onassis.

Ann acquiesça d'un signe de tête. De toute évidence, moins Helen Sommer la voyait, mieux elle se portait. Et il en allait de même pour elle, d'ailleurs ! L'aversion qu'elle lui inspirait était au moins aussi grande que celle qu'Helen elle-même semblait éprouver à son endroit. Cela dit, Ann ne voyait vraiment pas pourquoi oncle Alex se donnait la peine de justifier l'absence de sa femme.

— Ça ne fait rien, assura-t-elle en dépliant la chemise de nuit. Oh ! Oncle Alex, elle est magnifique ! Merci !

Elle était aux anges. La chemise lui plaisait, mais le fait même de recevoir un cadeau lui plaisait plus encore. Si à treize ans, elle était déjà très mûre pour son âge, elle avait cependant gardé cette spontanéité qui la faisait sauter de joie quand on lui offrait un cadeau. Surtout quand ce cadeau venait de son oncle adoptif qui, tout en étant incontestablement plus gentil que sa femme, ne s'était jamais non plus beaucoup occupé d'elle... En vérité, elle souffrait d'un tel manque d'affection que la moindre attention la transportait de bonheur.

— Essaye-la vite, qu'on voie ce que ça donne ! Je suis sûr qu'elle te va à ravir ! s'exclama Alex, qui n'était pas moins excité qu'elle.

Docile, elle s'enferma dans la salle de bains pour passer la chemise de nuit.

— Elle est superbe, oncle Alex ! Et en plus, exactement à ma taille ! cria-t-elle à travers la porte, quelques instants plus tard.

Ce n'était pas tout à fait vrai. Elle avait beaucoup grandi, ces derniers temps, et son corps avait commencé à changer. Trop petite, la chemise de nuit était presque indécente. La fine cotonnade blanche était tendue sur ses petits seins dont elle révélait par transparence les aréoles rosées, et plaquée sur ses fesses rondes et fermes. En fait, la chemise de nuit ne lui allait pas du tout. Mais pourquoi l'avouer et risquer de décevoir Alex ou de lui gâcher son plaisir ? A son insu, elle pourrait peut-être aller l'échanger.

Tout à coup, la voix d'oncle Alex se fit de nouveau entendre.

— Eh bien, qu'attends-tu ? Sors de là, que je voie un peu de quoi tu as l'air !

Elle s'empressa de protester. Moins parce qu'elle craignait qu'il ne s'aperçoive que la chemise était trop petite que par pudeur. Elle ne voulait pas se montrer devant lui dans cette tenue.

Mais, sans crier gare, il entra dans la salle de bains.

— Tu es adorable ! murmura-t-il. Jolie comme un cœur...

Comme il tendait la main vers elle, elle recula instinctivement.

— Je voudrais seulement te détacher les cheveux, expliqua-t-il en riant. Cette queue-de-cheval est ridicule.

Elle se laissa faire, et il libéra sa longue chevelure noire, qui se répandit dans son dos.

— Voilà, murmura-t-il, le souffle court. C'est beaucoup mieux comme ça.

La prenant par les épaules, il la fit pivoter sur elle-même, face au miroir, et se plaça derrière elle.

— Regarde. Tu ne trouves pas que c'est beaucoup mieux ? Vois comme tu es belle avec tes cheveux défaits. Belle, jeune et virginale...

Au début, elle trouva un peu bizarre que tout en l'examinant des pieds à la tête, il ne se rendît pas compte que la chemise de nuit n'était pas à sa taille. Peut-être n'avait-il rien remarqué ? Puis, en le voyant dans la glace, juste derrière elle, elle s'aperçut que son regard brillait d'un étrange éclat, et elle commença à avoir peur.

— Sais-tu que jamais plus tu ne seras la même ? reprit oncle Alex.

Elle l'entendit à peine tant elle était concentrée sur ce qui se passait dans son dos. Elle sentait ce corps d'homme, dur et effrayant, qui se pressait contre le sien. En proie à la panique, elle se tortilla pour se dégager et ramassa ses vêtements sur le coffre à linge en bredouillant la première chose qui lui traversait l'esprit.

— Il vaut mieux que je me change. On va bientôt passer à table.

— Pas si vite, ma douce et virginale princesse !

A peine avait-il prononcé ces mots que son expression changea. Il eut l'air furieux, tout à coup.

— Tu es vierge, n'est-ce pas?

Elle se sentit rougir jusqu'à la racine des cheveux.

— Evidemment, répondit-elle d'une voix qu'elle aurait voulu naturelle.

Elle cherchait à donner le change, mais elle n'avait qu'une idée en tête : prendre ses jambes à son cou.

Il ne lui en laissa cependant pas le temps. Il la rattrapa avant qu'elle ait pu franchir le seuil et la plaqua brutalement contre la porte. Tel un animal féroce prêt à charger, il lui soufflait dans le cou.

— Voyons un peu ce qu'il en est vraiment....

Terrifiée, elle se démenait comme une diablesse pour essayer de lui échapper.

— Non! protesta-t-elle. Non, je ne veux pas! cria-t-elle de toute la force de ses poumons.

En pure perte : ils étaient seuls et personne ne viendrait à son secours. D'une main, Alex lui arracha sa chemise de nuit en tirant d'un coup sec sur l'empiècement brodé. Ses yeux brillaient d'un éclat sauvage tandis qu'il s'emparait d'un sein en gémissant. Lorsque son autre main s'enfonça entre ses cuisses, Ann ressentit une douleur effroyable.

Cherchait-il à mettre sa virginité à l'épreuve? se demanda-t-elle, en proie à une peur sans nom. Allait-elle subir le même sort que la chemise de nuit?

Il poussa et poussa encore jusqu'à ce que ses doigts, au bout d'une éternité, pénètrent en elle au plus profond. Plus morte que vive, Ann se laissa glisser sur le carrelage de la salle de bains. Les yeux fermés, elle resta là sans bouger, recroquevillée sur le sol en une boule de souffrance, totalement immobile. Elle ne tressaillit même pas quand il éjacula sur son corps nu.

Le lendemain matin, elle quittait le chalet en sachant qu'elle n'y remettrait plus jamais les pieds. Entre les

Sommer et elle, la rupture était consommée. Mais deux semaines plus tard, elle reçut par la poste, de la part d'oncle Alex, un bracelet en or jaune, puis plusieurs autres bijoux au cours des mois suivants. Essayait-il d'acheter son silence? s'interrogea Andrianna. Il est vrai qu'Alex Sommer la connaissait mal... et ne pouvait pas se douter que ce n'étaient pas ces quelques babioles qui l'empêchaient de parler mais bien plutôt le terrible sentiment de honte qui l'accablait.

Alors elle rangea tous ces bijoux dans une boîte, car pas une seconde elle n'envisagea de porter ces symboles de son ignominie. Mais un jour, son secret menaçant de l'étouffer, elle finit par appeler tante Helen.

Helen lui rit au nez. Elle recommanda à Andrianna de ne jamais rien dire à personne, faute de quoi on la prendrait pour une enfant perturbée qui se faisait des idées ou pour une sale gosse qui racontait des histoires. Dans un cas comme dans l'autre, elle quitterait le pensionnat pour un établissement qu'elle risquait de ne pas apprécier du tout.

A la suite de cet épisode, Ann, quand elle n'était pas invitée chez l'une ou l'autre de ses camarades de classe, ne quitta plus l'école pendant les congés scolaires. L'été, elle partait en camp ou faisait des séjours linguistiques à l'étranger. Etant donné ce qui s'était passé à Zurich, elle n'avait aucune envie de revoir les Sommer. Une chose la tracassait, cependant : elle se demandait si Helen pensait vraiment qu'elle avait tout inventé ou si elle la croyait. Elle aurait voulu en avoir le cœur net.

Mais à la longue, elle comprit que cela non plus n'avait pas d'importance... Il lui arriva ensuite, à l'occasion, de porter les bijoux offerts par Alex. Pourquoi pas, après tout? Bracelet, bague et collier étaient des objets inanimés, dépourvus de conscience et de mémoire.

⁂

Lorsque les cadeaux de Jonathan furent livrés dans sa cabine, Andrianna faillit battre des mains tant sa jubilation était grande. Ces présents appartenaient en effet à une catégorie complètement à part. Contrairement à ceux qu'elle avait reçus jusque-là, c'étaient des cadeaux *pour rire*. Car même si d'aventure il lui en prenait l'envie, aucune idylle ne pourrait jamais se nouer entre eux...

Ces présents tenaient lieu de pions sur l'échiquier qui leur servait à s'affronter. A chaque fois que Jonathan West tentait une manœuvre, elle cherchait à la déjouer. Commencée hier, la partie les amuserait le temps de la traversée. Et lorsque le paquebot accosterait à New York, elle prendrait fin par un échec et mat.

Par conséquent, Andrianna reposa sagement dans la boîte l'ensemble Christian Dior, qu'elle aimait pourtant beaucoup et qui lui allait à ravir. Elle huma le parfum et le trouva également à son goût, mais elle le reposa aussi. Puis en enfilant le bracelet et en jugeant de l'effet qu'il produisait à son poignet, elle décrocha son téléphone pour appeler le steward. En attendant qu'il vienne reprendre la boîte, elle écrivit un mot à l'attention de Jonathan West. « Merci quand même, mais la robe et la tunique ne sont pas précisément mon genre. Quant au parfum, il ne fait pas partie de ceux qui suscitent en moi la Passion. »

Elle ne mentionna pas le bracelet. Et pour cause, puisqu'elle le gardait. La stratégie consistait justement à *ne pas* renvoyer le bracelet. Le coup était imparable.

Comment réagirait-il ? Pour l'un comme pour l'autre, elle espérait de tout cœur qu'il trouverait la parade...

6.

Vendredi après-midi

Jonathan lut pour la centième fois le mot d'Andrianna. Pas de doute, cette diablesse le provoquait ! Elle prétendait ne pas aimer le caviar ou Passion, mais elle adorait le champagne. Et si elle renvoyait les fleurs et les déshabillés, elle gardait les bracelets en or incrustés de pierres précieuses. Que fallait-il en déduire ?

Pour une fois, il était quelque peu dépassé par les événements.

Et maintenant ? se demanda-t-il, perplexe. Devait-il lui envoyer un autre cadeau ? Ou plutôt *deux* cadeaux, pour voir sa réaction ? Une rivière de diamants, par exemple, accompagnée d'une simple boîte de chocolats... ? Lequel des deux garderait-elle ? Tout compte fait, il ne tenait pas tellement à le savoir.

A la stewardess qui lui apportait la bouteille de Glenfiddich qu'il avait commandée, Jonathan offrit l'ensemble Dior et le parfum. Elle en resta bouche bée.

— Je... je ne sais vraiment pas quoi dire, bredouilla-t-elle en rougissant.

Jonathan s'empressa de la tirer d'embarras.

— Un jour, dit-il en souriant, quelqu'un de particulièrement sensé m'a expliqué que dans ce cas-là, le mieux était encore de ne rien dire. J'ai trouvé son conseil excellent.

Après son deuxième verre de whisky, et moult cogitations, Jonathan en arriva à la conclusion que quand on ne savait pas quoi faire, le mieux était probablement de ne rien faire.

En conséquence de quoi, il ne ferait rien. Strictement rien. Il passait la main. En déclarant forfait, elle lui prouverait qu'elle n'était pas une adversaire à sa mesure, contrairement à ce qu'il avait cru au départ. Auquel cas elle pouvait bien aller au diable !

Après avoir longuement hésité entre le lecteur de cassettes et le magnétoscope, Andrianna finit par les éteindre tous les deux. S'emparant d'une pile de magazines, elle essaya la lecture. Sans plus de succès. Ses pensées, immanquablement, la ramenaient à l'homme qui occupait la suite voisine. Allait-il, *oui ou non*, lui offrir un autre cadeau ?

Elle attendit en vain tout l'après-midi. Au fil des heures, sa nervosité et son appréhension s'accrurent. C'était bel et bien fini ! songea-t-elle en regardant l'heure. Son idylle était morte dans l'œuf, étouffée avant même d'avoir vu le jour. Et il ne restait que deux jours et trois nuits, en comptant celle-ci, avant la fin de la traversée...

Mais non, tout n'était peut-être pas perdu... Elle pourrait s'habiller et aller dîner. Avec un peu de chance...

Oserai-je ou n'oserai-je pas ? Ai-je tort, ou raison ?

Tort, bien sûr ! Si j'étais vraiment intelligente, j'abandonnerais la partie.

Mais dans moins de soixante-douze heures, ils arriveraient à New York et elle ne le reverrait jamais plus. Dans le fond, quelle différence trois nuits et deux jours pouvaient-ils bien faire dans l'ordre des choses ?

Oh, et puis, à la grâce de Dieu ! J'ai sûrement tort, mais tant pis !

Persuadée qu'elle ne quitterait pas sa cabine de toute la

traversée, Andrianna ne s'était pas donné la peine de défaire ses valises. Elle se rua sur ses bagages, qu'elle se mit à fouiller frénétiquement. Il lui fallait une tenue à la hauteur de ses ambitions, une robe renversante qui laisserait M. West pantelant. Certes, c'était faire fi de toute prudence. Mais que lui importait, à présent? Il n'y aurait pas de prochaine fois. Elle quitterait la scène en beauté...

Campée devant le miroir en pied, elle jugeait de l'effet produit par chacune des robes qu'elle essayait, en les tenant tour à tour devant elle. La premièrc, une robe bustier en soie orange, courte et aérienne avec sa petite jupe de mousseline qui virevoltait à chaque pas, fut écartée d'emblée. Beaucoup trop osée. Totalement dépourvue de mystère.

Un long fourrcau émeraude, griffé Scaasi, la fit un peu hésiter. Mais aimait-elle vraiment ce ton? Plus tard, peut-être. A ce stade des opérations, le vert émeraude était prématuré.

Un ensemble en taffetas rouge gansé de velours noir, composé d'une jupe longue, légèrement entravée, et d'un spencer fut également éliminé. De toute façon, jamais elle n'aurait dû l'acheter!

Une robe blanche Valentino, à taille basse, drapée sur les hanches, que Dwight avait tenu à lui faire prendre, ne retint pas davantage son attention, aussitôt rejointe sur le lit par une création Oscar de la Renta (George Phipps de son vrai nom; elle l'avait rencontré à Monte-Carlo) qui associait à un bustier jaune d'or une longue jupe évasée en satin café au lait.

En fin de compte, elle jeta son dévolu sur un étroit fourreau de velours noir qui révélait avantageusement son long cou et ses épaules déliées et la faisait paraître encore plus grande qu'elle ne l'était. Si la robe était sobre, presque austère, les chaussures qu'elle décida de porter ce soir-là ne l'étaient nullement. Il s'agissait d'escarpins en daim noir entièrement brodés de perles.

Sa tenue choisie, Andrianna se préoccupa alors de sa coiffure. Le problème fut réglé en deux coups de brosse chauffante. Mais le résultat n'en était pas moins stupéfiant : une cascade de boucles retombant souplement sur ses épaules nues.

En revanche, elle hésita longuement devant son coffret à bijoux. Pourquoi pas ce sautoir de perles naturelles qui irait si bien avec ses chaussures ? Mais avait-elle envie de porter des perles ? Adolescente, elle les adorait. Jusqu'au jour où une camarade de classe lui avait confié que les perles lui faisaient penser à des larmes enfilées sur un fil. Quelques mois plus tard, la fille en question s'était jetée dans le vide du haut d'un clocher, en Suisse. Après cette tragédie, Andrianna avait commencé à se méfier des perles.

Non, ce soir, les larmes n'étaient pas de mise ! décida-t-elle en remisant du même coup les escarpins brodés. A la place, elle sortit de ses bagages une paire de mules noires à talons aiguilles dorés, plus adaptées à la circonstance.

Puis, revenant au coffret à bijoux, elle caressa des pendants d'oreilles en or rose sertis de rubis, examina un collier composé d'une topaze et de deux rangs de diamants, essaya une broche tout aussi magnifique avec ses fleurs en or jaune serties de diamants et ses feuilles en émeraude, mais rien de tout cela ne convenait. Une montre-bracelet en or massif dont le boîtier était incrusté de diamants retint un moment son attention. Elle l'écarta aussi, en fin de compte, et glissa à son majeur une énorme chevalière en onyx et diamant qui recouvrait toute la première phalange. Mais elle la retira aussitôt, comme si cette bague lui brûlait la peau. Longtemps elle avait aimé ce bijou, pour son poids et pour ses pierres, puis elle s'était mise à l'abhorrer lorsqu'elle avait découvert que l'homme qui le lui avait offert — un fabricant de munitions doté d'un ancien titre de noblesse prussien — avait un penchant sadomasochiste. Elle l'avait quitté immédiatement, et n'avait plus porté la bague. La prochaine fois qu'elle aurait besoin d'argent, ce serait sans doute la première chose dont elle se débarrasserait.

Perplexe, Andrianna finit par se rabattre sur le jonc de Jonathan West. Comparé à ses autres bijoux, dont certains somptueux — comme cet oiseau de paradis monté en broche, en platine et pierres précieuses, créé par un célèbre joaillier parisien dans les années 20 —, ce bracelet était sobre et discret. Il se trouvait, justement, que c'était exactement ce qu'il lui fallait. Ce soir, elle porterait ce bracelet et rien d'autre; ni collier, ni boucles d'oreilles, ni bagues. Quand il la verrait, M. West allait sans aucun doute se poser beaucoup de questions.

Une fois prête, elle jeta sur ses épaules une étole de vison blanc et consulta le programme de la soirée. Le capitaine donnait un cocktail avant le dîner. Jonathan West irait peut-être...

En passant devant sa cabine, quelques instants plus tard, elle jeta un coup d'œil à travers les hublots, et constata non sans satisfaction qu'il n'y avait pas de lumière à l'intérieur. Il était déjà sorti, en conclut-elle, et attendait qu'elle se lance à ses trousses.

Lorsqu'il s'avança pour l'accueillir, le capitaine, qui avait consulté sa liste de passagers, savait qui était cette femme splendide et superbement habillée : Andrianna DeArte, anglaise et comédienne de profession.

— Je regrette de ne jamais avoir eu le plaisir de vous admirer sur une scène de théâtre, mademoiselle DeArte...

Tout en cherchant Jonathan des yeux, Andrianna s'efforça de se montrer aimable.

— Si cela peut vous consoler, répliqua-t-elle en souriant, sachez que plusieurs milliers de personnes n'ont jamais eu non plus ce plaisir improbable.

— Votre modestie vous honore, mais je suis bien certain que rien ne la justifie.

— Oh ! Alors là, je...

Une femme corpulente s'interposa brusquement entre eux et, sans même prendre la peine de s'excuser, affirma d'un ton péremptoire :

— Je suis lady Spencer, et vous êtes Anna della Rosa, l'artiste de music-hall. C'est bien cela, n'est-ce pas ? J'ai dû vous voir dans une revue, à Paris, il y a quelques années.

— Je crains que vous ne fassiez erreur, rétorqua Andrianna en riant avec désinvolture. Mon nom est Andrianna DeArte et je ne me suis jamais produite sur une scène de music-hall.

Elle profita de cet intermède pour fausser compagnie au capitaine, qu'elle gratifia d'un sourire bienveillant avant de s'éclipser.

— Je suis sûre que c'est elle ! Anna della Rosa ! Quand il s'agit de mettre un nom sur un visage, je ne me trompe jamais. Je suis absolument certaine de ce que j'avance !

Vivement contrarié, le capitaine se retenait pour ne pas signifier sa façon de penser à l'importune.

— Quand on voyage autant que vous, ma chère, et qu'on rencontre constamment des gens nouveaux, il doit être bien difficile de ne pas se tromper de temps en temps.

— Voyons, n'insistez pas, puisque je vous dis que je ne me trompe jamais !

L'incident troubla à peine Andrianna. Ce n'était pas la première fois que quelqu'un la reconnaissait. Elle avait si souvent changé de nom et de métier, au cours des années...

La plupart du temps, elle niait avec aplomb, comme ce soir, affirmant tout simplement qu'il y avait erreur sur la personne. Et les rares fois où, reconnue par plusieurs personnes, elle ne pouvait faire autrement que d'avouer — le monde étant petit, et peu nombreuses les occasions de se distraire, ce genre de coïncidence semblait inévitable —, elle prenait la chose avec désinvolture, rétorquant en riant, « Oui, bien sûr, c'est un de mes noms de théâtre. Porter tout le temps le même nom est mortellement ennuyeux, vous ne trouvez pas ? »

En général, ses interlocuteurs se contentaient de cette explication. Dans le cas contraire, elle leur jouait le grand jeu, murmurant, les yeux pleins de larmes, que certains épisodes de sa vie demeuraient si douloureux qu'elle préférait ne pas en parler.

Si Andrianna se moquait d'être reconnue, force lui était d'admettre cependant que l'incident se produisait de plus en plus souvent. C'était d'ailleurs l'une des raisons pour lesquelles elle avait décidé de quitter l'Europe, devenue trop étroite. Elle supportait mal de retourner dans les endroits qu'elle connaissait par cœur, de vivre de nouvelles aventures là où elle avait déjà tant de souvenirs.

Bien sûr, elle n'était pas allée partout. Sans doute existait-il des coins en Europe où elle ne risquait pas d'être reconnue, ou personne ne savait qui elle était ni qui elle avait été : une enfant que son père avait rejetée, une jeune femme qui ne possédait aucun talent particulier en dehors de celui qui consistait à attirer dans ses rets des hommes riches et puissants, et enfin une femme qui vivait avec une épée de Damoclès suspendue au-dessus de la tête.

Mais ces coins, elle n'avait pas envie de les connaître. L'Europe ne présentait plus aucun intérêt à ses yeux.

En fait, elle n'aspirait plus qu'à rentrer chez elle, retrouver ses origines, redevenir la petite Andrianna Duarte qu'elle avait été jusqu'à sept ans. Jusqu'à ce que tout le monde se mette à lui dire et à lui répéter que s'appeler Andrianna Duarte était déshonorant, presque aussi infamant que de ne pas avoir de nom du tout...

Andrianna ne se sentait plus aussi enjouée que tout à l'heure, lorsqu'elle avait quitté sa cabine, mais elle était bien décidée à rester jusqu'à la fin de la soirée.

Un peu de courage, que diable! Amuse-toi, donne-toi du bon temps. Tu n'es pas n'importe qui...

Fort habilement, elle réussit à éviter quelques importuns sans cesser un instant d'observer la salle autour d'elle. Lorsqu'elle eut acquis la certitude que Jonathan West ne se trouvait pas dans la pièce, elle quitta le cocktail pour aller explorer d'autres lieux de réjouissance. Elle ne le trouva nulle part et se consola en pensant qu'elle le verrait sans aucun doute au restaurant.

— Ah! Mademoiselle DeArte! s'exclama le maître d'hôtel, l'air ravi de faire enfin sa connaissance. Une place vous est réservée juste à côté de M. Jonathan West. Cela vous convient-il?

Elle hocha la tête et sourit, l'air un peu distant.

Mais lorsque les autres convives se furent à leur tour installés autour de la table, elle eut le plus grand mal à prendre part à la conversation.

Où est-il? Pourquoi ne vient-il pas dîner? A-t-il rencontré quelqu'un d'autre?

Une petite effrontée opportuniste, par exemple, qui ne lui avait pas caché qu'il lui plaisait et qu'elle avait terriblement envie de lui? Elle l'avait invité à prendre un verre dans sa cabine et ils avaient peut-être dîné en tête à tête, songeant à ce qui allait se produire ensuite aussi inéluctablement que la nuit succède au jour.

Tout en parlant et en souriant à ses compagnons de table, Andrianna se traitait d'idiote.

Pourquoi, mais pourquoi diable était-elle sortie ce soir?

⁂

Lorsqu'il ouvrit les yeux, Jonathan découvrit qu'il s'était endormi sur le canapé et qu'il faisait nuit. Il se souvint alors qu'il avait décidé de boire pour oublier. Mais en définitive, tout ce qu'il avait gagné, c'était de s'endormir comme une masse et de se réveiller plusieurs heures plus tard avec une terrible migraine.

Il se dressa sur son séant, alluma la lumière et se prit la tête entre les mains en grimaçant de douleur.

Déjà 10 heures? s'étonna-t-il, les yeux rivés sur le cadran de sa montre. La bouteille de Glenfiddich était à moitié vide. Pas étonnant qu'il ait dormi près de cinq heures d'affilée! Un bon bol d'air frais lui ferait le plus grand bien.

Il venait d'ouvrir sa porte et s'apprêtait à sortir sur le pont lorsqu'il eut soudain une vision. Une silhouette qu'il connaissait bien, vêtue de noir et drapée dans une fourrure blanche flottant derrière elle comme un suaire, avançait à pas glissés dans sa direction. Sa peau brillait dans la nuit de l'éclat spectral de la nacre. Cette femme droite et fantomatique ressemblait comme deux gouttes d'eau à Andrianna... et elle le regardait avec insistance. Puis elle disparut comme par enchantement dans la cabine de la vraie Andrianna!

Jonathan se frotta les yeux et secoua la tête pour s'éclaircir les idées. Des hallucinations! Voilà maintenant qu'il avait des hallucinations! Il fallait vraiment qu'il soit complètement soûl!

Le temps qu'il comprenne qu'il n'était pas si soûl que cela et que l'apparition qu'il venait de voir n'avait rien d'un fantôme, Andrianna avait déjà fermé sa porte. Bon sang! quel triple idiot! Elle portait une robe du soir et rentrait du restaurant, bien sûr! Elle s'était enfin décidée à sortir de sa cabine, et il l'avait manquée...

⁂

Comme une femme qui vient d'échapper à un grand danger, Andrianna ouvrit et referma précipitamment la porte de sa cabine. Puis, en proie à une immense joie, elle s'adossa contre le battant clos, écoutant son cœur cogner dans sa poitrine. Elle qui l'imaginait dans les bras d'une jeune et pulpeuse passagère... ! Il suffisait de le voir, en jean et blouson de cuir, avec ses cheveux ébouriffés, pour comprendre que Jonathan West n'avait pas quitté sa cabine de la soirée.

Alors, soudain, la jubilation fit place aux regrets. Pourquoi ne lui avait-elle rien dit ? Un simple bonsoir aurait peut-être suffi. Lui qui n'avait pas froid aux yeux en aurait probablement profité pour engager la conversation... et l'enchantement aurait commencé.

De rage et de dépit, elle serra les poings à s'en faire mal. Dire qu'elle avait passé des heures à se préparer pour lui, qu'elle l'avait cherché partout et qu'en désespoir de cause, elle s'était assise à cette maudite table, au restaurant, et avait parlé à tous ces gens dont elle se fichait éperdument, les yeux rivés sur l'entrée de la salle, dans l'attente de son arrivée ! Et quand, tout à coup, elle l'avait vu, à quelques pas d'elle, elle n'avait pas dit un mot, ne lui avait pas tendu la moindre perche et s'était précipitée dans sa cabine comme une idiote ! Qu'est-ce qui lui était passé par la tête ? Allait-elle longtemps encore jouer à cache-cache avec lui ?

Et lui, pourquoi ne lui avait-il pas adressé la parole ? Pourquoi n'avait-il pas fait le premier pas ?

Andrianna devinait sans peine la réponse : le jeu avait cessé de l'amuser...

Plus malheureux que les pierres, Jonathan, resté sur le pont, se jeta à corps perdu dans l'exercice physique. Tout en courant, il se reprochait amèrement d'avoir dérogé aux principes dont il avait fait son credo au début de sa carrière : sauter sur l'occasion et ne surtout pas la lâcher, le butin revenant à celui qui tenait bon.

Puis il cessa brusquement de se lamenter. Soit, il avait laissé passer sa chance. Mais ce n'était pas la première fois que ça lui arrivait. Qu'avait-il fait, dans de tels cas ? Il avait essayé de se rattraper. A condition de réagir vite, rien n'était perdu. Et puisque cela avait marché les autres fois, pourquoi ne pas essayer ce soir ?

Andrianna n'arrêtait pas de se tourner et de se retourner dans son lit. Etait-elle malade ? Elle avait la bouche tellement sèche qu'elle se leva pour aller boire un verre d'eau. Dans le miroir de la salle de bains, elle examina longuement son visage tandis que le robinet coulait. Non, elle n'avait pas une tête de déterrée, ni même l'air malade. A dire vrai, sa pâleur lui allait plutôt bien.

Son verre à la main, elle recula de quelques pas pour contempler son corps nu. Un corps qui n'avait rien perdu de sa fermeté, ni de sa plastique et de sa séduction. Un corps désirable... et brûlant de désir. Et c'était bien là le problème ! Elle le désirait et il s'était lassé d'elle avant même de l'avoir possédée. Mais s'était-il *vraiment* lassé ?

Elle tenait à s'en assurer. Mais pas demain. Ce serait ce soir ou jamais ! Si toute sa vie elle s'était sacrifiée, ce soir en revanche, elle n'en ferait qu'à sa tête.

Le cœur léger, Andrianna sortit en trombe de la salle de bains, attrapa son manteau de fourrure au passage et le jeta sur ses épaules en dévalant les quelques marches conduisant à la porte. S'il n'était pas dans sa cabine, elle irait le chercher. Et quitte à passer le paquebot au peigne fin, elle le trouverait !

Ouvrant sa porte à la volée, elle s'apprêtait à s'élancer dans la nuit lorsqu'elle le découvrit sur le seuil, aussi essoufflé qu'elle, les yeux brillant d'un éclat farouche. Tandis qu'il glissait ses mains sous le manteau et l'attirait à lui avec une violence presque désespérée, elle crut entendre les battements de son cœur... comme en écho aux battements de son cœur à elle, qui cognait tel un oiseau fou dans sa poitrine. Cette impression devint certitude quand, les yeux clos, elle se blottit tout contre lui. En écoutant ce cœur battre à coups redoublés, elle songea que jamais musique ne lui avait paru aussi enchanteresse...

7.

Vendredi soir

L'obscurité était presque complète dans la cabine de Jonathan, qui n'avait besoin d'autre lumière que celle des étoiles pour admirer la beauté du trophée qui gisait à côté de lui dans le vaste lit, pour contempler la mystérieuse Andrianna.

Jamais il n'avait tenu entre ses bras de femme aussi splendide ni éprouvé un tel bonheur à en posséder une. Elle incarnait véritablement l'amante idéale : ardente et passionnée, merveilleusement réceptive, aussi généreuse qu'exigeante. Et le plus prodigieux était que malgré son savoir-faire inimitable, elle arrivait encore à donner l'impression que l'amour était un art.

Il ne pouvait détacher les yeux de son corps superbe, s'empêcher d'admirer le velouté de sa peau, l'élégance de sa gorge et de son cou, la sensualité de ses seins, doux et fermes à la fois, avec leurs mamelons durs et dressés qu'il trouvait suprêmement érotiques, la perfection de ses jambes, si longues qu'elles s'enroulaient comme des lianes autour de ses reins. Il ne se lassait pas non plus de détailler son exquis visage, s'attardant sur sa bouche au dessin voluptueux, sur ses pommettes aristocratiques, sur ses yeux mordorés qui dans la pénombre brillaient comme des yeux de chat. Averti par une sorte d'instinct secret, il savait qu'après avoir plongé son regard dans ces yeux jaunes, il ne serait plus jamais le même, victime consentante d'un sortilège qui ne prendrait jamais fin, esclave jusqu'à son dernier jour...

Il ne la voyait plus que de profil, à présent; comme perdue dans ses pensées, elle fixait un point droit devant elle. D'un geste lent et plein de douceur, il lui saisit le menton et l'obligea à tourner la tête dans sa direction afin qu'il puisse dc nouveau admirer ses yeux. Mais son expression était devenue énigmatique, et il en fut troublé. Pourquoi ne lui souriait-elle pas? Pourquoi ne partageait-elle pas son euphorie?

— A quoi penses-tu? demanda-t-il.

Comme il prononçait ces mots, il songea que c'était la première fois qu'il lui adressait la parole, en dehors de ce qu'il avait pu lui dire dans le feu de la passion.

Elle sourit mais son expression demeura tout aussi impénétrable.

— A la même chose que toi..., répondit-elle.

— Et à quoi est-ce que je pense, à ton avis? murmura-t-il en effleurant du bout des lèvres la peau blanche de sa gorge.

Avant de répondre, elle s'amusa à suivre du pouce le contour de sa bouche et passa tendrement une main dans ses merveilleux cheveux blonds.

— Je pensais, tout comme toi probablement, qu'au lieu de rester allongés l'un à côté de l'autre, nous pourrions faire l'amour...

Sa voix altérée par le désir agit sur lui comme un puissant aphrodisiaque. Poussant un gémissement sourd, il se jeta sur elle et lui fit l'amour passionnément.

Il s'assit dans le lit, poussa un cri à faire pâlir d'envie Tarzan lui-même, et déclara :

— Je meurs de faim ! Pas toi ?

Elle éclata de rire. L'homme qui s'était montré le plus expérimenté, le plus sophistiqué des amants se comportait tout à coup comme un gamin de dix-huit ans. Cette ambivalence l'amusait et l'attendrissait tout à la fois.

Pourquoi ai-je les larmes aux yeux ?

— J'appelle le steward, annonça-t-il en allumant la lumière. De quoi as-tu envie ?

— Mais quelle heure est-il ? Il doit bien être 3 heures du matin...

— Pas tout à fait. Il est 2 h 20, exactement, mais cela ne change rien au problème. Je pourrais dévorer un bœuf entier tellement j'ai faim, et puisque ici les clients sont rois, je crois que je vais en commander un, justement, un bœuf entier et saignant ! Et pour toi, qu'est-ce que ce sera ?

Elle se mit à rire. Dieu, comme il était gai et enjoué ! Comment faisait-il ? D'où tirait-il une telle joie de vivre ? De sa confiance en l'avenir ? De son optimisme ?

— Mmm... Sur quoi se portera ton choix si par hasard le bœuf entier venait à manquer ?

Il lui décocha un sourire espiègle. Quelles dents magnifiques ! songea-t-elle, secrètement admirative. A croire que ce qu'on lui avait dit un jour — que seuls les Américains avaient des dents aussi parfaites — était vrai ! Mais cela ne prouvait rien, car *tout* en lui était irréprochable.

La plupart des hommes qu'elle avait connus étaient riches, puissants et raffinés. Certains étaient également cultivés, pleins d'esprit et de finesse. Quelques-uns étaient beaux, et deux ou trois étaient même dotés de silhouettes minces et athlétiques comparables à celle de Jonathan. Mais aucun n'avait *tout à la fois*... Jamais Andrianna n'avait rencontré toutes ces qualités réunies en un seul et même homme. Les fées qui s'étaient penchées sur le berceau de Jonathan West l'avaient paré de tous les dons. Il avait tout, absolument tout pour plaire...

— Tout bien réfléchi, ce dont j'ai vraiment envie, ce n'est pas un bœuf mais un dessert, puisque j'ai déjà eu le plat principal, et qu'il était excellent ! confia-t-il en l'embrassant.

— J'espère que ce n'est pas de moi que tu parles ! rétorqua-t-elle en feignant l'indignation. Oserais-tu me comparer à des spaghettis à la bolognaise ?

— Sûrement pas à des spaghettis !

Il lui mordilla les lèvres, claqua deux ou trois fois la langue comme pour mieux en apprécier la saveur.

— Si je devais te comparer à un plat, je choisirais l'un de ceux qui figurent sur la carte du meilleur restaurant du monde, qui est sûrement un restaurant français. Mais personnellement, je préfère la cuisine américaine du sud-ouest, la cuisine tex-mex. Et quand j'ai envie de changer, je me rabats de préférence sur la cuisine italienne, ou même japonaise. A tout prendre, je préfère le sushi aux escargots... soit dit sans vouloir t'offenser.

— Pourquoi serais-je offensée ?

— Eh bien, parce que tu es française ! DeArte est bien un nom français, *n'est-ce pas* ?

— Non, il est espagnol.

Machinalement, elle faillit lui servir le couplet habituel.

DeArte est d'origine espagnole. C'est mon nom de théâtre. Quand j'ai décidé de devenir comédienne, j'ai pris le nom de jeune fille de ma mère. Maman appartenait à une vieille famille castillane. Elle était très belle et quand papa, diplomate à Madrid, l'a vue pour la première fois à un bal donné à l'ambassade — elle n'avait que dix-sept ans à l'époque —, il est tombé éperdument amoureux d'elle. Bien sûr, pour ses parents, il était hors de question qu'elle épouse un Anglais. A la rigueur, s'il s'était agi de l'ambasseur de Grande-Bretagne lui-même, ils auraient peut-être pu fermer les yeux sur sa nationalité, mais papa n'était qu'en début de carrière. Ils ont donc dû s'enfuir. Cela a fait un joli scandale, si bien que papa a été muté à Bagdad, où je suis née...

Mais elle se ravisa : pour rien au monde, elle n'aurait raconté un tissu de mensonges à Jonathan West.

Pour donner le change, elle se mit à rire, et lorsqu'il lui demanda ce qu'il y avait de drôle, elle répondit :

— C'est ton *n'est-ce pas*. Tu n'es pas plus français que je suis américaine, et cela s'entend ! Tu veux savoir pourquoi ? Parce que tu ne prononces pas le *ce* correctement — soit dit sans vouloir t'offenser.

— Il n'y a vraiment aucun mal ! Pour être tout à fait franc, le français n'a jamais été ma matière préférée ni celle dans laquelle j'étais le meilleur.

Elle s'assit, tira le drap sur elle pour se couvrir un peu, et se cala confortablement contre les oreillers. Autant faire les choses bien ! Après tout, elle n'avait pas tous les jours l'occasion de parler aussi librement. Cette conversation à bâtons rompus était même quelque chose de complètement nouveau pour elle. D'où le plaisir d'autant plus grand qu'elle y prenait.

— Quelle était ta matière préférée ? demanda-t-elle. Etait-ce celle dans laquelle tu obtenais les meilleures notes ? Moi, j'étais bonne en langues, mais j'ai toujours préféré la littérature. Surtout la poésie. Mais je parie que tu étais le chouchou du professeur, et la fierté de ta mère. Je me trompe ? Allez, raconte. Je veux tout savoir de toi.

— Tu ne parles pas sérieusement ? Tu sais, je n'ai rien de spécial à raconter. J'étais un écolier tout ce qu'il y a de plus ordinaire, et j'allais dans une école ordinaire, à San Diego, qui est une ville de Californie plutôt agréable pour un enfant. Mais je suis sûr que tu as eu une enfance plus intéressante... plus passionnante, et sans doute encore plus agréable.

Oh! si seulement tu pouvais te douter... Mon pauvre chéri, tu n'aurais pas fini de t'étonner! Intéressante, mon enfance? A condition d'avoir un penchant pour le sordide! Agréable, elle ne l'a pas été souvent. Quant à la tienne, j'imagine sans mal ce que tu qualifies « d'ordinaire »...

— Je ne sais pas... En tout cas, je veux *vraiment* tout connaître de toi et de la façon dont tu as grandi à San Diego. Raconte-moi ce que tu faisais. Dis-moi ce que tu aimais.

Adossé aux oreillers, il était à présent parfaitement détendu.

— A San Diego, les gens ont tendance à vivre au jour le jour. Cet état d'esprit, il paraît que tous les Californiens l'ont plus ou moins, mais à San Diego, il est particulièrement répandu. Sans doute à cause du climat. Tu connais cette région, au moins de réputation?

— Non, pas du tout.

— Le sud de la Californie, et en particulier San Diego, jouit d'un ensoleillement quasi permanent, ce qui favorise l'insouciance des autochtones. Pourquoi s'en faire, pense-t-on là-bas, puisque la vie est belle et qu'il fait un temps superbe? On ne sait pas ce que l'avenir nous réserve. Un tremblement de terre ou un raz de marée peuvent survenir et perturber la ville et ses habitants pendant un jour ou deux. Alors, autant prendre la vie comme elle vient! Les gens ne pensent qu'à filer à la plage, à la montagne, ou à Disneyland. Moi, mon seul souci était d'enfourcher mon vélo et de disputer un match de base-ball, le samedi après-midi, quand l'entraîneur de la petite équipe à laquelle j'appartenais m'avait sélectionné...

— Et il te sélectionnait souvent ?
— Oui, presque tout le temps.
— J'en étais sûre !
— Tiens ! Et pourquoi donc ?
— Parce que tu devais être le meilleur buteur de l'équipe, celui qui marquait tous les points.
— Je n'étais pas le plus mauvais, c'est vrai. Mais je m'entraînais beaucoup.
— Je parie que tu étais scout, aussi, et que tu distribuais les journaux dans ton quartier.
— Comment as-tu deviné ? En Europe aussi, ce sont des gosses qui distribuent les journaux ?
Elle haussa les épaules.
— Aucune idée, dit-elle. En fait, je quittais rarement le pensionnat. Mais toi, étais-tu un bon livreur de journaux ? Un de ceux à qui on décerne une médaille à la fin de l'année : sérieux, ponctuel, sur le terrain par tous les temps, qu'il pleuve ou qu'il neige ?
Il partit d'un grand éclat de rire.
— J'ai l'impression que tu confonds les livreurs de journaux et les facteurs ! De plus, il n'y a pas de neige à San Diego, et pratiquement jamais de pluie. Mais j'étais effectivement un livreur sérieux, et presque toujours à l'heure. Et j'ai eu la médaille, bien sûr. Et tu sais pourquoi je l'ai eue ? Non parce que j'étais le plus méritant, mais parce que j'étais le plus efficace. Je distribuais plus de journaux que n'importe quel autre gosse de San Diego. Je couvrais trois secteurs alors que les autres en couvraient un seul.
— C'est vrai ? Comment faisais-tu ?
— J'avais un truc. Je répartissais les journaux entre cinq ou six gosses un peu plus jeunes que moi, qui n'avaient pas l'âge requis pour devenir eux-mêmes livreurs mais étaient parfaitement capables de jeter un journal devant une porte. En fait, je tenais plus du directeur des ventes que du véritable livreur de jour-

naux. Les distributeurs recevaient la moitié des bénéfices réalisés, au pro rata des journaux livrés, bien sûr.

Elle ne manifesta aucune surprise.

— Ça, c'est quand tu avais dix ans. Raconte-moi maintenant ce que tu faisais à douze.

— A douze ans, je vendais des bicyclettes d'occasion dans l'arrière-cour de notre pavillon. Tous les gosses du quartier venaient échanger leurs vélos, devenus trop petits pour eux, contre d'autres plus grands ou plus performants, moyennant un petit supplément, évidemment. J'avais même un slogan : « Vive le troc ! Y'a pas mieux quand on se moque que ce soit vieux ! Et pour les bicyclettes, c'est chez West ! »

— Oh ! Mais il est excellent ! Je parie que tu en es l'auteur.

— Bien entendu ! La poésie a toujours été mon fort. En cinquième, je raflais d'ailleurs systématiquement la première place. A chaque fois, le *numéro uno*, c'était moi !

Par jeu, il inclina la tête, comme s'il voulait se faire applaudir.

— Doux Jésus ! s'exclama Andrianna. Tu devais être vaniteux comme un paon !

Et absolument irrésistible...

— Allez, avoue qu'en plus d'être le meilleur, tu étais aussi le plus crâneur !

J'aurais tellement aimé être là, élève de cette classe de cinquième en même temps que toi, assise au pupitre voisin du tien...

— Dis-moi, n'y avait-il pas une matière dans laquelle tu n'excellais pas ?

— Si, admit-il avec un sourire en coin. Le français !

— Non, protesta-t-elle en riant, ça ne compte pas. Je te parle d'une matière que tu avais *vraiment* envie d'étudier.

Il fit mine de se creuser la tête, de fouiller dans ses souvenirs. En vain.

— Désolé, mais je n'en vois aucune.

— Aucune ? Je ne peux pas le croire. Je pense que tu es un fieffé menteur, déclara-t-elle en essayant de garder son sérieux.

Il l'embrassa sur le bout du nez.

— Un menteur, moi ? Et pourquoi, s'il te plaît ? Parce que je n'apporte pas la preuve de ce que j'avance ? A ce compte-là, ma chère, nous sommes tous deux des menteurs !

Andrianna se sentit rougir. Insinuait-il qu'il *savait* qu'elle mentait comme elle respirait ? Qu'il savait que sa vie entière, pour ainsi dire, n'était qu'un tissu de mensonges ?

Non, impossible. Il ne peut pas avoir deviné...

— Comme on disait dans la cour de récréation, ajouta-t-il, « Les paroles en l'air, c'est du vent ! » Pourquoi ne pas poursuivre l'interrogatoire ?

— D'accord. Parle-moi encore de ton enfance sous le soleil de San Diego, donne-moi un autre exemple de ta supériorité, et je te dirai si oui ou non tu es un menteur. Accusé, veuillez poursuivre, je vous prie.

— Tout de suite, madame le juge, répondit-il en se penchant pour déposer furtivement un baiser sur ses lèvres.

— Je vous mets en garde contre toute tentative de corruption de magistrat, ce genre de procédé risquant fort de jouer en votre faveur.

Quel jeu stupide ! songea Andrianna, un peu honteuse de se laisser aller à de tels enfantillages. Mais qu'importait puisqu'il s'amusait autant qu'elle !

— Pourriez-vous être un peu plus explicite, Votre Honneur ? Est-ce la tentative ou la corruption elle-même qui jouera en ma faveur ? demanda-t-il en l'embrassant une nouvelle fois.

— Je vous préviens, monsieur West, ces manœuvres de diversion ne font qu'atténuer la gravité de votre cas.

— Dois-je prendre cela comme un encouragement ? Du bout du doigt, il suivait les courbes délicates de ses seins sculpturaux.

— Reprenons l'audience, monsieur West. Je vous écoute.

Son corps réagissant au moindre contact, elle préféra s'écarter.

— Bon, je n'insiste pas. Laissez-moi juste rassembler mes esprits. Compte tenu de l'importance des enjeux, je tiens à faire la meilleure impression possible...

— Tout ce qu'on vous demande, c'est la vérité, monsieur West. Toute la vérité et rien que la vérité.

— Bien, madame le juge. Je vous parlerai donc à présent de l'été de mes dix ans. Je m'apprêtais à entrer en septième et à participer, en octobre, au concours d'orthographe organisé comme chaque année par la municipalité. J'étais nul en orthographe, mais j'avais décidé de gagner.

— Comment t'y es-tu pris ?

— Je m'y suis préparé, tout simplement. Je me suis mis en campagne dès l'été. Le dictionnaire est devenu mon livre de chevet. Je passais chaque soir des heures à le potasser.

— Mais comment pouvais-tu espérer apprendre par cœur un dictionnaire ? A dix ans, on n'a pas des idées aussi saugrenues.

— En fait, j'avais une arme secrète.

La fameuse arme secrète, bien sûr ! Tous les héros en ont une. Une arme secrète qui les rend invincibles. Parfois, cette arme n'est autre que leur pureté.

— J'ai... une sorte de don, dirons-nous. J'ai la faculté de retenir à peu près tout ce que je lis ; moyennant un minimum de concentration, bien sûr. Ce n'est pas tout à fait une mémoire photographique, mais presque. Cela valait donc le coup d'essayer. Des nuits durant, une lampe de poche cachée sous les draps, je me suis appliqué à mémoriser l'orthographe de milliers de mots — des mots que souvent je n'avais même jamais entendus. Impossible de décrire le sentiment d'exaltation que je ressentais. J'avais parfois l'impression que ma tête allait exploser, mais quel bonheur de penser qu'on peut devenir savant et réussir tout ce qu'on entreprend ! Je me prenais pour le maître de l'univers. Par la suite, je n'ai jamais plus éprouvé avec autant de force cette sensation de puissance. J'ai pourtant réalisé de gros coups financiers, et empoché des millions de dollars, mais ma plus grande satisfaction a été de relever ce premier défi. N'est-ce pas incroyable ?

Elle, en tout cas, elle le croyait ! Elle l'imaginait penché sur son dictionnaire, tandis que toute la maisonnée dormait — beau comme un ange, et têtu comme une mule, persuadé déjà d'avoir le monde à ses pieds.

Et peu lui importait, en réalité, de perdre ou de gagner. Il avait *déjà* gagné la bataille. Par curiosité, elle demanda quand même :

— Et tu l'as gagné, ce concours d'orthographe ?

— Il aurait difficilement pu en être autrement. J'avais même retenu des mots tels que *schlitteur*.

— Alors, ça, non ! Tu n'arriveras pas à me faire croire que tu avais imaginé qu'ils te demanderaient d'orthographier correctement un mot comme... comme *schlitteur* ou je ne sais quoi de ce genre ! La preuve est faite : tu es bel et bien un fieffé menteur !

— Hé, attends une minute ! Je n'ai jamais prétendu qu'ils m'avaient demandé de l'orthographier. J'ai seulement dit que je l'avais retenu. Je pourrais même encore te l'écrire, figure-toi !

Il prit un ton indigné pour épeler le mot en question.

— Note-le, si tu n'as pas confiance. Rien ne t'empêche de vérifier...

Sérieux, tout à coup, il ajouta :

— Je ne t'ai pas menti, Andrianna. Comment pourrais-je jamais te mentir ? Tu me crois, j'espère ?

Oui, elle le croyait. Sans réserve. C'était la première fois qu'elle rencontrait un homme comme lui, un homme en qui elle avait toute confiance. Elle aurait pu jurer que *lui*, il ne lui mentirait jamais...

Ce qui, dans le fond, n'était pas tellement surprenant, songea-t-elle avec lucidité, puisqu'elle était sous le charme, éblouie par son extraordinaire rayonnement, émerveillée par sa sincérité, sa virtuosité et sa confiance en soi. Elle croyait ce qu'il disait, et elle croyait *en lui*, comme jamais elle n'avait cru en elle.

Et cela la rendait terriblement malheureuse.

Si elle avait rencontré Jonathan West quelques années plus tôt, en Californie, quelque part entre la Napa Valley et San Diego, un peu de lui aurait peut-être déteint sur elle. L'amour n'est-il pas censé accomplir des miracles ? Peut-être, alors, serait-elle arrivée à croire en elle... Elle aurait pu contempler un ciel nocturne et songer : « Je suis Andrianna Duarte et il ne tient qu'à moi de décrocher la lune. Andrianna Duarte ne recule devant rien ni personne — aucun homme, aucun ultimatum, aucune maladie. Il n'y a rien que je ne puisse vaincre à la loyale... »

Mais aujourd'hui, il était trop tard.

Soudain, il lui glissa un bras autour de la taille.

— Alors ? Tu ne m'as toujours pas répondu. Tu me crois ? Tu as l'air si grave. A quoi penses-tu ?

Elle le rassura d'un sourire.

— Je te crois. Et si tu veux vraiment le savoir, je pensais : « Ça alors ! Cet homme est extraordinaire ! Il connaît l'orthographe comme personne ! »

Ils se mirent à rire et à s'embrasser, jusqu'à ce qu'il se taise, brusquement, et enfouisse son visage dans les cheveux noirs de sa compagne.

— Andrianna ! Andrianna ! murmura-t-il. Je t'aime, Andrianna DeArte.

Alors elle cessa de rire, elle aussi. Il avait prononcé les mots magiques. *Je t'aime, Andrianna DeArte.* Mais Andrianna DeArte n'existait pas. La femme qu'il tenait dans ses bras était pour une part Andrianna Duarte, pour une autre part Ann Sommer, et pour le reste une multitude de personnages divers. Elle n'avait pas les pourcentages précis en tête.

Le tout peut être plus grand que la somme de ses parties. Elle l'avait lu quelque part, et sur le moment, cela lui avait paru fantastique. Mais elle n'en croyait pas un mot. A son avis, c'était l'inverse : le tout perdait souvent plus qu'il ne gagnait à être composé de différentes parties.

Dans son cas, quand cette perte avait-elle commencé ? Quand elle avait embrassé Rosa pour la dernière fois, à l'aéroport de San Francisco, et qu'elle s'appelait encore Andrianna Duarte ? Ou quand elle s'était retrouvée chez Helen Sommer, et qu'elle était devenue Ann Sommer ? Etait-ce lorsqu'elle avait enfin compris qu'Andrew Wyatt était son père, ou lorsqu'elle avait commencé à se douter qu'Helen la détestait ?

A quand remontait le début de sa lente désagrégation ? A ses treize ans, lorsque Alex l'avait violée ? Ou à l'époque où elle avait tout avoué à Helen, quelques mois après les faits ? La cruauté d'Helen avait été telle qu'elle avait pensé que plus rien désormais ne pourrait la choquer... ou la faire pleurer... ou la rendre plus cynique qu'elle n'était déjà...

Ce en quoi elle se trompait. Elle n'était pas au bout de ses peines. En fait, ce n'était qu'après avoir découvert *pourquoi* Helen la détestait autant qu'elle avait décidé d'être aussi dure, aussi insensible et impitoyable que la « tante » qui avait hérité d'elle.

⁂

C'était Patricia Smithers, surnommée Bitsy, une de ses camarades de classe originaire de San Francisco, qui avait vendu la mèche, à son retour des Etats-Unis, après les vacances de Noël.

— Oh, Ann ! cria Bitsy, tout excitée. Figure-toi que ma mère connaît très bien ta tante Helen. Et tu sais d'où ?

Bitsy lança un coup d'œil aux filles qui faisaient cercle autour d'elle, car elle avait convié quelques-unes de ses camarades à assister à la leçon qu'elle allait donner à cette pimbêche d'Ann.

Surprenant son manège, et se doutant que Bitsy lui préparait un mauvais coup — Bitsy lui en voulait à mort depuis qu'elle avait refusé de se laisser enrôler dans sa clique —, Andrianna décida de faire la sourde oreille et tourna les talons si brusquement que la jupe plissée de son uniforme se déploya en éventail au-dessus de ses genoux.

Mais Bitsy s'empressa de poursuivre :

— Dès que j'ai dit à maman qu'elle s'appelait Sommer, et que ton oncle était l'attaché ou le je-ne-sais-quoi britannique à Zurich, elle a su exactement de qui je parlais. Et pour cause ! Elle les a très bien connus à l'époque où ton oncle était consul à San Francisco, *avant* qu'ils ne soient exilés ou mutés, enfin... qu'ils tombent en disgrâce.

Tandis que les rires fusaient autour d'elle, Andrianna réfléchissait. C'était la première fois qu'elle entendait dire que les Sommer avaient vécu à San Francisco, si près de sa région natale.

Feignant de ne prêter aucune attention aux propos de Bitsy, elle sourit avec hauteur.

— Je ne vois vraiment pas de quoi tu parles, mais ce que je sais, en revanche, c'est que tu n'as pas volé ton surnom ! Quand on est affligé d'un cerveau pas plus gros qu'une tête d'épingle, on ne peut s'appeler que Bitsy !

— Alors, comme ça, tu ne vois pas de quoi je parle ? Comme c'est bizarre... Maman, en revanche, sait très bien de quoi *elle* parle. Elle se souvient de *toute l'affaire... dans ses moindres détails.* A l'époque, ta tante Helen a causé un beau scandale, à Frisco, en se compromettant avec un homme marié du nom d'Andrew Wyatt.

En se compromettant avec Andrew Wyatt ! Une fraction de seconde, le cœur d'Andrianna s'arrêta de battre.

— Maman dit que, dès le début, ta petite tante chérie a eu des liaisons avec toutes sortes d'hommes. Et puis elle a mis le grappin sur Andrew Wyatt, qui faisait partie de l'élite de Frisco et détenait plusieurs banques, entre autres choses.

Machinalement, Andrianna se rapprocha.

— Maman dit aussi qu'entre Helen et Andrew Wyatt, ça a été l'amour fou, jusqu'au jour où il l'a laissée tomber pour une petite Mexicaine issue des bas fonds.

Une petite Mexicaine issue des bas-fonds ? Elena ! Bitsy parlait de sa mère !

Le cœur serré comme dans un étau, Andrianna respirait avec peine.

— Vous imaginez ?

Bitsy prit son auditoire à témoin.

— La tante très-comme-il-faut d'Ann rejetée comme une malpropre pour une Mexicaine dévergondée qui ne parlait peut-être même pas un mot d'anglais ? Incroyable, non ?

Andrianna devint écarlate. Elle venait d'apprendre que son père, l'homme que sa douce et jolie maman avait adoré, admiré, vénéré comme un dieu avait été auparavant l'amant d'Helen, mais aussi stupéfiante qu'elle fût, cette nouvelle ne lui faisait ni chaud ni froid. La seule chose qui lui importait, c'était que Bitsy avait traité sa mère de Mexicaine dévergondée ! De putain, en somme... Sur le moment, elle crut qu'elle allait se jeter sur Bitsy et l'étrangler, serrer son cou chétif pour lui faire ravaler ses paroles, mais elle était incapable du moindre geste, comme pétrifiée.

— A la suite de quoi, poursuivit allègrement Bitsy, les Sommer, qui étaient devenus la risée de toute la ville, ont été envoyés à Bagdad. Je suppose qu'aucun autre pays ne voulait d'eux. Et maman dit qu'il a fallu des années avant qu'ils obtiennent leur retour à la civilisation — par le biais d'une affectation en Suisse.

« Il va sans dire que maman est furieuse qu'Huxley, malgré sa réputation d'école sélecte, t'ait acceptée comme élève, Ann. Je ne partage pas son point de vue, bien sûr, déclara Bitsy. Comme je l'ai expliqué à maman, il me semble que *n'importe qui*, indépendamment de ses origines et de ses antécédents, a droit à une bonne éducation. Ce sont les principes défendus en Amérique, ajouta-t-elle d'un ton docte.

Mais Andrianna ne l'écoutait plus, songeant à cet après-midi, cet avant-dernier après-midi de la trop courte vie de la douce Elena, où elle avait entendu sa mère parler à Rosa, la voix vibrante de passion et de dévotion, de son cher Andy avec qui elle avait partagé... ces instants de plénitude volés à l'éternité. Elle ignorait qu'avant elle, Helen Sommer avait également partagé avec Andrew des instants de plénitude. Pauvre Elena, qui ne savait pas que ce qui brillait comme de l'or n'était en fait que du laiton — et du laiton corrodé par-dessus le marché !

Andrianna comprenait encore mieux pourquoi Helen la détestait. La rancune que celle-ci nourrissait à l'égard d'Elena, qui lui avait pris Andrew Wyatt, s'était tout naturellement reportée sur elle. Et si Helen avait accepté de se charger d'elle, c'était uniquement parce qu'elle avait conclu un marché avec Andrew Wyatt. Donnant, donnant. Elle l'avait prise en échange d'un poste à Bagdad pour son mari. Cela concordait parfaitement. Andrianna n'était pas plus tôt arrivée à Bagdad que les Sommer avaient déménagé à Zurich. Son père, le célèbre homme d'affaires, avait dû acheter la nouvelle affectation d'Alex.

Soudain, la voix de Bitsy se fraya un passage à travers sa conscience :

— J'ai fini par dissuader maman de demander le renvoi d'Ann. Ce n'est pas sa faute, après tout, si sa tante est une déclassée qui, quand on y réfléchit un peu, ne vaut pas mieux, malgré sa nationalité anglaise et ses airs de grande dame, que cette petite Mexicaine opportuniste. Quoi qu'il en soit, j'ai réussi à convaincre maman, et je n'en attends même pas des remerciements...

Sans crier gare, Andrianna bondit sur Bitsy, qu'elle se mit à frapper, gifler, griffer, rouer de coups de poing et de coups de pied. Dans sa hargne, elle lui donna même quelques coups de dents et lui tira les cheveux, dont elle lui arracha une pleine poignée. Bitsy fut bientôt en sang, et elle en sueur, complètement épuisée...

Huxley leur demanda des comptes à toutes les deux. Comment était survenu le « léger différend » qui avait éclaté entre elles ? Mais comme il fut impossible d'en tirer quoi que ce soit, on décida de classer l'affaire sans en référer aux parents ; à condition, bien sûr, que l'incident ne se reproduisît jamais plus.

Bitsy avait compris sa douleur : elle se tint désormais à une distance respectueuse. Mais d'une certaine façon, Andrianna lui était reconnaissante. Elle lui avait ouvert les yeux sur bon nombre de choses qu'elle n'avait pas vues jusque-là.

Certes, toute cette histoire avait contribué à la désagrégation du tout, mais avec le recul, Andrianna se rendait compte que son incidence, en définitive, était mineure.

Car en cet instant, Andrianna Duarte ou Ann Sommer ne comptaient pas ; il n'y avait que Jonathan West et Andrianna DeArte. Ils avaient deux jours devant eux, et quoi qu'il arrive, ces quarante-huit heures, rien ni personne ne pourrait les leur voler. Andrianna savait que ces quelques heures lui resteraient comme un souvenir, instants infiniment précieux qu'elle chérirait tel un bijou face à une improbable éternité...

8.

Samedi

Andrianna ne retourna pas dans sa cabine de toute la nuit, et il faisait jour lorsque, enfin, ils s'abandonnèrent au sommeil. Il s'endormit le premier, tandis qu'elle résistait, luttait pour garder les yeux ouverts afin de pouvoir le contempler quelques minutes encore, si beau, si jeune et innocent ainsi assoupi.

Chaque seconde écoulée était pour elle un déchirement. Le compte à rebours à peine commencé, elle réclamait déjà un sursis. Etait-ce la rançon du grand amour ? De ne jamais être rassasié, de vouloir toujours plus, d'exiger, d'implorer, de supplier que cela n'ait pas de fin ?

Et lorsque, malgré elle, ses paupières se fermèrent, avant de sombrer dans l'inconscient elle ordonna à son horloge interne de la réveiller vite, priant pour que ce mécanisme soit encore en état de fonctionnement.

Quand elle émergea de son sommeil, elle devina qu'il était penché sur elle. Puis elle prit conscience de ses lèvres douces et expertes qui traçaient un sillon brûlant le long de ses épaules, s'attardaient dans le creux de son cou avant de reprendre leur lente exploration dans la vallée profonde qui séparait ses seins. Instinctivement, elle se cambra vers lui, avide de se livrer avec délices, et ouvrit les yeux. Mais le soleil qui entrait à flots par les hublots acheva de lui redonner le sens des réalités.

D'un coup, elle se dressa sur son séant.

— Quelle heure est-il ? demanda-t-elle instamment, comme si toute sa vie en dépendait.

— Aucune idée. Je n'ai pas regardé ma montre. 9 ou 10 heures, peut-être. Mais qu'est-ce que ça peut faire ? Nous n'allons nulle part, de toute façon.

Il se mit à rire, pencha la tête et, du bout de la langue, s'amusa à lui chatouiller la gorge.

— Tu avais prévu quelque chose, peut-être ? Un tournoi de tennis ou une partie de bridge ?

— Non, rien du tout, avoua-t-elle d'une toute petite voix.

Elle se cala contre les oreillers, souriante et sereine, du moins en apparence.

— Je n'ai rien de prévu. Mais j'aimerais bien que tu me dises l'heure. C'ést ma marotte. J'ai *besoin* de savoir l'heure qu'il est, sinon je me sens désorientée.

— D'accord. Pour rien au monde je ne voudrais te voir désorientée. Je te veux au contraire lucide et en pleine possession de tes moyens.

Il consulta sa montre, qu'il avait posée sur la tablette, à la tête du lit.

— Il est exactement 9 h et 42 minutes. Te voilà soulagée, j'espère ? Jamais je ne me serais douté que tu étais esclave de l'heure. C'est plutôt insolite pour une femme dans ton genre.

Le temps n'est pas mon maître — il est mon ennemi.

— Et quel genre de femme suis-je, d'après toi ?

C'était une question anodine, tout ce qu'il y avait de plus banale, mais pas une question inutile. Quand on aime, les questions que l'on pose sont toujours pertinentes. D'autant qu'Andrianna savait d'avance ce qu'il allait répondre, toutes les choses qu'il allait lui dire, si agréables à entendre... Et en effet : il les lui dit toutes, sans en oublier une seule.

— Tu as faim ? demanda-t-il.

— En définitive, nous n'avons rien commandé à manger, cette nuit.

— Non, c'est vrai, mais ça n'a pas été nécessaire. J'ai eu tout ce qu'il me fallait, déclara-t-il en souriant. Pas toi ?

— Moi aussi, rassure-toi ! Mais nous devrions manger pour garder nos forces. Il paraît que c'est indispensable. De plus, il me faut du café, des litres de café.

— Dans ce cas, c'est entendu. Nous irons prendre un petit déjeuner.

Non, par pitié ! Ne m'oblige pas à dilapider aussi inutilement mes précieux instants !

— Devons-nous vraiment nous lever ? Je suis si bien au lit que je n'ai aucune envie de bouger. Pourquoi ne prendrions-nous pas le petit déjeuner au lit ? C'est plus douillet. Et tellement plus... intime.

Sa voix caressante, son ton suggestif suscitèrent une nouvelle flambée de désir chez Jonathan.

— Je crois que tu as raison, dit-il avec gravité.

Lorsque, après le petit déjeuner, elle parla de regagner sa cabine pour se brosser les dents, prendre une douche et se mettre quelque chose sur le dos — ne serait-ce qu'un peignoir —, il protesta :

— Non, pas question. Je t'interdis de bouger.

— Mais tu es un vrai tyran ! s'exclama-t-elle, absolument ravie. Que feras-tu si je te désobéis ?

— Essaye un peu.

— Tu me puniras ?

— Oh que oui !
— Promis ?
— Je te le jure.
— Punis-moi tout de suite, alors ! Inflige-moi autant de baisers que tu voudras...

Dans le plus simple appareil, elle se brossa les dents avec sa brosse à lui qui, debout derrière elle, la tenait par la taille, ses yeux rieurs cherchant les siens dans le miroir. Quelle délicieuse façon de se brosser les dents ! songea-t-elle. Puis, quand il se pressa contre elle et qu'elle sentit contre ses reins son sexe dur et lisse comme du marbre, elle poussa un soupir d'aise. *C'était, décidément, la façon la plus exquise de se brosser les dents !*

Il avait tellement insisté qu'elle avait fini par accepter de le rejoindre dans le bac à douche. Elle pensait qu'il n'y avait pas de place pour deux et se demandait pourquoi il semblait tant y tenir. Ce n'est qu'après qu'ils se furent savonnés l'un l'autre, lentement et consciencieusement, et après qu'ils se furent rincés, restant un long moment immobiles et enlacés sous le jet d'eau chaude, qu'elle comprit où il voulait en venir.

Mais si les préliminaires amoureux ne la surprirent pas, il n'en fut pas de même pour la suite. La position accroupie qu'ils adoptèrent se révéla formidablement novatrice. Et plus que jamais, extase et volupté furent au rendez-vous.

Lorsque Jonathan descendit ouvrir au garçon de cabine qui apportait le plateau du petit déjeuner, il trouva sous sa porte une liasse de messages téléphoniques, ce qui n'avait rien d'étonnant, puisque la veille, il avait décroché le téléphone. Il la feuilleta rapidement. Les messages émanaient tous de son bureau et témoignaient d'une frénésie grandissante. Apparemment, son personnel était aux quatre cents coups parce qu'il était devenu injoignable.

— Seigneur ! murmura-t-il.

— Que se passe-t-il ? Il est arrivé quelque chose ?

— Pas vraiment. Il se trouve simplement que des gens qui gagnent pourtant plus de deux cent mille livres par an sont tout à coup bloqués dans leur travail, incapables de la moindre initiative parce que je ne réponds plus au téléphone depuis hier. Un jour d'absence et c'est la débâcle ! Si le président des Etats-Unis lui-même disparaissait, je suis sûr que ce ne serait pas pire !

— T'es-tu déjà coupé de ton entreprise un jour entier ?

— Non, je ne crois pas.

Elle sourit.

— Alors, tout est ta faute.

— Je crois que tu as raison. Je devrais peut-être t'embaucher, puisque tu es si perspicace. Tu ferais marcher tout le monde à la baguette. Que dirais-tu d'un poste d'assistante de direction ? Salaire attrayant, avantages multiples, excellentes conditions de travail.

Elle se mit à rire.

— Les avantages en question sont très tentants, mais je crains que le travail ne soit pas exactement dans mes cordes.

Ils ne faisaient que plaisanter, bien sûr, mais en y réfléchissant, Jonathan se rendit brusquement compte que s'ils avaient parlé d'un tas de choses, à aucun moment il n'avait été question d'elle, de ce qu'elle faisait, de ce qu'elle comptait faire. Or il avait besoin de savoir.

Il l'avait aimée tant et tant de fois, en l'espace de ces quelques heures, qu'il connaissait son corps presque aussi bien que le sien. A force de la regarder, d'étudier ses traits et d'épier ses expressions, son visage lui était devenu si familier qu'il pouvait, les yeux fermés, se le représenter jusque dans ses moindres détails. Pourtant, il ne savait presque rien d'elle, et le peu qu'il savait, c'était indirectement qu'il l'avait appris, grâce à ce début d'enquête à laquelle il avait finalement préféré renoncer.

De son enfance *à elle*, elle n'avait pas dit un mot. Il ignorait même les raisons pour lesquelles elle se rendait aux Etats-Unis. Si elle resterait à New York ou si, comme lui, elle comptait s'envoler immédiatement pour la côte Ouest. Puisqu'elle était comédienne, peut-être était-elle attendue à Hollywood... ?

Mais tant qu'à faire, autant commencer par le commencement. Avant de la questionner sur ses projets, il fallait qu'il lui demande ce qu'elle faisait dans la vie. A ce stade de leurs relations, lui avouer qu'il avait lancé une enquête sur son passé était absolument impensable. Une autre femme qu'Andrianna aurait peut-être été flattée de susciter une telle réaction chez un homme qui la voyait pour la première fois, mais elle, elle le prendrait sûrement très mal. Ce qui se comprenait, d'ailleurs, son initiative témoignant d'un culot et d'une hypocrisie qu'il jugeait lui-même impardonnables.

Il le lui avouerait plus tard, quand ils se connaîtraient mieux. A ce moment-là, ils en riraient. Cette histoire d'enquête pourrait même devenir une de ces anecdotes que se racontent les couples, entre eux — dans quelles circonstances insolites ils se sont rencontrés et quelles réactions stupides ils ont eues.

En attendant, il se laissa tomber dans le vaste fauteuil, en face du lit.

— Et toi, dis-moi, que fais-tu dans la vie ?

— Ce que je fais ?

Elle s'humecta les lèvres, cherchant à gagner du temps, le tour que prenait la conversation lui déplaisant souverainement.

Je joue les femmes du monde, les pauvresses, les profiteuses, les voleuses...

— Je suis comédienne. Pas une grande comédienne, mais c'est quand même plus ou moins mon activité professionnelle.

A ces mots, il oublia la question qui le préoccupait, qui était de savoir où elle irait lorsqu'ils débarqueraient.

— Comment cela, plus ou moins ? s'indigna-t-il. Qu'est-ce que c'est que ce défaitisme ?

Elle haussa les épaules, peu désireuse de parler de sa répulsion à s'investir à fond dans un rôle ou de son manque d'ambition en général.

— Ça t'ennuie ? demanda-t-elle avec un petit sourire.

— Et comment ! Si tu es comédienne, alors tu es la meilleure, ou du moins, tu es persuadée d'être la meilleure ! Si tu n'en es pas au moins persuadée, comment veux-tu le devenir un jour ?

Pour couper court, elle prit un air de conspiratrice.

— Si j'étais sûre de ne pas te choquer, ou de ne pas me déconsidérer à tes yeux, je te confierais bien un secret. Si tu veux le savoir, je n'ai pas la moindre envie d'être un jour la meilleure.

Si d'un côté, il *était* choqué — tout à la fois scandalisé et atterré — par cette absence totale d'ambition, tellement contraire à ses principes, d'un autre côté, il ne pouvait s'empêcher d'admirer pareil détachement. C'était peut-être cela, justement, qui la rendait si différente des autres.

Il n'eut pas l'occasion de lui poser la question qui lui tenait tant à cœur. Mais il se consola en pensant qu'ils auraient encore le temps d'en parler avant l'heure fatidique de l'arrivée à New York. En outre, il avait besoin d'y réfléchir. Car, si contre toute attente, elle n'avait pas prévu de se rendre sur la côte Ouest, il voulait avoir une proposition à lui faire. Une proposition sérieuse, qu'elle ne pourrait pas refuser.

⁂

Il était 9 heures lorsqu'ils se préoccupèrent du dîner. Il lui demanda de passer la commande pendant qu'il jetait un coup d'œil aux derniers messages, ou S.O.S., en provenance de son bureau.

Elle décrocha le combiné et s'assit sur la table basse, en face du canapé gris-bleu.

— Qu'as-tu envie de manger? s'enquit-elle.

Foulant à grandes enjambées la moquette épaisse et moelleuse de la pièce, il s'approcha d'elle.

— Toi..., répondit-il avec un sourire.

— Je n'y vois aucun inconvénient, murmura-t-elle en raccrochant le téléphone avec des gestes langoureux.

Quand ils reparlèrent de manger, il était très tard.

— Tu sais de quoi j'ai vraiment envie? murmura-t-il. De faire la fête. Une vraie grande fête.

Elle faillit lui demander ce qu'ils étaient censés fêter, mais elle se ravisa. En fait, elle le savait, et elle savait aussi qu'il valait mieux ne pas s'appesantir sur le sujet. Le moment de lui annoncer que ce qu'il voulait fêter méritait tout au plus un toast, en toute simplicité, viendrait bien assez vite. Il leur restait encore un jour et elle comptait en profiter. De plus, elle n'était pas prête...

— Et que mange-t-on, d'après toi, quand on veut faire la fête? railla-t-elle. Un énorme hamburger accompagné de rondelles d'oignons frits et d'une double portion de frites? Sûrement pas du ris de veau aux morilles, en tout cas! Ah! je sais! Un hot dog dégoulinant de moutarde!

— Tu te moques de moi et de mes goûts prosaïques d'Américain. Mais je te pardonne. En matière de cuisine, je sais combien vous pouvez être snobs, vous autres Européens. Cela ne me vexe pas le moins du monde. D'ailleurs, je vais te dire exactement de quoi j'ai envie.

— Dis-moi, implora-t-elle, la mine contrite.

— De fondants au chocolat et au noix, de mokas à deux étages, de tartes à la framboise et de glaces à la chantilly. De glaces, surtout, à tous les parfums possibles et imaginables, avec des amandes caramélisées et du sirop d'érable, ou des pépites de chocolat et des éclats de nougat...

Il décrocha le téléphone et appela le service des cabines.

— J'en ai l'eau à la bouche. Alors ? A quel parfum, cette glace ? Choisis tout ce que tu veux, dit-il d'un ton grandiloquent comme s'il lui proposait des diamants, des émeraudes, des rubis, ou plus simplement, la lune et les étoiles.

Elle secoua la tête en riant.

— On dirait un petit garçon le jour de son anniversaire, tout excité par ses cadeaux et impatient de manger le gâteau. Est-ce là ta conception de la vie ? La vois-tu comme une fête ?

Il la regarda avec de grands yeux, l'air ébahi, et reposa le combiné.

— Absolument. La vie, du moins telle que je la voudrais, ressemble à un grand anniversaire, avec beaucoup de cadeaux, tous entourés de rubans de satin.

— Et des ballons ?

— Des ballons, des chapeaux pointus et des serpentins. Pourquoi diable ne serait-elle pas gaie et pleine de surprises ? Mais *toi*, comment la vois-tu ?

Ah, mon Dieu ! Comment est-ce que je la vois, moi ?

— Pour moi, la vie, c'est comme... comme... l'amour en plein jour...

Cette réponse le prit complètement au dépourvu. Machinalement, il jeta un coup d'œil à l'heure affichée au cadran du magnétoscope. Minuit moins le quart. Puis son regard se tourna vers les hublots, à travers lesquels filtrait le clair de lune. Il faisait nuit. Bel et bien nuit. Alors il s'assit sur le lit, et interrogea les yeux couleur d'ambre.

— Comme l'amour en plein jour... ? Que veux-tu dire ?

Elle esquissa un pâle sourire.

— Tu sais : le côté imprévisible, spontané, un peu comme une surprise à laquelle on ne s'attendait pas. On fait l'amour, et quand on regarde au dehors, on s'aperçoit que le monde est tout entier baigné d'une lumière dorée, douce et chaude. Et c'est merveilleux, comme si on avait volé de précieux instants de plénitude à la vie... à l'éternité !

Il ne bougeait pas, hypnotisé par ses yeux qui brillaient comme des étoiles, captivé par ses paroles.

— Oui ? dit-il pour l'inciter à poursuivre.

— Et soudain, on comprend... Une clarté se fait tout au fond de soi et on comprend que ce qu'on éprouve n'est pas une simple attirance physique, mais l'amour avec un grand A. C'est comme de s'aimer sur des draps de satin rose pâle ou sur de la fourrure blanche. C'est comme de marcher sur du velours rouge et de boire du champagne. On sent les bulles exploser à l'intérieur de sa bouche et cette petite musique est d'autant plus merveilleuse qu'on l'écoute à deux. C'est comme de respirer le plus extraordinaire des parfums dans une pièce remplie de fleurs. C'est comme de rire sans raison...

Le dos calé contre les oreillers moelleux, ses cheveux noirs cascadant sur ses épaules nues et lisses comme de la soie, les paupières à demi fermées et les lèvres légèrement entrouvertes, elle semblait ailleurs, perdue dans un monde qui n'appartenait qu'à elle.

— Oui..., ajouta-t-elle dans un souffle. C'est ainsi que devrait être la vie. Comme l'amour en plein jour : une merveilleuse surprise avant le coucher du soleil.

Il buvait ses paroles, fasciné par les images qu'elle avait si bien su décrire, des images qui, dût-il vivre jusqu'à cent ans, ne s'effaceraient jamais de sa mémoire. Sa bouche était sèche et sa respiration presque imperceptible. Aucune pensée cohérente ne se formait plus dans son esprit. Tout ce qu'il savait, c'était qu'il fallait qu'il lui fasse l'amour encore une fois, là, sur-le-champ, pour partager avec elle ces instants merveilleux qu'elle avait décrits, faits de baisers au champagne, d'étreintes sur des draps de satin dans une pièce baignée de lumière dorée... d'amour volé à l'éternité.

Il sortit l'étole de fourrure de la penderie et l'étendit par terre. Puis il baissa les stores et alluma la lumière — toutes les lampes, les unes après les autres.

— Voilà, dit-il en la prenant dans ses bras pour la poser délicatement sur la fourrure. J'ai changé la nuit en jour, le clair de lune en soleil éblouissant...

— En effet, murmura-t-elle, perdue dans la contemplation de son beau corps hâlé qui brillait comme un bronze antique dans la lumière dorée des halogènes.

C'était un éclairage artificiel et non le soleil, mais tout le reste était réel. Bien réel. Et aussi parfait que possible.

Elle lui tendit les bras. Il la prit avec violence, tant son désir de la posséder était impérieux. Mais tout en se laissant submerger par la passion, il savait que seul l'amour la lui inspirait — l'amour qu'il éprouvait pour cette belle femme brune. Et il savait que cet amour comptait pour lui plus que tout au monde...

Elle riait toute seule, songeant à la façon dont elle avait berné l'éternité, à laquelle elle avait volé plus que quelques précieux instants. Mais quand il lui demanda pourquoi elle riait — soudain jaloux de tout ce qui la concernait en dehors de lui —, elle répondit qu'elle riait sans raison, simplement parce qu'elle était heureuse. Cette réponse le combla car il se sentait lui-même débordant de bonheur.

— Demain, nous nous marierons.

A ces mots, le sourire d'Andrianna s'évanouit.

— Quoi ? demanda-t-elle. Qu'as-tu dit ?

— Tu m'as très bien entendu. Demain, nous nous marierons. Ce sont les paroles d'une chanson.

Et il se mit à chanter. Complètement faux, mais ça n'avait pas l'air de le déranger.

Le mariage! Elle le regardait fixement comme s'il avait perdu la tête.

Pourquoi ? Pourquoi vient-il tout gâcher ? N'a-t-il pas compris que notre idylle ne durera que le temps de la croisière, qu'elle n'est pas censée se prolonger au-delà ?

D'un grand geste, elle balaya la pièce violemment éclairée.

— Tout ce soleil doit te monter à la tête. Tu devrais t'en méfier, si tu le supportes mal.

— Pour un Californien, ce serait vraiment le comble ! fit-il remarquer en riant. Le soleil ne nous fait pas peur ; nous savons l'apprivoiser.

Elle soupira, visiblement exaspérée.

Il rit de la voir en colère, persuadé qu'elle cherchait simplement à se donner une contenance — qu'elle était un peu dépassée par les événements. Tout était allé si vite !

Sa réaction était parfaitement légitime. Il la comprenait d'autant mieux qu'il avait lui-même le plus grand mal à croire à la réalité de ce qui leur arrivait. C'était la première fois qu'il demandait à une femme de l'épouser. Et bien qu'il ait été dès le début intimement convaincu qu'ils étaient faits l'un pour l'autre, à aucun moment il n'avait imaginé qu'ils iraient jusque-là. Il s'était vu nouer avec elle une relation stable. Il avait peut-être même pensé qu'ils vivraient ensemble. Mais il savait à présent que seul le mariage était envisageable. Les demi-mesures étaient pour les timorés, qui n'étaient pas sûrs d'avoir fait le bon choix, ou pour les imbéciles, qui ne se rendaient pas compte que quand on avait trouvé la femme idéale, il fallait ne plus jamais la quitter sous peine de se la faire voler par quelqu'un d'autre.

— Tu sais, commença-t-il doucement, je préférerais que tu oublies cette histoire de lumière dorée. J'ai trouvé tout cela très beau et très excitant, et j'espère que pour nous, ce sera toujours l'amour en plein jour. Je l'espère de tout mon cœur. Mais il faut que tu saches que je suis prêt à te prendre pour le meilleur comme pour le pire, dans l'obscurité aussi bien qu'en pleine lumière. Est-ce que tu comprends ?

Elle ne comprenait que trop bien. Mais *lui* ne comprenait pas.

— Oh, arrête de faire le pitre ! s'exclama-t-elle.

— Mais je suis sérieux ! Pour être plus convaincant, peut-être devrais-je commencer par le commencement ? Je t'aime, Andrianna DeArte, et je prends l'engagement solennel de te faire rire le plus souvent possible et aussi longtemps que possible. Jusqu'à mon dernier souffle, je te chérirai et je te protégerai. Dans ces conditions, acceptes-tu de devenir ma femme ? Ne réfléchis pas trop longtemps. Je veux que le capitaine nous marie demain matin, et la moindre des corrections est de l'en informer quelques heures à l'avance.

— Et moi, alors ? s'écria-t-elle d'un ton indigné, je n'ai pas droit à quelques heures de réflexion ? Mais n'en parlons plus ; je n'en ai pas besoin, de toute façon ! Cette idée est parfaitement grotesque, et ma réponse est non. Tu as compris ? N-O-N. Non !

Il ne voyait pas très bien pourquoi elle faisait tout ce cinéma, mais pas une seule seconde il ne s'imagina qu'elle pouvait être sérieuse. Elle était amoureuse de lui : il en aurait mis sa main à couper.

— Tu aurais voulu que je te fasse la cour ? Nous venons de nous rencontrer, soit, et nous n'avons pas le temps de jouer les tourtereaux, mais je te promets une vie merveilleusement romantique.

Il voulut la prendre dans ses bras mais elle se déroba, consciente d'avoir fait fausse route en feignant la colère, et se demandant désespérément comment elle allait bien pouvoir se tirer de ce mauvais pas. Le mieux, en fin de compte, était peut-être de ne pas le prendre au sérieux, de faire comme s'il plaisantait... de lui donner l'occasion de revenir sur sa proposition et de sauver la face.

— Ce n'est pas drôle, West, déclara-t-elle sur un ton de reproche et de raillerie. On ne plaisante pas avec ces choses-là ! J'aurais très bien pu te prendre au sérieux, tu sais. Te rends-tu compte que tu aurais pu me briser le cœur ? Ce n'est pas charitable de ta part. Je dirais même que c'est carrément mesquin !

La mort dans l'âme, elle constata qu'il ne souriait pas. Les yeux rétrécis, il la fixait pensivement, comme si la colère montait lentement en lui.

— Qu'est-ce qui te prend ? demanda-t-il. Je suis amoureux de toi, et mon instinct me dit que tu es amoureuse de moi. Alors, pourquoi ce petit jeu ?

Il ne fallait plus compter sauver la face, ni espérer préserver quoi que ce soit. L'essentiel, désormais, était qu'elle se sorte de là, coûte que coûte, en évitant autant que possible de leur faire du mal à l'un et à l'autre.

— Un petit jeu ? J'ignorais que nous jouions à un jeu. Je pensais que toi et moi, nous cherchions simplement à passer le temps le plus agréablement possible. C'est bien ce que nous avons fait, non ? Quel mal y a-t-il à cela ? Je ne vois pas où est le problème.

Tout avait été dit, songea-t-elle, la gorge nouée.

Elle ramassa son manteau de fourrure et s'en enveloppa.

— C'était donc cela ? s'écria-t-il. Pour toi, il s'agissait simplement de passer un bon moment ? Je me trompe ?

Il va falloir lui faire du mal. C'est inévitable, à présent.

Tout riche et prospère qu'il était, Jonathan West n'en était pas moins d'une naïveté affligeante. Il confondait une simple attirance physique avec l'amour... l'amour au nom duquel on s'engage « jusqu'à ce que la mort nous sépare ». Il se trompait, bien sûr, et d'une manière ou d'une autre, elle allait devoir l'en persuader.

— Qu'est-ce que tu t'imaginais ?

Elle s'efforçait de prendre un air dégagé, de soutenir son regard sans ciller.

Surtout, ne pas pleurer.

— Que j'allais mordre à l'hameçon parce que tu m'avais emmenée au septième ciel deux ou trois fois ?

Sur ces mots, elle descendit les quelques marches conduisant à la porte et traversa le vestibule. Une main sur la poignée, elle se retourna. Il n'avait pas bougé.

— Je dois reconnaître que tu es un amant hors pair. Il y avait des années que je n'en avais pas eu d'aussi bon...

La première réaction de Jonathan fut la colère. Une colère noire. Il la traita de tous les noms possibles et imaginables. Puis il se dit qu'il était bien débarrassé. Dans quel pétrin il se serait mis s'il avait réussi à la persuader de l'épouser ! Ce genre de femme n'était bonne qu'à vous attirer des ennuis et à vous saigner à blanc.

De rage, Jonathan donna un grand coup de pied dans la cloison séparant sa suite de la sienne. Sans résultat, ce qui le rendit encore plus furieux. Il était pieds nus et tout ce qu'il avait réussi à faire, c'était de se démettre un orteil. La garce !

A cloche-pied, Jonathan se dirigea alors vers le canapé, où il se laissa tomber lourdement. Tout en massant son orteil endolori, il songea que plus encore que de la colère, c'était de la peine qu'il éprouvait. S'il s'était écouté, il se serait mis à pleurer comme un enfant. Mais il essaya de se raisonner. Après tout, on ne pouvait pas gagner à tous les coups ; et quand on était un grand garçon, de toute façon, on ne pleurait pas. Même lui, Jonathan West, qui avait remporté tant de batailles, pouvait perdre, quelquefois.

Au début, Andrianna ne savait pas sur qui elle pleurait le plus — sur elle-même ou sur son pauvre Jonathan. Elle lui avait fait tant de peine...

Elle s'était arrangée pour qu'il tombe amoureux d'elle, jouant non pas de son charme mais de sa capacité de suggestion. Elle l'avait bien eu avec son histoire d'amour en plein jour et d'instants précieux volés à l'éternité !

Puis elle l'avait repoussé, éconduit comme un malpropre. Comment aurait-il pu deviner qu'elle le faisait par amour pour lui ? Que cela lui déchirait le cœur à elle aussi ? Il souffrait comme un damné, et en plus, il devait la détester.

Mais elle n'avait que ce qu'elle méritait. Tout était sa faute. Elle avait eu tort de croire qu'elle pouvait être heureuse l'espace de quelques heures, et tort aussi de le lui faire croire. C'était criminel. Et si ce n'était un crime, c'était en tout cas une faute impardonnable.

— Une faute de plus à mettre au passif d'Andrianna en vue du Jugement dernier ! déclara-t-elle à voix haute à son reflet dans le miroir.

Du revers de la main, elle essuya les traces de larmes qui maculaient son visage. La liste était si longue, déjà ; elle n'était plus à une faute près ! Mais elle se remit à pleurer, car cette faute-là était plus grave, bien plus grave, que les précédentes...

9.

Dimanche

Sa dernière journée en mer, Jonathan la passa à travailler. Penché sur ses dossiers, le téléphone à portée de la main, il s'efforça de régler en un jour les affaires qu'il négligeait depuis le début de la traversée, évitant autant que possible de penser à Andrianna. Pour lui, la page était tournée...

Chez *West Immobilier*, ils avaient un classeur spécial, surnommé « le cimetière » malgré sa couleur jaune citron, dans lequel ils gardaient précieusement les traces des marchés qui avaient avorté, des projets qui, pour une raison ou pour une autre, n'avaient pu voir le jour.

De temps en temps, Jonathan demandait que soit exhumé l'un ou l'autre de ces dossiers afin de se rafraîchir la mémoire, d'étudier le cas de plus près pour essayer de voir où était le problème et surtout, pour éviter que la même erreur ne se reproduise. Mais la plupart des dossiers ne sortaient jamais du cimetière, Jonathan partant du principe que si on voulait réussir, il fallait aller de l'avant et ne pas se laisser arrêter par un échec.

Cependant, tandis qu'il essayait de se concentrer sur un projet — l'aboutissement de plusieurs mois de travail au terme desquels le *Wilshire West Hotel*, « petit » hôtel de luxe situé sur Wilshire Corridor (quartier extrêmement coté entre Beverly Hills et Westwood) était venu s'ajouter à ses précédentes acquisitions — Jonathan ne pouvait chasser de son esprit l'image d'Andrianna qui, couchée dans son lit, rayonnante de beauté, les yeux brillant comme des agates, évoquait d'une voix ensorceleuse les charmes de l'amour en plein jour. Il n'arrivait pas non plus à oublier l'ardeur avec laquelle il lui avait fait l'amour, juste après. Ni ce qu'il avait ressenti à ce moment-là... Même s'il devait vivre jusqu'à cent ans, il ne connaîtrait sans doute jamais plus cette incroyable exaltation.

En dernier ressort, il eut recours à un exercice mental et s'imagina en train d'enterrer Andrianna dans son « cimetière », de la pousser sans ménagement dans le classeur jaune. Mais il n'y avait pas moyen : elle en ressortait tout le temps, émergeant des chemises suspendues tel un ressort, refusant obstinément sa défaite.

Pourquoi ? se demanda alors Jonathan. Pourquoi n'arrivait-il pas à la rayer de son esprit, purement et simplement, comme l'un de ces projets avortés, condamnés dès le départ à cause d'une anomalie ?

La raison en était simple : parce qu'il y avait dans toute cette histoire quelque chose qui ne tournait pas rond. L'Andrianna qui lui avait tiré sa révérence aussi cavalièrement et avec un parfait cynisme n'était pas la même femme que celle avec laquelle il avait partagé des moments enchanteurs, le premier jour.

Il n'avait pu se tromper à ce point sur son compte. Rien ni personne n'arriverait à le lui ôter de la tête. Andrianna DeArte *ne pouvait pas* être une garce, une femme fatale et immorale comme elle avait cherché à le lui faire croire lorsqu'elle était sortie de sa cabine et de sa vie, après qu'il lui avait annoncé qu'il souhaitait l'épouser. Lui qui sentait si bien ce genre de choses refusait d'admettre qu'il avait pu commettre une erreur de jugement aussi grossière. De toute évidence, il y avait là-dessous quelque chose de bizarre. Mais quoi, bon sang? Jonathan n'en avait pas la moindre idée. Tout ce qu'il espérait, c'était que la question ne le tourmenterait pas jusqu'à la fin de ses jours...

Andrianna essayait de se concentrer sur le temps qui passait, se répétant inlassablement que si elle arrivait à tenir le coup les quelques heures encore que durerait la traversée, elle serait tirée d'affaire. A New York, elle aurait tant de choses à faire qu'il lui serait assez facile de ne pas penser à Jonathan West.

Pourquoi ne pas aller tuer le temps à l'institut de beauté Elisabeth Arden? s'interrogea-t-elle. Elle pourrait se faire faire une manucure, une pédicure, un masque capillaire, un soin du visage, un massage... Tant qu'elle y était, pourquoi n'essaierait-elle pas un nouveau maquillage? Ou même carrément un *relooking*? Oui, c'était exactement ce qu'il lui fallait : une transformation totale. Une nouvelle Ann Sommer, ou une nouvelle Andrianna DeArte; au choix.

Cela l'occuperait en tout cas toute la matinée, et avec un peu de chance peut-être même une partie de l'après-midi. Cela valait le coup d'essayer.

Son manteau de fourrure sur les épaules, elle essaya de se faire toute petite lorsqu'elle passa devant la cabine de Jonathan, prenant grand soin de détourner les yeux. Mais malgré toutes ses bonnes intentions, elle ne put s'empêcher de couler un regard furtif du côté des hublots, et constata que les rideaux étaient tirés.

En dépit de ses nombreuses exigences, du nouveau maquillage, de la nouvelle coiffure, des dizaines de magazines qu'elle avait feuilletés, du déjeuner pris à l'institut de beauté, elle fut de retour à 2 heures.

Que pouvait-elle bien faire, maintenant? se demandait-elle en s'examinant dans le miroir, d'un côté, de l'autre, de face puis de profil. Elle ne raffolait pas de ce rouge à lèvres grenat dont on avait fardé sa bouche à grand renfort de pinceaux, ni de ce fond de teint clair qui contrastait tellement avec le blush rouge vif qu'on lui avait appliqué sur le haut des pommettes. Elle ressemblait à l'une de ces actrices de cinéma de l'ancien temps, quand le noir et blanc rendait obligatoires les contrastes violents. Quant à sa nouvelle coiffure, plus courte et plus bouclée, tout en volume avec une petite frange effilée, elle ne lui plaisait pas davantage. Elle passait peut-être en ce moment pour le *nec plus ultra* en matière de coiffure, mais elle ne correspondait pas du tout à sa personnalité. Pas plus à celle d'Ann Sommer, ou même Anna della Rosa, qu'à celle d'Andrianna DeArte.

Au moyen de quelques vigoureux coups de brosse, elle s'appliqua à tirer vers l'arrière et à aplatir la masse bouclée de sa chevelure qui recouvra bientôt son mouvement naturel. Puis elle se démaquilla soigneusement, optant pour le naturel puisqu'elle ne ressortirait probablement pas aujourd'hui. Son amie Nicole, qui tenait de sa mère française une quantité de secrets de beauté, disait toujours que de temps en temps, il fallait laisser la peau « respirer, respirer, respirer... »

Cette recommandation, Nicole la lui avait faite à l'époque où elles étaient encore au pensionnat. Mais Andrianna ne l'avait jamais oubliée, Nicole et sa longue liste de conseils avisés comptant au nombre de ses meilleurs souvenirs.

Satisfaite du reflet que lui renvoyait la glace, Andrianna quitta la salle de bains en se demandant à quoi elle allait pouvoir occuper le reste de la journée. Pourquoi ne pas avaler un somnifère? Contre les idées noires, il n'y avait rien de tel.

Non, décida-t-elle. Elle trierait ses affaires, se débarrasserait de quelques vêtements. Une pierre qui roule devait amasser le moins de mousse possible pour ne pas être gênée dans sa course.

Mais elle s'arrêta à mi-chemin : avant de quitter l'Angleterre, elle avait déjà fait le tri, dans ses placards, et mis de côté ce qui valait la peine d'être gardé contre vents et marées — les modèles exclusifs payés une fortune et griffés, chefs-d'œuvre réalisés par les plus grands créateurs de mode. Difficile de se défaire de vêtements qui s'apparentaient à des œuvres d'art et étaient faits pour durer, traverser sans dommage les périodes de crise, les guerres et autres catastrophes. La mort dans l'âme, Andrianna songea que, intemporelle à plus d'un titre, sa garde-robe allait lui survivre.

Dans cet état d'esprit, elle entreprit alors de dresser un inventaire du contenu de son coffret à bijoux. Il en existait déjà un, émanant d'un professionnel qui avait expertisé et décrit chaque pièce, indiquant en outre la date et le lieu d'acquisition. La compagnie d'assurance en détenait un exemplaire tandis qu'une copie restait dans le coffret lui-même afin de faciliter les démarches au moment des passages en douane. Pour plus de précautions, Andrianna en gardait une seconde copie dans ses « papiers personnels », et une troisième dans son sac à main.

Cependant, l'inventaire auquel elle pensait n'avait rien à voir avec celui-là. Il s'agissait de dresser la liste des bijoux qu'elle vendrait en premier quand elle aurait besoin d'argent. A cet effet, elle renversa sur le lit le contenu du coffret. Le plus simple était de faire des tas, en commençant par celui des bijoux « à conserver » — le plus petit de tous.

Il y avait tout d'abord son bracelet de naissance, composé de perles roses et blanches, et portant son nom, son *vrai* nom. Rosa le lui avait donné, en même temps que quelques autres petits bijoux qui avaient appartenu à sa mère — offerts sans doute par Andrew Wyatt —, juste avant son départ pour l'aéroport le jour où sa vie avait brutalement basculé. Elle mit tout cela dans le tas « à conserver » et y ajouta le bracelet que Jonathan lui avait offert. Se ravisant, elle le reprit vivement et le glissa à son poignet, refusant de le reléguer déjà dans sa « boîte de Pandore », comme elle appelait son coffret à bijoux.

Vint ensuite la gourmette qu'Andrew Wyatt lui avait offerte pour ses sept ans. Elle fit un nouveau tas — celui des bijoux « sacrifiés ».

Puis ce fut au tour des diverses babioles provenant d'oncle Alex. Devait-elle constituer un troisième tas? se demanda Andrianna. Ces bijoux ayant été censés acheter son silence, elle l'appellerait le tas « de l'extorsion ». Non, le terme était mal choisi car en réalité, ces bijoux lui avaient été offerts moins pour l'empêcher de parler que pour la dédommager de ce qu'elle avait subi. Victime, une fois de plus...

Les cadeaux d'Alex rejoignirent la gourmette offerte par Andrew Wyatt. Puis Andrianna se jeta sur le lit et enfouit sa tête dans l'oreiller.

Victime, elle l'avait été si souvent... Victime du destin autant que des autres. Mais force lui était d'admettre qu'à un moment ou à un autre, elle était également devenue sa propre victime. Cela s'était fait petit à petit, à son insu, sans qu'aucun événement marquant ne pût être rattaché au lieu ou à l'origine du processus.

Quand cela avait-il réellement commencé? Quand avait-elle franchi la frontière au-delà de laquelle elle était devenue sa propre victime? Etait-ce à la mort d'Alexander Sommer, lorsque sa vie avait de nouveau été bouleversée de fond en comble?

Elle avait quinze ans et se trouvait au Rosey, un pensionnat suisse pour jeunes gens de bonnes familles, au moment du drame. L'ayant convoquée dans son bureau, la directrice de l'établissement lui annonça que son oncle Alex avait succombé à une crise cardiaque. Après avoir sacrifié aux condoléances d'usage, elle lui apprit que toutes les démarches avaient été entreprises pour qu'elle pût rentrer à Londres sur-le-champ.

— Mais pour quoi faire ?

Rentrer à Londres ? C'était la meilleure ! Elle n'y avait jamais mis les pieds et ne savait même pas à quoi ressemblait la maison des Sommer.

— Pour quoi faire ? Juste ciel ! Pour que tu puisses soutenir ta tante dans cette cruelle épreuve, et assister à l'enterrement de ton oncle, répondit la directrice avec un sourire triste.

Sa camarade de chambre, Penny Lee Hopkins, originaire de Dallas, travaillait son français lorsque Ann fit irruption dans la pièce et entreprit de rassembler ses affaires. La mère de Penny avait bien prévenu sa fille que si, dans son pensionnat suisse hors de prix, elle n'apprenait pas le français à la perfection — ou tout du moins l'anglais tel qu'on le parlait à Oxford — il valait mieux qu'elle arrête tout de suite ses études, les frais de scolarité étant très élevés et les gisements de pétrole de moins en moins productifs.

Penny Lee ne s'affolait pas pour autant.

— Ce qu'il faut savoir, expliquait-elle, c'est que dans l'industrie pétrolière, les gens sont toujours en train de se plaindre que les gisements rendent moins. En fait, je n'ai encore jamais vu personne vendre son jet privé.

Elle leva le nez de ses livres, ravie de pouvoir s'arracher un instant à son ignoble tâche et oublieuse du fait qu'elle était censée perdre au plus vite son accent du Texas, si dégradant.

— Qu'est-ce qui t'arrive ? s'enquit-elle joyeusement.

— Mon oncle est mort et je dois rentrer à Londres pour l'enterrement.

— Ce que je ne ferais pas pour être à ta place ! Pour

sortir de ce trou et aller passer quelques jours à Londres ! Fréquenter deux ou trois clubs et écouter de la musique décente, pour changer. Peut-être même les Beatles. Faire du lèche-vitrine et quelques emplettes sur Carnaby. Tu peux me croire, ma chérie, la plus couperosée des bonnes sœurs trouverait encore le moyen de rougir si elle savait ce que je ne ferais pas pour partir à ta place !

— Dommage que ce ne soit pas possible ! Je te céderais volontiers ma place, Penny. Je n'y vais que contrainte et forcée, si tu veux le savoir.

— Pardonne-moi ma légèreté, ma chérie. C'est vrai que si ton oncle est mort...

— Ne t'excuse pas. En réalité, je n'ai jamais revu oncle Alex depuis le jour où il m'a violée. Enfin, quand je dis violée — il s'est servi de ses doigts au lieu de tu sais quoi...

Penny en eut le souffle coupé.

— Oh, Ann ! Il n'a pas fait *ça*, quand même ?

— Et comment ! Je te jure qu'il ne s'est pas gêné. Je me demande bien pourquoi ma tante tient tellement à ce que j'assiste à l'enterrement. Ma vue seule lui donne la nausée, et c'est la même chose pour moi. Je t'assure que moins je la vois, mieux je me porte.

Même *avant* cette fameuse conversation téléphonique au cours de laquelle Andrianna avait informé sa tante de ce qui s'était passé entre Alexander et elle, ses relations avec Helen avaient toujours été succinctes. Les rares fois où elle était allée à Zurich pour les vacances, sa tante n'y était pas. De temps en temps, elle recevait des colis — un cadeau pour son anniversaire ou pour Noël, quelquefois un article de luxe tel qu'un chemisier en soie acheté à Paris ou une énorme bouteille de parfum, le plus souvent un objet utile, comme par exemple un sac à main en cuir venant d'Italie ou d'Espagne. Périodiquement, elle recevait en outre des colis de vêtements.

Chaque automne, elle avait droit à deux nouveaux uniformes, composés d'une jupe et d'un blazer bleu marine, de quelques corsages blancs et d'un pull-over en shetland gris. Deux fois par an, elle recevait d'autre part un manteau, un imperméable et une veste, selon la saison. A quoi s'ajoutaient évidemment des mouchoirs et des sous-vêtements, des chemises de nuit et des peignoirs de bain, ainsi qu'une robe du dimanche pour aller à la messe, et deux robes de cocktail.

Une fois par mois, elle trouvait au courrier un chèque représentant son argent de poche, et au début de chaque semestre, un chèque plus important qui couvrait toutes les autres dépenses, les frais de déplacement et l'achat de chaussures, bottes et soutiens-gorge (lorsqu'elle fut en âge d'en porter), toutes choses qui nécessitaient d'être essayées.

Cependant, à la suite de ce coup de téléphone donné à Helen, Andrianna se vit supprimer son argent de poche, les cadeaux d'anniversaire et de Noël, et autres fantaisies. Son chèque trimestriel diminua de moitié.

Mis à part le manque d'argent, dont elle souffrait beaucoup, elle n'avait néanmoins pas à se plaindre. La haine que lui vouait sa tante ne la touchait plus. Elle en était même arrivée à prendre un malin plaisir à se faire détester d'elle, ayant depuis longtemps dépassé le stade où à force de pleurer, elle finissait par s'endormir.

Andrianna posa un regard atterré sur la robe qu'elle était censée porter pour l'enterrement : en velours noir avec un grand col de dentelle blanc et une jupe évasée qui descendait presque jusqu'aux chevilles.

— C'est pour *moi*? Voyons, tante Helen, je ne suis plus une enfant! protesta-t-elle en regardant sa tutrice droit dans les yeux pour s'assurer qu'elle avait bien compris l'allusion. Je vais avoir l'air complètement ridicule!

— Alors, cesse de te conduire comme une enfant ! riposta Helen. A quoi t'attendais-tu ? Au dernier modèle de Mary Quant, ou à l'une de ces tenues excentriques de Petticoat Lane ? Croyais-tu vraiment que j'allais t'autoriser à te donner en spectacle dans une robe qui te couvrirait tout juste l'entrejambe ? Au cas où tu ne t'en douterais pas, j'ai vu cette photo de toi, dans *Elle*, en minijupe ! Où était-ce ? Oh, mais bien sûr, à Saint-Tropez, où tu passais tes vacances en compagnie d'une de tes camarades de pension ! Qui était-ce, cette fois ? Qui étaient cette fille, sur la photo, et ces deux types ? S'agissait-il de cette petite grue suédoise dont le père a fait fortune en fabriquant des cuvettes de toilettes ?

— Jean-Paul Polignac et Teddy Roberts, les types en question, sont des camarades d'école qui se sont trouvés à Saint-Tropez au même moment que moi. Quant à Pia Stromburg et à son père, qui est un grand designer, s'ils ont eu la gentillesse de m'inviter à Saint-Tropez, c'est parce qu'ils savaient que je n'avais nulle part où aller pendant les vacances. Cette jupe, c'est également à eux que je la dois. Ils me l'ont achetée en même temps que des jeans, des sandales et des bikinis, parce je n'avais rien à me mettre là-bas, et qu'avec mes quatre sous, j'aurais tout juste pu m'acheter une paire de bas !

— Vraiment ? Dans ce cas, j'ai un conseil à te donner pour l'avenir. *Ne va pas* à Saint-Tropez, et le problème de ta garde-robe ne se posera pas. Après tout, où est-il écrit qu'une collégienne de quinze ans *doit* aller sur la Côte d'Azur et s'habiller comme une putain pour avoir l'air dans le coup ?

— Où voulais-tu que j'aille, quand tous les autres rentraient chez eux ou partaient en vacances avec leurs familles ? demanda posément Andrianna.

Sur le coup, Helen ne sut que répondre. Mais elle recouvra vite ses esprits.

— Ne sois pas aussi casse-pieds, Ann ! Je me demande

pourquoi tu ne t'es pas encore trouvé une ou deux camarades fréquentables avec lesquelles te lier. Si tu es pensionnaire dans l'une des écoles privées les plus huppées du monde, ce n'est pas pour rien, que diable ! Qu'attends-tu ? Que je les choisisse pour toi ? Ne penses-tu pas que j'en ai déjà fait assez comme ça ?

Oh, que si, ma chère tante ! Tu en as fait assez, et même trop !

Andrianna contempla la robe de deuil étalée sur le canapé Chippendale d'Helen, dans le petit salon blanc et or d'Helen, dans la grande demeure de style anglais que possédait Helen au cœur du très chic Grosvenor Square. Puis elle regarda autour d'elle, examina longuement les vases en cloisonné qui ornaient la tablette de marbre de la cheminée, les tapisseries d'Aubusson pendues au mur et les tableaux.

Lorsqu'elle était entrée dans la pièce pour la première fois, elle était passée d'un tableau à l'autre, surprise de constater qu'il s'agissait de toiles de grands maîtres. Grâce à ses cours d'initiation à l'art, elle avait identifié deux portraits de George Romney, un Gainsborough, un Constable et un Turner. Ces quelques toiles représentaient à elles seules une véritable fortune... en échange de laquelle Helen avait si peu donné. Elle n'avait pas respecté les termes du contrat qui la liait au millionnaire, pourvoyeur des tableaux, et celui-ci n'avait même pas pris la peine de s'assurer qu'elle tenait ses engagements. Le moins qu'on pût dire à son encontre était qu'Andrew Wyatt était un homme d'affaires déplorable.

Et il aurait fallu qu'*elle* soit reconnaissante !

De colère, Andrianna attrapa la robe et la jeta sur le sol.

— Je ne mettrai pas cette robe ridicule. J'aurai l'air d'une demeurée, là-dedans. Mais je suppose que c'est le but recherché ?

— Ne m'oblige pas à me fâcher, Ann. Cette robe

coûte extrêmement cher, et je l'ai choisie tout exprès, afin que par la suite, au pensionnat, tu puisses la porter pour aller danser et pour sortir. Des sorties décentes, j'entends.

— Pour aller danser ? Je te signale, au cas où tu ne le saurais pas, que le menuet est quelque peu passé de mode ! Quant à sortir... Il est vrai que si j'assistais à un match de cricket accoutrée de la sorte, je ne risquerais pas de me faire enlever ! Mais puisque tu la trouves si extraordinaire, cette robe, pourquoi ne la porterais-tu pas *toi-même* ?

Elle regarda avec insistance l'ensemble en soie que portait Helen, dont la jupe, à la mode tout en restant discrète, s'arrêtait quelques centimètres au-dessus du genou.

— Je te préviens, Ann, si tu ne ramasses pas cette robe immédiatement et ne montes pas la passer dans ta chambre sans faire d'histoires, tu pourras attendre longtemps avant d'avoir une nouvelle robe, sans parler des chaussures, bottes, skis, tenues d'équitation et *tutti quanti*. Et tu n'auras plus un sou d'argent de poche, ce qui t'évitera de traîner à Saint-Tropez, dans les îles Grecques ou sur la Côte d'Emeraude avec tous ces gens qui sont soi-disant fous de toi. Crois-moi, tu te rendras vite compte qu'ils tiennent moins à toi que tu ne pensais s'ils doivent sans arrêt payer pour toi. Et où seras-tu, alors, quand tout le monde sera parti en vacances ? Au pensionnat, errant comme une âme en peine dans les corridors déserts et glacés.

Andrianna ramassa vivement la robe de velours. Elle savait accepter sa défaite, quand celle-ci semblait irréversible.

— J'ai une question à te poser, Helen. Pourquoi m'as-tu fait venir à Londres pour l'enterrement ? Tu sais que je détestais Alex, et tu ne peux pas me voir, ce qui est réciproque, crois-le bien. Dans ces conditions, pourquoi as-tu voulu que je vienne ?

— En toute franchise, Ann, tu es ici pour sauvegarder les apparences. Tu *es* — ou étais, si tu préfères — la nièce d'Alexander, et légalement, il était ton tuteur.

— Les apparences..., répéta Andrianna sans conviction.

— Les apparences, oui, parfaitement. Et bien qu'effectivement je ne puisse pas te souffrir, je te donnerai un bon conseil. Parfois, c'est la seule chose qui compte vraiment, de sauvegarder les apparences. Sinon, pourquoi me plierais-je à cette comédie d'enterrement de première classe ? Compte tenu de ce que ça coûte, j'aurais préféré m'en passer. D'autant que la mort d'Alexander est pour moi... quelque peu embarrassante, étant donné les circonstances dans lesquelles s'est produite sa crise cardiaque.

— Embarrassante ? De quelle façon ? Où a-t-il eu son attaque ?

Helen laissa échapper un rire cynique.

— Peu importe. Disons simplement que pour moi, sauvegarder les apparences est une habitude de *très longue* date. Mais assez parlé. A présent, tu ferais mieux d'aller te changer. Nous n'avons pas de temps à perdre.

Comme elle prononçait ces mots, elle remarqua que les tentures des fenêtres, à une extrémité du salon, étaient un tantinet de travers. Elle s'empressa d'aller les arranger, poussant un soupir à fendre l'âme, comme si elle portait sur ses frêles épaules toute la misère du monde.

Quand elle se retourna et vit qu'Andrianna n'avait pas bougé, et la regardait, elle lança d'un ton acerbe :

— Tu es encore là ? Je croyais t'avoir dit de monter dans ta chambre et d'enfiler cette satanée robe !

Lorsqu'elle redescendit, une bonne heure plus tard, Andrianna portait la robe de velours noir... coupée quinze centimètres au-dessus du genou. Elle n'avait pas eu besoin de faire un ourlet : il lui avait suffi de tirer les fils pour former une frange. Pour une fois, songeait-elle, en proie à une grande jubilation, Helen n'avait pas eu le dernier mot.

Mais Helen tint parole. Pendant des mois, Andrianna ne reçut pas de colis ni le moindre argent de poche. Elle dut se débrouiller comme elle pouvait.

Pour s'en sortir, il n'y avait que les amis, comme elle n'allait pas tarder à le découvrir. Le tout était de bien les choisir. Une fille qui savait choisir ses amis pouvait s'amuser comme une folle, fréquenter les endroits à la mode et ne plus jamais être seule.

Pour qui souhaitait prendre un nouveau départ dans la vie, Le Rosey présentait de multiples avantages. L'institution était une sorte de carrefour pour les enfants de l'élite internationale : on y rencontrait des fils et filles de nobles, de riches, ou de personnalités célèbres, ou des trois à la fois pour les plus chanceux. Certains des pensionnaires étaient réellement des membres de la famille royale et monteraient un jour sur le trône, d'autres — simples aspirants à la couronne — faisaient partie de cette nouvelle race d'aristocrates européens qui, faute de terres, devaient se contenter de leur titre, car ils ne régneraient jamais que sur un pays de cocagne.

Andrianna les trouvait *tous* fascinants, leur vie, aux uns comme aux autres, ressemblant à un conte de fées, mais elle se sentait plus particulièrement attirée par les aspirants à la couronne, desquels son statut la rapprochait. Le rôle d'une aspirante était fort simple : il lui suffisait *d'être*, une aura infiniment romantique et pleine de mystère se dégageant de toute sa personne. Elle n'avait pas les soucis et les responsabilités auxquels une princesse en titre, par exemple, était confrontée. Elle n'avait ni fonctions ni obligations... et n'était pas tenue à la vérité.

Pensive, Andrianna rangea tous ses bijoux dans sa boîte de Pandore. Etait-ce à ce moment-là, à l'époque où elle était pensionnaire au Rosey, qu'elle avait commencé à devenir son propre tyran, entraînée par la suite dans une spirale infernale ?

Quoi qu'il en soit, dès demain, elle poserait le pied sur le Nouveau Monde et, en principe, se lancerait une fois de plus dans une vie nouvelle. Et peut-être était-il temps, encore, de changer le cours des choses...

Mais le croyait-elle vraiment ? Ou savait-elle, tout au fond d'elle-même et depuis très longtemps, qu'il était trop tard... que dès le départ, il était *déjà* trop tard ?

DEUXIÈME PARTIE

New York
14-16 novembre 1988

10.

Lundi

Le chauffeur de la limousine venue le chercher à sa descente de paquebot s'apprêtait à démarrer lorsque Jonathan remarqua la longue file de voitures encore en attente de leurs passagers.

L'une de ces limousines est pour Andrianna. Il est peu probable qu'une femme comme elle, qui voyage dans une suite luxueuse et semble être encline à se cacher, fasse la queue à la station de taxis.

— Attendez ! ordonna-t-il au chauffeur.

— Monsieur ?

— Coupez le moteur. Nous allons patienter un petit moment ici.

— Comme vous voudrez, monsieur... Mais si vous voulez arriver à l'heure à l'aéroport, mieux vaudrait ne pas trop tarder.

Jonathan acquiesça d'un signe de tête.

Il avait été l'un des tout premiers à se présenter au service des douanes, car il tenait à éviter les embouteillages monstrueux du lundi matin entre le centre-ville et l'aéroport de Kennedy. Son avion décollant dans deux heures, il ne lui restait malgré tout pas beaucoup de temps devant lui.

Tout à l'heure, comme il se frayait un passage parmi la

foule agglutinée devant le service des douanes, il s'était surpris à chercher Andrianna des yeux dans le flot de passagers qui débarquaient. Car en dépit de ce qui s'était passé, il se demandait toujours où elle irait à sa descente de bateau. Mais il ne l'avait pas vue, et c'était tant mieux. Tel qu'il se connaissait, il aurait été capable de se ruer sur elle, de l'attraper par le bras et de la secouer comme une poupée de chiffon, exigeant de savoir pourquoi elle lui avait menti... pourquoi elle avait prétendu ne pas l'aimer alors qu'il savait que c'était faux !

Non, cela valait beaucoup mieux ainsi, avait-il songé. *Je l'ai d'ores et déjà reléguée au « cimetière », avec les affaires mortes et enterrées, et je ne suis pas idiot au point de me laisser hanter par elle.*

Pourtant, ses résolutions vacillaient déjà. Sur un coup de tête, il bouleversait ses plans, risquait de rater son avion, tout cela parce qu'il n'arrivait pas à l'effacer de sa mémoire.

— Si nous tombons dans des embouteillages, vous n'aurez jamais votre avion, fit remarquer le chauffeur.

— Si je n'ai pas celui-là, j'en aurai un autre, rétorqua Jonathan en souriant. C'est justement ce qui fait tout l'intérêt de l'avion : qu'il y en ait plusieurs dans la journée.

Le chauffeur haussa les épaules. Cela lui était égal ; il était payé à l'heure, de toute façon.

— Très juste, monsieur. Mais avez-vous une idée du temps que nous allons passer ici ? Il faudrait que j'appelle mon patron — que je le prévienne...

A un moment ou à un autre, songea Jonathan, il faudrait que lui aussi, il appelle son bureau et prévienne qu'il arriverait plus tard que prévu... d'une heure ou de deux, voire d'une journée. *Oh, et puis zut ! A quoi bon être millionnaire si on ne peut s'accorder un peu de répit ?*

Brusquement, il se pencha en avant.

— Comment vous appelez-vous, mon vieux ?

— Rennie, monsieur West.

— Très bien, Rennie, téléphonez à votre patron. Dites-lui que je vous garde toute la journée.

— Tout de suite, monsieur.

Rennie réprima un sourire. Quelle chance ! Il préférait de loin rester tranquillement assis dans la voiture plutôt que de se perdre dans les embouteillages. De plus, il flairait toujours un bon pourboire à des kilomètres à la ronde, et son nez le chatouillait, justement.

— Que diriez-vous de regarder le journal télévisé, monsieur West ? La télécommande est juste là, sur le poste. Mais si vous préférez lire, vous trouverez le *Times* et le *Wall Street Journal* dans la poche qui se trouve ici. Et s'il n'est pas trop tôt pour vous, je suis sûr que vous trouverez dans ce petit bar de quoi faire votre bonheur. Maintenant, si vous le souhaitez, je peux vous préparer un cocktail et un plateau d'amuse-gueules. J'ai tout ce qu'il faut dans le coffre. Cela ne prendra qu'une minute...

Jonathan avait beau scruter la foule qui débarquait du paquebot, il ne voyait toujours rien venir. Jamais le temps ne lui avait paru aussi long... Il aurait dû se douter, pourtant, qu'Andrianna serait l'une des dernières à quitter le navire, évitant les bousculades du début de matinée. Il l'imaginait mal jouant des coudes et faisant la queue pour s'acquitter des formalités de débarquement.

Tout à coup, il vit quelqu'un qu'il connaissait, Hal Cramer, qui vivait comme lui à Malibu et comptait parmi les rares personnes à Los Angeles pour lesquelles Jonathan avait vraiment de l'estime. Hal n'était pourtant pas exactement un gros ponte : avoué exerçant à son propre compte, il faisait passer son travail après ce qu'il considérait comme ses responsabilités civiques et humaines.

Jonathan s'empressa de presser le bouton qui commandait l'ouverture de sa vitre.

— Hal ! appela-t-il.

Son visage se fendant aussitôt d'un grand sourire, Hal se précipita vers la voiture de Jonathan.

— Salut, Jonny ! Si je m'attendais à te rencontrer ici... !

— J'ai du mal à croire qu'en cinq jours de traversée, nous n'ayons pas réussi à nous rencontrer. Où diable te cachais-tu, vieille branche ? demanda Jonathan, oubliant qu'il était lui-même très peu sorti de sa cabine.

— Ne m'en parle pas, Jonny ! J'ai attrapé ce satané rhume à Londres et je n'ai pas été fichu de m'en débarrasser. Dire que ça fait cinq ans que je rêvais de cette transatlantique... Et il a fallu que ce rhume me tombe dessus juste à ce moment-là ! J'ai dû rester au lit pendant toute la traversée.

Il renifla puis se moucha bruyamment comme pour donner plus de poids à ses doléances.

— Mais toi qui as pu en profiter, comment as-tu trouvé le voyage ? demanda-t-il d'une voix plaintive.

Jonathan se mit à rire.

— Pour tout t'avouer, j'ai passé moi aussi les trois quarts du temps enfermé. Tu sais ce que c'est... J'avais une serviette bourrée de documents...

Hal éternua et se moucha de nouveau, avant de rire à son tour.

— Toujours le même, à ce que je vois ! Le travail d'abord.

— Que veux-tu que je te dise ? répliqua Jonathan avec un sourire. On ne peut pas tous être comme toi, à se consacrer à des œuvres de bienfaisance. Mais il y a une chose qu'il ne faut pas que tu oublies, mon vieux : que deviendraient tes causes nobles et généreuses s'il n'y avait pas des bourreaux de travail dans mon genre pour gagner de l'argent et faire des dons aux susdites ? Nous avons besoin l'un de l'autre, Hal — nous nous équilibrons, en quelque sorte.

— Je reconnais que tu n'as pas tout à fait tort, mon pote. Et je ne suis pas fâché que tu aies mis la question sur le tapis, parce qu'une fois à L.A. Dieu seul sait quand nous aurons l'occasion d'en reparler. A vrai dire, j'avais l'intention de te passer un coup de fil dès demain. J'ai besoin de toi. Mais il va falloir faire vite : j'ai un avion à prendre ! Mais j'y pense, nous prenons peut-être le même vol, toi et moi ? Nous pourrions aller ensemble jusqu'à Kennedy, ce qui nous permettrait de discuter pendant le trajet, et ensuite dans l'avion...

Il s'interrompit pour tousser.

— Malheureusement, non, répliqua Jonathan. Je ne pars pas tout de suite et je ne sais pas encore exactement quel vol je prendrai. Et pour tout dire, ajouta-t-il après une courte pause, je ne tiens pas tellement à passer des heures en ta compagnie, étant donné ton état de santé ! Mais vas-y, parle. Inutile de faire de grands discours. De quoi s'agit-il et de combien as-tu besoin ?

— Cette fois, Jonny, ce n'est pas de ton argent que j'ai besoin, c'est d'un peu de ton temps et de tes compétences. Il s'agit de ce projet que la municipalité s'évertue à bloquer depuis maintenant trois ans, la salle de spectacles de Hill Street. Il y a sans arrêt des problèmes. Il a d'abord fallu se battre avec les services de l'urbanisme. Ensuite, les normes de construction ont été remises en cause. Sans parler du bugdet minable qui nous a été alloué. Et pour finir, les promoteurs nous ont lâchés les uns après les autres. A se demander si on en viendra jamais à bout...

Jonathan hocha la tête.

— J'ai entendu dire, en effet, qu'il y avait eu pas mal de problèmes.

— Tu sais donc à peu près de quoi il retourne. En désespoir de cause, je me suis dit que mon ami Jonny West, le grand promoteur de la côte Ouest, pourrait peut-être nous tirer d'affaire. Qu'en penses-tu, Jonny ?

Puis-je t'adresser le dossier pour que tu y jettes un coup d'œil ? Tu auras peut-être une idée sur la façon de débloquer la situation.

Il s'approcha de la vitre, se fit plus pressant.

— Oh, et puis autant que je te le dise tout de suite, Jonny. Ce n'est pas seulement une idée que j'attends de toi. Ce que je voudrais, en fait... c'est que tu acceptes de présider la commission qui statue sur le projet.

« Le jeu en vaut vraiment la chandelle, tu sais, insista-t-il d'une voix doublement enrouée tant ce projet semblait lui tenir à cœur. Non seulement cette salle donnera une impulsion salutaire au théâtre à Los Angeles, mais elle contribuera grandement à dynamiser le centre-ville. Qu'en dis-tu, Jonny ? Acceptes-tu au moins de réfléchir à la question ? »

Jonathan dardait sur son ami un regard pénétrant. Tout comme lui, Hal fourmillait toujours d'idées. Mais les projets de Hal transcendaient ses intérêts personnels, de sorte qu'il n'était jamais réellement déçu — peu lui importait que ses projets aboutissent ou non, le fait de se battre pour eux était à lui seul suffisamment gratifiant.

En moins d'une minute, sa décision fut prise : à l'instar de Hal, cette fois, il se lancerait dans un projet qui transcenderait ses intérêts personnels.

Il sourit à son ami.

— Tu sais ce que je vais faire... ?

Hal se pencha, les yeux brillant d'excitation.

— Je t'écoute.

— Eh bien, si tu veux savoir, je vais carrément la construire, ta salle de spectacle !

— Tu veux dire que tu vas te charger de la construction ?

— Exactement. Je me charge de tout. Je m'engage à la construire à mes frais en moins d'un an et à l'offrir à la municipalité comme cadeau de *West Immobilier* aux habitants de Los Angeles...

— Tu plaisantes, je suppose ?
— Je suis on ne peut plus sérieux, Hal.
— Allez, Jonny, avoue ; il doit bien y avoir anguille sous roche...
— Pas la moindre anguille, Hal.
— Tu n'aurais pas, par hasard, un autre projet en chantier, pour lequel tu souhaiterais obtenir en contrepartie un traitement de faveur ? Des allégements fiscaux ? Ou des...
— Absolument pas. Je ne souhaite rien d'autre que faire de ton projet *mon* projet. Tu n'y vois pas d'inconvénient, j'espère ?
— D'inconvénient ? Fichtre non ! Tu veux que je te dise, Jonny ? De tous les requins que je connais, c'est toi le plus formidable !
— En y réfléchissant, il y a une chose, finalement, que j'aimerais bien en contrepartie...
— Oui ?
— J'aimerais assez que la salle porte mon nom. Qu'en penses-tu ?
— C'est bien ce que je disais, Jonny : tu es le plus formidable requin que je connaisse !

Il s'écoula encore une bonne heure avant que Jonathan l'aperçoive enfin. Elle portait le même manteau de fourrure que le jour de l'embarquement et, son coffret à bijoux à la main, elle s'engouffra dans l'une des deux limousines restantes.

Le cœur battant, Jonathan se pencha... et réalisa l'un de ses rêves de gosse.

— Suivez cette voiture ! cria-t-il à Rennie.

Le chauffeur se redressa sur son siège, éteignit la radio, posa son journal et cria :

— Bien, monsieur !

La grande aventure commençait ! songea Rennie. Tous

les chauffeurs rêvaient d'avoir un jour un client qui monterait dans leur voiture et prononcerait ces mots-là. Mais en vingt ans de métier, jamais encore ça ne s'était produit.

Intrigué par la personnalité de son passager, Rennie jeta un coup d'œil dans le rétroviseur. *Qui est ce type ? Que fait-il dans la vie ?* Il avait l'air trop bien pour être un vulgaire privé cherchant à compromettre une épouse volage, et il n'avait pas davantage le profil d'un agent du FBI ou de la CIA. Sans compter que pour les filatures, une limousine à six portes n'était peut-être pas le véhicule idéal.

« Oh, et puis zut ! se dit Rennie en manœuvrant adroitement pour s'insérer dans la circulation. Si ça tourne mal, je pourrai toujours raconter que ce type s'est fait passer pour un agent de la CIA et qu'il m'a assuré que la sécurité du pays était en jeu ! »

Mais la poursuite qui s'ensuivit se révéla fort décevante. Ça n'avançait pas ; ils roulaient pare-chocs contre pare-chocs, au point qu'il leur fallut trois quarts d'heure pour atteindre la 59e Rue. Pas une seconde ils ne perdirent de vue la limousine blanche et sa mystérieuse passagère. Lorsqu'elle s'arrêta devant l'entrée du Plaza Hotel, sur la Cinquième Avenue, ils se trouvaient trois voitures derrière.

Comment n'avait-il pas deviné ? se demanda Jonathan avec une ironie amère. Où pouvait-elle descendre sinon au célèbre Plaza, du non moins célèbre Donald Trump, géant mégalomane de l'immobilier ? Le destin vous réservait parfois d'étranges surprises... Donald Trump, qui n'avait peut-être même jamais entendu parler de lui, jouait un rôle prépondérant dans la vie de Jonathan qui l'enviait à deux titres : Trump était à la fois l'homme d'affaires qu'il rêvait d'égaler et le milliardaire qu'il souhaitait devenir un jour, le rival imaginaire qu'il se voyait battre en remportant le marché du siècle.

Pour l'heure, Jonathan avait cependant d'autres chats à fouetter, comme le lui rappela Rennie lorsque d'une voix très théâtrale, il demanda :

— Et maintenant, monsieur West, qu'est-ce qu'on fait ?

Après une courte hésitation, Jonathan répondit :

— On fait le mort.

Andrianna attendit que ses bagages aient tous été sortis du coffre pour entrer dans le hall de l'hôtel. S'il ne s'était pas retenu, Jonathan aurait bondi hors de la voiture et l'aurait suivie à la réception. Mais ensuite ?

Il s'obligea à rester assis deux ou trois minutes de plus, puis sortit de la limousine, ordonna à Rennie de ne pas bouger et entra rapidement dans le hall pour se poster à un endroit d'où il pouvait voir Andrianna sans se faire remarquer. Il ne risquait pas grand-chose car elle était occupée à remplir sa fiche. Et si malgré tout elle le repérait, il lui décocherait un sourire et déclarerait d'un ton dégagé : « Le monde est petit, décidément ! »

Lorsqu'elle quitta la réception et se dirigea vers les ascenseurs à la suite du chasseur, il fut tenté de leur courir après pour savoir à quel étage ils allaient, de les suivre pour découvrir le numéro de la chambre attribuée à Andrianna. Mais c'était le meilleur moyen d'attirer l'attention sur lui, il le savait.

Bon sang ! Comment un détective privé s'y prendrait-il à sa place ? Dans les films et les romans policiers, les limiers s'adressaient généralement au réceptionniste. Ils glissaient un billet dans la main du type, dix dollars pour un bouge ou un motel bas de gamme, vingt pour un hôtel de bonne catégorie. A ce compte-là, pour le Plaza, il fallait bien prévoir cinquante dollars.

Jonathan aurait volontiers offert le double, mais il sentait qu'au fameux Plaza, le réceptionniste ne mangeait pas de ce pain-là. Un autre subterfuge s'imposait.

***

— Mais vous avez *forcément* une réservation au nom de Jonathan West ! insistait-il en donnant libre cours à son indignation. Ma secrétaire a retenu une suite depuis Los Angeles il y a au moins quinze jours de ça. Et elle est l'efficacité même, croyez-moi ! S'il y a une erreur, elle ne vient pas d'elle mais bel et bien du Plaza. Il y a des années que je descends régulièrement ici, et c'est la première fois qu'une chose pareille se produit.

Il bluffait, mais il était pratiquement certain que personne n'irait vérifier. Le réceptionniste pianota quelque chose sur le clavier de son ordinateur et annonça, comme Jonathan s'y attendait, qu'en raison d'une annulation de dernière minute, ils pouvaient finalement lui donner une suite. Combien de jours M. West comptait-il rester ?

Jonathan haussa les épaules ;

— Deux ou trois jours, peut-être. Ça dépendra...

— Oui, bien sûr.

Comme il s'apprêtait à emboîter le pas au chasseur, Jonathan lança d'un ton désinvolte :

— Ah, au fait ! Il me semble avoir aperçu une de mes amies, ici même, il y a quelques minutes. Andrianna DeArte ? Une grande et belle femme brune ?

L'employé plissa les yeux.

— J'ai bien fait remplir une fiche à une jeune femme qui correspond à votre description. Mais son nom n'était pas Andrianna DeArte, mais della Rosa. Anna della Rosa.

Il consulta son ordinateur.

— Oui, c'est bien ça. Anna della Rosa.

Della Rosa ? Qu'est-ce que c'est que cette histoire ?

— Une femme exceptionnellement belle ! ajouta le réceptionniste. Des cheveux de jais et des yeux d'une couleur extraordinaire. Difficile de ne pas la remarquer !

— Ce ne peut-être qu'Andrianna. J'étais à peu près sûr de l'avoir reconnue. Mais je suppose qu'elle préfère passer incognito. Les stars ont parfois envie de vivre comme tout le monde, confia Jonathan en riant. Mais je ne suis pas journaliste et j'aimerais bien lui rendre une visite-surprise. Quel est le numéro de sa chambre ?

Le jeune homme grimaça un sourire.

— Il n'est pas dans nos habitudes de donner les numéros de chambres de nos clients. Question de sécurité, vous comprenez. Mais si vous allez au standard et demandez à joindre cette personne, vous pourrez lui parler au téléphone. Si elle le souhaite, elle vous confiera elle-même le numéro de sa chambre.

Son sac de voyage et sa mallette se trouvant encore dans la voiture, Jonathan n'avait aucun besoin d'aller dans sa chambre. Il se rendit donc immédiatement chez le fleuriste de l'hôtel et demanda à ce que treize roses blanches fussent portées à Mlle Anna della Rosa, sans carte de visite ni message. Comptant attendre discrètement devant le magasin et suivre le chasseur jusqu'à la porte d'Andrianna, il demanda quand les fleurs seraient livrées.

Dans l'heure qui vient.

— Pourquoi pas tout de suite ? Elle va sortir, voyez-vous, et j'aimerais qu'elle les reçoive avant son départ.

— Très bien, monsieur. Nous faisons le nécessaire.

Les treize roses furent choisies puis soumises à son appréciation, après quoi le fleuriste décrocha le téléphone et demanda un chasseur. Puis il appela un autre service pour qu'on lui communiquât le numéro de chambre de Mlle della Rosa. Il écouta en hochant la tête ce que lui disait son interlocuteur, à l'autre bout du fil.

— Il semblerait qu'il y ait un petit problème, expliqua-t-il à Jonathan. On ne trouve aucune réservation au nom de Mlle della Rosa.

— C'est ridicule ! Je l'ai vue de mes propres yeux

remplir une fiche d'hôtel, puis prendre l'ascenseur escortée d'un chasseur. Je suis sûr qu'elle est ici.

— Elle vient d'arriver, reprit le fleuriste à l'intention de son correspondant. Ah !... Je vois...

Il raccrocha, l'air satisfait, et rapporta à Jonathan :

— C'est un peu compliqué : Mlle della Rosa a bien rempli une fiche à son propre nom, mais elle occupe la suite de M. Gaetano Forenzi. Une suite qu'il réserve à l'année.

Gaetano Forenzi! Ce nom ne lui était pas inconnu, bien sûr! Qui ne connaissait pas le célèbre contructeur automobile italien ?

— Parfait, murmura Jonathan, sans rien laisser paraître de sa déception.

Il quitta la boutique complètement désemparé. Il savait à présent qu'Andrianna se faisait appeler Anna della Rosa et qu'elle occupait la suite de Forenzi — mais à quoi cela l'avançait-il ?

Lorsque les roses arrivèrent, Andrianna pensa qu'elles venaient de Gaetano. Qui d'autre que lui, à part Penny, savait qu'elle était ici ? Et qui d'autre que Gae pouvait lui envoyer treize roses, en se moquant royalement de la superstition ? Il arrivait à tout le monde, *de temps en temps*, de défier dame Fortune en passant allègrement sous une échelle ou en traversant devant un chat noir. Mais il n'y avait que Gae pour lui rire carrément au nez. Il se moquait comme d'une guigne des signes et des présages, quels qu'ils fussent. A une ou deux reprises, pourtant...

Un flot de souvenirs déferla brusquement dans sa mémoire, comme une pluie de printemps persistante mais inoffensive, et même prometteuse, un arc-en-ciel se dessinant déjà à l'horizon.

⁂

Elle n'avait pas seize ans lorsque Gae et elle s'étaient rencontrés, au Rosey. Un peu plus âgé qu'elle, beau à damner tous les saints du Paradis, c'était le garçon le plus charmant et le plus terrible du pensionnat. C'était peut-être cette ambivalence, justement, qui avait dès le départ attiré Andrianna. Mais elle n'aurait jamais imaginé qu'ils deviendraient amis. Mi-ange, mi-démon, Gae Forenzi avait, à son époque, fait régner sa loi sur Le Rosey.

Il passait son temps à transgresser le règlement... en toute impunité. Il fumait à longueur de journée, dans les salles de cours aussi bien que sur les terrains de sport ; il disparaissait des nuits entières, partait en vacances avant les autres et revenait systématiquement après tout le monde, se présentait en classe en état d'ébriété caractérisée. En outre, il fut souvent surpris au lit en galante compagnie (si souvent, en vérité, qu'on pouvait se demander comment il faisait, étant donné qu'au Roscy, les demoiselles n'étaient pas en nombre illimité). Les demoiselles en question étaient en réalité des femmes mariées, enseignantes ou animatrices sportives. Le pot aux roses découvert, elles n'avaient plus qu'à quitter l'établissement, voire la région, en compagnie de leur infortuné époux, pendant que Gaetano riait dans son coin.

S'il fallait en croire la rumeur, il aurait même été surpris une fois dans le vestiaire des filles en compagnie d'une élève sud-africaine avec laquelle il se livrait à des pratiques bucco-génitales. Ces accusations étaient-elles réellement fondées ? On ne l'avait jamais su. Quoi qu'il en soit, les exploits de Gaetano et le fait qu'il n'eût, semblait-il, jamais à subir de représailles d'aucune sorte, laissaient Andrianna béate d'admiration. A l'époque, quiconque vivait en marge des lois et jouissait de l'impunité se parait à ses yeux d'adolescente de seize ans d'une aura irrésistible. Gaetano faisait pour elle figure de héros.

Parfois, c'était le père de Gaetano qui intervenait, se

servant de son argent et de son influence pour tirer son fils d'affaire. Mais le plus souvent, Gaetano s'en sortait tout seul. Personne, pas même la directrice du pensionnat, ne pouvait résister à son charme latin, à son sourire étincelant, à sa voix suave, aussi douce qu'une caresse, à l'éclát de son regard de velours.

Les yeux de Gaetano, Andrianna les avait toujours comparés à des pensées, non pas à cause de leur couleur mais à cause, justement, de cet aspect velouté si particulier. Et aussi parce que ces fleurs gaies et désinvoltes passaient pour symboliser le réconfort. Or, pendant un moment, Gaetano avait été pour elle le meilleur des réconforts.

Chaque année, Le Rosey prenait ses quartiers d'hiver à Gstaad, où le ski remplaçait les sports pratiqués à l'école le reste de l'année. Le sport occupait en effet une place prépondérante dans le programme scolaire de l'établissement, de sorte que les élèves, originaires de quarante pays différents et répartis dans deux sections distinctes — l'une anglophone pour les élèves qui envisageaient de poursuivre leurs études en Grande-Bretagne ou aux Etats-Unis ; l'autre francophone — excellaient aussi bien dans les disciplines athlétiques que dans les sports d'équipe.

Ce fut donc à Gstaad, sur les pistes de ski, que Gaetano lui adressa la parole pour la première fois. Depuis le début du trimestre, ils se lançaient des regards langoureux, mais ils ne s'étaient encore jamais parlé. Jusque-là, ils avaient *flirté avec les yeux*, comme disait sa camarade Nicole Partierre, qui tenait cette expression de sa mère, une Parisienne sophistiquée. Celle-ci prétendait que « flirter avec les yeux » était cent fois plus romantique que l'acte mené à son aboutissement.

— Mais là encore, il ne faut pas prendre tout ce que maman dit pour argent comptant, expliquait en riant la sage Nicole. La vérité, c'est qu'elle aimerait bien que je reste pure alors qu'elle... est très olé olé, si vous voyez ce que je veux dire.

Andrianna et sa camarade de chambre Penny voyaient très bien ce que Nicole voulait dire, et toutes trois se demandaient, rêveuses, quel effet cela faisait d'être olé olé...

Au début, Andrianna était assez d'accord avec Mme Partierre. Mais au bout de quelques semaines, ce petit jeu commença à la lasser, et lorsque le pensionnat se transporta à Gstaad, le manque d'action lui devint franchement insupportable. Dans le fond, c'était comme... comme de *faire l'amour sans aller jusqu'au bout!*

Andrianna était si fière de sa formule qu'elle suggéra à Nicole de la soumettre à sa mère. Mais Nicole poussa un profond soupir.

— Oh, j'imagine sa réaction. Maman trouvera que pour moi, faire l'amour sans aller jusqu'au bout est très olé, olé. Mais il neigera en enfer avant qu'elle applique cette expression à son propre cas!

Nicole, au moment où elle avait fait cette remarque, étant d'humeur badine, Andrianna décida de ne pas tenir compte de son commentaire.

Le jour, donc, où Gaetano lui adressa la parole pour la première fois, Andrianna venait de faire une mauvaise chute et gisait dans la neige, les yeux fermés, son bras gauche replié sous elle dans une position bizarre, souffrant le martyre.

Quand elle souleva les paupières, elle vit le regard de Gaetano posé sur elle.

— Ça te fait un mal de chien, je parie?

Ces paroles lui causèrent un choc. Il parlait presque comme un Anglais, mais le sachant italien et trouvant en outre qu'il ressemblait à un peintre du quattrocento, ou même à un poète, elle s'était imaginé qu'il s'exprimerait en vers. Et s'attendait, en l'occurrence, à ce qu'il murmurât quelque chose comme « Oubliez votre bras, gente demoiselle. Voyez plutôt comme cette journée est belle ».

Alors, toujours étendue dans la neige, elle se mit à rire comme une bossue... à rire d'elle-même. Si Gaetano s'était réellement mis à parler comme un poète du quattrocento, quelle aurait été sa réaction? Elle aurait pris ses jambes à son cou, persuadée d'avoir affaire au type même du « poseur de la pire espèce », comme Penny les appelait. De plus, l'important n'était pas ce qu'il avait dit mais comment il l'avait dit. Or la manière dont il l'avait dit résonnait à ses oreilles comme une musique — son accent légèrement chantant enveloppant ses paroles d'une douceur exquise, tel un manteau de velours...

Des yeux de velours, une voix de velours...

— C'est supportable, affirma-t-elle dans un souffle.

Elle jouait les héroïnes courageuses, capables d'affronter l'adversité avec le sourire. C'était au moins aussi romantique que de flirter avec les yeux!

De toute évidence, Gae le pensait aussi. Il lui prit la main — sa main valide — et la porta à ses lèvres en murmurant :

— Ne te crois pas obligée d'être courageuse, *cara mia*! Pleure autant que tu veux, mais surtout ne bouge pas. Ce qui compte, c'est de ne pas bouger jusqu'à ce qu'on sache ce que tu as de cassé, ma douce.

Une vague de bonheur la submergea. *Cara mia! Ma douce!* Finalement, il parlait comme un poète!

⁂

Elle fut hospitalisée pendant deux jours et deux nuits dans une clinique dont le personnel et l'ambiance lui parurent aussi froids, aussi aseptisés et sinistres que ceux d'une prison pour femmes. Cependant, lorsque Penny et Nicole lui rendirent visite, des cadeaux plein les bras, Andrianna recouvra son sourire.

Penny lui avait apporté, entre autres choses, un flacon de *Luxure*, qu'elle vaporisa généreusement sur Andrianna puis dans toute la pièce, soi-disant pour couvrir les « relents de spermicides ».

— Qu'est-ce que c'est que cette histoire de « relents de spermicides » ? s'enquit Andrianna, intriguée.

— Cette chambre a à peu près la même odeur que l'espèce de gelée qu'on met dans les diaphragmes. Tu n'as pas encore de diaphragme, mais ça ne saurait tarder, maintenant que tu parles à Gaetano Forenzi. Tu n'es pas de mon avis, Nicole ?

— Bien sûr que si ! répondit Nicole avec tant de conviction qu'elles éclatèrent toutes les trois de rire.

Nicole lui avait apporté une nuisette transparente : un modèle en mousseline de soie dont les fines bretelles étaient garnies d'un petit nœud de satin rouge. Elle tenait absolument à ce qu'Andrianna la passât sur-le-champ.

— Mon Dieu ! s'exclama-t-elle, la mine dégoûtée, en désignant la chemise d'hôpital courte et amidonnée. Imagine que Gaetano, mourant d'envie de te voir, arrive à l'improviste ! Tu parles d'une douche froide !

— Tu divagues ! protesta Andrianna en riant. Pourquoi viendrait-il me rendre visite ?

Après une courte pause, elle demanda d'une voix vibrante d'émotion :

— Tu crois qu'il viendra ? Qu'est-ce qui te fait penser qu'il viendra ? Et toi, Penny, tu le penses aussi ?

— Il viendra parce qu'il est follement amoureux de toi, répliqua Nicole d'un ton péremptoire.

La tête légèrement penchée sur le côté, Penny fit mine de réfléchir pendant quelques interminables secondes au cours desquelles Andrianna se retint plusieurs fois de l'étrangler.

— Il viendra, annonça finalement Penny.

Toutes deux s'acharnèrent alors sur Andrianna pour la débarrasser de sa chemise d'hôpital et lui passer la nuisette de soie noire. Mais il n'y avait pas moyen, à cause du plâtre. Comme elles s'évertuaient à trouver une solution, l'infirmière revêche qu'Andrianna comparait à une gardienne de prison fit irruption dans la chambre, qui sentait *Luxure* à plein nez.

Eternuant tant et plus, elle jeta les deux visiteuses dehors, non sans leur avoir au préalable fourré la nuisette transparente dans les bras.

— Les visites sont terminées pour ce soir, déclara-t-elle en éteignant la lumière.

Moins de vingt minutes plus tard, Gaetano apparaissait, comme par enchantement. Tout d'abord, Andrianna ne le vit pas, dans la pénombre, mais elle eut conscience d'une présence et songea que ce devait être lui. Puis, quand il se pencha sur le lit, silhouette sans visage dans la nuit, elle eut la quasi-certitude que c'était lui, et lorsqu'il lui embrassa les paupières puis la gorge, elle n'eut plus aucun doute.

Enfouissant ses doigts dans l'épaisse chevelure noire de Gaetano, elle l'attira à elle jusqu'à sentir sa bouche sur la sienne.

Lorsque leurs lèvres se séparèrent, Andrianna murmura :

— Mais comment se fait-il qu'on t'ait laissé entrer? L'infirmière avait pourtant décrété que je n'aurais plus aucune visite ce soir.

— J'ai réussi à la convaincre.

— Vraiment? Comment diable t'y es-tu pris?

Il se mit à rire, puis se penchant vers elle, il lui parla à l'oreille.

— Non? s'exclama-t-elle, les yeux agrandis de surprise. Elle ? Avec ses airs de sainte-nitouche ? Je n'arrive pas à le croire ! Mais comment ?

Il se glissa dans le lit et disparut sous les couvertures.

— Comme ça..., murmura-t-il.

La démonstration fut convaincante.

— Arrête ! Tu es fou..., murmura Andrianna, le souffle court.

Retranché avec elle dans les toilettes d'une salle de concert de Lausanne, Gaetano la poussait contre un mur tout en lui retroussant sa robe.

— Quelqu'un va entrer et...

Mais Gae ne perdait pas de temps. Il lui avait déjà détaché ses bas et d'un puissant coup de rein, il s'abîma en elle. Lorsqu'une dame entra dans les toilettes, quelques instants plus tard, il était déjà en train de lui rattacher ses bas.

Il se tourna vers la dame et lui expliqua tranquillement :

— Elle a un mal fou à les faire tenir. Ils n'arrêtent pas de glisser, ce qui nous oblige à avoir constamment l'œil sur eux.

Andrianna allait de surprise en surprise, car l'audace et l'imagination de son amant semblaient véritablement sans limite. Il lui faisait l'amour dans les endroits les plus incongrus : dans les toilettes et les placards à balais, dans sa Forenzi rouge et même sur les pistes de ski. Lorsqu'elle objectait que certaines parties de leurs anatomies risquaient de geler, Gaetano lui rétorquait que le feu de la passion les réchaufferait et ferait même fondre la neige sur des kilomètres à la ronde. Elle ne demandait pas mieux que de le croire.

Malgré l'exemple désastreux de sa mère qui s'était

laissé duper par l'homme qu'elle aimait, Andrianna croyait à l'amour éternel. Elle était sûre que Gae l'aimerait jusqu'à la fin des temps. Andrew Wyatt était peut-être une brute sans cœur, mais Gaetano, *lui*, était un ange. Il est vrai qu'elle n'avait que seize ans, à l'époque, et que Gaetano était non seulement son premier amour, mais aussi la première personne qu'elle aimait depuis la mort de sa mère et la perte de Rosa.

Un jour, juste avant les vacances de printemps, Penny, qui s'apprêtait à partir pour Dallas, la chargea d'une commission pour le moins surprenante. Elle voulait qu'Andrianna demande à Gae de lui trouver un peu d'herbe de toute première qualité avant son départ.

Tout d'abord, Andrianna crut qu'elle avait mal entendu.

— Pardon ? Qu'est-ce que tu as dit ?

— J'aimerais que tu rappelles à Gae que je compte sur lui pour me procurer deux grammes de cette marijuana fantastique qu'il avait la dernière fois. A Dallas, je risque de ne rien trouver — rien de terrible, en tout cas. Les gens croient toujours qu'au Texas, à cause de la proximité du Mexique, on peut avoir tout ce qu'on veut. Mais c'est complètement faux. Le Texas fait partie des Etats dans lesquels le trafic et l'usage de stupéfiants sont le plus sévèrement réprimés. Sans compter que depuis que je ne vis plus là-bas, j'ai perdu de vue mes anciens fournisseurs. Et puis, quand mes copains de Dallas goûteront la marijuana de Gae, ils vont devenir fous ! C'est autre chose que cette saloperie mexicaine ! Mais je me limiterai à deux grammes. Pas plus.

— Pas plus ? Tu es bien sûre que ça te suffira ? demanda Andrianna d'un ton ironique. Pourquoi pas deux kilos pendant que tu y es ?

Penny lui jeta un regard étrange, comme si elle se demandait quelle mouche avait bien pu la piquer.

— Non, ni deux kilos ni même un seul. Simplement deux grammes. Si par malheur je me fais coincer par le service des douanes, au moins, je ne risquerai pas d'être accusée de trafic de drogue. Tout ce que je te demande, c'est de dire à Gae que j'ai besoin d'un peu d'herbe ; je ne vois vraiment pas pourquoi tu en fais toute une histoire. A voir ta tête, on croirait que je t'ai insultée ou que j'ai calomnié Gae, ou je ne sais quoi encore. Où est le problème ?

— Le problème ? Eh bien, c'est que je trouve que tu as un sacré toupet, si tu veux le savoir ! Gae a le cœur sur la main et ne refuse jamais de partager un joint, c'est un fait ; mais ce n'est pas une raison pour abuser ! Comment oses-tu lui demander deux grammes de marijuana ? Et de la meilleure, par-dessus le marché !

Ce fut au tour de Penny de prendre la mouche.

— Il n'a jamais été question qu'il me les *donne*. Et je n'ai même pas demandé de ristourne ! Je paierai rubis sur l'ongle, au taux en vigueur, comme d'habitude. Tu me connais, pourtant, et tu...

— Comment cela, tu paieras au taux en vigueur ? Il y a erreur sur la personne. Gaetano n'est pas un revendeur, figure-toi !

— Allons, Annie, ne me dis pas que tu n'étais pas au courant ? Bien sûr que Gae est un revendeur ! Peut-être pas à une grande échelle, mais il n'empêche qu'au Rosey, il est le seul sur qui on puisse vraiment compter. Jamie Pritchard fait bien un peu de trafic, à ses moments perdus, mais en dehors d'un joint ou deux, on ne peut pas lui demander grand-chose.

Au début, Andrianna crut que Penny se trompait. Elle avait dû être mal renseignée. Gaetano n'avait aucun secret pour elle. Depuis qu'ils étaient amants, ils ne se quittaient pratiquement plus.

Mais lorsqu'elle rapporta à Gae les paroles de Penny, il ne chercha pas à nier. Il se mit à rire, comme à son habitude. Cette fois, cependant, Andrianna le prit très mal. Il pouvait bien être le baron de la drogue au Rosey, elle n'en avait cure ! Ce qu'elle ne supportait pas, c'était d'en être la dernière informée.

— Pourquoi ne m'as-tu rien dit ? s'insurgea-t-elle. Je pensais que nous n'avions aucun secret l'un pour l'autre. Comment as-tu pu me cacher une chose pareille ?

Toujours souriant, il l'attira dans ses bras.

— Mais je ne t'ai rien caché du tout, *cara mia*, affirma-t-il en l'embrassant à pleine bouche. Comment aurais-je pu deviner que tu ne savais pas, alors que tout le pensionnat était au courant ? En fait, je pensais que tu préférais fermer les yeux ; que c'était un choix délibéré de ta part. Un choix que je respectais, tout simplement.

Non, elle ne savait pas, songea Andrianna, atterrée. Mais ne disait-on pas qu'il n'y a pas pire aveugle que celui qui ne veut pas voir ? Avait-elle, à l'instar de sa mère, eu la bêtise de nier les défauts de son amant ?

— Mais pourquoi ? demanda-t-elle, en désespoir de cause. Pourquoi le fais-tu ? Ton père t'envoie plus d'argent que tu n'en peux dépenser, et il n'existe rien que tu ne possèdes déjà. As-tu songé aux risques que tu courais ? Et si tu te faisais prendre ?

Cette seule pensée la fit frémir. Gae en prison. Loin d'elle...

— Je ne comprends pas que tu puisses prendre un tel risque.

Cette fois, Gaetano ne rit pas. Il haussa les épaules. Mais la réponse à sa question, Andrianna la connaissait. Il le faisait *uniquement* par goût du risque. A dix-huit ans, quand on avait tout ce dont on pouvait rêver — la beauté, l'éducation, la fortune et le prestige liés à un nom aussi célèbre que celui des Forenzi, un père et une petite amie prêts à tout pour vos beaux yeux — que restait-il, à part le danger et le risque ? La sensation grisante de vivre sur le fil du rasoir ?

Elle le supplia de renoncer au trafic de drogue. Elle ne voulait pas le perdre.

— Je t'en prie, oublie tout ça. Si tu te faisais prendre et te retrouvais en prison, je crois que j'en mourrais. Je t'aime, Gae. En dehors de Penny et de Nicole, tu es la seule personne au monde à laquelle je tienne... la seule sur qui je puisse compter.

Ce fut l'une des rares fois où elle vit Gaetano sérieux.

— Suis-je la seule personne que tu aimes ou bien la seule sur qui tu peux compter ?

— Où est la différence ?

— Je trouve merveilleux que tu m'aimes, bien sûr, mais je préférerais que tu ne comptes pas trop sur moi.

Mais Andrianna ne l'entendait pas de cette oreille.

— Mais puisque nous nous aimons, insista-t-elle, il est normal que je compte sur toi.

Visiblement, Gaetano en avait assez. Quand un sujet de conversation le mettait mal à l'aise ou l'ennuyait, il s'arrangeait toujours pour la faire taire en l'embrassant dans le cou, en la chatouillant avec sa langue.

Andrianna, cependant, n'en démordait pas. Elle savait qu'elle avait tort d'insister, mais c'était plus fort qu'elle.

— Pourquoi voudrais-tu que je ne compte pas sur toi ?

Il lui sourit tendrement.

— Tout ce que je te demande, c'est de ne pas *trop* compter sur moi. Tu risquerais d'être déçue... Et te décevoir est la dernière chose au monde que je souhaite.

Ce n'était donc que cela ! se réjouit Andrianna. Elle avait eu si peur qu'il lui réponde qu'il ne l'aimait pas assez pour accepter une telle responsabilité, ou qu'il ne l'aimait plus, purement et simplement...

Elle lui sauta au cou.

— Jamais tu ne me décevras ! affirma-t-elle avec conviction.

Mais elle insista jusqu'à ce qu'il cède et accepte de laisser tomber son trafic de drogue.

— Il faut que tu promettes ! Répète après moi : je promets de ne jamais...

— Stop ! Je promets ! Quand tu t'y mets, tu es une sacrée *puledra*, tu sais.

— Ah ? Et qu'est-ce que c'est une *puledra* ? Qu'est-ce que ça veut dire ?

Il réfléchit quelques instants avant de répondre en souriant :

— Une casse-pieds, si tu préfères. Tu insistes jusqu'à ce que tu aies obtenu ce que tu voulais. Un peu comme les marchandes de poissons sur les marchés.

— Oh ! s'indigna-t-elle. Tu oses me traiter de poissarde ? Alors ça, *jamais* je ne te le pardonnerai !

Il avait le plus grand mal à garder son sérieux.

— Quel dommage ! Moi qui espérais que nous passerions les vacances ensemble... Mon père nous avait justement invités à le rejoindre dans notre villa de Port'Ercole. Il sera vraiment déçu...

— Ah bon ? Dans ce cas, je vais tâcher de te pardonner. Cela m'ennuierait beaucoup que ton père soit déçu, déclara-t-elle en faisant la moue. Le pauvre homme, il a déjà bien assez de soucis avec toi ! De plus, je ne suis jamais allée à Port'Ercole, et tante Helen non plus. Quand elle apprendra que j'y passe mes vacances, elle en fera une jaunisse ! Elle rêve d'y aller depuis qu'elle sait que les Radziwill ont loué une villa là-bas et y ont invité Jackie Kennedy...

Le seul fait d'avoir prononcé le nom de sa tante suffit à tout gâcher : Andrianna n'était plus du tout d'humeur à plaisanter. En la voyant aussi morose, tout à coup, Gaetano crut bon de lui rappeler qu'Helen Sommer était en quelque sorte sortie de sa vie.

— La preuve : tu ne l'as même pas revue, depuis la mort de ton oncle ! Laisse-la donc où elle est, cette garce ! Tant qu'elle paie tes frais de scolarité...

Il frotta sa joue contre la sienne, lui caressa les seins et s'appliqua à lui faire oublier ses soucis. Dans ses bras, Andrianna oublia tout — en particulier la promesse de Gae de ne plus revendre de drogue et ses réticences lorsqu'elle lui avait dit combien elle comptait sur lui.

En fait, elle n'avait pas compris que s'il redoutait tant qu'elle s'attache trop à lui, c'était parce qu'il l'aimait.

Jonathan s'adressa au luxueux restaurant du Plaza pour qu'on lui préparât un plateau-repas qu'il tint à porter lui-même à Rennie.

— Je veux à tout prix que vous restiez au volant, expliqua-t-il. Prêt à démarrer. Je ne peux pas vous dire quand, mais je préfère vous savoir dans la voiture. Si vous ne me revoyez pas d'ici là, je vous ferai apporter à dîner. Sachez, d'autre part, que j'aurais encore besoin de vous demain.

Rennie faillit demander à quelle heure il serait libre, mais il préféra se taire. Jonathan West lui avait apporté à manger ; le moment venu, il penserait sûrement qu'il avait aussi besoin de dormir, comme tout le monde. Mais chaque chose en son temps.

Confortablement installé dans un fauteuil, à proximité des ascenseurs, Jonathan surveillait discrètement les allées et venues dans le hall de l'hôtel. Il se cachait derrière son journal, *USA Today*, qu'il n'achetait pas d'habitude. De toute façon, il était incapable de lire plus d'une phrase à la fois, les ascenseurs ne cessant de monter et de descendre.

De plus, les lignes dansaient devant ses yeux tant il était obnubilé par cette photo qu'il avait vue dans un magazine, quelques semaines plus tôt. Elle représentait le plus gâté des play-boys, l'éblouissant Gae Forenzi, en selle sur son cheval de polo, toujours aussi séduisant et toujours aussi irrésistible, les plus belles femmes du monde — princesses aussi bien qu'actrices de cinéma — se succédant dans ses bras. Une question, sous la photo, tenait lieu de légende : *Que choisira le roi de l'automobile italien ? Entre le trône et la vie de château, son cœur balance.*

L'article révélait que l'héritier de la fortune du célèbre constructeur automobile se serait vu lancer un ultimatum par son père. Le vieil homme lui aurait enjoint de choisir entre sa vie dissolue et la future direction de l'entreprise familiale.

Ce qui expliquait, songea Jonathan, qu'Andrianna se soit faite inscrire sous un faux nom. Sa liaison avec le play-boy italien devait rester secrète, car si elle éclatait au grand jour, Gaetano subirait à coup sûr les foudres de son père...

Puis il imagina un autre scénario. En fait, Andrianna était venue rejoindre son amant au Plaza dans le but, au contraire, d'officialiser leur liaison, qui durait depuis plusieurs années. Ils avaient caché leurs amours dans des dizaines de pays, skié main dans la main sur toutes les pistes suisses, dansé yeux dans les yeux dans toutes les discothèques de Rome et de Londres, échangé des baisers par-dessus les tables de baccara de tous les casinos de la Riviera et de la Côte d'Azur. Mais la récréation était terminée. Pour Gaetano, le moment était venu de passer aux choses sérieuses, de se stabiliser, conformément aux vœux de son père.

— Il faut absolument que tu parles à mon père, Andrianna, dirait-il.

Mais peut-être l'appelait-il Anna ?

— Il faut que tu le persuades que tu es pour moi l'épouse idéale, et qu'avec toi à mes côtés, je suis capable de m'amender, de fonder une famille et de faire face à mes responsabilités.

Elle n'aurait aucun mal à le persuader ! songea Jonathan, dévoré par la jalousie. Elle était faite pour ce rôle. Car en plus d'être divinement belle, Andrianna jouait merveilleusement bien la comédie. Et il savait de quoi il parlait !

Son poing le démangeait. Ce n'était pas l'envie qui lui manquait de le leur écraser sur la figure !

Il avait du mal à rester en place, tant il était persuadé que d'une minute à l'autre, Forenzi allait arriver et lui souffler Andrianna. C'était peut-être idiot de sa part, mais Jonathan tenait à monter la garde au pied des ascenseurs afin d'intercepter son rival et de l'empêcher de rejoindre sa maîtresse, qui l'attendait dans sa suite, pantelante de désir et impatiente de le rendre fou avec ses fantasmes d'amour en plein jour...

Il fallait vraiment qu'il ait perdu la tête pour rester assis là, comme un abruti, ou un amoureux transi guettant sa bien-aimée ! Mais il avait beau être conscient du ridicule de la situation, Jonathan n'en était pas moins incapable de bouger, l'esprit accaparé par une seule et unique pensée : durant vingt-quatre heures, Andrianna l'avait *vraiment* aimé. Elle l'avait aimé comme n'importe quelle femme peut aimer un homme... Et elle s'était montrée ardente, passionnée, aussi avide de lui qu'il l'avait été d'elle.

Il ne quitta pas son poste de tout l'après-midi. Il aurait suffi d'une minute ou deux pour qu'elle sorte de l'ascenseur et quitte l'hôtel, ou pour que Forenzi aille la rejoindre au neuvième étage. Or Jonathan ne voulait pas risquer de les manquer — et de laisser passer l'occasion de tirer toute l'affaire au clair.

En début de soirée, il envoya un chasseur lui chercher un nouveau stock de journaux et de magazines ainsi qu'un serveur, auquel il commanda à dîner pour Rennie et à boire pour lui.

⁂

Il était plus de minuit lorsqu'il sortit pour prendre sa mallette et son sac de voyage dans la voiture. Avant de congédier Rennie, il lui recommanda d'être de retour le lendemain matin à 8 heures précises, la situation étant susceptible de se débloquer enfin. Si Andrianna DeArte restait cloîtrée dans la suite de Gaetano Forenzi au Plaza, ce n'était sûrement pas pour rien !

Après quoi, Jonathan monta au onzième étage, dans sa propre suite, pour essayer de dormir un peu, bien qu'il eût l'impression désagréable que les dés étaient pipés, et la partie bel et bien perdue.

11.

Mardi matin

Debout à 6 heures, Jonathan prit son petit déjeuner à 7, au restaurant de l'hôtel. Comme convenu, à 8 heures précises, Rennie était là. Après un rapide conciliabule avec Jonathan, il se posta devant le Plaza, comme la veille. A 8 h 10, Jonathan prit lui-même position au pied des ascenseurs, une pile de journaux à côté de lui. Il était au moins sûr d'une chose : si Andrianna se décidait à quitter le confort douillet de la suite de Gaetano Forenzi, Rennie et lui seraient prêts à la suivre dans l'inconnu.

A moins qu'aujourd'hui, songea-t-il, morose, en feuilletant le *Wall Street Journal*, Gaetano Forenzi ne fasse son apparition...

Puis, comme il essayait de se concentrer sur un article évoquant le rachat éventuel de Radson International Products par Allied Global, il lui vint à l'esprit que Forenzi avait très bien pu arriver au milieu de la nuit, à son insu.

Pourquoi, bon sang, n'avait-il pas passé la nuit dans ce fauteuil ? Ou, tout du moins, engagé une équipe de détectives privés ? Il n'en serait pas là, à se demander si Forenzi était ou non là-haut... Maudit soit son entêtement à tout vouloir faire lui-même !

Andrianna posa le vase contenant les treize roses blanches au milieu de la table, afin de pouvoir humer leur parfum subtil en prenant son petit déjeuner. Mais quand elle les eut sous les yeux, elle s'aperçut que les fleurs avaient déjà perdu de leur éclat, que, imperceptiblement, elles commençaient à se faner.

Oui, les roses de Gaetano dépérissaient déjà, constata-t-elle avec tristesse. Mais c'était dans l'ordre des choses. C'était le destin des roses que de se flétrir rapidement... Plus elles étaient belles et plus vite elles s'étiolaient.

Le processus prenait un certain temps, cependant, de sorte qu'au début, la détérioration passait presque inaperçue. Les roses, songea Andrianna, le cœur serré, étaient comme les premières amours : au début, on croit qu'elles vont durer toujours...

Lorsqu'ils arrivèrent à Port'Ercole, à une demi-heure de route de Rome par l'ancienne voie romaine de l'empereur Aurélien, et qu'Andrianna vit pour la première fois la maison du père de Gae, elle ne put cacher son admiration. Construite sur un promontoire rocheux qui avançait dans la mer — sur des terres rachetées à la prestigieuse famille Borghese, qui avait compté parmi les premiers habitants de Port'Ercole —, et baptisée ironiquement *La Folie Douce*, la villa était beaucoup plus vaste que toutes celles dans lesquelles Andrianna avait été invitée jusque-là. Les dalles de marbre du sol figuraient un immense échiquier, et par un astucieux jeu de miroirs, le littoral était visible de n'importe quelle pièce de la maison.

Mais la jeune fille fut encore plus impressionnée par le père de Gae, Gino Forenzi qui, avec ses cheveux bouclés et ses yeux de velours, était quasiment le double de son fils, en plus âgé, naturellement.

La liste des invités de Gino la laissa également rêveuse. Duc de ceci, comte de cela, princesse d'un royaume dont Andrianna n'avait jamais entendu parler, ils portaient presque tous un titre de noblesse. Quant aux autres, ils avaient un nom célèbre, ou une grosse situation dans un domaine quelconque, ou bien encore, ils étaient artistes. Tel était le cas de Beatriz de Ayala, actrice de cinéma plus connue pour ses colères et son répertoire inépuisable de ragots et d'histoires scabreuses que pour son talent. Elle était en outre la dernière en date des maîtresses de Gino Forenzi.

Pour sa part, Andrianna trouvait l'actrice repoussante avec son gros nez, sa vilaine peau et ses jambes lourdes et poilues, et se demandait ce qui chez elle pouvait bien charmer Gino Forenzi et ses invités, car aussi bien les femmes que les hommes, tous dans la maison semblaient fascinés par Beatriz.

Ce soir-là, comme les trois soirs précédents, Beatriz, assise à la place d'honneur, monopolisait la conversation tandis que Gino Forenzi mangeait avec appétit, buvait trop, riait haut et fort à chacune des piques que l'actrice lançait contre diverses personnes que tout le monde, autour de la table, semblait connaître, et à ses nombreuses plaisanteries, toutes plus douteuses les unes que les autres. Andrianna, elle, n'avait aucune envie de rire. Ecœurée, elle mangeait du bout des lèvres. Comment une assemblée aussi huppée et aussi sophistiquée pouvait-elle se divertir de façon aussi futile et inepte ?

S'efforçant de ne plus prêter attention aux propos de l'actrice, Andrianna se concentra sur le décor fleuri de l'assiette qui se trouvait devant elle. Mais lorsque la baronne Theresa von Lichenhaus, qui n'était pas une sainte non plus, pria l'actrice de bien vouloir déclamer l'un de ces limericks dont elle avait la spécialité, Andrianna ne put s'empêcher d'écouter.

« Il était une fois un pasteur,
Qui viola une guenon par erreur.
Le résultat fut un désastre :
Neuf queues et pas l'ombre d'un front,
Une barbiche et pas moins de six cons. »

Tout le monde autour de la table se tordait de rire, y compris Gae et son père. Andrianna, qui n'avait jamais rien entendu d'aussi vulgaire, fixait sans rien dire la serviette rose vif posée sur ses genoux, douloureusement consciente d'avoir les joues en feu.

Lorsque Beatriz s'aperçut de sa gêne, elle ricana et lança :

— Que se passe-t-il, mon chou ? Ignorerais-tu, par hasard, ce qu'est un con ? Tu dois pourtant bien en avoir un !

Puis, comme les rires fusaient de nouveau, elle interpella Gaetano, assis à l'autre bout de la table.

— Dis donc, toi, là-bas, le joli cœur ! Comment expliques-tu que ta petite *putana* ne sache pas qu'elle a un con ?

Cette fois, lorsque les convives éclatèrent de rire, Gino leva la main pour les faire taire. Mais Andrianna, plus morte que vive, s'était déjà levée et s'enfuyait sans demander son reste.

Gaetano la trouva en train de contempler la mer depuis l'une des nombreuses terrasses de la villa. Lui passant un bras autour des épaules et la berçant comme une enfant, il fit de son mieux pour la réconforter.

— Il ne faut pas te mettre dans des états pareils pour si peu ! murmura-t-il. Beatriz ne faisait que plaisanter.

— Ses plaisanteries sont franchement répugnantes ! Je ne comprends même pas qu'on puisse en rire ! Et Beatriz est elle-même répugnante ! Qu'est-ce que les gens lui trouvent ? Pourrais-tu me l'expliquer ?

— C'est vrai qu'elle est tout le contraire d'une beauté, admit Gae en haussant les épaules. Mais l'essentiel étant de paraître, elle fait comme si elle était somptueusement belle. Elle qui sait probablement tout juste lire et écrire se croit intelligente et se prend pour une grande actrice. Et c'est ainsi que les gens la voient. En fait, ce à quoi elle ressemble et ce qu'elle dit n'ont aucune importance, du moment qu'elle a de la classe, de la présence, un rayonnement incomparable.

De la classe. De la présence. Un rayonnement incomparable...

Pendant quelques instants, Andrianna médita les propos de Gae. Elena, sa mère, avait été une très belle femme, sensible et intelligente. Mais pour ce qui était de la présence, du rayonnement incomparable... Etait-ce la raison pour laquelle Elena avait été aussi peu gâtée par la vie, alors que cette garce de Beatriz semblait comblée ?

— Qu'entends-tu au juste par « classe » et « présence », Gae ? Fais-tu allusion à toute cette mise en scène grotesque et prétentieuse dont Beatriz s'entoure — ses minauderies, ses toilettes d'un autre siècle, sa voix rauque et sa manie de parler fort ? Est-ce cela qui est plus important que tout ?

Gae sourit, tout en effleurant du bout du doigt le tracé délicat des joues de la jeune fille.

— Plus important que quoi, *cara mia ?*

— Que d'être sympathique, par exemple ? Ou bien vraiment belle ?

Belle, Andrianna savait que sa mère l'avait été. Et s'il fallait en croire les gens, et plus particulièrement Gae, qui n'était pas avare de compliments, elle l'était sans doute elle-même.

En cet instant, elle scrutait le visage de son compagnon, guettant sa réaction, inquiète malgré tout car il ne souriait plus. Allait-il la rassurer ? Jamais encore elle ne l'avait vu aussi sérieux, mélancolique même, tout à coup.

— C'est très bien d'inspirer la sympathie, dit-il enfin, mais en définitive, ce n'est malheureusement pas essentiel. La beauté est indiscutablement un atout. Mais...

Il secoua tristement la tête.

— ... on ne peut pas compter dessus non plus, dans la mesure où elle représente un capital qui s'érode au fil des ans.

Abasourdie, Andrianna ne savait trop comment interpréter les propos de Gae. Essayait-il de lui dire que la beauté intérieure ne comptait pas et que la beauté extérieure ne durait pas ? Que la seule chose vraiment importante, c'était d'avoir de la présence et ce fichu rayonnement ? Ce raisonnement lui semblait pour le moins artificiel et cynique.

— J'ai l'impression d'entendre ma tante Helen, observa-t-elle d'un ton de reproche. Elle non plus n'accorde aucun crédit à la pureté de cœur, et elle serait sûrement d'accord avec toi pour affirmer que la priorité doit être donnée aux apparences.

— Viens avec moi, dit soudain Gae.

La prenant soudain par la main, il l'entraîna à l'intérieur de la villa, vers l'escalier monumental situé au centre du vaste hall. Ils gravirent lestement les marches en marbre de Carrare. A l'étage, ils longèrent le corridor, au bout duquel se trouvait une pièce immense, avec un plafond à six mètres de haut décoré comme la voûte d'une cathédrale de ciels bleus, de nuages blancs et d'anges dorés.

Andrianna n'en croyait pas ses yeux. Les murs étaient couverts de dizaines de tableaux. Des toiles de grands peintres italiens du milieu du XVIe et du XVIIe siècle voisinaient avec des bouquets de fleurs flamands, des Picasso de la « période bleue », et apparemment, tous les chefs-d'œuvre des impressionnistes français.

— J'ignorais l'existence de cette galerie, murmura-t-elle. Pourquoi ne m'y avais-tu jamais amenée ?

Au lieu de répondre, Gae l'entraîna tout au fond de la pièce, jusqu'à une alcôve à l'intérieur de laquelle étaient exposés deux tableaux. L'un d'eux, signé John Singer Sargent, représentait une grande femme à l'air autoritaire portant une longue robe rouge et une capeline, et qui avait la main posée sur le pommeau d'un immense parapluie noir. Cette femme n'était pas belle à proprement parler, mais elle avait quelque chose, une présence qui semblait sortir du cadre de la toile. C'était d'autant plus frappant que le second tableau, accroché juste à côté, représentait une femme qui, pourtant jeune et jolie avec ses cheveux blonds sagement ramenés en bandeaux autour de son doux visage et ses yeux du même bleu pâle que sa robe, semblait complètement effacée. Assise dans un fauteuil, un sautoir de perles sur la poitrine, elle tenait dans ses bras un petit chien.

Il s'agissait assurément d'un portrait magnifique, songeait Andrianna en le contemplant. Mais on avait l'impression que la jeune femme à la robe bleue servait de toile de fond à tous les autres éléments composant le tableau ; au long collier de perles, au fauteuil doré de style George III, au petit chien adorable, aux rideaux d'ottoman à l'arrière-plan, aux pilastres et aux moulures que l'on voyait sur l'un des murs, et même, au tableau qui se reflétait dans un miroir Louis XVI et représentait un intérieur hollandais. Ce foisonnement de détails laissait penser que l'auteur de ce portrait, un certain Carlos Brunetti, avait craint que la femme elle-même ne manquât de consistance, ne fût effacée au point de devenir invisible...

Ce portrait était aussi différent de celui de Sargent que le jour pouvait l'être de la nuit. Autant la femme en rouge en imposait, autant la jeune femme blonde était modeste et disparaissait au milieu des accessoires.

Andrianna comprit sans peine pourquoi Gae l'avait amenée devant ces tableaux. Trop émue pour parler, elle garda le silence un long moment.

— Qui est-ce ? demanda-t-elle finalement.

— La femme en robe rouge était une duchesse quelconque — peu importe. Quant à la femme en bleu, c'est... c'était... ma mère.

— *C'était ?*

— C'était, répéta Gaetano en la regardant intensément.

Dans ses yeux noirs, Andrianna crut discerner un éclat inhabituel. Mais très vite, il se détourna.

— Elle s'est suicidée à l'âge de vingt-neuf ans.

— Oh ! Mais c'est affreux ! Comment est-elle morte et pourquoi a-t-elle fait une chose pareille ?

— Elle s'est tranchée la gorge.

— Mon Dieu ! Mais *pourquoi* ?

Il se tourna vers elle, de nouveau, mais ses yeux étaient secs, à présent, et sa voix sans timbre.

— Elle avait été internée dans un hôpital psychiatrique, en Suisse. Il paraît qu'elle était... dérangée, expliqua-t-il en se tapant le front. Mais je crois qu'en réalité, c'est de là qu'elle souffrait...

Joignant le geste à la parole, il porta la main à son cœur.

— Elle était malheureuse. Elle est morte d'un chagrin d'amour.

Comme Andrianna ne disait rien, Gaetano poursuivit, un petit sourire triste aux lèvres :

— Tu vois, je pense que ma mère n'a pas cherché à tirer parti de son rayonnement et qu'elle n'a jamais su se mettre en valeur.

— Mon pauvre Gaetano ! murmura Andrianna en l'enlaçant et en l'attirant à elle. Quel âge avais-tu quand elle...

— Presque neuf ans. Mon père m'a expliqué qu'il fallait que je me conduise en homme, que je fasse preuve de courage, et que quand je serais *vraiment* un homme, je comprendrais. Mais je crois qu'en fait, j'avais d'ores et déjà compris.

Compris quoi ? Andrianna n'en savait trop rien. Ce qui était sûr, en tout cas, c'était que Gaetano et elle avaient tous deux perdu leurs mères très jeunes et que leurs mères, à l'un comme à l'autre, étaient des femmes à la fois très belles et très fragiles.

— Je comprends, dit-elle d'une voix sourde. Je n'avais que sept ans quand ma mère est morte, et elle aussi était...

— De quoi est-elle morte ?

— Je n'en ai pas la moindre idée.

Peut-être, après tout, était-elle morte, elle aussi, d'un chagrin d'amour...

Longtemps ils restèrent sans bouger, dans les bras l'un de l'autre, plus unis dans la peine qu'ils ne l'avaient jamais été dans la joie.

Plus tard, dans l'intimité de sa chambre, alors qu'elle se préparait à se mettre au lit, Andrianna contempla son reflet dans le miroir qui recouvrait entièrement l'un des murs. Etait-elle vraiment aussi belle que Gae le prétendait ? Ses yeux étaient grands et lumineux. Mais c'était leur couleur mordorée que l'on remarquait surtout. Elle avait des pommettes hautes et saillantes qui faisaient paraître ses joues creuses — ce genre de pommettes dont toutes les filles du Rosey rêvaient. Son menton n'était ni trop affirmé ni rentré. Elle avait la peau fine et un joli teint. Quant à son épaisse chevelure noire, on trouvait généralement que c'était ce qu'elle avait de mieux.

Elle laissa courir ses doigts sur la peau douce de ses seins fermes, dont les mamelons pointaient avec insolence. Puis ses mains glissèrent jusqu'à sa taille étroite et ses hanches rondes et féminines.

Gae n'avait peut-être pas exagéré, mais qu'est-ce que cela changeait, de toute façon ? Andrianna savait avec certitude qu'elle n'avait ni la présence ni le rayonnement sans lesquels, apparemment, nul bonheur et nul avenir ne semblaient possibles.

Elle songea à sa fuite précipitée de la salle à manger, un peu plus tôt, lorsque Beatriz — cette grande prêtresse de la présence et du rayonnement — s'était moquée d'elle, et elle eut honte de sa lâcheté. Pourquoi n'avait-elle pas fait front ? Elle aurait dû se lever, rejeter ses cheveux en arrière, tirer parti de sa jeunesse et de sa beauté pour rendre plus manifestes la laideur et la décrépitude de Beatriz, et lorsque tous les regards auraient été braqués sur elle, elle aurait contre-attaqué et mouché l'actrice.

Elle aurait pu citer un grand poète, ce qui aurait mis en évidence l'indigence intellectuelle de Beatriz, qui en fait de poésie ne connaissait que quelques limericks vulgaires. Et, l'auditoire étant ce qu'il était, elle aurait probablement pu laisser croire que le poème était d'elle, quitte à le transformer un peu. L'assistance n'y aurait vu que du feu. Que n'avait-elle, par exemple, récité la première strophe du poème de Cary, « Quand une jolie femme »...

« Quand une jolie femme demande instamment une faveur,
Et découvre, trop tard, qu'il n'y a rien à faire,
Quel autre recours lui reste-t-il que les pleurs
Pour fléchir son amant sans trop en avoir l'air ? »

A cette question, Andrianna aurait pu répondre dans une seconde strophe commençant par un vers du genre : « Mais mieux encore que les pleurs, il y a le con. »

La prochaine fois, au lieu de se sauver comme une idiote, elle mettrait à l'épreuve son esprit de repartie, décida-t-elle en se glissant entre les draps pour attendre Gae.

Mais cette nuit-là, il ne vint pas. Le cœur serré,

Andrianna se demanda ce qu'elle avait bien pu dire, ou faire, pour lui déplaire.

Elle finit par s'endormir, après s'être juré que désormais, elle cultiverait sa présence et aurait un rayonnement sans pareil.

Le lendemain matin, elle se leva avant tout le monde, enfila son bikini et se rendit sur la plage, choisissant à dessein la plus éloignée. Elle voulait punir Gae de l'avoir délaissée.

Il n'y avait pas de cabines, sur la plage, aussi Andrianna, lorsqu'elle sortit de l'eau, dut-elle s'allonger sur le sable pour se sécher, offrant avec volupté son visage aux caresses du soleil. Elle avait si peu dormi pendant la nuit qu'elle s'assoupit presque instantanément. A demi-inconsciente, elle se demanda combien de temps mettrait Gae pour s'apercevoir de son absence et venir la rejoindre.

En fait, lorsqu'il se réveilla, Gaetano ne se préoccupa pas immédiatement d'Andrianna. D'abord, il constata qu'il mourait de faim. Puis il décida de prendre une douche. Un peu plus tard, en descendant pour le petit déjeuner, comme il passait devant la chambre d'Andrianna, il frappa. N'obtenant pas de réponse, il cogna plus fort, avant de renoncer, finalement, à la réveiller.

Il rejoignit dans la serre ceux des invités de son père qui étaient déjà levés : Beatriz, lady Patricia, la princesse Marita Cortina, et l'industriel Silvio Pucci flanqué de son ami, un Oriental répondant au nom incongru de Marco Polo. Tout ce petit monde discutait joyeusement des activités et loisirs prévus pour la journée.

Le problème fut réglé quand le chauffeur de l'une des

sœurs Cerruti se présenta avec une invitation. Sa patronne, propriétaire d'une propriété de style mauresque située sur les quais, conviait tous ceux qui le voulaient à se joindre à ses propres amis pour une baignade, suivie d'un déjeuner puis d'un après-midi dansant. La princesse Grace, son invitée d'honneur, devant arriver d'un instant à l'autre, il fallait se décider sur-le-champ, sans perdre de temps en toilette ou chichis.

Pour aller plus vite, Gino décida qu'ils feraient le trajet en bateau. Le départ aurait lieu dix minutes plus tard. Il se chargea lui-même d'aller réveiller les retardataires.

Gae frappa de nouveau à la porte d'Andrianna, sans plus de succès. Qu'elle dorme donc ! songea-t-il en s'empressant de rejoindre les autres. Elle ne perdrait sans doute pas grand-chose, de toute façon. L'ex-actrice américaine, devenue princesse de Monaco, ne présenterait à ses yeux probablement pas plus d'intérêt que Beatriz, l'actrice italienne.

Andrianna se réveilla rouge comme une écrevisse. Elle avait la tête qui tournait et les jambes en coton. Comme elle essayait tant bien que mal de se lever, elle attira l'attention des autres baigneurs, qui lui vinrent aussitôt en aide.

— Seigneur ! Mais combien de temps avez-vous passé sur le sable ? demanda une femme.

Andrianna tenta en vain de lui répondre, les mots refusant de se former sur ses lèvres.

Lorsqu'elle put, enfin, donner son adresse, deux hommes la raccompagnèrent à la maison, où elle retrouva ceux des invités de Gino Forenzi qui étaient restés sur la touche. En voyant son état, ils poussèrent des exclamations horrifiées et la confièrent aux soins de deux domestiques, qui reçurent l'ordre de la mettre au lit.

Lorsque les Forenzi rentrèrent, plusieurs heures plus

tard, Gino appela de toute urgence un médecin, tandis que Gaetano, assis sur le bord de son lit, la mine contrite, tenait la main de la jeune fille et lui murmurait des paroles de réconfort en lui embrassant le bout des doigts.

Le Dr Roncello diagnostiqua une magistrale insolation — la plus grave qu'il ait vue de toute sa carrière —, et prescrivit pour la soulager divers baumes et onguents.

— Mais il n'y a pas que le coup de soleil ! protesta Andrianna, qui avait du mal à parler à cause de ses lèvres tuméfiées. J'avais perdu l'usage de la parole et je ne pouvais plus bouger ; mes bras et mes jambes me semblaient aussi lourds que du plomb.

— Une insolation n'est jamais bénigne, chère petite mademoiselle, rétorqua le médecin. Vous avez fait preuve d'une belle dose d'inconscience en vous endormant sur la plage. Le soleil peut être un ennemi redoutable, et même mortel, dans certains cas.

Le médecin n'en était pas moins confondu par l'étendue des dégâts. D'autant qu'Andrianna n'avait pas particulièrement la peau claire, et que les bruns supportaient généralement beaucoup mieux que les autres les rayons solaires.

— Quelques jours de patience, et tout rentrera dans l'ordre, assura-t-il avant de partir. Reposez-vous, et surtout, la prochaine fois que vous vous exposerez au soleil, portez un chapeau. A l'avenir, évitez de vous endormir sur la plage sans parasol. D'accord ?

Pendant quelques jours, Andrianna resta au lit, gênée de se montrer toute rouge et pleine de cloques aux autres invités — et plus particulièrement à Beatriz.

Gae, qui se sentait un peu responsable de son état, l'entourait d'attentions délicates. Il passait des heures assis à son chevet, prenait la plupart de ses repas en sa compagnie, la distrayait avec d'interminables parties de Monopoly, et s'amusait à la taquiner en lui répétant sans arrêt qu'en fin de compte, elle n'était pas si horrible que ça. Mais Andrianna sentait qu'il commençait à trouver le temps long.

A 10 heures, ce soir-là, incapable de rester une minute de plus au lit, et inquiète de ne pas avoir revu Gae depuis le début de l'après-midi, Andrianna se leva. Elle enfila le ravissant kimono brodé que Gino Forenzi lui avait offert pour lui remonter le moral, et partit à la recherche de son bien-aimé. Elle le trouva dans la salle de bridge, une pièce dans des tons fondus d'orange et de rose, à genoux devant Beatriz de Ayala, sur laquelle il pratiquait avec ardeur le cunnilinctus.

Elle se figea sur le seuil, muette de stupeur. Penny, Nicole et elle avaient lu un jour une description de cet acte dans un manuel de sexologie.

Cunnilinctus : Pratique sexuelle dans laquelle la langue de l'homme entre en contact avec le clitoris de sa partenaire. Les légers frémissements et la saveur subtilement salée de cet organe érectile contribuent chez lui à la montée du désir. De plus, en raison des glandes sudoripares situées sur l'ensemble du vagin, cette zone dégage une odeur caractéristique que la plupart des hommes trouvent excitante.

Comme la fellation, où la femme prend dans sa bouche le pénis de l'homme, le cunnilingus a pour vocation première de rendre l'acte final, généralement la pénétration, le plus excitant possible.

Horrifiée, Andrianna vit un sourire de triomphe se dessiner sur les lèvres de l'actrice lorsqu'elle l'aperçut, statufiée sur le pas de la porte. Sentant la nausée la gagner, Andrianna s'empressa de tourner les talons et de filer.

Mais lorsque, un peu plus tard, Gae vint la retrouver dans sa chambre, elle donna libre cours à sa colère et à sa peine.

— Comment as-tu pu faire une chose pareille ? Cette femme est répugnante !

Gae semblait très ennuyé, mais Andrianna voyait bien que ce qui le gênait le plus, ce n'était pas tant l'acte qu'il avait pratiqué sur Beatriz que le fait d'avoir été surpris en pleine action.

Cependant, il expliqua que s'il l'avait fait, ce n'était pas pour son plaisir, et encore moins pour celui de l'actrice, mais simplement pour être agréable à son père.

— Pour être agréable à ton père ? répéta Andrianna, interloquée. Qu'est-ce que tu me racontes ?

— Laisse-moi t'expliquer. Il semblerait que mon père se soit subitement pris d'affection pour la douce lady Patricia...

Andrianna ouvrit de grands yeux.

— Crois-moi, affirma Gae, visiblement navré. Comme tu n'es pas sans le savoir, Beatriz peut être une véritable mégère, quand elle s'y met. Si elle a l'impression d'être évincée, on n'aura pas fini de l'entendre... J'ai donc accepté de rendre service à mon père en m'occupant de Beatriz pendant qu'il était avec Patricia. Mais il n'y a vraiment pas de quoi fouetter un chat. Cela ne vaut même pas la peine d'en parler.

— Je ne suis pas de cet avis ! Mais alors pas du tout ! Si je comprends bien, c'est parce que ton père t'avait demandé de t'occuper d'elle que tu lui as... que tu...

— A quoi bon remuer le couteau dans la plaie ? Je te répète que je ne faisais que rendre service à mon père. Considérons à présent que l'incident est clos. Nous n'allons pas passer les quelques jours de vacances qui nous restent à nous disputer, tout de même ?

Mais Andrianna voulait en avoir le cœur net. Bien que toujours très intimidée par Gino Forenzi, elle avait la ferme intention de lui demander quelques explications. En tête à tête.

⁂

Lorsque, enfin, l'occasion se présenta, et qu'Andrianna, écarlate et mal à l'aise, demanda au maître de maison comment il osait charger son fils de *s'occuper* d'une femme telle que Beatriz, une expression de vive contrariété se peignit sur le visage de Gino.

Il hésita quelques instants, apparemment partagé entre divers sentiments contradictoires : colère, tristesse, perplexité...

— Veuillez lui pardonner, dit-il finalement d'un ton humble. Gae est jeune et fougueux ; il a encore beaucoup à apprendre.

Entendait-il par là qu'il *n'avait pas* chargé Gae de s'occuper de Beatriz et qu'elle-même devait par conséquent lui pardonner son mensonge ? Ou bien qu'elle devait passer l'éponge sur sa petite infidélité ? Mais Gino savait-il seulement ce qu'était la fidélité ? D'après Nicole, il n'y avait pas plus inconstants que les Français et les Italiens.

Son embarras devait se lire sur son visage car Gino lui sourit soudain.

— Si vous étiez ma fille, petite Anna, je vous conseillerais de ne jamais prendre trop au sérieux les paroles de mon fils, ou d'un autre jeune loup — du moins tant qu'il n'a pas atteint l'âge adulte. Et même alors...

Il n'en était pas moins furieux après Gae, comme devait le constater Andrianna un peu plus tard, des bribes de la conversation orageuse que le père et le fils eurent dans la bibliothèque filtrant à travers la porte à double battant.

— Comment oses-tu ? Dans ma propre maison ?

— Qu'est-ce que ça change ? Beatriz n'est pas ta femme, de toute façon !

— La question n'est pas là ! Un garçon ne fait pas l'amour à la femme d'un autre, surtout quand cet autre est son père.

— Son père ? Avant d'en revendiquer le titre, il faudrait tout d'abord en assumer les responsabilités !

— Ses responsabilités, il les assumerait peut-être s'il avait affaire à un fils qui se conduisait comme un homme et non comme un petit crétin !

— Si le père lui montrait le bon exemple, le fils se conduirait peut-être autrement !

— Tu les multiplies, depuis que...

— Vas-y, dis-le ! Depuis que maman est morte. Et à qui la faute si elle est morte en se vidant de son sang comme un animal égorgé ? Mais maman n'avait rien d'un animal, justement. Les bêtes, c'étaient toutes tes maîtresses...

— Je te préviens, Gaetano, si tu ne surveilles pas ton langage, si tu ne te décides pas à t'amender, tu n'auras plus un sou de moi !

— Je m'en passerai ! Sans le moindre problème. Et tu ne me reverras pas. Plus jamais !

— Et peut-on savoir comment tu t'en sortiras ? En vendant ton corps à de riches Américaines en vacances sur la Riviera, comme tu l'as fait l'été dernier ?

— Elles étaient amusantes. Bien plus que ta *prostituta* !

— Vraiment ? Dans ce cas, qu'est-ce qui t'a pris d'aller *t'occuper* d'elle, comme tu le dis si bien ? Est-ce pour te venger de moi ? Me détestes-tu à ce point ?

Les éclats de voix s'espacèrent peu à peu, puis la conversation se poursuivit sur un ton radouci. Ils étaient dans les bras l'un de l'autre, lorsque Andrianna les aperçut, plus tard, et des larmes roulaient sur leurs joues.

— Ah, Gaetano, il faudra que tu apprennes qu'il y a certaines choses qu'on ne doit pas faire ! Et que dans la vie, on ne peut pas toujours s'amuser. On dit bien qu'il faut que jeunesse se passe, mais je me demande si tu seras jamais capable de prendre ma succession à la tête de l'entreprise...

— Ne t'inquiète pas, papa. Je te demande seulement un peu de temps.

— J'attendrai, Gaetano. Mais combien de temps te faut-il ?

Andrianna n'entendit pas la réponse de Gae, mais leurs rires, quelques instants plus tard, parvinrent jusqu'à elle. Puis il n'y eut plus aucun bruit et elle les imagina un verre de cognac à la main, occupés à sceller leur accord.

Tout en se réjouissant de les savoir réconciliés, elle ne pouvait cependant se défendre d'un profond sentiment de déception à la pensée que pas une fois ils n'avaient parlé d'elle. Comme si la trahison de Gae vis-à-vis d'elle ne comptait pas.

Ce fut alors qu'elle se rappela la conversation qu'elle avait eue avec Gae, peu avant leur départ de Suisse. Et il lui vint à l'esprit que s'il lui avait conseillé de ne pas trop compter sur lui, c'était parce que d'ores et déjà, Gae *savait* qu'un jour, inévitablement, il la décevrait.

A l'instar de Gino, Andrianna pardonna à Gae. De son côté, le jeune homme ne lui tint pas rigueur d'avoir tout raconté à son père, bien qu'il jugeât le procédé fort peu glorieux.

Andrianna ne fut plus jamais la même après son séjour à *La Folie Douce*. Au cours de ces quinze jours, elle avait compris beaucoup de choses, et savait à présent qu'elle avait intérêt à ne pas trop compter sur Gaetano.

Elle avait en outre appris deux autres choses tout aussi essentielles : premièrement, que la présence et le rayonnement comptaient chez une femme davantage que ses qualités intrinsèques ; deuxièmement, qu'il était vital pour elle d'éviter le soleil.

⁂

D'un geste nonchalant, Andrianna tira une rose du vase et la huma. Son parfum était encore plus suave que la veille. Curieusement, c'était toujours quand elles commençaient à perdre de leur éclat que les fleurs sentaient bon... délicieusement bon à l'approche de la mort.

12.

Mardi midi

Il était près de midi lorsque Jonathan la vit enfin, lovée dans son manteau de fourrure. A force d'attendre, il avait fini par ne plus y croire, si bien que, quand Andrianna surgit soudain de l'ascenseur, il fut pris de court et oublia de se cacher derrière son journal. Elle passa devant lui, se dirigea tranquillement vers le porche principal, sur la Cinquième Avenue.

Recouvrant ses esprits, Jonathan sortit à toute vitesse par une porte donnant sur la 59e Rue, et tourna au coin de la Cinquième Avenue.

Il s'engouffra dans la limousine et, en claquant la portière, il cria à Rennie :

— Elle va sortir d'une seconde à l'autre ! Mettez le contact et tenez-vous prêt à démarrer !

— A vos ordres, patron !

Quand elle sortit de l'hôtel, Andrianna regarda d'un côté puis de l'autre, comme si elle cherchait à se repérer. Après avoir dit quelques mots au portier, elle se mit en route.

— Elle part à pied ! s'écria Jonathan, stupéfait. Elle descend la Cinquième Avenue !

— Vous voulez que je la suive ?

— Oui. Tout doucement. Veillez à toujours rester quelques mètres derrière elle, d'accord ?

— O.K., tant que je ne me fais pas klaxonner.

Mais il y avait de tels encombrements qu'ils furent de toute façon obligés de rouler au pas, ce qui leur facilita grandement la tâche.

— Elle prend à droite! s'exclama soudain Jonathan. Mais où peut-elle bien aller?

Rennie mit son clignotant.

— Elle se promène, dit-il en haussant les épaules. Elle a peut-être envie de regarder les vitrines. Si elle est de passage à New York, il est normal qu'elle ait envie de se balader.

— Peut-être... Dans ce cas, il vaut mieux que je la suive à pied.

Il ouvrit la portière et tendit une jambe à l'extérieur avant même que la voiture ne soit complètement arrêtée.

— Suivez-moi. Et surtout, restez bien en vue, recommanda-t-il à Rennie avant de s'élancer sur la chaussée.

Au mépris du danger, il se mit à faire du slalom entre les voitures pour rejoindre le trottoir d'en face, conscient de n'être plus tout à fait lui-même. Il fallait *vraiment* qu'il ait perdu la tête pour jouer les trompe-la-mort dans les rues de New York!

Comme il se trouvait à quelques pas d'Andrianna, il la vit soudain entrer dans un restaurant, le *Russian Delikatessen*, connu pour être le lieu de rencontre à la mode des artistes. Les stars du show business aimaient s'y retrouver devant un verre de vodka et une assiette de blinis.

De toute évidence, elle y avait rendez-vous pour déjeuner. Mais avec qui? Difficile de la suivre à l'intérieur sans se faire remarquer...

Juste à ce moment-là, Jonathan aperçut Rennie, de l'autre côté de la rue. Il lui fit signe de s'arrêter et traversa comme une flèche pour aller le rejoindre.

— Eh! Ducon, tu te crois où? lui lança un chauffeur de taxi qui dut piler net pour le laisser passer.

Mais Jonathan l'ignora, comme il ignora la suggestion de Rennie de monter dans la voiture.

— Vous voyez ce restaurant, juste en face ? demanda-t-il avec impatience.

— Le restaurant russe ? Oui, bien sûr.

— Elle y est entrée. Alors, vous allez y aller. Vous mangerez quelque chose, n'importe quoi, et par la même occasion, vous vous arrangerez pour voir avec qui elle déjeune.

— Comment voulez-vous que je sache de qui il s'agit ? Si vous croyez que je fréquente ce milieu...

— Vous pourrez au moins me dire à quoi il ressemble.

— Oui, mais qu'est-ce que je fais de la bagnole ? Je ne vais tout de même pas la laisser en double file au beau milieu de la 57e rue !

— Je prends le volant.

— Vous ?

— Oui, pourquoi pas ?

Une limousine ne se conduit pas comme n'importe quelle voiture, rétorqua Rennie, visiblement réticent. Et vous entendez les gars, derrière nous, se défouler sur leurs klaxons ?

— Qu'ils se défoulent donc ! Allez-y, laissez-moi la place, dit Jonathan en ouvrant la portière côté conducteur. Ne vous en faites pas pour la voiture. En Californie, on sait conduire presque avant de savoir marcher !

— Monsieur West, auriez-vous l'amabilité de refermer cette portière avant qu'une voiture ne vous accroche et n'arrache ma portière par la même occasion ? Ceci étant un véhicule utilitaire, je vous signale qu'il faut un permis spécial pour le conduire. D'autre part, si j'entre dans ce restaurant avec cet uniforme, je me ferai flanquer dehors illico. Je n'aurai même pas le temps de jeter un coup d'œil à votre dame.

Ma dame ? Non, ce n'est pas la mienne, Rennie. Pas encore. Et je ne suis même pas sûr que l'on puisse la qualifier de « dame ».

— Dites-moi, Rennie, cela vous dirait de venir travailler pour moi à Los Angeles, avec à la clé un salaire deux fois plus élevé que celui que vous percevez ici ?

Le changement de physionomie de Rennie fut spectaculaire.

— Comme quoi ? demanda-t-il. Comme chauffeur ou comme détective privé ?

Jonathan se mit à rire.

— Pourquoi pas un mélange des deux ?

Rennie avait toujours rêvé d'aller en Californie, où l'on était assuré de ne jamais avoir plus de vingt jours de pluie par an et où les hippodromes ne manquaient pas.

— Marché conclu, monsieur West. Mais vous ne m'avez pas demandé combien je gagnais.

— Exact. Si je ne l'ai pas fait, c'est que j'avais de bonnes raisons. Pas la peine de vous faire un dessin, je suppose ? Mais puisque nous sommes d'accord, je vais vous donner mes instructions, maintenant. Vous allez entrer dans ce restaurant et dire que vous êtes venu chercher un client — donnez-leur un nom bidon, n'importe lequel. Pendant qu'ils consulteront leur registre, vous observerez la salle pour voir avec qui elle est.

« Une fois que vous les aurez repérés, son compagnon et elle, vous pourriez peut-être jouer les imbéciles et dire, par exemple : « Ce monsieur, là-bas, en face de la dame brune ? Comment s'appelle-t-il ? Je me demande si ce n'est pas mon client... » Qui sait ? Ils vous donneront peut-être le nom du type, ne serait-ce que pour vous persuader que vous faites erreur. »

— Entendu. Comme ça, ça marche.

Rennie sortit du véhicule et Jonathan prit sa place au volant.

— Au fait, qu'est-ce que j'utilise, comme nom ? Rudolph Pinkney, ça vous va ?

Jonathan sourit. Rennie avait encore plus d'imagination qu'il ne pensait.

— Allons-y pour Rudolph Pinkney !

Dix minutes plus tard, Rennie était de retour. Jonathan l'attendait en bas de la rue, à un arrêt de bus.

— Elle ne déjeune pas avec un *type*, mais avec une dame, déclara-t-il. Une superbe rousse bien en chair.

— Penny, ma chérie, je te trouve plus éblouissante que jamais ! s'exclama Andrianna.

Elle le pensait sincèrement. L'adolescente mal dans sa peau, maigrichonne et effacée qui, à seize ans, rêvait d'une poitrine voluptueuse et se cherchait désespérément un style, était devenue une femme sculpturale à la personnalité indéniablement affirmée. La dernière fois qu'Andrianna l'avait vue, le soir de la première de *Lady Georgina*, à Londres, où Penny était venue exprès pour l'applaudir, elle n'arborait pas cette magnifique crinière rousse. Cela la changeait beaucoup, certes ; cependant, il y avait autre chose. Quelque chose de plus subtil qu'Andrianna n'arrivait pas à cerner.

Intriguée, elle examina plus attentivement son amie. Assise en face d'elle, Penny portait un tailleur de cachemire beige agrémenté d'une triple chaîne dorée qui descendait assez bas sur la taille. Son manteau de zibeline était simplement posé sur ses épaules et ses éternels bracelets en or cliquetaient joyeusement à ses poignets. Au Rosey, déjà, Penny était une inconditionnelle des semainiers...

En fin de compte, Andrianna conclut que c'était l'expression de son amie qui avait le plus changé. Aujourd'hui, Penny avait l'air d'une chatte qui vient de découvrir un grand bol de crème onctueuse à souhait.

— Tu n'imagines pas à quel point je suis contente de te revoir, Penny ! C'est comme un rayon de soleil après des jours et des jours de pluie.

— Toi, tu n'es pas anglaise pour rien, répliqua Penny en pouffant.

Avec des gestes sûrs, elle prit entre ses doigts un blinis entier recouvert de caviar, de crème aigre, d'oignon et d'œuf dur, et mordit dedans à belles dents, sans rien perdre de son raffinement.

— Les Anglais font toujours référence au soleil, reprit-elle au bout d'un instant. Godiche répétait toujours que c'est parce qu'ils en manquent, justement.

Elle but une grande gorgée de vodka glacée.

— Godiche ? répéta Andrianna, surprise.

— Harold Poole, mon premier mari, précisa Penny. Tu te souviens de lui ?

— Oui, évidemment. Je me souviens très bien d'Harold. Nous avons fait la fête au Ritz, le soir où vous vous êtes enfuis tous les deux. Mais je ne savais pas que tu l'appelais Godiche.

Penny se mit de nouveau à glousser.

— En fait, c'est maman qui s'est mise à l'appeler comme ça. Ce surnom lui est toujours resté. La première fois que je l'ai amené au Texas, maman s'est exclamée : « Penny ! Je reconnais que j'avais très envie de te voir épouser un aristocrate européen, mais laisse-moi te dire que, lord ou pas, ce type est une vraie godiche, et toi une imbécile de l'avoir pris pour mari !

A son tour, Andrianna éclata de rire.

— Pas possible ! ?

— Si, je te jure ! Elle n'a pas mâché ses mots. Papa, bien sûr, s'est empressé de la contredire. Pour lui, la godiche, c'était moi. Pourquoi avais-je épousé cette espèce d'imbécile qui avait un titre et pas un sou vaillant ? Quelle scène ils m'ont faite, tous les deux ! Mais Godiche, en réalité, avait des qualités.

Penny vida son verre de sa vodka et fit signe au serveur de lui en apporter un autre. Puis, poussant un soupir à fendre l'âme, elle murmura :

— Je me demande qui l'appelle Godiche, à présent...

Andrianna lui trouva l'air bien triste, tout à coup.

— Tu regrettes d'avoir divorcé, n'est-ce pas? Il te manque?

— S'il me manque? répéta Penny, les yeux agrandis par la stupeur. Tu veux rire! Je me demande où tu es allée chercher une idée pareille, ma pauvre Andrianna. Il y a belle lurette que Godiche est sorti de mes pensées! En tout cas, tu n'as pas changé, à ce que je vois; toujours aussi sentimentale! Je reconnais bien là ma vieille Annie...

En riant, Andrianna goûta à sa salade de chou aigre-douce. Sentimentale, elle ne l'avait jamais été, en vérité, qu'avec Penny, Nicole et Gae...

— Il n'empêche, reprit Penny, qu'en comparaison de Rick, Godiche était la crème des hommes. Rick Townsend est le type le plus ignoble de tout le Texas!

— Mais tu l'aimais, quand tu l'as épousé.

— Nuance : je *croyais* l'aimer, ce qui n'est pas exactement la même chose, tu en conviendras. A vrai dire, je me doutais bien que je faisais une bêtise, mais Rick était riche comme Crésus. Et puis, après Godiche, papa et maman en avaient assez des aristocrates européens et m'encourageaient vivement à épouser un brave Texan...

Le serveur posa devant elle un verre de vodka, que Penny s'empressa de porter à ses lèvres tandis que de son autre main, elle arrangeait son manteau de zibeline, qui ne cessait de glisser de ses épaules. Après avoir demandé au serveur d'apporter carrément la bouteille, elle reprit son récit :

— Rick avait tout pour plaire, il faut bien le reconnaître : beau et solidement bâti, il possédait je ne sais combien d'hectares de terres, sans parler des puits de pétrole. Je me suis dit que puisque la marchandise d'importation — Godiche, en l'occurrence — s'était révélée décevante, il fallait essayer la production locale. En bonne patriote, j'achèterais américain. Et tu sais ce que m'a rapporté mon patriotisme? Un uppercut au menton et une fracture de la mâchoire!

Cette histoire, Andrianna la connaissait par cœur. Mais pour rien au monde elle n'aurait interrompu son amie. Penny et elle se voyaient si rarement...

— Et le comble, c'est que quand papa venait me voir à l'hôpital, il osait me dire — à moi qui ne pouvais même pas ouvrir la bouche pour m'alimenter et en étais réduite à secouer la tête de haut en bas pour répondre oui et de droite à gauche pour répondre non — que Rick avait eu tort de me frapper, bien sûr, mais que les femmes, avec leurs gémissements continuels, s'y entendaient parfois pour pousser un homme à la violence, et que lui-même avait plus d'une fois rêvé de clouer le bec à maman !

Crois-moi si tu veux, mais ce que papa souhaitait, c'était que je pardonne à Rick qui, *le pauvre*, ne savait comment s'excuser et faire la paix. J'aurais voulu hurler que Rick pouvait aller au diable, que jamais je ne me réconcilierais avec lui, mais la mentonnière m'en empêchait. Alors je secouais frénétiquement la tête, jusqu'à ce que mes dents s'entrechoquent. Maman a compris la première qu'insister ne servirait à rien. Elle a fini par me demander si je souhaitais qu'elle se mette en contact de ma part avec le meilleur avocat de Dallas, en vue du divorce. Autant te dire que là aussi, j'ai secoué la tête. Mais de haut en bas, cette fois !

« Le jour du jugement, quand je suis ressortie de l'audience avec douze millions de dollars de dédommagement en poche, maman m'a dit : « Maintenant que tu es une femme riche, Penny Lee, tu peux vivre ta vie à ta guise, ce que tu as toujours plus ou moins fait, il faut bien l'avouer. Mais laisse-moi te donner un dernier conseil : quand il te prendra l'envie de te remarier, assure-toi que ton mari est plus riche que toi ; tu seras au moins sûre qu'il ne t'épouse pas pour ton argent ! »

« Papa, lui, faisait peine à voir. Il avait aimé Rick comme un fils et pleurait à chaudes larmes. Soit dit en passant, Rick et lui n'ont jamais coupé les ponts, et parfois, j'en veux à papa de continuer à jouer au golf avec lui, le dimanche. Bref, ce jour-là, il m'a recommandé, quand je me remarierais, de choisir un homme doux comme un agneau, qui ne prendrait pas la mouche après sa seconde chope de bière. Car au fond, il était persuadé que je continuerais à n'en faire qu'à ma tête, ce qui selon lui pouvait rendre fou le plus inoffensif des maris.

« Le temps a passé, et voilà où j'en suis aujourd'hui », conclut Penny en attrapant son sac en crocodile marron clair.

Andrianna se carra sur son siège.

— Et voilà où tu en es aujourd'hui, répéta-t-elle. Et *où* en es-tu, au juste ?

Au lieu de répondre, Penny serra son sac contre sa poitrine et désigna celui d'Andrianna, en crocodile noir, posé sur la table.

— Regarde ! s'exclama-t-elle. Nous avons le même !

Pour Andrianna, cela n'avait rien d'étonnant. Etant donné son prix, ce sac pouvait être considéré comme un objet de collection, au même titre qu'un bijou ancien ou une œuvre d'art. C'était le genre de sac auquel une femme tenait comme à la prunelle de ses yeux.

« Voilà où Penny et moi nous en sommes aujourd'hui ! » songea-t-elle, gagnée par un amer sentiment de dérision. A collectionner les signes extérieurs de richesse ! Nous savons l'une et l'autre que les accessoires de luxe comptent plus encore que le tailleur ou la robe griffés ; qu'un sac somptueux ou de très belles chaussures sont aussi essentiels à une femme qui se veut épanouie et sûre de soi que la présence et le rayonnement si chers à Gaetano. »

— Tu l'as acheté chez Via Veneto ?

Andrianna secoua la tête.

— Non, le mien vient de la boutique hors-taxe de l'aéroport d'Athènes. Mais réponds donc à ma question : où en es-tu aujourd'hui, Penny ?

De son sac en crocodile, Penny tira un paquet de Marlboro à moitié écrasé. Elle prit une cigarette et l'alluma avec un briquet Bic rose vif.

— Quoi ? s'étonna Andrianna. Tu as troqué ton Dunhill ou ton Cartier en or massif contre un briquet jetable ? Je n'arrive pas à le croire.

Après avoir tiré une longue bouffée de sa cigarette qu'elle expira lentement, Penny déclara :

— Gae a voulu que je fasse cadeau de mon Cartier en or à la femme de chambre de l'Hôtel de Paris à Monaco...

— *Gae* ? Gaetano Forenzi ?

Andrianna s'était reprise juste à temps. Elle avait failli dire « *mon* Gae ».

— Evidemment, Gaetano Forenzi ! répondit Penny, visiblement mal à l'aise. De qui pourrait-il s'agir d'autre ? C'est le seul Gae que nous connaissions, toi et moi, non ? Enfin, toujours est-il que Gae et moi, *tous les deux*, avons fait le serment de renoncer à tout — aux cigarettes, à l'héroïne, à la marijuana, aux amphétamines, et même à l'alcool, en dehors d'un verre de vin de temps à autre. *Tous les deux*, nous allons en quelque sorte nous remettre sur le droit chemin. C'est pourquoi il ne faut surtout pas que tu lui rapportes que tu m'as vue fumer ou boire de la vodka. Tu ne diras rien, n'est-ce pas ? Je peux compter sur toi ?

— Bien sûr, répondit distraitement Andrianna.

Elle s'efforçait de ne rien laisser paraître de son trouble, de la confusion dans laquelle la jetait cette conversation.

— C'est donc cela ! dit-elle avec un grand sourire. Gae et toi... *tous les deux* ? Voilà donc où tu en es aujourd'hui ! Etait-ce ce que tu t'apprêtais à me raconter ?

— Oui. Quand Gae m'a appris que tu allais venir à New York et occuper sa suite au Plaza, nous avons pensé qu'il valait mieux que je fasse le voyage pour t'annoncer la nouvelle, plutôt que d'attendre que tu l'apprennes de la bouche de quelqu'un d'autre. C'est pourquoi je suis venue. En fait, j'arrive tout droit de l'aéroport. Et je repars à Dallas ce soir.

Andrianna vida sa coupe de champagne et fit signe au garçon de lui en apporter une autre, ce qui lui donna le temps de choisir soigneusement ses mots.

— Je suis vraiment très contente de te voir, Penny chérie, comme toujours, mais je t'assure que ce n'était pas la peine de...

— *Si*, c'était la peine. Et Gae le pensait aussi. Il pensait comme moi que nous te devions bien ça...

Andrianna se força à rire.

— Mais pourquoi ? Gae et moi, c'est de l'histoire ancienne. Cela remonte à plus de vingt ans. Une éternité ! J'avais quoi ? Seize ou dix-sept ans, à l'époque... C'est si loin...

Elle prit la coupe de champagne que le serveur venait de poser sur la table.

— Mais j'avoue que je suis surprise. Gae et toi... Je n'aurais jamais imaginé... Cela s'est fait comment ?

Penny écrasa sa cigarette et en alluma une autre.

— L'année dernière, au Grand Prix de Paris. Gae courait sur Forenzi. J'étais venue avec les Alpert. George et Elaine Alpert. George courait aussi et la veille, nous nous étions tous retrouvés chez Régine, et... bon, tu sais comment ça se passe. Bref, nous sommes faits l'un pour l'autre, Gae et moi. Nous nous comprenons, nous nous complétons, lui et moi. Et comme tu n'es pas sans le savoir, Gae ne succédera à son père que s'il se marie. Gino est inflexible sur ce point. Je le trouve assez effroyable, Gino, pas toi ?

— Non, *effroyable* n'est pas le terme qui me viendrait à l'esprit. Je dirais plutôt... dominateur. Mais j'ai toujours pensé que Gino était un homme merveilleux. Il a du cran. Il est chaleureux, généreux, extrêmement gentil.

— Que d'éloges ! s'exclama Penny en riant. Quoi qu'il

en soit, Gino aimerait bien que Gae se marie, et mes parents ne seraient pas fâchés non plus de me savoir pourvue d'un époux. Gae ayant cent ou mille fois plus d'argent que moi, maman serait satisfaite. Et papa serait rassuré, parce qu'il n'y a pas plus accommodant que Gae. Il lui arrive parfois d'avoir le cafard, c'est vrai, mais il n'a jamais de mouvements d'humeur. Oh, Annie, tu n'imagines pas à quel point nous formons un couple formidable, Gae et moi ! Notre mariage ne peut être qu'une réussite...

— Votre mariage ? Parce que Gae et toi allez réellement vous marier ?

— Bien sûr ! De quoi croyais-tu qu'il était question ? D'une énième liaison ? La vérité, Annie, c'est que cette fois, je suis bel et bien amoureuse ! Gae m'a tourné la tête, et c'est réciproque. Inutile de te préciser qu'il m'attire énormément, mais quelle femme ne tomberait pas amoureuse de Gae, ou ne se sentirait pas attirée par lui ? Il a des yeux incroyables ! Et le reste n'est pas mal non plus ! ajouta-t-elle avec un sourire malicieux. Mais tu es bien placée pour le savoir, toi aussi. Même après vingt ans, c'est le genre de détail qu'on n'oublie pas...

Elle se tut, tout à coup, et considéra longuement Andrianna.

— Je te trouve très pâle, Annie. J'aurais peut-être dû t'annoncer la nouvelle avec plus de précautions, te...

— Mais non, Penny, qu'est-ce que tu vas chercher ? Gae et moi sommes restés amis, rien de plus. Au cours de toutes ces années, j'ai toujours pu compter sur lui ; dès que j'ai eu besoin de quelque chose, il a répondu présent et je lui en suis infiniment reconnaissante. Tout comme toi, Gae gardera toujours une grande place dans mon cœur.

Andrianna prit la main de son amie et la serra.

— Mais il n'y a plus rien entre nous depuis longtemps. A vrai dire, Gae et moi avons rompu à notre retour de la Costa del Sol...

— Ah, la Costa del Sol ! C'était le bon temps ! Pourtant, j'y ai passé trois fois moins de temps que vous. Tu t'en souviens ? J'étais venue pour une semaine et finalement, je suis restée plus de deux mois ! Je n'oublierai jamais cette époque. Nous ne nous couchions pour ainsi dire jamais — pour dormir, j'entends ! Ce séjour sur la Costa del Sol fait partie de mes meilleurs souvenirs. Quel formidable été...

« Tu sais, reprit-elle au bout d'un instant, je pense que mon attirance pour Gae date de cette époque, à Marbella. Sur la plage, avec ses bouclettes, son corps athlétique et bronzé, et cette incroyable arrogance, il ressemblait déjà à un dieu parmi les simples mortels. Je me demande bien qui aurait pu résister à Gae Forenzi... »

Elle se troubla, rougit.

— Tu ne m'en veux pas, au moins, d'avoir été attirée par Gae alors que vous étiez encore ensemble ?

— Voyons, Penny, ne dis pas de bêtises ! Nous n'étions que des gosses, à l'époque, qui jouions aux adultes. Et pendant que nous faisions les fous toute la nuit, et dormions sur la plage une bonne partie de la journée, la guerre du Viêt-nam et quantité d'autres drames se déroulaient à notre insu dans le monde *réel*... Non, Penny, je ne t'en veux pas du tout, et je suis très heureuse d'apprendre que mes deux meilleurs amis vont se marier et vivre ensemble un véritable conte de fées. Je vous souhaite tout le bonheur possible, à Gae et à toi !

— Ah, Marbella, la Costa del Sol... Quelle belle équipe nous formions, tous les trois ! C'était le bon temps ! répéta Penny.

— Oui, c'était le bon temps.

Cela remontait à vingt ans, et bien qu'Andrianna n'aimât plus Gae avec la même fougue qu'autrefois, avec cette passion que seule une adolescente pouvait ressentir pour un garçon de son âge, la Costa del Sol faisait toujours partie des quelques endroits où elle refusait obstinément de retourner. Quand quelqu'un, autour d'elle, parlait de Marbella, elle répliquait : « Oh, la Costa del Sol ? Ce n'est plus ce que c'était. Pour rien au monde je ne voudrais y remettre les pieds... »

13.

Londres et Rolle,
printemps 1968

La plus belle époque de sa vie, mais aussi la plus douloureuse, commença pour Andrianna peu après son retour au pensionnat, lorsque Helen, de nouveau, la rappela à Londres de toute urgence.

Elles étaient assises dans le salon, la pièce préférée d'Helen qui, tout en parlant, se plaisait à admirer ses précieux tableaux et ses tapisseries signées, et à jouir de la vue sur Grosvenor Square, qui symbolisait à elle seule la réussite dont elle était si fière.

— Nous n'avons jamais abordé la question, Ann, mais tu es une grande fille à présent, et je suppose que tu n'es pas sans savoir qu'Andrew Wyatt était ton bienfaiteur. Tu dois bien te douter, j'imagine, qu'il était également ton père. Du moins le pensait-il. Tu étais *probablement* sa fille ; c'est pourquoi il t'a prise à sa charge.

Andrianna songea à sa mère et à la passion sans partage qu'elle vouait à Andrew Wyatt. Jamais aucun homme, en dehors de lui, n'avait franchi le seuil de leur petite maison.

— Il est *réellement* mon père ! Je ne te permets pas d'en douter une seconde !

— Il *l'était*, Ann. Andrew Wyatt n'est plus.

— Comment cela, il n'est plus ? interrogea Andrianna qui, vautrée sur le canapé Chippendale, se redressa d'un seul coup.

— Il est mort, si tu préfères. Ton bienfaiteur est décédé.

— Oh, non !

— Ça, alors ! s'exclama Helen en riant. Tu ne vas pas me dire que cette nouvelle t'afflige, tout de même !

Andrianna contemplait ses ongles démesurément longs que Nicole avait tenu à vernir en blanc nacré, affirmant qu'à Paris, c'était la grande mode.

N'en déplaise à Helen, elle se sentait triste. Très triste, même. Et affreusement désemparée.

Car en vérité, bien qu'Andrew Wyatt n'eût jamais cherché à la revoir, tout au fond d'elle-même Andrianna avait toujours espéré qu'un jour, son père et elle seraient réunis, que leur amour pour Elena les rapprocherait. Mais son rêve secret ne se réaliserait jamais. Il était mort en même temps qu'Andrew Wyatt...

La voix dure d'Helen la ramena brutalement à la réalité.

— Si la mort d'Andrew te rend triste, tu le seras plus encore quand tu en mesureras toutes les conséquences. La disparition de ton bienfaiteur marque pour toi la fin d'une époque. Finie la belle vie ! Bon gré mal gré, tu vas devoir renoncer à cette petite existence dorée qui semblait si bien te convenir. Renoncer au pensionnat, renoncer aux chèques que tu recevais régulièrement pour t'habiller et te distraire. Bref, il va falloir que tu te prennes en charge, ma petite Ann.

— Il n'a pas laissé... ? commença-t-elle.

— De fonds pour pourvoir à tes besoins s'il venait à mourir ? Non, il n'a rien laissé. J'ai vérifié. Il n'y a ni fidéicommis ni legs testamentaire. Strictement rien.

Andrianna était atterrée. Le père millionnaire qui ne l'avait jamais reconnue de son vivant — pas même en privé, comme un secret qu'ils auraient partagé — était mort sans la moindre pensée pour elle. Exactement comme si elle n'avait jamais existé.

Pendant quelques secondes, elle resta sans rien dire, muette de consternation. Puis elle parvint à bredouiller :

— Mais... et l'argent ?

— Tu es sourde, ma parole ! Je viens de t'expliquer qu'il n'y avait *pas* d'argent. Cela dit, je suis prête à me montrer généreuse envers toi. Andrew envoyait toujours deux chèques : l'un t'était adressé directement, l'autre était déposé sur un compte en banque, ici. Je vais donc te verser le reliquat du dernier chèque. Je ne suis pas tenue de le faire, note bien, mais... noblesse oblige ! déclara-t-elle en accompagnant ses paroles d'un geste désinvolte de la main. D'ailleurs, je vais le faire tout de suite, pour être débarrassée. Comme ça, nous pourrons couper les ponts pour de bon, toi et moi. Le plus tôt sera le mieux. Tu n'es pas de mon avis ?

— Mais qu'est-ce que je vais devenir ?

— Au Rosey, ta pension est payée jusqu'en juin. Tu peux donc y rester jusqu'à la fin du trimestre.

— Mais... mais j'en sortirai sans le moindre diplôme si je pars en juin. Moi qui avais toujours pensé...

— Que quoi ?

— Qu'après Le Rosey, je poursuivrais mes études. Que je...

Helen laissa échapper un rire sarcastique.

— ... que tu pourrais te tourner les pouces toute ta vie, c'est bien cela, n'est-ce pas ? On aimerait tous avoir cette chance, mais elle n'est pas donnée à tout le monde, malheureusement. Certains d'entre nous sont obligés de gagner leur vie à la sueur de leur front.

Aux abois, Andrianna oublia qu'elle ne frappait pas à la bonne porte.

— Mais où vais-je habiter ? Comment puis-je espérer gagner ma vie sans diplôme ni formation ? Ce que j'ai appris au pensionnat ne me permet pas d'exercer un métier. Et puis, je n'ai que seize ans...

— C'est vrai, admit Helen. Mais rassure-toi, ça ne durera pas ! Tu auras bientôt dix-sept ans, puis dix-huit, dans un peu plus d'un an. Quant au moyen de gagner ta vie, tu finiras bien par trouver *quelque chose*. Tu as jusqu'en juin pour essayer de voir ce pour quoi tu es faite. Mais pour tout t'avouer, j'ai déjà ma petite idée sur la question...

Elle ponctua cette remarque d'un regard appuyé sur la silhouette d'Andrianna, et esquissa un sourire entendu.

Sous le choc, Andrianna attendit pendant qu'Helen sortait un chéquier de l'un des tiroirs de son secrétaire et s'asseyait pour le remplir.

— Il reste environ quatre cents livres sur ton compte, mais pour te prouver que je n'ai pas un cœur de pierre, je vais arrondir à cinq cents. Te voilà donc avec un viatique qui est loin d'être négligeable. A ta place, je déposerais cet argent à la banque. A moins que tu ne préfères te payer un billet d'avion pour la Californie ? Avec cinq cents livres, tu as de quoi retourner là-bas. En fait, ce serait probablement la meilleure solution. Rien ne t'oblige à rester en Europe. Ici, tu n'as aucune attache, alors que là-bas, il y a peut-être des gens qui connaissaient ta mère et seraient prêts à t'aider.

« *Rosa*... Elle parle de Rosa », songea Andrianna.

Mais elle ne savait pas ce qu'était devenue Rosa. Au début, Andrianna lui avait écrit des lettres désespérées, des lettres dans lesquelles elle la suppliait de venir la chercher, mais elle n'avait jamais reçu de réponse. Rosa était sortie de sa vie, et si elle retournait en Californie, elle s'y sentirait comme une étrangère en terre d'exil. Ici, en Europe, elle avait ses habitudes et ses amis, et les trois seuls êtres auxquels elle fût vraiment attachée : Penny, Nicole et Gae...

Andrianna avait bien compris, cependant, qu'Helen aurait préféré qu'elle reparte en Amérique.

Elle veut que je m'en aille. Le plus loin possible. Mais pour quelle raison puisque, de toute façon, elle a décidé de couper les ponts ? Si mon père tenait tant à ce que je m'expatrie, c'était selon toute vraisemblance parce qu'il craignait que ma présence ne le mette dans une situation embarrassante. Mais Helen ? De quelle façon pourrais-je lui causer du tort ?

Sans compter qu'il en faudrait vraiment beaucoup pour l'embarrasser. Non, il devait y avoir autre chose. Mais quoi ? Un problème de légalité, peut-être ? Officiellement, je suis à sa charge jusqu'à dix-huit ans. Elle n'a pas le droit de m'abandonner.

De plus, il y avait cette histoire de faux passeport anglais et d'acte de naissance au nom d'Ann Sommer. Helen ne risquait-elle pas d'être inculpée d'escroquerie ?

Ignorant le chèque qui lui était tendu, Andrianna décida de tenter le tout pour le tout.

— Etant donné mon âge, n'as-tu pas l'obligation, toi qui es légalement responsable de moi, de me donner un toit, de me nourrir et de me vêtir jusqu'à mes dix-huit ans ?

A ces mots, Helen s'empourpra.

— Possible, mais je suis tenue au minimum. As-tu vraiment envie de savoir ce à quoi la loi m'oblige ? Le type de toit, de nourriture et de vêtement que je suis censée te fournir ne te satisferont guère, si tu veux mon avis.

— Là n'est pas la question. Je me demande ce que la justice penserait d'une mineure livrée à elle-même qui porte un nom d'emprunt et possède de faux papiers. Elle n'aurait aucun mal à établir ta culpabilité, *si tu veux mon avis.*

— Détrompe-toi, riposta Helen avec un sourire triomphant. La justice ne pourrait rien retenir contre moi dans la mesure où tu portes le nom d'Alexandre et où tu es censée être la fille de *son* frère. C'est Andrew qui s'est occupé de tout, y compris de l'acte de naissance et du passeport. Là où il est, je pense qu'il ne risque pas grand-chose ! Et si tu ne me crois pas, tu peux toujours prendre un avocat. Mais les avocats sont comme les autres, ils ne travaillent pas pour rien.

Andrianna se mordit la lèvre. Helen avait raison : qui l'écouterait, qui la croirait, qui la défendrait ? Sans argent, elle n'avait aucun recours.

Elle s'aperçut alors qu'Helen battait des cils, comme si elle réfléchissait. A quoi pensait-elle ? Se disait-elle que cette petite peste d'Ann, aussi inoffensive qu'elle fût, risquait de provoquer quelques remous à la surface du fleuve bien tranquille de sa vie ?

Eh bien, si Helen voulait se débarrasser d'elle, qu'elle y mette le prix ! Combien pouvait-elle lui demander ? s'interrogea Andrianna. Cinq cents livres supplémentaires ? Mille ? Encore plus ? Pourquoi pas, après tout...

— Je suppose qu'une fois de plus tu as raison, tante Helen, déclara Andrianna en soupirant. Je ne peux pas faire grand-chose. Et je pense qu'en effet, il est préférable que je retourne en Californie. Quand je serai là-bas, au moins, tu n'entendras plus parler de moi. Mais je ne peux pas partir sans un sou, tout de même ? Comme tu l'as dit toi-même, ces cinq cents livres suffiront tout juste à payer le billet d'avion. Je crois que...

— Combien ? demanda Helen tout à trac.

— Cinq mille livres.

Helen lui rit au nez.

— Tu te flattes ! Tu as beau être gênante, tu n'en vaux pas la moitié. Mais allons-y pour trois mille, incluant les cinq cents que je te proposais. C'est à prendre ou à laisser.

— Je les prends.

— Parfait.

Helen déchira le chèque et en établit un autre.

— Mais laisse-moi te donner un dernier conseil, Ann :

quand on gagne au jeu, il faut savoir s'arrêter. Dis-toi bien qu'après cela, tu n'auras plus un sou de moi.

Andrianna lui prit le chèque des mains.

— Je vais tout de suite à la banque, annonça-t-elle d'un ton enjoué. Aurais-tu l'amabilité de les appeler pour les avertir de mon passage et leur demander de tenir cette somme à ma disposition ?

— Tu as peur que je change d'avis ? Tu n'as pas confiance en moi ?

— Voyons, Tante Helen ! Tu m'as appris toi-même à ne jamais faire confiance à personne et à ne compter que sur moi-même !

Soudain, Andrianna repensa à la question qui lui trottait dans la tête depuis si longtemps.

— Au fait, il y a une chose que j'aimerais savoir...

— Vas-y, pose ta question. C'est le moment ou jamais.

— Quand j'étais à Huxley, j'ai rencontré une fille, originaire de San Fransisco, qui prétendait que sa mère te connaissait à l'époque où tu vivais là-bas. Sa mère lui aurait raconté que tu avais eu une liaison avec mon père...*avant* qu'il ne rencontre ma mère. C'est vrai ?

— Oui. Est-ce tout ce que tu voulais savoir ?

— Tu l'as aimé ? Je veux dire, vraiment aimé ? *Autant que ma mère...*

Helen eut un rire désabusé.

— On a passé de bons moments ensemble, mais je n'étais pas idiote au point de confondre la bagatelle avec les choses sérieuses !

— L'argent, par exemple ?

— Par exemple.

Helen avait beaucoup de défauts, mais elle n'était pas idiote, Andrianna devait bien l'admettre. Elena, en revanche, avait été trop aveuglée par son amour pour raisonner de la sorte.

Comme elle s'apprêtait à quitter la pièce, Helen demanda :

— A propos, comment s'est passé ton séjour à Port'Ercole, ma petite Ann ? Quelle bonne idée tu as eue de te faire inviter par le fils Forenzi ! Mais là-bas, dis-moi, tu as dû bien t'amuser. Il paraît que le père, Gino, est beau comme un dieu et terriblement viril. Entre nous, je t'avouerais qu'à ta place, je n'aurais pas hésité une seconde. D'accord, les jeunes ont plus d'énergie et sont toujours d'attaque, mais l'âge et l'expérience confèrent à leurs aînés un savoir-faire qui, à mon sens, compense largement leurs petites défaillances. Tu n'es pas de mon avis ?

Andrianna se sentit rougir jusqu'à la racine des cheveux. Non, Helen n'était pas idiote, et elle savait probablement mieux que personne comment se procurer de l'argent et comment le dépenser. Mais il y avait certaines choses auxquelles elle ne connaissait rien. L'amour, par exemple...

Alors, elle se contenta de lui sourire d'un air condescendant.

A son retour à Rolle, Andrianna s'empressa d'aller trouver Gae pour le mettre au courant de la situation. Mais il avait lui-même de mauvaises nouvelles à lui annoncer : plusieurs kilos de haschisch avaient été découverts dans sa chambre, et la directrice de l'établissement avait prononcé son exclusion immédiate, lui ôtant ainsi la possibilité de passer le baccalauréat, en juin. Elle avait même menacé de le dénoncer aux autorités suisses.

— Gae, tu m'avais promis de ne plus faire de trafic... Mais ton père ne peut-il pas intervenir ?

— Il le pourrait, mais il ne veut pas. Il a dit que cette fois, je n'avais qu'à me débrouiller, et qu'il s'en lavait les mains.

— Je suis sûre qu'il ne le pense pas vraiment ! Jamais ton père ne te laisserait aller en prison.

— Non, je ne crois pas, mais je préfère quand même éviter que ça aille jusque-là. Il vaut mieux que je quitte le pays.

— Mais que vas-tu faire ? Où vas-tu aller ?

Il se mit à rire.

— Ne t'en fais pas, *cara mia*. J'irai au soleil, là où la vie est facile. Dans le sud de l'Espagne, sur la Costa del Sol. A Marbella, pour être plus précis. J'ai des amis là-bas. Un ami intime, en particulier. Un Anglais. Tous les Anglais en rupture de ban vont à Marbella. Le site est superbe et le temps, idéal. J'aimerais d'ailleurs t'y emmener.

Cette invitation était véritablement providentielle, songea Andrianna, folle de joie. Elle n'avait pas encore eu le temps de lui faire part de ses soucis que Gae lui proposait déjà une solution. La Costa del Sol, et en amoureux... Jamais elle n'aurait pu rêver mieux !

— Quand partons-nous ? demanda-t-elle.

Gae la prit dans ses bras.

— Je savais que tu viendrais. Tu es un ange ! Mais il nous faut patienter un jour ou deux, le temps que je trouve un peu d'argent. Nous ne pouvons pas partir sans un sou en poche, tu comprends. Je tiens à ce que nous voyagions en première classe. C'est une question de principe.

Elle ne chercha pas à le contredire. S'il fallait attendre, ils attendraient. Gae savait mieux qu'elle ce qu'il convenait de faire.

— De l'argent, j'en ai un peu, risqua-t-elle cependant. Ce sont des livres sterling... trois mille.

— Des livres, des francs, ou des lires... quelle importance ? Trois mille livres ? Mais où es-tu allée les chercher ?

— Je les ai extorquées à tante Helen, répondit fièrement Andrianna.

— *Bravissima !* Dans ce cas, nous pouvons partir dès

demain. Prépare vite tes affaires. Laisse tes uniformes. A propos, les bagages que tu avais à Port'Ercole, c'étaient des Louis Vuitton, n'est-ce pas ?

— Oui, répondit Andrianna, qui ne voyait pas très bien où il voulait en venir.

— Alors prends-les tous.

Elle acquiesça d'un signe de tête. Gae avait sûrement ses raisons.

Penny pleurait lorsqu'elle embrassa Andrianna, juste avant son départ. Quelle chance elle avait de pouvoir partir avant la fin de l'année, surtout pour aller à Marbella !

Nicole aussi avait les larmes aux yeux lorsqu'elle lui dit au revoir, mais contrairement à Penny, elle avait peur qu'Andrianna ne regrette ce départ précipité. Quand Andrianna lui avait fait part de ses projets, Nicole avait aussitôt appelé sa mère pour lui demander son avis. Or *maman* avait décrété que tout cela était insensé.

— Maman dit qu'en d'autres circonstances, une alliance avec le fils Forenzi serait une excellente chose. Mais étant donné que Gae est un écervelé sur lequel il est impossible de compter, et qu'il y a très peu de chances que Gino Forenzi accepte que son fils unique épouse une pauvre orpheline, c'est plutôt une mauvaise idée.

— Seigneur ! s'était exclamée Penny, horrifiée. Qui te parle de mariage ? Annie est jeune ; elle a tout le temps d'y penser ! Ce qu'elle veut, c'est en profiter. Se donner du bon temps !

— De plus, je suis sûre que Gae ne me laisserait pas tomber comme ça. Ta mère croit sûrement bien faire, Nicole, mais elle ne connaît pas Gae. Elle ne peut pas se douter qu'il m'aime pour de bon. Je *peux* compter sur lui. De toute façon, je n'ai pas le choix.

Mais Nicole avait une autre solution à lui proposer.

— Maman est une femme pleine de ressources, qui trouve toujours une solution à tout. Si cela te dit d'aller à Paris, elle est prête à te prendre sous sa protection. Tu pourras vivre avec elle... avec nous... et elle se chargera de te donner une formation de secrétaire commerciale. Ainsi, tu auras au moins un métier si tu te trouvais un jour dans l'obligation de gagner ta vie.

— Quelle horreur ! s'écria Penny avec une grimace de dégoût. Pourquoi pas le couvent, tant que tu y es ! Pendant que nous, nous finissons tranquillement nos études, que nous passons notre temps à nous amuser en attendant de trouver un riche mari qui nous permette de continuer à mener une vie oisive, tu voudrais que cette pauvre Annie s'enferme dans un bureau ? Franchement, Nicole, comment oses-tu lui proposer une chose pareille ?

— J'essaie de trouver une solution, c'est tout.

— Eh bien, si tu manques à ce point d'imagination, ne dis rien. Cela vaudra encore mieux.

— Arrêtez, les filles ! Remercie ta mère pour moi, Nicole. C'est vraiment très gentil à elle de me proposer son aide. Mais c'est décidé, je pars à Marbella avec Gae ! Je suis sûre que ça se passera bien.

Andrianna était persuadée d'avoir fait le bon choix. Si bien que lorsqu'une petite voix lui conseilla de ne pas trop compter sur Gae, elle fit la sourde oreille. Car s'il était son preux chevalier et son ami, il était aussi son doux, son tendre, son merveilleux amour.

14.

Mardi, 13 heures

— Je te trouve vraiment impossible, aujourd'hui ! s'exclama Penny d'un ton enjoué. Tu n'écoutes pas un mot de ce que je te raconte.

Andrianna posa une main sur celle de son amie.

— Pardonne-moi, Penny. Je rêvais. Te voir, et t'entendre me parler de Gae me rappelle tant de souvenirs... Mais que disais-tu ?

— Je te demandais simplement si tu pensais que Gae et moi allions être heureux.

— Heureux ? A mon avis, le terme est faible ! Gae et toi allez vivre un vrai conte de fées !

— Tant mieux. Maintenant, je voudrais que tu me dises ce que tu penses de mon intention de me marier en blanc, comme la première fois. C'est contraire à l'usage, je sais, mais...

— Allons, il n'y a plus vraiment de règle précise dans ce domaine, et de toute façon, tu te moques de ce que pensent les gens, non ? Je ne te reconnais plus, ma petite Penny. Tout ce que je peux te dire, c'est que si tu as envie de te marier en blanc, fais-le !

Penny accueillit ces paroles avec un grand sourire.

— J'avais tellement envie de t'entendre approuver mon idée ! Cette robe, tu sais, je crois que je n'aurais jamais pu y renoncer. Quand j'ai vu les esquisses, chez Valentino, j'ai tout de suite su qu'elle m'était destinée et...

Et Penny recommença, lancée dans un soliloque qui ne nécessitait heureusement aucune réponse, car Andrianna ne l'écoutait déjà plus. Ses pensées l'avaient de nouveau transportée des années en arrière, à cette époque bénie où tous ceux qui allaient sur la Costa del Sol étaient pratiquement assurés d'y mener la belle vie...

Il y avait tout d'abord les riches, qui semblaient avoir une prédilection pour Marbella. Et puis les hippies de toutes nationalités qui, avec leurs sacs à dos, se rassemblaient surtout à Torremolinos et Malaga, où ils survivaient comme ils pouvaient, dormant sur les plages, traînant dans les cafés, et passant leur temps à traverser en ferry le détroit de Gibraltar pour aller à Tanger, en quête d'exotisme autant que de haschisch. La Costa del Sol était en outre le refuge de tous ceux qui, nantis de petits moyens et de grandes prétentions, savaient jouer de leur charme et de leur humour. Même les repris de justice arrivaient à s'y faire une place au soleil, pour peu qu'ils fussent débrouillards.

Pour Andrianna aussi, cela avait été le paradis, au début, bien qu'à l'époque, elle n'eût pas trop su à quelle catégorie Gae et elle appartenaient. Mais quelle importance, en vérité ? Ce qui comptait, c'était que Gae l'aimât à la folie (il le lui répétait plusieurs fois par jour), c'était d'avoir de la présence et un charisme incomparable (comme il le lui avait appris à Port'Ercole) ainsi qu'une garde-robe soignée et des bagages de luxe ; c'était aussi, comme Gae le lui avait expliqué avant de quitter Le Rosey, de toujours voyager en première classe...

Ils prirent un avion pour Madrid et de là, continuèrent sur Malaga. Toujours en avion, et en première classe, bien entendu. Andrianna était un peu inquiète, car si les trois mille livres d'Helen représentaient une somme plutôt coquette, ce n'était pas vraiment une fortune et certainement pas une réserve inépuisable avec laquelle ils pourraient continuer indéfiniment à se payer des billets de première classe.

Tout en dégustant le champagne que le steward lui avait offert sans se préoccuper de son âge, Andrianna suggéra :

— Nous aurions peut-être pu prendre le car. Ça nous aurait coûté moins cher.

Gae, qui savourait pour sa part du cognac Napoléon, leva les yeux au ciel avant d'expliquer :

— Dans un avion, on ne sait jamais qui on va rencontrer. C'est pour cette raison qu'il faut toujours voyager en première classe. Imagine, par exemple, que Cary Grant, qui est assis deux rangs derrière toi, te voie monter dans un car. Que penserait-il de toi ? Que tu es une vulgaire touriste, jolie, certes, mais pas digne de l'intérêt que suscite immanquablement une femme de grande classe.

— Cary Grant ? Tu rêves !

Mais lorsqu'elle se retourna, elle vit Cary en personne, et plus séduisant que jamais.

— C'est bien lui ! s'exclama-t-elle. Penny et Nicole en seront malades quand elles sauront ça ! Et tu ne devineras jamais avec qui il est en grande conversation... ?

— Avec qui ?

— Audrey Hepburn !

— Ça ne m'étonne pas, déclara Gae avec suffisance, comme s'il était à l'origine de cette coïncidence. Audrey et son mari, Mel Ferrer, possèdent une maison dans le coin.

— Et Cary ?

— Oh, je suppose qu'il est invité chez les Windsor, ou peut-être chez la fille du général Franco, qui est mariée au marquis de Villaverde.

— Tu les connais ? demanda Andrianna, le souffle coupé.

— Les Windsor ? Oui, naturellement. Quant à la fille de Franco...

— Je ne te parle pas d'eux, mais de Cary Grant et d'Audrey Hepburn !

— Non, pas vraiment, admit Gae de mauvaise grâce.

Sans crier gare, il se leva et décocha à sa compagne un clin d'œil malicieux.

— Mais cela peut s'arranger, si tu as vraiment envie de faire leur connaissance.

— Vraiment ?

Andrianna n'avait pas la moindre idée de ce que Gae avait pu leur raconter, mais au bout de quelques minutes, le couple d'acteurs et lui bavardaient et riaient ensemble comme de vieux amis. Puis Gae l'appela pour faire les présentations.

Lorsqu'ils eurent regagné leurs sièges, Andrianna lui demanda comment il s'y était pris pour réaliser un tel prodige.

— Oh, ce n'est pas sorcier, répondit Gae avec désinvolture. Quelques amis communs, ou même de simples connaissances, et le tour est joué ! A propos, Cary nous a invités à une réception, le 5.

Et ce fut ainsi qu' Andrianna apprit que, pour qui voulait mener joyeuse vie, les amis communs et les relations comptaient également beaucoup.

Cette prise de conscience, cependant, engendra en elle de nouveaux soucis. Gae avait l'habitude de fréquenter du beau monde, de dépenser sans compter et de se montrer généreux. Mais à présent, ce n'était plus possible. Il en était réduit à vivre d'expédients, comme elle. A compter sur les autres, sur leur bonne volonté, voire leur charité, à distribuer des sourires et à s'efforcer constamment d'être aimable et de plaire.

Gae allait devoir apprendre à vivre autrement. Ses rapports avec les gens qu'il avait l'habitude de côtoyer ne seraient plus les mêmes qu'avant. S'il ne voulait pas être évincé des milieux huppés dans lesquels il avait toujours évolué, il avait intérêt à changer d'attitude, surtout quand on saurait que son père refusait désormais de payer les pots cassés et de l'entretenir.

Mais en serait-il capable? Saurait-il s'adapter? Que ferait-il lorsque les trois mille livres ne seraient plus qu'un souvenir? En y réfléchissant, Andrianna aurait préféré qu'ils n'aillent pas à Marbella. Il s'agissait d'un endroit trop chic pour eux, et par conséquent, trop dangereux. Que n'étaient-ils allés à Paris, plutôt... Ils auraient habité Rive gauche, avec d'autres jeunes aussi fauchés qu'eux : des étudiants, des écrivains et des artistes plus ou moins ratés, des marginaux... Sans argent, ou presque, ils se seraient néanmoins débrouillés. Ils auraient pu aller en Grèce, aussi, où la vie est plus facile, ou même à Rome...

Mais il était trop tard, à présent, pour changer de cap. A Marbella, il faudrait au moins que Gae apprenne à gérer son argent. Si seulement elle parvenait à le raisonner!

— C'est très agréable de voyager en première classe, commença-t-elle. Et c'est formidable d'avoir fait la connaissance de Cary et d'Audrey. Mais il va falloir que nous fassions attention à l'argent que nous dépensons, du moins tant que n'aurons pas trouvé un moyen d'en gagner. Tu ne crois pas que nous devrions prendre une chambre dans un hôtel bon marché et chercher du travail? J'ai entendu dire que dans les stations balnéaires, on trouvait facilement une activité si on ne se montrait pas trop difficile.

— Quelle sorte de travail? railla Gae. Le service, ou la

plonge dans les restaurants ? Tu sais ce que je crois ? Eh bien, que tu te fais beaucoup trop de soucis !

Tout en parlant, il avait glissé une main sous sa jupe et s'était mis à lui caresser la cuisse, ses doigts s'insinuant toujours plus haut tandis que ses lèvres brûlantes traçaient un sillon de feu sur la peau douce de son cou.

— Adorable Anna ! Laisse-moi faire ; je m'occupe de tout.

De sa main libre, il appuya sur un bouton pour appeler une hôtesse, qui accourut aussitôt, et il lui réclama une couverture.

— Mademoiselle a froid, déclara-t-il avec aplomb. Tenez, pendant que vous y êtes, donnez-m'en une à moi aussi. Je trouve qu'il fait frais, en effet.

S'emparant des couvertures, Gae enveloppa tendrement Andrianna, dont seule la tête dépassait, avant de se couvrir. Puis il ouvrit sa braguette et prit d'autorité la main de sa compagne pour la placer sur son pénis.

Le cœur battant à tout rompre, Andrianna se laissa entraîner dans un tourbillon de sensations vertigineuses, et ne songea plus qu'à donner à Gae autant de plaisir qu'il lui en donnait.

A leur arrivée à Malaga, Andrianna attendit Gae dans l'aérogare pendant qu'il allait passer un coup de téléphone.

— Ne bouge surtout pas d'ici, lui recommanda-t-il. Et ne parle à personne. Méfie-toi des gitans. Je n'ai pas envie que tu disparaisses. Les gitans s'y entendent pour repérer les jeunes et jolies Anglaises. Si tu n'y prends garde, ils risquent de t'enlever et de te vendre au plus offrant.

Andrianna sourit pour dissimuler son malaise. Non qu'elle prît au sérieux les menaces de Gaetano, mais son allusion à ses origines anglaises l'avait troublée. Une fois qu'elle lui aurait confié le secret de sa naissance, elle se sentirait moins hypocrite, soulagée, et infiniment plus détendue.

— Espèce de menteur ! Ce n'est pas à moi que tu vas faire croire ça ! J'ai lu dans un guide sur l'Espagne que c'était à Grenade qu'il y avait des gitans.

— Tu l'as lu dans un livre ? Et alors ? Ça prouve simplement que tu ne devrais pas croire tout ce que tu lis. Il faut que tu te mettes dans la tête que c'est à moi, et à moi seul, que tu dois te fier.

Il lui pinça la joue.

— Tiens, voilà, ça t'apprendra.

Lorsqu'il s'éloigna, Andrianna le suivit des yeux, admirant sa large carrure, ses hanches étroites, ses longues jambes moulées dans un pantalon blanc. Qu'il fût vêtu d'un costume trois pièces, d'une combinaison de ski, ou d'un jean et d'un T-shirt, Gae possédait cette élégance innée qui ne trompait pas. Quoi qu'il portât, on devinait au premier coup d'œil qu'issu d'un milieu fortuné, Gae avait toujours bénéficié de ce qu'il y avait de mieux.

— Une limousine viendra nous prendre dans quelques minutes, annonça Gae en revenant.

Il semblait avoir perdu un peu de sa bonne humeur. Etait-ce parce que son interlocuteur ne n'était pas montré aussi chaleureux qu'il l'espérait ? s'interrogea Andrianna. Elle s'abstint cependant de le lui demander.

— Une limousine ? répéta-t-elle. Es-tu certain que nous puissions nous le permettre ?

— Nous ne pouvons pas nous permettre d'arriver autrement qu'en limousine.

— Au fait, où allons-nous ?

— Au Marbella Club, où mon père descend à chaque fois qu'il vient ici. C'est un hôtel tenu par les Hohenlohe. A Marbella, qui ne connaît pas les Hohenlohe ? La princesse Hohenlohe est une femme absolument charmante qui a de nombreuses relations très bien placées, expliqua-t-il en allumant une cigarette et en aspirant la fumée par petites bouffées rapides. Son père était un Iturbe, l'une des plus prestigieuses et des plus anciennes familles de Mexico.

— Je suppose que c'est formidable...

— Evidemment que c'est formidable ! répliqua Gae en jetant son mégot. Mon père prétend qu'il n'y a qu'en Amérique qu'on n'attache pas d'importance à ces choses-là. Là-bas, en dehors du sacro-saint dollar, rien ne compte.

Malgré elle, et bien qu'elle ne se sentît pas vraiment américaine, Andrianna lui en voulut de dénigrer ainsi son pays natal. Quelle arrogance et quelle hypocrisie de la part de Gino Forenzi ! A qui espérait-il faire croire qu'en Europe, les riches étaient trop raffinés et cultivés pour s'intéresser à leurs millions ?

Cependant, elle ne lui confia pas le fond de sa pensée, Gae lui paraissant déjà anormalement fébrile et contrarié. L'air préoccupé, il marchait de long en large en fumant des cigarettes qu'il écrasait après quelques bouffées. Qui avait-il bien pu appeler ? se demandait-elle, de plus en plus intriguée. Et que lui avait-on dit qui pouvait lui avoir fait perdre son sang-froid coutumier ?

Lorsque le chauffeur en livrée se présenta enfin, Gae était si énervé de l'avoir attendu qu'après l'avoir salué d'un bref signe de tête, il lui désigna sans un mot l'amoncellement de bagages. Pour sa part, il prit un petit sac et offrit son autre main à Andrianna, qui s'empara, quant à elle, d'une grosse valise. Mais Gae l'obligea aussitôt à la reposer. A la place, il lui tendit son vanity-case.

— Une femme qui voyage ne doit jamais porter autre chose que son sac à main et son coffret à bijoux. A défaut de coffret à bijoux, elle peut, à la rigueur, porter sa trousse de toilette.

— *Ja wohl, mein Führer !*

Elle plaisantait, mais ce conseil, elle ne l'oublierait pas, elle le savait. Car Gae avait au moins le mérite de lui apprendre comme personne à vivre sur un grand pied.

Et ce fut donc sur un grand pied qu'ils vécurent... pendant quelque temps.

Ils passèrent une semaine au Marbella Club, s'offrant d'interminables grasses matinées après des nuits follement mouvementées, de somptueux petits déjeuners au bord de la piscine, des parties de tennis et des sorties en mer en attendant le déjeuner, vers 3 ou 4 heures de l'après-midi. Ils en profitaient aussi pour visiter la région dans une Forenzi décapotable de location.

— On a beau dire, la Forenzi reste ma voiture préférée, déclara Gae avec mélancolie.

Oubliant qu'elle avait décidé de ne pas poser de questions, Andrianna voulut savoir ce qu'était devenue sa Forenzi rouge.

— Je l'ai abandonnée dans une rue de Gstaad.

— Abandonnée à Gstaad ? Mais pourquoi ?

— Parce que les papiers étaient au nom de mon père. On finira par la retrouver, bien sûr, mais je voulais simplement faire durer le suspense un peu plus longtemps.

Si d'un côté, même si elle n'en disait rien, Andrianna jugeait déraisonnable la location de ce coupé, de l'autre, elle adorait leurs excursions le long des plantations d'oliviers et des orangeraies, dans des paysages montagneux et semi-désertiques, où se côtoyaient des cactus et une végétation incroyablement luxuriante inondée de soleil, avec à l'horizon la mer d'un bleu irréel.

— Cette région me rappelle énormément le sud de la Californie, fit remarquer Gae.

— Tu y es déjà allé ?

— En Californie ? Bien sûr ! Je m'y rendais avec mon

père au moins une fois par an. Papa a beaucoup d'amis à Los Angeles... Et toi ?

Andrianna comprit que c'était le moment ou jamais de tout lui raconter. Mais elle hésita, tant et si bien qu'elle finit par renoncer.

— Non, je ne connais pas la Californie, répondit-elle. Mais j'aimerais bien y aller un jour. Et à New York, aussi.

— Je t'y emmènerai, promit-il en lâchant le volant pour la serrer brièvement dans ses bras.

— Gae ! s'écria-t-elle. Regarde la route !

— Tu as raison ! Je dois me concentrer sur ma conduite. Mais c'est ta faute, aussi !

— Ma faute ?

— Oui, tu me fais perdre la tête ! Cela dit, il y a un moyen d'arranger cela.

Il ouvrit la braguette de son jean.

— Voilà ! Maintenant, je peux garder les yeux sur la route et les mains sur le volant, et jouir néanmoins de ta compagnie.

Elle éclata de rire. Gae était vraiment irrésistible ! Si tous les chemins menaient à Rome, les conversations avec Gae les ramenaient toujours au même point, songeait Andrianna en le caressant très doucement pour commencer, puis de plus en plus vigoureusement, stimulée par ses gémissements de plaisir et ses serments d'amour...

Au bout d'une semaine, ils quittèrent le Marbella Club pour s'installer à la Casa de las Palmas, résidence de l'actrice suédoise Inga Strolman et de son époux, le duc de Molino.

Ils avaient rencontré l'actrice au casino, une nuit où Gae semblait avoir la « baraka ». Sous les yeux émerveillés d'Andrianna, il avait gagné des centaines de pesetas...

qu'il avait ensuite perdus en quelques instants à la roulette, la plongeant dans un désespoir sans fond.

La belle actrice blonde avait alors tenté de lui remonter le moral.

— Il ne faut pas vous tracasser pour si peu, petite. Ce n'est pas une très grosse somme, et puis, ici, sur la Costa del Sol, l'argent est fait pour être dépensé !

Au lieu de la consoler, cependant, les efforts d'Inga Strolman n'avaient réussi qu'à la contrarier devantage. Andrianna n'aimait pas son ton condescendant, et elle ne supportait pas d'être appelée « petite ». Mais l'actrice, qui semblait ne s'être rendu compte de rien, s'était tournée vers Gae.

— Ta petite amie et toi devriez venir passer quelques jours à la maison. Vous pourriez emménager demain, qu'en dis-tu ?

Andrianna avait fait des signes désespérés à Gae pour lui signifier qu'elle n'était pas d'accord, mais il s'était néanmoins empressé d'accepter l'invitation.

— C'est chez Inga que l'on rencontre le plus de gens prestigieux, qu'on mange le mieux, et qu'on s'amuse le plus, lui avait-il expliqué, plus tard. Tout le monde rêve d'être invité chez elle. As-tu une seule bonne raison de rechigner comme tu le fais ?

— Je ne l'aime pas, voilà tout. Elle me déplaît. De plus, je suis sûre que si elle nous a invités, c'est parce qu'elle a des vues sur toi !

Cette remarque le fit rire.

— Ne dis pas de bêtises ! Et cesse de te conduire comme une enfant. On va s'amuser comme des fous, tu vas voir.

Construite sur les collines surplombant Marbella, la Casa de las Palmas était non seulement entourée de palmiers immenses, comme son nom le laissait penser, mais aussi d'oliviers. Et elle était prolongée par plusieurs terrasses s'étageant sur différents niveaux. Andrianna ne put s'empêcher d'admirer la splendeur de cette demeure, que les mauvaises langues avaient pourtant surnommée le Palace Californien en raison de sa prétendue ressemblance avec les villas des stars de Hollywood. Avec ses aménagements luxueux, ses nombreux patios et fontaines, ses baignoires encastrées avec robinetterie en or massif, ses sols de marbre et ses murs recouverts de miroirs, ses penderies aussi vastes que des salons, sans compter une spectaculaire chaîne haute-fidélité et un personnel innombrable, il est vrai que la Casa de las Palmas n'avait pas grand-chose à voir avec les maisons blanchies à la chaux typiques des régions méditerranéennes.

Les gens la critiquaient, mais ils mouraient d'envie d'y être invités. Gae n'avait rien exagéré. Presque chaque soir, la maison s'emplissait en effet d'hôtes prestigieux impatients de se montrer, de dîner à la table d'Inga (elle avait un chef français qui la suivait dans tous ses déplacements), et de danser jusqu'à l'aube. La maîtresse de maison adorant le flamenco, elle faisait venir des guitaristes et des danseuses qui, après le spectacle, devaient enseigner aux néophytes les premiers rudiments de leur art, Inga tenant à ce que tout le monde participât.

A la Casa de las Palmas, on ne se reposait pas. Les rares fois où Inga ne recevait pas, ils sortaient, allaient dîner au restaurant ou chez des amis, puis terminer la soirée dans des bars ou des discothèques, parfois même au casino. Personne ne se couchait jamais avant 6 heures du matin. Le dîner étant servi à minuit, et les spectacles de flamenco ne commençant pas avant 2 heures du matin, il aurait été difficile de faire autrement.

Andrianna se mit très vite au flamenco, qu'elle dansa bientôt presque aussi bien qu'une Andalouse. Gae était si fière d'elle qu'il se rendit à Séville exprès pour lui acheter une authentique robe de danseuse de flamenco, en dentelle noire avec des jupons de soie jaune superposés. Et comme il ne faisait jamais les choses à moitié, il lui offrit une paire de mules à talons hauts pour compléter sa tenue. Ce cadeau, Andrianna le reçut avec autant de plaisir que s'il s'était agi d'un énorme diamant. Elle en pleura de joie.

Ce soir-là, elle passa un temps fou à se préparer, car elle tenait plus que jamais à faire honneur à Gae. Il était si gentil, si généreux avec elle, qu'elle lui devait bien cela.

Lorsque, enfin, Andrianna descendit le grand escalier de marbre, ses jupons de soie virevoltant autour d'elle, le buste moulé dans un corsage lacé sur la poitrine, sa longue chevelure noire recouverte de la mantille retenue par un énorme peigne en argent assorti aux anneaux qui pendaient à ses oreilles, il y eut un grand silence. Tous les regards étaient braqués sur elle, admiratifs et incrédules, comme si elle avait brusquement surgi d'un Velasquez.

Puis elle dansa au centre d'un cercle de spectateurs exigeants, en s'accompagnant de castagnettes. Personne n'applaudissait ni ne frappait du pied, et ce silence recueilli était plus éloquent que n'importe quel hommage enthousiaste. Lorsqu'elle enleva ses escarpins de satin jaune et commença à danser pieds nus, les bras levés, la tête rejetée en arrière, une vague de murmures d'approbation déferla sur l'assistance. Après le *olé* final, il s'écoula une bonne minute avant qu'un tonnerre d'applaudissements ne vienne saluer sa prestation. Mais personne n'applaudit aussi fort que Gae, qui se précipita vers elle pour la serrer dans ses bras et lui chuchoter en italien les mots d'amour les plus fervents.

— Bravo, petite Ann ! s'écria Inga, les yeux brillant d'excitation. On croirait en vous voyant danser que vous avez fait ça toute votre vie !

Elle se tourna vers Gae, un sourire malicieux aux lèvres.

— Sous ses airs bien sages de collégienne anglaise, Ann n'aurait-elle pas par hasard un peu de sang espagnol ?

— Après ce que j'ai vu ce soir, ça ne m'étonnerait qu'à moitié ! répliqua Gae. Anna est imprévisible et bourrée de talents insoupçonnés !

— Tant mieux ! Quand vous aurez besoin d'argent, elle pourra toujours danser pour en gagner. Pas en Espagne, bien sûr, où les danseuses de flamenco sont en surnombre, mais dans des pays comme l'Angleterre ou la Suède. Là-bas, Anna, comme tu l'appelles, n'aura aucun mal à se faire passer pour une princesse andalouse. Mais où qu'elle aille, de toute façon, je suis sûre qu'elle saura ensorceler son public.

Andrianna ne savait pas très bien où Inga voulait en venir, et se demandait si elle se moquait d'elle. C'était ce qu'elle détestait le plus chez l'actrice : ses réflexions aigres-douces et l'ambiguïté de ses propos, toujours très difficiles à interpréter.

En revanche, les intentions de Gae étaient très claires. Au petit matin, lorsqu'ils se couchèrent, il se jeta sur elle avec une passion et une ferveur redoublées, lui imposant les savantes pratiques qu'elle lui avait vu expérimenter sur Beatriz. Mais Andrianna ne s'en offusqua pas, et accepta tout aussi docilement de lui rendre la pareille. Après tout, il y avait mille façons de faire l'amour. Ce qui comptait, ce n'était tant l'acte lui-même que la passion qui le transcendait et la personne avec laquelle on le pratiquait.

Le lendemain matin, Gae et les autres invités se levèrent plus tôt que d'habitude pour aller à la plage. Andrianna, elle, préféra rester au lit. Jamais encore elle ne s'était sentie aussi fatiguée. Elle avait mal partout, aux bras, aux jambes, et même aux doigts, et elle n'avait qu'une envie : dormir...

Comme un plongeur remontant des profondeurs sous-marines, elle émergea lentement de son sommeil et poussa un soupir de bien-être en sentant une délicieuse pulsation au creux de ses cuisses. Les yeux clos, elle s'abandonna tout entière au contact langoureux et précis de cette langue qui la caressait intimement. *Gae!* Il était insatiable ! Dieu qu'elle l'aimait !

Eperdue, elle tendait le bras pour enfouir sa main dans les cheveux de son compagnon lorsqu'elle se figea soudain, l'esprit et le corps saisis d'une même stupeur, en sentant sous ses doigts non les boucles familières de Gae, mais de longs cheveux soyeux. Elle ouvrit les yeux et vit Inga, penchée sur elle, en bas-résille et porte-jarretelles noirs !

— Et moi qui croyais que c'était après toi qu'elle courait ! Quelle idiote je peux faire, parfois ! A un tel degré, la bêtise devrait être passible de prison ! tempêtait Andrianna.

Lorsqu'il était rentré de la plage, Gaetano l'avait trouvée en train de boucler leurs valises. Mais au lieu de maudire Inga, comme elle s'y attendait, il s'assit sur le lit, se passa une main dans les cheveux, et se mit à rire.

Scandalisée par tant de désinvolture, elle prit le blouson en jean qu'elle s'apprêtait à ranger et lui en assena un grand coup sur la tête.

— Et toi, tu trouves ça drôle ? s'indigna-t-elle.

— Avoue que c'est plutôt cocasse, non ? dit Gae en réprimant tant bien que mal son fou rire. Tu ne crois pas que ta réaction est un peu excessive ?

— Excessive ? Après ce que... cette femme, cette...

— *Prostituta?* suggéra-t-il avec un sourire indulgent.

Il chercha à la prendre dans ses bras, mais Andrianna se dégagea.

— Cela ne te fait ni chaud ni froid, si je comprends bien?

— Ne dramatise pas! Elle ne t'a pas violée, après tout. J'en connais même qui aurait aimé être à ta place!

— Oh! Tu ne vaux pas mieux qu'elle! Tu es tout aussi...tout aussi pervers!

Il se remit à rire, et elle à le frapper, avec ses mains cette fois. Ils roulèrent sur le lit et se chamaillèrent un bon moment, jusqu'à ce qu'Andrianna, vaincue, éclate de rire à son tour.

Gaetano commença alors à défaire les valises.

— Qu'est-ce que tu fais? demanda-t-elle, aussitôt dégrisée.

— Je range les affaires.

Andrianna s'assit sur le lit.

— Non, Gae, je ne passerai pas une nuit de plus dans cette maison, annonça-t-elle posément. Et tu ne me feras pas changer d'avis.

— Mais nous ne pouvons pas partir comme ça! Je dois encore prendre certaines dispositions.

— Lesquelles?

— Il nous faut un toit et un moyen de gagner de l'argent. Tes trois mille livres sont épuisées, tu le sais.

— Nous trouverons du travail. Dans les bars, cela ne devrait pas poser de problème. Et à Torremolinos, nous n'aurons aucun mal à louer un meublé à peu de frais.

— Non, pas question! Je ne suis pas venu sur la Costa del Sol pour ça.

— Tu es venu pour quoi, alors?

— Pour mener la belle vie, répondit-il avec un sourire triste.

— Je croyais que nous l'avions... la belle vie. Qu'il nous suffisait d'être ensemble. Je ne peux pas rester, Gae. Je veux m'en aller. Tout de suite.

— Que feras-tu si moi, je reste ?

— J'irai seule à Torremolinos. Je me chercherai une chambre et une place de serveuse. Je me débrouillerai.

— Tu partirais sans moi ?

— Si tu refuses de m'accompagner, oui.

Il médita un instant ces paroles en secouant la tête.

— Dans ce cas, fais les valises, maugréa-t-il en se dirigeant vers la porte.

— Quelles valises ? Les miennes... ou les nôtres ? demanda Andrianna, le cœur serré d'appréhension.

— Les nôtres. Quand tu auras fini, mets ta ceinture de chasteté et attends-moi. Je reviens dès que possible.

— Où vas-tu ?

— Prendre les dispositions nécessaires, pardi !

— Juste une minute !

Elle courut à lui et, lui nouant les bras autour du cou, le couvrit d'une pluie de baisers.

— Cette Inga est vraiment une *putrefatta prostituta* ! marmonna-t-il en fronçant les sourcils.

— Mais tu ne le savais pas ? Tu ne t'en étais jamais douté ?

— Qu'elle était une putain ?

— Qu'elle aimait les femmes. Qu'elle essaierait de...

— Elle n'aime pas plus les femmes que les hommes. Elle prend son plaisir là où elle le trouve, ce qui est assez compréhensible.

— Ah oui ? Même quand elle oublie de demander l'avis de la principale intéressée ? C'est un détail que tu as omis de me signaler quand tu m'as parlé de la belle vie. J'ignorais que quand on avait envie de quelque chose, il suffisait de se servir, sans se préoccuper du reste !

Un court instant, Gae sembla décontenancé. Puis son sourire reparut, ravageur.

— Que veux-tu ? Tu es irrésistible, *cara mia*...

Mais il y avait des millions de jolies filles sur la Costa

del Sol, songea Andrianna, sceptique. Pourquoi Inga l'avait-elle choisie, elle ?

— D'ailleurs, ajouta Gae, si je la traite de putain, c'est uniquement parce qu'elle m'oblige à modifier mes plans...

En début de soirée, ils emménagèrent dans l'appartement d'Harry Mansfield, un triplex peint tout en blanc dans une résidence luxueuse en bord de mer, entre Malaga et Marbella.

La première chose qu'Andrianna remarqua chez Harry, qui avec ses joues roses, ses fins cheveux blonds et ses yeux verts, était physiquement l'inverse de Gae, fut son côté charmeur qui valait largement celui de Gae. A condition, bien sûr, de le trouver à son goût... Ce qui n'était pas le cas d'Andrianna, à qui Harry fit d'emblée une très mauvaise impression, exactement comme Inga avant lui.

En y réfléchissant, elle parvint à définir ce qui lui déplaisait chez Harry. C'était la discordance qui existait entre ses lèvres et ses yeux quand il souriait. Car si le sourire était plutôt chaleureux et cordial, le regard, en revanche, était franchement ironique.

En fin de compte, le problème était pratiquement le même qu'avec Inga, à cette différence près que chez l'actrice, c'étaient les paroles qui contrastaient avec la voix. Autant les mots qu'elle prononçait pouvaient être agréables, autant son ton était sarcastique.

Mais s'ils se retrouvaient là, c'était parce que Gae le trouvait drôle et s'entendait bien avec lui. Andrianna se souvint alors qu'avant leur départ de Suisse, Gae lui avait parlé d'un ami intime qu'il avait à Marbella, un Anglais formidable qui dirigeait une boîte de nuit. Quand, ce même soir, Harry les emmena au Fripon, elle comprit qu'Harry et l'« Anglais formidable » étaient bel et bien la même personne.

Elle se dit alors qu'elle se faisait peut-être des idées. Pour que Gae l'aime tant, il fallait que ce soit un type formidable. Comment aurait-il pu en être autrement? Mais quelles étaient donc ces dispositions que Gae avait tenu à prendre avant d'emménager chez lui? Et pourquoi avait-il tant insisté pour prolonger leur séjour chez Inga?

Ces questions ne restèrent pas longtemps sans réponse...

— Aujourd'hui, nous allons à Tanger, annonça Gae, une quinzaine de jours plus tard.

Andrianna faillit battre des mains. Tanger se trouvait de l'autre côté du détroit, à deux heures de ferry, mais ils n'y étaient pas encore allés.

— Qu'est-ce que je vais mettre?

— Pas la peine de sortir ta tenue de safari! C'est l'Afrique, soit, mais pas tout à fait la brousse.

Elle lui jeta un regard noir. Non, mais pour qui la prenait-il? Comme si elle ne savait pas que Tanger était une métropole, avec de « vrais » magasins et des marchands de tapis qui parlaient anglais couramment, avec de pauvres diables en cafetan et chéchia qui traquaient les touristes étrangers dans les allées sombres et étroites de la médina pour essayer de leur fourguer des objets de cuivre ou autres pacotilles dont le prix ne cessait de baisser. Tanger était un carrefour de cultures et d'influences, où aux mystères de l'Afrique se mêlaient les incursions sophistiquées de la civilisation européenne, et où les jeunes de tous pays allaient se dépayser et fumer le meilleur haschisch qu'ils aient jamais goûté.

Mais pour Andrianna, aller à Tanger signifiait avant tout flâner dans la casbah, telle qu'on la voyait dans *Alger*, secrète et romantique, d'où rêvait de s'échapper le séduisant et ténébreux Charles Boyer, amoureux fou d'une belle étrangère qui avait les traits de la merveilleuse Hedy Lamarr.

— Combien de temps resterons-nous là-bas ? s'enquit-elle.

— Une nuit.

Devant son air désappointé, Gae s'empressa d'ajouter :

— Mais ne t'inquiète pas, nous y retournerons. Très souvent...

Une heure plus tard, elle était prête pour le départ, légère et court vêtue en robe de soie blanche à boutons de nacre, un sac Vuitton dans une main, son vanity-case dans l'autre.

— J'aurais dû te prévenir, dit Gae, l'air contrit, que la tenue de rigueur était le jean... et un blouson, à cause de la brise de mer. Cela ne t'empêche pas de prendre quelque chose d'un peu sexy, pour ce soir, mais il vaut mieux que tu troques ce sac Vuitton contre ton sac à dos.

Lorsqu'ils montèrent dans leur décapotable blanche pour se rendre à Algésiras, où ils devaient prendre le ferry, Andrianna eut la surprise de voir Harry sauter sur la banquette arrière. Elle ignorait qu'il allait avec eux.

— J'ai pensé que je pourrais vous faire visiter la ville, expliqua-t-il.

Mais contrairement à eux, Harry n'était pas en jean. Dans son pantalon de lin blanc à pli impeccable et son blazer bleu marine à boutons dorés, il ressemblait à un riche touriste, flanqué d'une valise de cuir patiné et de deux grands chapeaux de paille. Il se coiffa de l'un et posa l'autre sur la tête d'Andrianna, en prenant bien soin de le lui mettre de côté.

— Sur le pont, avec la réverbération, j'attrape un coup de soleil en trois secondes, lui confia Harry. Je t'ai apporté un chapeau au cas où tu serais toi aussi ultra-sensible aux rayons solaires.

Comme il était prévenant, cet Harry !

Au port, après avoir laissé la voiture au parking, ils

s'avançaient vers les guichets pour acheter leurs billets lorsqu'une grande et pulpeuse Allemande aux cheveux blond platine se rua sur Harry et le couvrit de baisers. Vêtue d'un ensemble en soie sauvage et en lin, qu'Andrianna attribua à la maison Dior, elle portait autour du cou, au bout d'une chaîne dorée, un appareil-photo Rollei. Deux somptueux sacs de voyage en cuir noir accentuaient encore l'impression de luxe qui se dégageait de sa personne.

— Harry, mon chéri, j'ai bien cru que tu n'arriverais jamais !

Il l'embrassa à son tour, l'assurant que pour *elle*, il arriverait toujours, en se traînant sur les genoux s'il le fallait.

Comme il était charmant, cet Harry!

Sur le ferry, Andrianna constata que les passagers se regroupaient selon leur appartenance socio-culturelle. D'un côté, il y avait les Marocains qui rentraient chez eux chargés de sacs et de paquets mal ficelés, de l'autre, les hippies et les étudiants, en jean et en tennis pour les moins argentés, anorak et bottes de cow-boy pour ceux qui avaient les moyens.

Il y avait d'autre part les touristes ordinaires, qui s'asseyaient en plein soleil et sortaient les victuailles qu'ils avaient apportées, craignant de ne pas trouver à bord de nourriture convenable ou même d'eau potable. En nombre plus restreint, il y avait aussi ces passagers en costumes foncés qui transportaient des porte-documents ou des mallettes de représentants de commerce. Ceux-là allaient au Maroc pour affaires et n'y passeraient qu'une journée.

Le dernier groupe était constitué d'une poignée de touristes visiblement fortunés. Les hommes, à l'instar d'Harry, portaient des blazers et des montres Cartier ou

Rolex. Leurs compagnes, jeunes ou moins jeunes, arboraient, tout comme Heidi, l'amie d'Harry, des ensembles de soie, cachemire ou lin. Leurs bagages et leurs appareils photo respiraient le luxe et le raffinement. Ils tuaient le temps devant les machines à sous, des piles de pièces de vingt-cinq pesetas à côté d'eux.

Installés à l'intérieur, Andrianna, Gae, Harry et Heidi, buvaient d'un trait des verres de gin qu'ils faisaient passer avec de grandes rasades d'eau minérale gazeuse. Heidi gloussait tandis qu'Harry leur racontait, les unes après les autres, des anecdotes relatives à ses précédentes traversées sur le même ferry.

A l'arrivée, les passagers se précipitèrent vers la zone d'inspection où, en file indienne, ils devaient attendre pour faire contrôler leurs passeports et leurs bagages. Lorsqu'ils se présentèrent, tous les quatre, un employé impassible signifia sèchement à Andrianna et à Gae de rejoindre la queue des hippies et des étudiants. Puis son visage se fendit d'un grand sourire quand il s'adressa à Harry et à Heidi. Stupéfaite, Andrianna vit alors un homme distingué portant le cafetan et le fez traditionnels s'approcher du couple, leur prendre leurs bagages et les escorter jusqu'à un guichet, où ils furent accueillis par un fonctionnaire affable qui leur serra la main avant de tamponner leurs passeports.

Les formalités de douane leur prirent quelques minutes à peine. Avant de s'éloigner, Harry leur adressa un signe de la main et leur cria d'un ton enjoué :

— A tout à l'heure ! Quand vous arriverez, vous trouverez de quoi vous désaltérer !

L'air condescendant, Heidi leur décocha un sourire.

— Qu'est-ce que ça veut dire ? demanda Andrianna, sans chercher à dissimuler son indignation.

— Ne t'énerve pas, dit Gae en riant. Comme tu viens

de le voir, cela peut être payant d'avoir l'air riche quand on voyage entre l'Espagne et le Maroc. Cela facilite, par exemple, les fastidieuses formalités de douane. A l'aller, on gagne du temps car on évite les queues interminables, mais c'est au retour que cela devient vraiment intéressant. Il y a une véritable fortune à la clé...

Une fortune à la clé? Dans l'esprit d'Andrianna, le déclic se fit d'un seul coup. Mais bien sûr! Comment n'y avait-elle pas pensé plus tôt!

Elle comprenait soudain pourquoi Gae, qui aimait ses aises par-dessus tout, plus encore peut-être que le risque, se donnait tant de mal pour jouer les hippies fauchés. Il ne le faisait pas simplement pour lui montrer à quel point il était important de soigner son apparence extérieure. En réalité, il avait bien d'autres choses en tête...

Cela expliquait aussi pourquoi, en si peu de temps, tant de femmes, jeunes et riches, avaient défilé dans le lit d'Harry. Sur le lot, bien peu, en vérité, devaient accepter de marcher dans ses combines.

Et quand il en avait trouvé une suffisamment conciliante — et téméraire — pour faire la traversée à vide et revenir les sacs bourrés de haschisch, combien de fois pouvait-il l'utiliser sans risquer d'éveiller les soupçons? Sans compter que même si elles avaient le goût du risque, ces jeunes femmes riches devaient assez vite se lasser. Au bout de quelque temps, elles allaient voir ailleurs... en quête de nouvelles aventures.

Mais elle, Ann Sommer, la pauvresse qui avait vécu comme une princesse, pris des manières de riche au contact des riches, elle qui aimait Gae à la folie, au point de faire n'importe quoi pour lui, était une *constante* sur laquelle les deux acolytes pourraient toujours compter.

Comme la queue avançait de quelques mètres, Andrianna attrapa Gae par le bras.

— C'est donc à ça que tu me destines? Tu veux que je fasse du trafic de drogue pour le compte d'Harry...

— Pour le compte d'Harry ? dit Gae en la prenant par la taille. Bien sûr que non. Pour *nous*, évidemment ! Pour notre propre compte.

— Non, Gae, pas question ! Tu trouves peut-être ça excitant, mais pas moi. Jamais je ne ferai une chose pareille ! Je serais morte de trac. Et puis... tu m'avais promis !

Gae se mit à lui embrasser les joues, le menton, les cheveux.

— Qu'est-ce que je t'avais promis ? murmura-t-il.

— Que tu ne te livrerais plus à des trafics de ce genre. Imagine que nous soyons pris. Que dirait ton père ?

— Laisse mon père où il est ! Cela ne regarde que nous, toi et moi. De plus, le haschisch n'est pas une drogue dure. De toute façon, nous ne risquons rien. Et puis, c'est Harry qui écoule la marchandise, pas nous. *Cara mia*, crois-tu que je te laisserais courir le moindre danger ? Jamais de la vie. Tu es prête à me suivre, n'est-ce pas ?

Andrianna frissonna, sachant pertinemment qu'à la fin elle céderait, qu'elle le suivrait... jusqu'au bout du monde s'il le fallait.

D'autant que Gae ne le faisait pas seulement pour lui, mais pour elle aussi. Pour assurer sa subsistance. Peut-être avait-il longtemps hésité avant de s'y résoudre... ?

Andrianna se rappela soudain le coup de fil qu'il avait donné de l'aéroport, le jour de leur arrivée en Espagne. Il avait eu l'air contrarié. Peut-être avait-il trouvé qu'Harry exigeait un prix trop élevé en échange du gîte et du couvert pour eux deux... ?

Plus tard, si elle ne lui avait pas fixé un ultimatum en l'obligeant à partir de chez Inga, il n'aurait peut-être pas accepté les conditions d'Harry. Manifestement, Gae s'y était résigné, contraint et forcé.

Dans toute cette affaire, elle avait elle-même une grosse part de responsabilité.

Pour cette traversée, en tout cas, c'était Heidi qui faisait le travail, et non elle, songea Andrianna, grandement soulagée. Et puis, cela ne durerait probablement que quelque temps. Après deux ou trois traversées, elle serait mise hors service. A ce moment-là, Gae se serait peut-être lassé de ce genre d'activité, et de la Costa del Sol aussi, par la même occasion. Ils partiraient alors vers d'autres cieux et de nouvelles aventures.

Dans le secret de son cœur, Andrianna priait pour qu'il en fût ainsi.

15.

Mardi, 14 heures

Lorsque Jonathan revint dans la voiture, les bras chargés de victuailles et de deux gobelets de chocolat chaud, Rennie n'avait rien à signaler : les deux femmes n'avaient pas bougé du restaurant russe. En revanche, il avait une remarque à formuler au sujet des boissons que rapportait Jonathan.

— J'aurais préféré une bière bien fraîche.

— J'adore le chocolat chaud, riposta Jonathan, sur la défensive.

Puis il mordit à pleines dents dans un sandwich à plusieurs étages en se demandant une fois de plus s'il avait perdu la tête. Il venait encore de perdre deux heures à suivre vainement sa belle et mystérieuse compagne d'une nuit. De toute évidence, il s'agissait d'une sorte de défi qu'il s'était lancé à lui-même, mais un défi radicalement différent de ceux dont il avait l'habitude, car c'était bien la première fois que Jonathan West faisait passer quelque chose ou quelqu'un avant son travail...

— Tu ne m'écoutes pas, Annie, se plaignit de nouveau Penny.

— Mais si, je t'écoute...

— Alors, qu'est-ce que je viens de dire?

Prise en flagrant délit de mensonge, Andrianna se contenta d'affecter un air contrit.

— Tu vois! s'exclama Penny d'un ton triomphant. Je savais bien que tu ne m'écoutais pas! Je te répète donc que Nicole va venir de Palm Beach pour nous voir — toi et moi — puisque nous sommes toutes les deux à New York. Elle est probablement déjà arrivée. Edward et elle possèdent un appartement dans la Trump Tower, et c'est là qu'elle nous a invitées à dîner ce soir. Pas question de te défiler. Sous aucun prétexte, tu m'entends? Je me moque que tu aies un rendez-vous avec le maire lui-même. Ce n'est pas le cas, j'espère?

— Qu'est-ce que ça changerait, de toute façon? demanda Andrianna en riant. Tu viens de me dire que j'étais obligée d'accepter.

Et pourquoi pas, après tout? Ce serait amusant de se retrouver toutes les trois, comme au bon vieux temps. Si l'espace d'une soirée elle pouvait se laisser aller, oublier qu'elle était tout récemment tombée amoureuse du seul homme au monde avec lequel, en d'autres circonstances, elle aurait pu vivre heureuse le reste de ses jours... Oublier aussi le rendez-vous fatidique du lendemain, ce rendez-vous à l'issue duquel elle serait à peu près fixée sur l'avenir.

— Non, je n'ai rien de prévu pour ce soir, et oui, j'accepte volontiers de dîner avec Nicole et toi. Mais que comptes-tu faire, Penny? Combien de temps penses-tu rester à New York et, oui ou non, vas-tu passer la nuit au Plaza?

Pourvu que non! songeait Andrianna tandis qu'elle posait cette question. Elle ne voulait pas que le lendemain, quand elle partirait pour son rendez-vous, Penny lui demande où elle allait.

— Non, je rentre à Dallas ce soir même, répondit son amie. J'ai beaucoup de choses à faire là-bas. Et toi? Tu vas séjourner longtemps ici ? Oh, mais j'y pense ! Si tu n'as rien de spécial à faire, pourquoi ne m'accompagnerais-tu pas à Dallas ? J'ai besoin d'un coup de main pour les préparatifs du mariage et pour tenir compagnie à maman qui, autrement, ne me lâche pas une seconde. Et tu as toujours eu si bon goût, contrairement à maman, qui ne connaît rien à rien !

— C'est vraiment très gentil à toi de m'inviter, ma chérie, mais je ne peux pas, malheureusement.

— Ah bon ? Mais pourquoi ?

Andrianna laissa échapper un léger soupir. Penny était bien toujours la même : elle ne pouvait admettre que les gens ne fassent pas ses quatre volontés.

— Parce que j'ai des choses à faire, moi aussi.

— Quelles choses ? insista Penny. Oh, je sais ! s'écria-t-elle d'une voix perçante. C'est un homme, n'est-ce pas ?

Elle se pencha, les yeux brillant d'excitation.

— D'ailleurs, je parie que c'est à cause d'un homme que tu es venue aux Etats-Unis...

Andrianna se mit à rire.

— Allons, les temps changent, ma belle. Les femmes n'agissent plus seulement en fonction des hommes. Pas tout le temps, en tout cas.

— Si ce n'est pas l'amour qui les pousse, toujours est-il que ça lui ressemble, en tout cas ! Et ne me parle pas non plus de libération et de toutes ces foutaises ! Parce qu'on dira ce qu'on voudra, mais avoir un homme dans sa vie, c'est *aussi* une sacrée libération ! Cela t'évite de sauter sur le premier venu. L'autre libération, celle qui consiste à se passer d'un homme, a sûrement ses avantages — je n'en doute pas une seconde —, mais elle entraîne aussi toutes sortes de désagréments. Comme de te retrouver seule à 3 heures du matin, ou de n'avoir personne pour s'occuper de toi quand tu es malade, ou même de n'avoir personne à embêter.

— Oyez, oyez ! La grande prophétesse de Dallas

parle ! Mais dis-moi, Penny, est-ce pour cela que tu épouses Gae ? Pour avoir quelqu'un à embêter à 3 heures du matin ?

— J'en connais qui se marient pour des raisons encore plus inavouables. Prends Nicole, par exemple. C'est tout de même incroyable qu'une fille comme elle ait épousé un Américain, et une vieille baderne, par-dessus le marché ! D'accord, il possède un hôtel particulier à Paris, une propriété à Palm Beach et un appartement dans Trump Tower, mais j'ai du mal à croire que cela puisse compenser les trente ans qu'il a de plus qu'elle ! Au lit, ça doit être quelque chose ! Si elle l'avait épousé pour son argent, on pourrait comprendre, mais Nicole n'attendait pas après lui. Et avec l'âge qu'il a, ce n'est pas non plus pour la bagatelle ! Pourquoi l'a-t-elle épousé, à ton avis ?

— Je n'en ai pas la moindre idée. En fait, je ne lui ai jamais posé la question. Mais c'est peut-être tout simplement parce qu'elle l'aimait, même s'il n'est pas aussi sexy que tu le voudrais. Quoi qu'il en soit, je suis sûre qu'elle l'adore. Et le respecte.

Penny, soudain, plissa les yeux.

— Pourquoi ne t'es-tu jamais mariée, Annie ?

Seigneur ! Il ne manquait plus que ça !

— Sans doute parce que je n'ai jamais rencontré l'homme de ma vie. Ou bien parce que j'ai fait passer ma carrière avant le reste...

— Quelque chose me dit que tu me caches la véritable raison... C'est à cause de Gae, n'est-ce pas ? C'est à cause de lui que tu ne t'es jamais mariée ?

— Non, Penny, tu fais fausse route. Je te répète que je ne suis plus amoureuse de Gae, et je te jure que ce n'est pas à cause de lui que je ne me suis pas mariée.

— Ça m'ennuierait beaucoup, tu comprends. Bien sûr, aujourd'hui je ne peux que me réjouir de ce qu'entre lui et toi, finalement, il n'y ait rien eu de définitif. Mais penser que tu puisses le regretter me serait extrêmement pénible. A l'époque, en Espagne, j'étais si sûre que vous resteriez toujours ensemble ! J'étais affreusement jalouse, tu sais.

— Voyons, Penny ! Comment as-tu pu croire un seul instant que Gae et moi resterions *toujours* ensemble ? Nous étions si jeunes, et...

— Et quoi ?

— Nous poursuivions des buts différents. En fait, à la fin, nous n'avions plus grand-chose en commun, Gae et moi.

— Vous formiez pourtant un si beau couple... Quel formidable été nous avons passé, quand on y pense ! Les journées à la plage, les soirées au casino... Tu te souviens du rocher de Gibraltar et de la vue superbe qu'on avait de là-haut ? Nous restions des nuits entières dans les discothèques, à boire des gin-tonic au Fripon... Figure-toi que je n'ai jamais rien mangé de meilleur que ce plat qu'Harry servait au Fripon, sa fameuse « spécialité de la maison ».

— C'était quoi, déjà ?

— De la tourte à la viande de bœuf et aux rognons. Une pure merveille ! C'était vraiment le point fort d'Harry.

Andrianna retint de justesse ses sarcasmes. Dans son souvenir, Harry avait un seul point fort : la facilité qu'il avait à se procurer du haschisch !

— Tu sais, Annie, il m'arrive encore, certaines nuits, de repenser à la danse à la mode cet été-là, aux boîtes de nuit et aux garçons que j'ai connus là-bas, aux lits dans lesquels je me suis réveillée au petit matin. Mais mes meilleurs souvenirs, ce sont les moments que nous avons passés ensemble, tous les trois, Gae, toi et moi. Les vacances, c'est évidemment merveilleux, mais quand on les passe avec des êtres chers, avec lesquels on s'entend vraiment bien, c'est encore mieux !

Bouleversée par cette déclaration, Andrianna prit la

main de son amie. Alors Penny posa un doigt sur ses lèvres, qu'elle mit ensuite sur celles d'Andrianna.

— Comme Humphrey disait à Ingrid dans *Casablanca* : « Je t'aime, petite. »

— Il ne disait pas cela du tout ! protesta Andrianna, les larmes aux yeux. Il disait : « Laisse-moi te *regarder*, petite. »

— O.K. Laisse-moi *te* regarder, petite.

Levant son verre de vodka, Penny s'aperçut qu'il était vide. Elle le reposa et demanda :

— Tu ne veux pas venir, alors ? C'est bien sûr ?

— Sûr et certain !

— Bon, tant pis. Mais je compte sur toi pour être ma demoiselle d'honneur, dit Penny en se servant un nouveau verre de vodka.

— On verra, répondit Andrianna.

Elle lui prit gentiment la bouteille des mains et fit signe au serveur de la débarrasser.

— Qu'est-ce que tu fais ? demanda Penny d'un ton réprobateur. Tu ne vas pas commencer ! Tu sais, je me rends compte que tu as toujours été un peu rabat-joie.

— Rabat-joie, moi ? Qu'est-ce que tu me racontes ?

— Parfaitement ! Cet été-là, justement, on ne peut pas dire que tu te sois beaucoup amusée !

— Il faudrait savoir ! Il y a deux minutes, tu disais que nous avions passé ensemble des moments merveilleux. Est-ce toute cette vodka que tu as avalée qui t'a fait changer d'avis ?

— Qu'essaies-tu d'insinuer ? Je supporte très bien la vodka, ne t'en déplaise ! Et je te dirais même qu'elle me réussit, car elle me rend plus lucide. Voilà pourquoi, en en parlant, il me revient à l'esprit que tu étais d'humeur plutôt chagrine, pendant ces vacances. Avoue que tu avais une fâcheuse tendance à te plaindre sans cesse.

— Arrête ! s'exclama Andrianna en riant. Je sais bien que tu me fais marcher.

— Pas du tout ! Je suis on ne peut plus sérieuse. Au début, je croyais que tu faisais la tête parce que Gae et toi, bien que toujours aussi inséparables, ne vous entendiez plus aussi bien.

C'était la vérité, songea Andrianna en se remémorant la longue file de candidates, aussi riches que jolies, prêtes à effectuer la traversée entre Tanger et Algésiras en compagnie de Gae, puisqu'elle, elle ne pouvait s'y risquer plus d'une ou deux fois par mois. Souvent, elle s'était demandé si ces filles ne cherchaient pas à faire avec Gae autre chose que la traversée. Mais elle avait gardé ses craintes pour elle, sachant par expérience que Gae, au lieu de répondre à ses questions, la prendrait dans ses bras et l'embrasserait tendrement. Et à la longue, bien sûr, les doutes qui la minaient avaient envenimé la situation.

— Ensuite, quand j'ai fait cette traversée en ferry avec Gae, j'ai pensé que tu m'en voulais, poursuivit Penny. Et que, peut-être, je n'aurais pas dû marcher sur tes plates-bandes...

— Mes plates-bandes ! répéta Andrianna avec un rire désabusé. Oh, Penny, tu n'imagines pas à quel point je détestais toute cette histoire ! J'avais une peur bleue, et tellement honte... C'est vrai que je ne voulais pas que tu y ailles, mais pas pour la raison que tu crois. En fait, je redoutais que tu te fasses arrêter. Quand c'étaient les autres filles, je n'y pensais même pas, évidemment. J'étais seulement contente d'être débarrassée de ce que je considérais plus comme une corvée que comme une aventure palpitante.

— Pourtant, il s'agissait bel et bien d'une aventure ! Il est vrai que Gae et moi avons toujours adoré le risque. Rien ne nous faisait peur. Au contraire, plus le défi semblait difficile, plus nous avions plaisir à le relever. Tandis que toi, Annie chérie, tu n'as jamais tellement aimé le risque.

Andrianna se mordit la lèvre en songeant au risque qu'elle avait pourtant pris sur le *Queen Elizabeth* 2. Celui de tomber amoureuse ! Elle aurait mieux fait d'y réfléchir à deux fois...

Ne crois pas, Penny, que celui qui a beaucoup à perdre prend plus de risques qu'un autre. Gae et toi ne risquiez pas grand-chose, en réalité, dans la mesure où vous aviez tous deux de quoi assurer vos arrières — de l'argent, une famille, un nom.

— A l'époque, déjà, j'avais remarqué que Gae et moi, nous avions ce goût du risque en commun, confia Penny. Ce qui explique peut-être que j'ai toujours été attirée par lui... Mais tu n'en savais rien, n'est-ce pas ? Ce n'était pas pour cette raison que tu étais aussi grincheuse... Pour tout t'avouer, j'en étais arrivée à me demander si tu n'étais pas enceinte. Etant donné les circonstances, personne n'aurait songé à te jeter la pierre. Après tout, tu n'avais que dix-sept ans. Tu ne pouvais pas t'embarrasser d'un bébé, surtout avec Gae, qui avait d'autres choses en tête que la paternité. Mais tu n'étais pas enceinte, finalement.

Non, songea Andrianna. Pas quand Penny était arrivée à Marbella. Mais un mois plus tôt, si...

Gae tomba de haut lorsqu'Andrianna lui annonça la nouvelle, mais elle ne lui en tint pas rigueur. Se retrouver papa à vingt ans, ce ne devait pas être évident. Elle avait elle-même des sentiments mitigés face à cette situation. D'un côté, elle *voulait* ce bébé, mais de l'autre, elle avait peur de l'avenir, peur de ne pas être à la hauteur, peur que leur couple ne tienne pas le coup.

— Mais que va dire mon père ? s'écria Gae.

Frappée par cette réaction qui en disait long sur les rapports de Gae avec son père, Andrianna décida que *si* elle gardait l'enfant, et que c'était un garçon, il s'appellerait Gino. Si c'était une fille, ce serait Elena...

En fin de compte, ce ne fut ni l'un ni l'autre. D'une certaine manière, Harry décida pour eux qu'ils ne garderaient pas l'enfant.

— Bon sang ! Je me demande bien ce que vous allez faire d'un moutard qui passe son temps à brailler et à souiller ses couches !

Cette façon expressive de présenter les choses eut raison des dernières hésitations du couple.

Cependant, aussi difficile que cela puisse paraître en pleine Espagne catholique, Gae tenait à ce que cela se passât dans les meilleures conditions possibles. Sans doute fit-il jouer ses relations, car il n'y eut pas plus de cagibi sordide et de draps sales que de matrone à tablier ensanglanté et cintre rouillé, comme dans les histoires que l'on racontait. Tout se fit au contraire dans le luxe d'une clinique aseptisée, où officiait un médecin possédant de solides références.

Debout à côté d'elle, Gae essayait de la rassurer.

— Tu n'auras pas mal, *cara mia*, promit-il en lui essuyant le front. Je ne laisserais personne te faire du mal, tu le sais bien.

Effectivement, elle n'eut pas mal... Ou du moins, presque pas.

— Enfin, enceinte ou pas, tu n'étais vraiment pas dans ton assiette ! Etait-ce parce que je couchais avec Harry ? A un certain moment, j'ai pensé que tu étais peut-être jalouse.

— Jalouse parce que tu couchais avec Harry ? s'écria Andrianna, aussi stupéfaite qu'indignée. Mais qu'est-ce qui a pu te faire croire ça ? Je *détestais* Harry !

— C'est vrai ? Je n'en ai jamais rien su... Mais pourquoi le détestais-tu ? Harry était le plus charmant des hommes !

— Harry, charmant ? !

— Il était très gentil. Il t'avait même laissée chanter au Gredin, rappelle-toi. Tu t'étais mise au piano et tu avais entonné quelques vieux succès. Je m'en souviens comme si c'était hier.

Elle se mit à fredonner, rêveuse.

— C'est Gae qui avait tenu à ce que je chante, expliqua Andrianna avec un petit sourire. Il adorait m'entendre chanter ou me voir danser. Mais pourquoi dis-tu que c'était gentil de la part d'Harry ?

— Parce que la discothèque lui appartenait et que, soit dit sans vouloir t'offenser, tu n'étais pas vraiment au point, à l'époque !

— Là, je suis d'accord avec toi, admit Andrianna en riant de bon cœur. Mais tu sais, je ne me suis pas tellement améliorée, depuis. J'ai un peu plus de métier, c'est tout. J'ai appris à *vendre* une chanson. Mais pour en revenir à Harry, la faveur qu'il m'a faite ce soir-là ne suffit pas à me le rendre sympathique. D'autant que sa discothèque était plutôt miteuse.

— Je te trouve très injuste avec lui. Harry avait le cœur sur la main. Sa porte était toujours ouverte aux jeunes, notamment à ceux qui arrivaient d'Angleterre, d'Australie ou des Etats-Unis. Riches ou pauvres, il les accueillait toujours à bras ouverts. Non seulement il leur offrait le gîte et le couvert, mais il ne refusait jamais un joint à personne. Tu te rappelles ?

Oui, Andrianna s'en souvenait très bien, mais contrairement à son amie, elle connaissait les raisons de la générosité d'Harry. En fait, ce qu'il voulait, c'était que les gens lui soient reconnaissants, dévoués au point de se faire tuer pour lui, de devenir ses esclaves à vie. Harry savait attendre son heure, mais quand l'occasion se présentait, il ne la laissait pas passer.

⁂

Elle avait ses règles et ne se sentait pas suffisamment en forme pour faire la traversée avec Gae, si bien qu'il fut convenu que Polly, l'une des serveuses du Fripon, irait à Tanger à sa place, aucune des compagnes habituelles de Gae n'étant disponible ce jour-là.

Gae et Harry s'amusèrent comme des fous à déguiser Polly pour l'occasion. Ils lui firent passer l'un des ensembles d'Andrianna, puis la coiffèrent avec soin. Andrianna les regardait faire depuis son lit, trop lasse pour leur donner un coup de main.

Quand la jeune femme fut prête, ils sortirent tous les trois et Harry recommanda à Gae de ne pas s'inquiéter.

— En ton absence, je prendrai soin de ta pauvre petite Anna...

Andrianna ne le vit cependant pas de la journée, mais le soir, il rentra plus tôt que d'habitude, exprès pour s'occuper d'elle, lui expliqua-t-il, et pour lui apporter à dîner. A la seule vue de l'assiettée de frites et de poisson, dégoulinants d'huile et à moitié froids, Andrianna eut un haut-le-cœur. La nourriture du Fripon lui donnait la nausée, tout comme Harry lui-même.

Elle le remercia pourtant et lui assura qu'il n'était absolument pas obligé de rester.

— Je sais qu'il est encore très tôt, alors si tu as prévu d'aller à une soirée, ou chez des amis, ne te gêne surtout pas pour moi. Je ne voudrais pas te retenir...

— Je n'avais rien de prévu, mon chou, rassure-toi. Et il est tard, de toute façon.

Le plus tranquillement du monde, il s'assit sur le lit, ses yeux verts fixés sur elle.

— Je parie que Gae et Polly sont déjà au lit, dit-il d'un ton désinvolte. J'en connais un qui ne doit pas s'ennuyer...

Tout en lui caressant le bras, il riait doucement, une lueur malveillante dans le regard.

Flairant le piège, Andrianna décida d'ignorer ses allusions.

— Sors d'ici, Harry, ordonna-t-elle.

— Voyons, Anna, il faut être réaliste. A quoi crois-tu que Gae et Polly occupent leur soirée ?

— Je n'en sais rien, et je n'ai aucune envie de le savoir.

Un sourire aux lèvres, Harry se glissa dans le lit à côté d'elle, malgré ses protestations et ses tentatives pour le repousser. Puis, s'adossant confortablement contre l'oreiller, il dit d'un ton doucereux :

— Moi, je le sais ! Je connais bien Polly, si tu vois ce que je veux dire, et je parle par expérience. Cette fille n'a pas sa pareille pour envoyer un type au septième ciel. Et ce n'est pas seulement une réputation, je suis là pour en témoigner ! Je peux donc te dire très précisément ce qu'ils font en ce moment.

Andrianna savait que rien ne pourrait l'arrêter. Alors, en désespoir de cause, elle se boucha les oreilles.

Mais Harry se mit à califourchon sur elle et lui emprisonna les poignets. Son visage était si près du sien qu'Andrianna sentait son souffle chaud sur sa bouche. Elle ne pouvait plus bouger et n'avait pas la force de lutter, mais pour rien au monde elle n'aurait laissé échapper la moindre plainte. Pas question de donner à Harry cette satisfaction !

— Gae est étendu sur le lit, les jambes écartées, excité à la simple idée de ce qui l'attend. Agenouillée entre ses jambes, Polly cajole tendrement son petit Jésus, qui commence à s'animer et à devenir de seconde en seconde plus vigoureux. Elle se penche en avant pour le frotter doucement entre ses gros seins. Pas trop longtemps : elle ne veut pas risquer de provoquer prématurément l'explosion finale. Car Polly est une goulue, vois-tu...

Malgré toute sa bonne volonté, Andrianna ne put étouffer un gémissement.

— Attends, ce n'est pas fini, railla Harry ! Car Polly s'apprête à présent à passer aux choses sérieuses. Sa langue experte est entrée en action, mais s'attarde à des préliminaires que Gae préférerait abréger. Il a enfoui sa main dans la crinière de Polly, et la tire vers lui pour l'inciter à répondre enfin à son attente. Mais elle le lèche, le mordille, et fait durer le supplice. Gae n'en peut plus, il tremble de tout son corps et l'implore d'arrêter... ou plutôt de continuer. Elle finit par s'y décider, et Gae se met à gémir, à râler et à s'agiter dans tous les sens. Dans un dernier spasme, il explose, à la plus grande joie de Polly, qui ne perd pas une goutte du délicieux breuvage...

Puisant sa force dans le sentiment de révolte qui l'habitait, et jouant à fond de l'effet de surprise, Andrianna réussit à dégager ses mains et à repousser Harry. Puis elle se mit à rire, mettant dans ce rire tout le mépris dont elle était capable.

— En me racontant tout ça, tu croyais peut-être me rendre folle de jalousie et m'inciter à te séduire pour me venger de Gae ? Ou m'exciter au point de te supplier de me laisser te faire une petite gâterie à la Polly ? Eh bien, c'est raté ! Désolé pour toi, mais je te trouve à peu près aussi attirant qu'un crapaud.

Le sourire d'Harry s'évanouit d'un seul coup, et la lueur moqueuse dans son regard fit place à une expression menaçante. Il porta la main à sa braguette, visiblement déterminé à se passer de son consentement.

— Essaye un peu, et je te jure que je te l'arrache avec les dents !

Harry lui jeta un regard mauvais, puis il sauta à bas du lit et sortit de la chambre. Quelques secondes plus tard, Andrianna entendit la porte d'entrée claquer violemment.

Jamais elle ne parla à Gae de cet incident. Pourquoi ? Elle l'ignorait. Si elle s'était tue, en tout cas, ce n'était pas parce qu'elle craignait qu'il en fît un drame. En fait, c'était exactement le contraire qu'elle redoutait. Elle sentait de toute façon que cela n'aurait servi à rien... qu'il était trop tard.

***

— Harry était un être ignoble, déclara Andrianna d'une voix âpre. Une véritable ordure...

Avec le recul, elle se rendait compte qu'Harry avait lui aussi contribué à la dégradation de la situation. A l'époque, elle s'était focalisée sur la réaction éventuelle de Gae, mais d'une certaine manière, et plus ou moins inconsciemment, elle avait compris que l'incident était révélateur de ce qu'elle était elle-même... ou plutôt, n'était pas. En dépit de son allure aristocratique, de la désinvolture qu'elle affichait, du cynisme dont elle pouvait faire preuve quand les circonstances l'exigeaient, Harry, Inga et tous les autres voyaient en elle un être veule, incapable de prendre en main son propre destin. Ils essayaient de profiter d'elle, non parce qu'elle était jeune et innocente, et donc forcément vulnérable, mais parce qu'ils sentaient qu'elle n'était pas du genre à envoyer les gens promener, comme le faisait Penny, et à suivre son idée.

Ce jour-là, la canicule avait été terrible, et Penny et elle n'avaient pas arrêté de courir les magasins. Andrianna avait l'impression que si elle ne s'allongeait pas un moment, elle allait s'écrouler. Au lieu d'accompagner Penny au Fripon, comme prévu, elle préféra rentrer à l'appartement.

— Dis à Gae que je le rejoindrai un peu plus tard...

Une délicieuse fraîcheur régnait dans l'appartement, plongé dans la pénombre. Durant la journée, à cause du soleil, les doubles rideaux blancs restaient toujours fermés.

Avant d'aller dans sa chambre, Andrianna passa à la

cuisine pour se désaltérer. Ce fut alors qu'elle entendit des gémissements étouffés provenant du salon. Quelqu'un avait peut-être oublié d'éteindre la télévision... ?

Son verre de Coca-Cola à la main, elle alla voir. Ce qu'elle découvrit la figea de stupeur : deux hommes nus, face à face, qui ne s'étaient manifestement pas aperçus de sa présence. L'un était assis sur le grand canapé blanc, les mains croisées derrière la nuque, la tête renversée en arrière, les yeux clos ; l'autre était agenouillé à ses pieds...

Comme si quelqu'un la retenait pour l'obliger à regarder, Andrianna ne pouvait détacher les yeux de la scène. Tout à coup, quelque chose se brisa en elle — en même temps que son verre se brisait sur le carrelage blanc avec un grand fracas qui alerta les deux hommes. Ils tournèrent la tête dans sa direction et elle vit leurs yeux s'écarquiller — les yeux noirs de Gae, qui était assis sur le canapé, et les yeux verts d'Harry, à genoux devant lui...

Plusieurs heures plus tard, lorsqu'elle accepta de déverrouiller la porte de la chambre, Gae réagit exactement comme elle l'avait prévu.

— Pourquoi faut-il toujours que tu fasses un drame de tout ? Je t'assure que ce n'était rien.

Les joues ruisselantes de larmes, Andrianna donna libre cours à son indignation.

— *Rien ?* Tu oses dire que ce n'était rien ? Tu trouves normal, alors, de te faire faire ça par un homme ?

— Ecoute, il n'y a vraiment pas de quoi te mettre dans des états pareils. Si tu m'avais surpris avec une jolie fille, je comprendrais. Mais avec Harry... Tu sais, c'était juste un service que je lui rendais. Les femmes lui donnent la nausée. Il en a tellement eu ! Si tu avais fréquenté, comme moi, les pensionnats de garçons, tu ne réagirais pas comme ça. Et ne va pas croire pour autant que les hommes sont tous des homosexuels. Mais pour ce genre de choses, le sexe du partenaire n'a aucune importance. Il suffit de fermer les yeux...

Là encore, elle finit par passer l'éponge, persuadée — ou feignant de l'être — qu'il s'agissait d'un accident. Gae n'y attachait aucune importance, et elle aurait bien aimé pouvoir en faire autant. Mais s'il avait ses défauts, Gae, en tout cas, n'était pas un dépravé. Et puis, comment lui en vouloir quand il était par ailleurs si adorable et si merveilleux ?

En outre, Andrianna sentait confusément que leur séjour sur la Costa del Sol touchait à sa fin. Même dans le sud de l'Espagne, où il faisait si beau, le soleil finissait toujours par se coucher...

Penny fronça les sourcils.

— Oui, tu n'arrêtais pas de faire la tête, répéta-t-elle.

— Pas du tout ! protesta Andrianna. Mais je ne pouvais pas sourire tout le temps, comme une imbécile heureuse.

Alors que j'étais malade comme un chien, et qu'entre Gae et moi, c'était la débâcle...

— Tu te souviens du jour où nous étions restés un peu trop longtemps à la plage et où tu avais attrapé un coup de soleil ? reprit Penny. Tu étais enflée comme une baudruche et toute rouge. On avait eu le malheur de rire... Je crois que je ne t'ai jamais vue dans une telle colère !

— J'étais en colère, parfaitement ! Qu'y avait-il de si drôle ? Il aurait peut-être fallu que je rie, moi aussi ?

— On ne riait pas de *toi* ! On riait de ton allure. Tu étais tellement boursouflée ! Et cette éruption, sur ton visage... Personne n'avait jamais vu ça avant...

⁂

Il fallait au moins rendre à Gae justice sur un point : son fou rire calmé, il avait insisté pour appeler le médecin. Andrianna avait protesté, honteuse de ne pas avoir écouté les conseils du généraliste qu'elle avait vu à Port'Ercole. Il l'avait pourtant bien mise en garde contre les risques encourus en cas de coup de soleil : éruption cutanée, gonflement des bras et des jambes, fatigue intense... Elle avait par ailleurs beaucoup maigri, ces derniers temps, mais son avortement et les soucis que lui donnait Gae y étaient sans doute pour beaucoup. Du moins le croyait-elle...

Lorsqu'il la vit, le médecin gloussa et la réprimanda.

— Les Anglaises sont bien toutes les mêmes ! Elles n'ont pas l'idée d'éviter le soleil, ou tout du moins de se protéger avec un chapeau et une lotion appropriée !

Il examina ses articulations enflées et finalement, il lui prescrivit de l'aspirine, des pommades et du repos jusqu'à la disparition des symptômes.

— Il faut aussi manger, mon petit. Vous êtes beaucoup trop maigre. Les hommes préfèrent les femmes un peu en chair, vous savez.

Puis, avant de partir, il regarda une dernière fois ces étranges taches rouges, en forme d'ailes de papillon, qui étaient apparues sur son visage.

— Je n'ai encore jamais vu ça, déclara-t-il en secouant la tête. C'est vraiment étrange. On dirait une morsure.

Les yeux d'Andrianna s'emplirent de larmes.

— Oh, zut, Annie ! Je t'ai fait de la peine avec mes histoires ! C'est vraiment trop bête ! Pardonne-moi...

— Non, tu n'y es pour rien, Penny. Evoquer le passé me rend toujours un peu cafardeuse.

Penny, visiblement soulagée de ne pas être en cause, leva les yeux au ciel.

— Et moi, donc ! Vieillir n'a rien de drôle, assurément !

Andrianna hocha la tête. Mais en réalité, ce n'était pas sur son passé qu'elle pleurait. Elle songeait à tous ces *si* qui auraient pu changer le cours de sa vie. *Si* elle avait parlé à ce médecin de ses autres symptômes ; *si* elle lui avait dit qu'elle était constamment fatiguée, qu'elle avait souvent mal aux bras et aux jambes, qu'elle avait des accès de fièvre, et que parfois, ses muscles refusaient de lui obéir ; *si* elle lui avait expliqué qu'elle avait perdu l'appétit et éprouvait des difficultés à avaler, au lieu de lui laisser croire que sa maigreur était délibérée. *Si*...

Aurait-il compris que sa sensibilité anormale à la lumière était en fait un des nombreux symptômes de la maladie qui la rongeait ?

Mais il ne lui était jamais venu à l'esprit, à ce moment-là, de parler à quiconque de tous ses maux. En vérité, elle avait déjà pris, à cette époque de sa vie, l'habitude de ne rien révéler d'elle-même, à moins d'y être obligée. Elle savait déjà taire ses véritables sentiments. Non pas mentir... mais cacher.

Cacher... comme elle serait amenée à le faire si souvent par la suite...

16.

La Costa del Sol,
automne 1968

Peu à peu, Andrianna se remit de sa seconde insolation, et la vie reprit doucement son cours. Mais la jeune fille fuyait à présent le soleil comme la peste, portant en permanence des lunettes de soleil très foncées, qui présentaient l'avantage de la protéger à la fois du soleil et du regard des autres... Car les yeux étaient le miroir de l'âme, et Andrianna ne voulait pas que l'on puisse voir son âme.

Le départ de Penny creusa un grand vide dans son existence, un vide qu'elle fut incapable de combler. L'exubérance de son amie, son côté boute-en-train lui manquait terriblement. Sa seule consolation fut que Penny partie, elle vit Harry beaucoup moins souvent.

D'autant moins souvent, en fait, qu'il avait une nouvelle petite amie — une Scandinave, bientôt suivie d'une Anglaise, qui céda à son tour la place à une troisième. Les filles se succédaient ainsi les unes aux autres, sortant de la vie d'Harry aussi vite qu'elles y étaient entrées.

Flanqué de sa dernière conquête en date, Harry venait parfois les chercher, Gae et elle, pour qu'ils sortent tous les quatre. Comme elle ne le supportait plus du tout, la plupart du temps Andrianna invoquait un prétexte quelconque pour s'esquiver, laissant Gae partir seul avec le couple.

Au moment où elle se croyait sur le point de sombrer dans le désespoir le plus noir, Gae commença à se lasser d'Harry, renouant peu à peu avec ses anciens amis — les fils et filles à papa avec lesquels, pensait Andrianna, il se sentait infiniment plus à l'aise. Elle, en revanche, n'avait pas gagné grand-chose au change.

Gae en avait-il assez de cette vie dissolue ? se demandait-elle en le voyant se rapprocher des jeunes de sa condition. Aspirait-il à rentrer et à retrouver son père ? Ou bien, plus ou moins inconsciemment, cherchait-il simplement à fuir Harry — et elle aussi, peut-être — parce qu'il avait du mal à franchir cette étape difficile du passage de l'adolescent à l'homme ?

Mais dans la mesure où ils dépendaient d'Harry pour les faire vivre, les fréquentations de Gae ne pouvaient guère avoir d'influence sur l'avenir... Comprenant qu'ils devaient s'affranchir définitivement d'Harry, Andrianna insista pour qu'ils déménagent et louent leur propre appartement. Mais Gae haussa les épaules, sourit et répondit :

— D'accord. Le moment venu, nous déménagerons. Mais tu sais, dans la vie, on ne fait pas toujours ce qu'on veut. Il faut savoir attendre, ma douce et innocente petite Anna...

Physiquement, Andrianna allait de moins en moins bien, mais elle s'efforçait de ne pas le montrer. Difficile, cependant, de garder sa sérénité quand on souffre le martyre... Si elle se taisait, c'était parce qu'elle craignait que Gae ne fasse appel à Harry, qui se serait empressé de lui fournir de la drogue. Or jamais elle ne ferait cette bêtise ; elle savait trop bien à quoi cela menait. Toute dépendance, que ce soit vis-à-vis de la drogue, de l'argent ou d'un être pervers, entraînait la déchéance. C'était d'abord l'enfer de la prostitution, et un beau jour, on vous retrouvait mort au fond de votre lit.

Un matin, elle se réveilla très mal en point. Elle tremblait de fièvre, à tel point qu'elle dut renoncer à aller à Tanger, comme prévu, pour prendre livraison d'une cargaison de drogue. Ce matin-là, se lever était au-dessus de ses forces.

Au dernier moment, Gae lui trouva une remplaçante en la personne de Cissy St Cloud, nouvellement arrivée à Marbella.

Lorsqu'elle l'embrassa et lui souhaita bonne chance, Andrianna ne put s'empêcher d'admirer son allure arrogante et son air sûr de soi. Dans son costume de lin blanc, avec ses cheveux noirs qui bouclaient sur le front, Gae avait quelque chose du héros de *Gatsby le Magnifique*.

Après son départ, elle se rappela brusquement que le Gatsby de Fitzgerald était condamné dès le départ, qu'il était un homme marqué par le destin.

En fait, seule Cissy se fit prendre, lorsque sans raison aucune et contre toute attente, ses bagages furent soumis au contrôle des services de douane. Elle fut arrêtée, mais Gae put rentrer, libre comme l'air, son sac ne contenant que quelques effets personnels.

Lorsqu'il arriva, Andrianna fut frappée par sa pâleur. Jamais elle ne l'avait vu aussi bouleversé. Pourtant, en dépit du sombre pressentiment qu'elle avait eu, elle devina qu'il n'avait en réalité couru aucun danger. C'était la fille qui était condamnée avant même de poser le pied sur le ferry. Cela faisait partie du plan imaginé par Harry : seul un des deux membres de l'équipe transportait la drogue. Seulement, ce n'était pas Cissy qui était censée se faire arrêter, mais elle, Andrianna. Si elle n'avait pas été malade, elle serait en prison à l'heure qu'il était ! Harry avait voulu se débarrasser d'elle...

Bien sûr, Gae refuserait de la croire : jamais Harry, qu'il tenait en si haute estime, n'aurait pu faire une chose pareille !

Elle était couchée et regardait Gae qui, assis sur le lit, son beau costume blanc tout fripé et taché, se passait nerveusement la main dans les cheveux en tirant sur sa cigarette. Dans le canapé, en face d'eux, Harry fumait tranquillement son cigare.

— Cissy ne risque pas grand-chose. Riches comme ils le sont, ses parents n'auront probablement aucun mal à la tirer de ce mauvais pas. D'ailleurs, je suis certain qu'ils sont déjà à pied d'œuvre.

Andrianna tira sur la manche de Gae pour attirer son attention.

— Et s'ils ne veulent pas ? murmura-t-elle.

— Et s'ils ne veulent pas ? répéta Gae à l'intention d'Harry. Rien ne prouve qu'ils soient prêts à l'aider. Ils vont peut-être la laisser se débrouiller.

— Eh bien, c'est son problème, n'est-ce pas ?

L'air sombre, Gae secoua la tête.

— Non, Harry, c'est aussi le nôtre. On ne peut pas la laisser tomber.

— Ah oui ? Et que proposes-tu ? Que nous y allions et leur disions, « Ecoutez, les gars, cette fille est innocente. Elle était à cent lieues de se douter qu'elle transportait de la drogue. Les vrais coupables, c'est nous. Libérez-la et mettez-nous en prison à sa place » ?

Renversant la tête en arrière, Harry partit d'un grand rire.

— Crois-moi, Gaetano, les prisons espagnoles n'ont rien à voir avec un palace. Mais ils seront plus coulants avec une fille, et n'oublie pas que tout l'intérêt de mon plan reposait justement sur ce principe : si l'un des deux se fait prendre, l'autre s'en sort sans dommage. Dis-toi bien que si c'était toi qu'on avait arrêté, elle serait déjà loin. Elle connaissait la musique, non?

— Elle était au courant, bien sûr, mais elle ne savait pas qu'elle risquait de se retrouver en prison. Je l'avais assurée que c'était absolument sans danger, qu'en aucun cas nous ne pouvions nous faire prendre.

Harry eut un rire sarcastique.

— Tant pis pour elle, si elle a cru un pareil bobard! C'est comme celles qui nous font confiance quand on leur jure qu'on ne jouira pas dans leur bouche! Bon, pendant que j'essaie de voir ce que je peux faire pour nos malheureux clients qui comptaient sur la marchandise confisquée, tu devrais t'occuper de notre petite Anna, Gae, ajouta Harry.

— Et pour Cissy?

Harry poussa un profond soupir.

— Ecoute, Gaetano, ce n'est pas mon problème, je te le répète. Maintenant, si tu veux jouer les héros, libre à toi! Mais avant, je te demanderai une chose : débarrasse le plancher. Je te rappelle que je suis ici chez moi, et qu'il n'y a pas de place pour l'excédent de bagages. Quand je reviendrai demain, j'espère que vous aurez décampé!

Sur ce, il quitta la pièce, et quelques secondes plus tard, ils entendirent la porte d'entrée claquer. Gae prit la main d'Andrianna et la pressa sur sa joue.

— Je vais appeler mon père, dit-il. C'est la seule solution. Il saura sûrement comment tirer Cissy de là.

Andrianna acquiesça.

Gae passa dans la pièce d'à côté. La jeune fille l'entendit parler doucement, et pleurer dans le téléphone. Quand il revint, il annonça :

— Il arrive.

Puis il s'allongea à côté d'elle. Au bout d'un moment,

il se tourna et l'enlaça, et ils restèrent comme ça, sans bouger, sans parler, serrés l'un contre l'autre. Un chapitre de leur vie s'achevait. Rien ne serait plus jamais comme avant, et ils le savaient.

Après que Cissy St Cloud eut été relâchée, Gae ramena son père à l'appartement, où Andrianna les attendait, couchée et mal en point. Très pâle, Gae se tenait derrière un Gino Forenzi au visage sévère, dont l'expression se durcit encore lorsqu'il la vit. Elle avait peur, certaine qu'il allait crier après elle, lui reprocher d'avoir débauché Gae, de l'avoir entraîné sur la mauvaise pente.

Mais Gino se contenta de lui demander, d'un ton où perçait la colère :

— Depuis combien de temps êtes-vous malade ?

— Je ne sais pas exactement, avoua Andrianna d'une toute petite voix. Il y a eu des hauts et des bas...

Gino se tourna vers son fils.

— Et toi ? Tu étais trop occupé à jouer les trafiquants pour t'occuper d'elle convenablement ? Pour te rendre compte qu'elle était maigre à faire peur ? Pâle comme la mort ? Sans aucune énergie ? Enflée ? Tu étais trop occupé à jouer les barons de la drogue pour appeler un médecin, je suppose ?

— Non, non, protesta Gae en levant les bras devant lui comme pour se protéger. Nous avons vu un médecin. Il y a deux mois environ. N'est-ce pas, Anna ? Elle avait eu une grosse insolation, comme à Port'Ercole. Du moins, c'est ce que le docteur a dit...

Il avait prononcé ces derniers mots d'une voix presque inaudible. Mais il prit une profonde inspiration et poursuivit :

— Elle s'est rétablie et pendant quelque temps, elle est allée bien... jusqu'à très récemment.

— Ce n'est pas sa faute, monsieur Forenzi, plaida

Andrianna. La plupart du temps, je me taisais quand ça n'allait pas. En fait, il n'en savait rien...

Gino secoua tristement la tête.

— Vous avez raison, ce n'est pas sa faute, c'est la mienne. Je n'ai pas su l'élever comme il le fallait. J'ai été un mauvais père, et le résultat, c'est que mon fils n'est pas un homme.

Elle entendit Gae sangloter, mais elle ne le regarda pas, ne voulant pas le voir pleurer comme un petit garçon réprimandé.

— Oh non, monsieur Forenzi, vous n'êtes en rien responsable, et Gae non plus ! Il s'est montré très gentil, au contraire. Quant au trafic de drogue, il ne s'y est livré que parce qu'il ne voyait aucun autre moyen de gagner de l'argent pour assurer notre subsistance.

— Ah ! je vois..., murmura Gino en s'essuyant le visage avec un mouchoir d'une blancheur éblouissante. Il ne savait pas comment gagner de l'argent. Mais je suis sûr que *vous*, vous saviez. Et je parie que s'il vous avait laissée faire, petite Anna, vous auriez trouvé des moyens plus honnêtes de gagner de l'argent.

C'était tout à fait vrai, songea Andrianna. Elle voulait qu'ils fassent la plonge ou le service dans les restaurants, ou bien qu'ils travaillent comme vendeurs dans les magasins... Tout plutôt que d'être à la solde d'Harry Mansfield. Mais elle n'avait jamais vraiment insisté. Et c'était là son plus grand tort.

Etrangement, alors qu'elle connaissait à peine Gino Forenzi, lorsqu'il se mit à l'appeler « petite Anna » et à la croire meilleure qu'elle n'était en réalité, Andrianna eut vraiment l'impression d'être une hypocrite.

Elle éprouva alors un immense besoin de se confier à lui, de lui avouer que la petite Anna n'existait pas. Qu'il n'y avait qu'Andrianna Duarte, fille illégitime d'une femme extrêmement belle et naïve d'origine très modeste et d'un homme qui ne l'avait pas jugée digne de faire partie de sa famille.

Mais Gino Forenzi n'était pas là pour elle. Cette confrontation était celle de Gae avec son père.

La douleur dardant soudain son aiguillon dans ses chairs, elle se força à sourire pour donner le change :

— Gae est vraiment quelqu'un de bien, monsieur Forenzi. Il est bourré de qualités. En plus, il me fait tout le temps rire...

Gino Forenzi, cependant, ne se laissa pas abuser.

— Vous avez mal, en ce moment. Je me trompe ?

— C'est supportable. Je vous en prie, monsieur Forenzi, pardonnez à Gae...

Tandis que dans son coin, Gae pleurait à chaudes larmes, son père se pencha et embrassa Andrianna sur le front.

— S'il ne s'agissait que de cela, je *vous* demanderais de lui pardonner. Et peut-être vous demanderais-je même à tous les deux de me pardonner...

Il se tourna vers Gae et lui ouvrit les bras. Gae s'y jeta en pleurant.

— Papa ! Papa !

Oui, songea Andrianna, c'était la confrontation de Gae avec son père. Elle, elle faisait simplement partie du décor.

Il faisait nuit lorsque Gino Forenzi les quitta, après leur avoir dit qu'il reviendrait le lendemain, une fois qu'il aurait pris certaines dispositions. Après le départ de son père, Gae fit le tour de l'appartement pour éclairer toutes les pièces.

Triste et attendrie, Andrianna le regarda faire. Un jour, égarée par la passion, elle lui avait confié que sa mère n'aimait rien tant que faire l'amour en plein jour.

Etait-ce la raison pour laquelle il allumait partout ? Pour qu'une lumière dorée baigne l'appartement tout entier ? Ou bien était-ce parce qu'il avait peur du noir ?

— Tout va s'arranger, lui dit-elle. Nous n'avons pas besoin de toutes ces lumières.

— Oui, je sais. Papa va s'occuper de tout. Mais ce sera plus gai avec la lumière, non ?

— Si, admit-elle.

Elle avait toujours dit oui à tout ce que Gae suggérait, et les habitudes avaient la vie dure.

Gae se glissa dans le lit et se mit à l'embrasser sur tout le corps, centimètre par centimètre, comme s'il voulait ne jamais l'oublier — ses cheveux, ses paupières, ses joues et sa gorge, ses bras et ses doigts, ses seins et son ventre, ses cuisses et ses jambes, et tous ses orteils, l'un après l'autre.

Puis, très doucement, il lui fit l'amour. Jamais il n'y avait mis autant de tendresse et de ferveur, et Andrianna comprit que c'était la dernière fois ; qu'il s'agissait d'un ultime hommage à une époque révolue.

Entre eux, c'était bel et bien fini. Ils ne seraient plus jamais amants, mais amis, et cela valait sans doute mieux ainsi. Car l'amitié est peut-être encore plus précieuse que l'amour...

17.

Mardi, 16 heures

— Il y a des heures que nous sommes ici, observa Andrianna en faisant signe au garçon de leur apporter l'addition. Ils ne vont probablement pas tarder à nous mettre dehors.

Penny consulta sa montre.

— Mais il n'est même pas 4 heures ! Qu'allons-nous faire, jusqu'à 7 heures ? Avec Nicole, tu sais, il ne faut pas s'attendre à passer à table avant au moins 10 heures. Chez les gens bien, on ne dîne jamais avant 9 heures, mais elle, il faut toujours qu'elle en rajoute. C'est comme ces petits pots d'herbes aromatiques qu'elle rapporte de France. Figure-toi qu'elle en a un assortiment complet dans chacune de ses cuisines. Cette passion doit lui venir de sa mère qui, il y a quelques années, a chargé les bonnes sœurs d'un couvent quelconque de croiser de la ciboulette avec du cerfeuil ou quelque chose dans ce genre...

— Ah, Penny ! Toujours aussi mauvaise langue, à ce que je vois ! s'exclama Andrianna en riant.

— Je n'invente rien. Remarque que pour les bonnes sœurs, c'était quand même autre chose que de broder de la lingerie en soie pour lady Di ou la princesse Caroline ! Quoi qu'il en soit, j'aimerais bien que Nicole m'offre un assortiment de fines herbes en cadeau de mariage. Dans des pots en argent, bien sûr ! Ce serait original, non ? Et drôlement utile ! J'ai déjà tellement de bougeoirs en argent de chez Tiffany et de saladiers à punch de chez Cartier... Depuis mon dernier divorce, l'argenterie, la vaisselle et tout le reste sont chez maman, emballés dans du papier journal et rangés en attendant des jours meilleurs.

— Bon, eh bien, je tâcherai de m'en souvenir ! Je sais au moins ce qu'il ne faut surtout pas t'offrir... Mais j'aurai beaucoup de mal à trouver quelque chose d'aussi original que des fines herbes cultivées dans des pots en argent.

— Une bouteille de champagne nichée au cœur d'un grand bouquet de fleurs fera parfaitement l'affaire, déclara Penny avec un geste désinvolte de la main. Mais pour en revenir à ce soir, tu peux être sûre que Nicole se sera mise en quatre pour nous recevoir. Je parie qu'avant de quitter Palm Beach, ce matin, elle a téléphoné au fleuriste pour qu'il remplisse l'appartement de tulipes géantes.

— Pourquoi des tulipes ?

— Enfin, voyons, réfléchis ! Parce que les tulipes passent aujourd'hui pour être d'un chic inouï. Les arums ne sont plus du tout à la mode. Tu ne connais rien à rien, alors ?

Andrianna prit un air abattu.

— En toute franchise, je ne savais pas que les arums étaient passés de mode, murmura-t-elle en esquissant un sourire faussement contrit.

— Comment veux-tu être un jour une grande maîtresse de maison si tu ne te mets pas au courant de ces choses-là ? demanda Penny en feignant d'être horrifiée.

— Oh, de toute façon, je crois que pour moi, c'est fichu ! Mais à t'entendre, j'ai l'impression que sur ce plan, tu n'as rien à envier à Nicole. D'ailleurs, toi aussi, tu vas avoir des maisons un peu partout dans le monde.

— Peut-être... Pourtant, à la réflexion, je trouve que Nicole se donne beaucoup de mal pour pas grand-chose. Lorsqu'elle se trouve à Palm Beach, à quoi cela lui sert-il que l'appartement de New York soit fleuri ? Et pourquoi fait-elle entretenir avec tant de soin le parc de la propriété de Palm Beach où elle ne passe en définitive que quelques mois par an ? Avec les talents qu'elle a, Nicole pourrait diriger un pays ou une multinationale, au lieu de perdre son temps à soigner les apparences pour un vieux croûton insignifiant.

— Tu exagères, Penny ! Edward est loin d'être insignifiant. Quand Nicole l'a épousé, il était ambasseur des Etats-Unis en France !

— Ambassadeur ou pas, il n'empêche que Nicole n'avait besoin ni de lui ni de son argent !

— Comment peux-tu en être aussi certaine ? Et toi, tu crois que tu avais *besoin* de Godiche ? Ou de Rick Townsend ? Peut-être bien que *oui*, même si tu n'en avais pas conscience.

— Tout ça devient passionnant ! Alors dis-moi, pourquoi ai-je *besoin* d'épouser Gae, à ton avis ? Il est riche comme Crésus, mais son argent ne m'intéresse pas. Il se débrouille bien au lit — et j'avoue que c'est pour moi un argument de poids —, mais après tout, il n'est pas le seul dans ce cas. Même si les bons amants se font rares, on arrive encore à se débrouiller sans avoir pour autant à se marier. Tu crois que c'est parce que je le connais depuis longtemps, et que j'ai besoin d'un ami, d'un bon vieux copain sur lequel je puisse toujours compter ? Mais c'est peut-être tout simplement parce que j'ai *besoin* d'amour, non ? Tu sais, j'aime vraiment Gae.

— Tout le monde a besoin d'amour, Penny !

La tête penchée sur le côté, Penny demanda tout à trac :

— Et toi, Annie, de quoi as-tu besoin ? Es-tu vraiment si différente des autres ? N'as-tu pas besoin d'amour ?

Oh que si! J'ai besoin d'amour plus que de n'importe quoi d'autre...

Elle aussi, bien sûr, avait eu besoin de l'amour de Gae, mais il n'avait pas su lui donner ce qu'elle attendait.

Elle songea à tous les hommes qu'elle avait connus. Aucun n'avait été le bon, aucun ne l'avait jamais aimée comme elle l'aurait voulu...

Détrompe-toi, Penny, ma vie a été pleine de Godiche et de Rick, mais contrairement à toi, je n'ai pas osé franchir le pas. Au début, peut-être était-ce à cause de Gae — comparés à lui, ils semblaient tous si ternes... J'ai préféré en fuir certains pour ne pas avoir à leur dire la vérité. Puis, au fil des années, je suis devenue experte dans l'art d'éluder leurs questions, à tel point qu'ils ont fini par ne plus en poser. Mais quand, à un moment ou à un autre, je lisais dans leurs yeux qu'ils avaient trouvé la femme idéale, celle qu'ils attendaient depuis toujours sans vraiment oser espérer la rencontrer, je leur tirais ma révérence. Toujours avec panache, d'ailleurs, avec « de la classe et de la présence ».

Quant à Jonathan West, il aurait sans doute pu lui donner ce dont elle avait besoin, mais il n'était pas pour elle.

En fait, tout était sa faute. Aimer, c'était recevoir mais aussi donner. Or qu'avait-elle à donner?

Oh, Jonathan, pourquoi a-t-il fallu que tu arrives si tard, une fois la fête terminée?

Comme Penny attendait toujours une réponse à sa question, Andrianna eut un petit sourire mystérieux.

— Et qu'est-ce qui te fait penser que je n'ai pas eu d'amour? Ou du moins, pas suffisamment?

Penny la considéra longuement avant de répondre.

— Si tu prétends que tu as eu ce qu'il te fallait, je ne te croirai pas, Ann. Dieu sait pourtant que j'aimerais que ce soit vrai!

L'addition arriva et elles se chamaillèrent un moment pour décider qui paierait.

— Je t'en prie, supplia Andrianna. J'ai *besoin* de payer, une fois de temps en temps.

Penny récupéra au vestiaire son vanity-case en crocodile, et elles sortirent du restaurant pour découvrir que le jour avait déjà baissé et qu'un vent glacial soufflait sur la Cinquième Avenue.

— A New York, en hiver, j'ai toujours trouvé particulièrement pénible cette heure de la journée, dit Penny en se lovant frileusement dans son manteau de zibeline. Pas toi ?

Andrianna ramena autour d'elle les pans de son vison.

— Je ne peux pas te dire. Je n'étais jamais venue à New York auparavant.

— Oui, bien sûr ! En cette saison, quand le jour commence à décliner et qu'il se met à faire froid et humide, je deviens nerveuse. Je n'ai qu'une envie : courir me réfugier à la maison, là où je me sentirai pleinement en sécurité. Tu vois ce que je veux dire ?

Andrianna voyait très bien. Le problème, c'était qu'elle, elle n'avait pas vraiment de maison, nulle part où elle pourrait un jour, *peut-être*, se sentir en sécurité.

— Les voilà ! s'écria Rennie en poussant Jonathan du coude. Votre amie et sa copine rousse ! Elles viennent juste de sortir du restaurant et elles descendent la rue à pied !

Jonathan s'autorisa un bref un coup d'œil dans la direction que lui indiquait le chauffeur avant de se tasser prudemment sur son siège.

— Eh bien, qu'attendons-nous ? demanda-t-il. Demi-tour, tout de suite, et en avant !

Pour tromper l'ennui et combattre le découragement qui le guettait, il avait passé l'après-midi à boire du scotch en lisant le journal. Grâce au *Wall Street Journal*, il avait appris qu'il venait de perdre en Bourse rien de moins qu'un demi-million de dollars, conséquence inévitable de la négligence dont il faisait preuve depuis qu'il poursuivait l'insaisissable Andrianna.

Juste avant de quitter Londres, il avait pourtant senti qu'il était grand temps de se désengager de Jax International Properties. Mais ensuite, cela lui était complètement sorti de l'esprit. Le cours de l'action avait brusquement chuté et il se retrouvait Gros-Jean comme devant. Quoique considérable, cette perte ne l'affectait cependant pas outre mesure. Pour l'heure, son seul et unique objectif était de reconquérir la belle et mystérieuse Andrianna.

— Que se passe-t-il, Annie ? On dirait que tu as vu un fantôme !

Penny ne croyait pas si bien dire, car durant une fraction de seconde, Andrianna s'était demandé si elle n'avait pas aperçu Jonathan West dans la limousine stationnée de l'autre côté de la rue. Mais lorsqu'elle avait regardé une seconde fois, elle n'avait vu que le chauffeur. A force de penser à lui et de rêver de lui, elle commençait à le voir partout. Comme si elle avait besoin de ça...

— Que fait-on, alors ? demanda Penny. On retourne au Plaza ?

— Nous pourrions nous promener, faire du lèche-vitrines...

— Je ne sais pas si tu es comme moi, mais je suis complètement gelée, confia Penny en frissonnant. Attends une seconde ! J'ai une idée ! Les Sherry viennent d'ouvrir un nouveau bar, dans le style des Harry's Bars de Venise et de la Via Veneto, mais celui-là, ils l'ont appelé Chez Cipriani. Allons-y, en souvenir du bon vieux temps. Je nous revois encore, tous les trois ; toi, moi et Gino... J'étais venue te rendre visite à Rome, tu te rappelles ? Bizarrement, le père de Gae me faisait déjà un peu peur. A l'époque, j'étais pourtant bien loin de penser qu'un jour, il serait mon beau-père. C'est un homme si impressionnant, si intimidant !

Andrianna se souvenait très bien de cet épisode, à Rome. Mais elle, elle n'avait jamais trouvé Gino intimidant. Bien au contraire ! Il s'était montré extrêmement gentil avec elle, délicieusement prévenant, et surtout, il lui avait témoigné tellement d'affection...

Peu après que Gino les eut ramenés à Rome, Gae retourna au Rosey pour y décrocher son diplôme afin de pouvoir ensuite entrer à l'université. Restée à Rome, Andrianna avait commencé à consulter une kyrielle de médecins.

Au bout de quelques mois, grâce aux bons offices de son père, Gae put partir à Harvard, comme bon nombre de ses camarades du Rosey, tous héritiers de grosses fortunes et appelés à gérer un jour des empires financiers colossaux.

Avant son départ, Gae vint lui dire au revoir à Milan, dans la clinique où elle se trouvait alors, les médecins de Rome n'ayant pas réussi à déterminer l'origine de ses maux.

— Je vais essayer de réussir brillamment à Harvard, déclara-t-il en s'asseyant sur le lit et en lui prenant la main. Je veux que papa soit fier de moi. Qui sait ? J'obtiendrai peut-être mon diplôme avec la mention très bien...

— Oh, mais j'en suis sûre ! Tu en es capable. A condition de le vouloir, bien sûr ! Ton père est déjà fier de toi, tu sais. Il me l'a dit.

— Peut-être... En tout cas, je vais tout faire pour réussir. Je m'inscrirai dans l'équipe de football et participerai à toutes les activités extra-universitaires. Et quoi qu'il arrive, au volant, je ne dépasserai jamais le cinquante kilomètres à l'heure. Je te promets d'être prudent. Ne t'inquiète pas pour moi.

— D'accord, je ne m'inquiéterai pas. Tu vas t'amuser comme un fou avec toutes ces filles, à Radcliffe.

Elle affectait la désinvolture, mais ses yeux s'emplirent de larmes.

— Oh, Gae...

Du coup, lui aussi se mit à pleurer. Il avait en effet cette merveilleuse faculté de pouvoir partager dans l'instant les émotions des autres.

— Moi non plus je ne m'inquiéterai pas pour toi, ma douce Anna. Je sais que tu es en de bonnes mains : celles de Gino Forenzi. Papa saura sans aucun doute beaucoup mieux que moi s'occuper de toi.

Il lui offrit alors, en cadeau d'adieu, une gourmette en or garnie d'une quantité de breloques, toutes plus adorables les unes que les autres.

— Là, c'est une école, expliqua-t-il. Elle représente Le Rosey, où nous nous sommes rencontrés. Et ça, c'est un petit ski en or, en souvenir du jour où tu t'es fracturé le bras et...

— ... où nous avons fait l'amour pour la première fois.

— Exactement. Et voilà un cœur, parce que quoi qu'il arrive, tu garderas toujours une place dans le mien.

— Oh, Gae ! Dans le mien aussi, il y aura toujours une place pour toi.

Il y avait d'autres breloques sur le bracelet, mais Gae devait s'en aller, et Andrianna commençait à être fatiguée. Alors il lui mit la gourmette au poignet et l'embrassa, d'abord sur les deux joues, puis sur les lèvres...

— Tu n'as rien à craindre de Gino Forenzi, Penny. C'est l'homme le plus merveilleux que j'aie jamais rencontré. Il n'y a pas plus raisonnable, plus résolu et plus affectueux que lui.

Penny lui jeta un regard inquisiteur, puis ses yeux s'agrandirent.

— Vous avez été amants, n'est-ce pas ?

Impassible, Andrianna se contenta de secouer la tête. *Amants ?* Des amants, elle en avait eu tant ! Mais Gino Forenzi, lui, avait représenté tellement plus...

18.

Rome,
1972-1973

Lupus érythémateux disséminé! Sa maladie avait enfin un nom. Il s'agissait d'un *lupus*, comme on l'appelait communément. Bien que le nom de cette maladie signifiât loup en latin, son seul rapport avec l'animal était la forme que prenait parfois l'éruption faciale, qui pouvait faire penser à une morsure de loup.

Cette éruption caractéristique, Andrianna ne l'avait eue qu'une seule fois — à Marbella, quand tout le monde s'était moqué d'elle. Mais depuis, elle ne pouvait se regarder dans une glace sans repenser à ces marques disgracieuses.

Lorsqu'ils leur expliquèrent la nature de la maladie, les médecins s'adressèrent à Gino plus qu'à elle, sentant qu'il faisait office de père.

Il existait deux sortes de lupus, défini avant tout comme une maladie cutanée chronique. La forme discoïdale, ou bénigne, qui était essentiellement cutanée, et la forme disséminée, beaucoup plus grave, qui affectait également les articulations, causant des douleurs semblables à celles de l'arthrite. En évoluant, la maladie pouvait déboucher sur une anémie et entraîner des complications au niveau du cœur, des poumons, des reins et des muscles, induisant parfois le coma, et même la mort.

A ces mots, Andrianna blêmit, mais Gino lui prit la main et secoua énergiquement la tête.

— N'aie pas peur, Anna, cela ne t'arrivera pas. J'y veillerai personnellement.

Elle le croyait. Sa confiance en lui était plus grande que celle qu'elle avait en la médecine. Elle savait que Gino, qui lui tenait à la fois lieu de père et de preux chevalier sur son destrier blanc, la protégerait mieux que n'importe quel spécialiste.

Les médecins ajoutèrent également que cette maladie restait encore très mystérieuse, car on n'en connaissait pas la cause. Tout ce qu'on savait, c'était qu'elle frappait principalement les femmes jeunes. A défaut de la guérir, on pouvait au moins en freiner l'évolution et permettre au patient de vivre à peu près normalement. Mais il allait falloir s'armer de patience, de beaucoup de patience, les médicaments qui faisaient leurs preuves dans certains cas se révélant parfois sans effet dans d'autres.

— Nous trouverons ceux qui te conviennent le mieux ; sois tranquille, Anna, assura de nouveau Gino.

Pendant qu'ils chercheraient les remèdes les mieux adaptés à son cas, Andrianna devrait prendre régulièrement ses vitamines et ses antalgiques, et rester sagement au lit, à se reposer. Les médecins lui recommandèrent en outre d'éviter à tout prix le soleil... et de prier.

— Prier pour quoi ? s'enquit-elle en affrontant l'équipe de spécialistes. Pour guérir ? Ou simplement pour ne pas mourir ?

— Dans la mesure où, à notre connaissance, il n'y a pas de guérison possible, le mieux, mademoiselle Sommer, est de prier pour que vous soit accordée une rémission. Certains malades ont bénéficié d'un sursis de plusieurs dizaines d'années.

Une rémission... Le mot magique. Mais apparemment, ces éventuelles rémissions étaient aussi déconcertantes que la maladie elle-même. Comme le lupus, elles survenaient mystérieusement, et puis, tels des hôtes capricieux, elles allaient et venaient au gré de leur fantaisie. On ne pouvait jamais prévoir combien de temps elles dureraient ni quand elles reviendraient.

Mais Gino, le magnat tout-puissant, n'avait jamais cru au hasard. Si la guérison n'était pas possible, la seule alternative acceptable à ses yeux était une rémission totale.

— Nous obtiendrons cette rémission, Anna, et elle durera toute ta vie, tu verras.

Là encore, elle le croyait. Mais jamais elle ne cessa de prier.

Il fallut moins de temps pour trouver les bons remèdes qu'il n'en avait fallu pour poser le diagnostic, mais le processus se révéla encore plus pénible. Cependant, maintenant qu'elle savait contre quoi elle luttait, l'ennemi ayant enfin un nom, Andrianna supportait mieux les contraintes imposées par les médecins. En outre, dès que son moral flanchait ou qu'elle perdait de son entrain, Gino était là pour la réconforter avec son optimisme inaltérable et son enthousiasme inépuisable. Il tenait absolument à ce qu'elle occupât ses journées à autre chose qu'à simplement rendre visite aux médecins qui la suivaient et à ce qu'elle se changeât les idées.

Tout d'abord, il l'encouragea à reprendre ses études, engageant à cet effet des précepteurs qui lui donnèrent des cours particuliers. Elle se perfectionna en français, apprit l'italien et s'initia à l'histoire de l'art. Un peintre et un sculpteur lui inculquèrent également les rudiments de leur art, tandis que de son côté, un scientifique lui enseignait les mathématiques. Elle avait en outre des professeurs de chant, de danse et d'art dramatique. Dans ses moments perdus, elle jouait du piano et s'essayait à la guitare.

Ce fut à cette époque que Gino devint à la fois son maître et son meilleur ami. Andrianna attendait avec impatience les soirées qu'elle passait en tête à tête avec lui ; il lui parlait de choses et d'autres, de l'industrie automobile et du monde de la finance aussi bien que des grands vins, de la haute gastronomie et plus généralement, de l'art de bien vivre.

Puis, lorsque le traitement le mieux adapté à son cas fut enfin au point, et qu'elle se sentit *presque* comme tout le monde, les médecins décrétèrent qu'elle pouvait vivre normalement, à condition d'éviter le surmenage et le soleil, et de prendre scrupuleusement ses médicaments et ses vitamines.

Ce soir-là, Gino lui proposa d'aller fêter quelque part la fin de son long calvaire. Il l'invita à dîner à l'Hostaria dell'Orso, le restaurant qu'Andrianna considérait comme le plus romantique d'Europe. Il s'agissait d'un palais du XVIe siècle où l'on dînait aux chandelles et au son des violons, des musiciens se promenant entre les tables.

Dans sa robe de crêpe blanche, moulante et superbement décolletée, Andrianna se sentait telle une princesse de conte de fées, ravie, mais surtout, émerveillée... comme si quelque chose de fantastique allait lui arriver ce jour-là. Elle s'attendait presque à voir surgir son prince charmant, las de patienter dans les coulisses.

Après deux ou trois verres de vin et un succulent mignon de veau au foie gras, auquel succéda un non moins délicieux parfait au rhum accompagné de café et de petits fours, la magie opéra enfin : de la poche revolver de sa veste, Gino tira une boîte en velours et la lui tendit. Les doigts tremblants, Andrianna l'ouvrit et resta muette de stupéfaction.

Au cours des mois qui avaient précédé, Gino lui avait souvent fait des cadeaux — une perle montée en bague, un jonc en or, un petit cœur en pendentif et sa chaîne, une broche en forme de tortue avec des yeux en saphirs, un choker de perles roses —, autant de bijoux ravissants censés l'aider à surmonter les épreuves qu'elle devait endurer. Mais la bague qu'elle avait sous les yeux — une énorme émeraude entourée de diamants — était un *vrai* bijou, le genre de bague qu'un homme offre à la femme de sa vie...

Elle leva timidement les yeux. Que signifiait cette bague ? Gino s'apprêtait-il à la demander en mariage ? Ou par ce cadeau somptueux, cherchait-il plus simplement à lui déclarer sa flamme ? Gino était-il son prince charmant ?

— Oh, Gino, elle est magnifique ! Je ne sais pas quoi dire.

— Il n'y a rien à dire, du moment qu'elle te plaît. Puisses-tu aller toujours bien afin de pouvoir la porter tous les jours.

— Mais c'est beaucoup trop ! Et ce n'est même pas mon anniversaire.

— Aujourd'hui est un jour plus important encore que ton anniversaire. Il marque la fin de ta maladie et le début d'une ère nouvelle puisqu'à partir de maintenant, tu es une « jeune femme suivie et stabilisée ». Cela méritait bien un cadeau, non ?

— Peut-être, admit Andrianna en riant. Mais pas un cadeau aussi somptueux. Tu as déjà été si généreux... beaucoup trop généreux. Non, Gino, je ne peux pas accepter.

Il lui prit la main et lui embrassa le bout des doigts.

— Ecoute-moi bien, Anna. Je suis assez vieux pour être ton père, puisque je suis celui de Gae, aussi vais-je te donner un conseil paternel, que tu es à présent en âge de comprendre : quand quelqu'un t'offre un objet de valeur, prends-le ! Prends-le sans hésiter et profites-en ou mets-le de côté, car on ne sait jamais de quoi demain sera fait. Le destin est capricieux. Un jour il te sourit, et le lendemain il peut tout aussi bien te jouer un mauvais tour. Il faut donc prévoir, afin d'être le moins vulnérable possible. Donne-moi ton doigt, à présent, que je puisse t'essayer cette bague.

Elle se leva et lui tendit sa main droite. Il glissa la bague à son majeur, auquel elle allait parfaitement. Puis il se mit debout à son tour, l'embrassa sur les deux joues et donna le signal du départ.

Dans sa chambre, un peu plus tard, Andrianna songea en se déshabillant aux événements de la soirée. Quelque chose de merveilleux s'était produit entre Gino et elle. Ce soir, ils avaient franchi une frontière invisible, et leurs rapports étaient désormais moins ceux d'un père et d'une fille que ceux de deux amis, qui se comprenaient et s'estimaient.

Une fois dans son lit, cependant, Andrianna se demanda d'où lui venait ce sentiment d'insatisfaction qu'elle ressentait... cette déception inexplicable...

Durant les mois qui suivirent, Gino et elle devinrent non seulement des amis, mais aussi les meilleurs compagnons du monde, sans pour autant mettre fin à leur relation de maître à élève.

L'un de leurs plus grands plaisirs consistait à faire la tournée des maisons de couture, à Paris ou à Milan. Tandis qu'il faisait son choix, Gino lui enseignait l'art de la mode. C'était lui qui décidait quel style et quelles couleurs de vêtements seyaient le mieux à sa chevelure noire et à son teint ivoire. Ensemble, ils assistaient aux défilés et visitaient les salons des plus grands couturiers, et jamais Andrianna ne contestait les choix de Gino.

— Bien que tu n'aies que vingt et un ans, Anna, tu ne dois jamais oublier que tu es une grande dame. Tu dois donc t'habiller en conséquence, avec élégance et bon goût, en privilégiant les étoffes nobles, les coupes impeccables et les accessoires raffinés. Attention, cependant, à ne pas devenir insignifiante ! Chacun des vêtements que tu portes, même les tenues de sport ou de loisir, doit produire un effet bien particulier.

Dans cette optique, il choisissait avec le plus grand soin les combinaisons Dior, les petites robes Halston et les tailleurs Chanel qu'il lui achetait. Chez Yves Saint-Laurent, il opta pour une somptueuse robe de bal en lamé or. Il lui acheta aussi des fourrures Fendi, des chaussures Bally et Ferrigamo, et même des bottes d'équitation, souples comme une seconde peau, faites sur mesure chez le meilleur bottier de Rome.

Pour compléter cette garde-robe, il lui offrit des sacs à main Gucci et des foulards Hermès, sans parler des bijoux, toujours extrêmement sophistiqués. Un nouvel ensemble de bagages vint remplacer l'ancien, qui commençait à être défraîchi et qui, surtout, avait le tort de porter les initiales L.V., Louis Vuitton. Gino prétendait qu'une dame du monde devait avoir des bagages à *ses* initiales. Ceux d'Andrianna furent donc estampillés d'un discret A.S. en lettres d'or.

L'ayant façonnée à son idée, Gino l'engagea comme assistante de direction et la chargea de régler tous les détails concernant ses rendez-vous et ses déplacements. Elle le suivait partout, à Milan quand il se rendait à l'usine, à Londres ou à Paris où l'appelaient souvent ses affaires.

Et quand il prenait des vacances à Port'Ercole, Biarritz, ou sur son yatch baptisé *Gaetano*, elle l'accompagnait également. Mais par choix personnel, elle n'allait jamais avec lui en Amérique, que ce soit à New York, en Californie, ou à Cambridge, dans le Massachusetts, où se trouvait Gae.

Devenue une jeune femme élégante, raffinée et cultivée, Andrianna jouait à la perfection son rôle de bras droit du président des Usines Automobiles Forenzi. Elle prenait les rendez-vous, établissait l'emploi du temps de

Gino, lui rappelait que tel jour à telle heure il devait rencontrer telle personne, gérait la production et le calendrier des prévisions, et était souvent le porte-parole officiel de l'entreprise.

Elle était en outre chargée de recevoir les hôtes de Gino, que ce soit dans sa luxueuse villa romaine avec ses plafonds dorés et ses meubles d'époque, dans son chalet de Saint-Moritz, plus rustique, ou sur le *Gaetano* qui, avec ses bois précieux, ses marbres et ses tentures de velours rouge, valait largement n'importe quel yacht mouillé dans le port de Monaco, en face de l'Hôtel de Paris.

Formée comme elle l'avait été, par le maître lui-même, Andrianna s'acquittait toujours à merveille de sa tâche.

Un jour, les médecins lui annoncèrent que la maladie était en sommeil. Grâce à ses prières, à la ténacité de Gino ou à un caprice de la maladie elle-même, elle avait obtenu la rémission tant attendue ! Sa joie fut telle qu'Andrianna dut se retenir pour ne pas téléphoner à Gino sur-le-champ, courir comme une folle à sa rencontre, crier son bonheur sur tous les toits. Mais elle parvint à se calmer. Elle voulait faire les choses dans les règles, organiser une petite fête rien que pour eux, un dîner en tête à tête au cours duquel elle lui annoncerait la formidable nouvelle.

Ce soir-là, elle décida qu'ils dîneraient aux chandelles, et fit préparer les plats dont Gino raffolait. Au moment du café, elle le lui dirait...

Un lourd silence s'instaura entre eux. Le souffle court, Andrianna attendait que Gino dise quelque chose, pousse un cri de joie, réagisse, d'une manière ou d'une autre. Mais il ne soufflait mot.

Soudain, d'un geste plein d'emphase, il posa sa tasse dans sa soucoupe et se leva, son verre de cognac à la main, pour lui porter un toast solennel et lui souhaiter une rémission éternelle.

— Viens, Anna.

Elle se leva docilement et longea la longue table de merisier. Lorsqu'elle fut devant lui, il la prit dans ses bras.

Alors ils montèrent, tendrement enlacés, et très lentement, il la déshabilla. Ses doigts agiles se riaient des boutonnières tandis que ses mains expertes faisaient courir de délicieux frissons sur la peau de la jeune femme. Lorsqu'elle fut complètement nue, il se redressa pour la contempler et déclara d'un ton révérencieux, comme s'il se trouvait devant une œuvre d'art :

— Tu es très belle, ma douce Anna.

Il se laissa dévêtir puis, quand il fut nu lui aussi, il la souleva dans ses bras et l'allongea sur le lit. De ses lèvres pleines et sensuelles, il se mit à caresser son corps, s'attardant ici et là, aux endroits particulièrement sensibles.

Puis, sans un mot, il lui fit comprendre qu'il attendait à présent la même chose d'elle. Andrianna s'exécuta de bonne grâce. Ses lèvres décrivirent des cercles sensuels sur la poitrine de Gino, s'attardèrent sur son ventre plat. A sa demande, elle embrassa son sexe durci, le goûta, l'agaça du bout de la langue, avant de le happer lorsqu'elle sentit la pression de ses mains s'accentuer sur sa tête. Mais au bout de quelques instants, Gino se mit à gémir doucement et s'écarta pour de nouveau la faire basculer sous lui. Incapable de se contrôler davantage, il la pénétra, l'entraînant au moyen de quelques vigoureux coups de reins dans une course au plaisir qui les laissa tous deux pantelants et étourdis. Alors il la caressa et l'embrassa encore, mais cette fois en murmurant des paroles tendres, créant entre eux un climat de tendresse et de complicité.

Andrianna se réjouissait qu'ils fussent enfin amants, et s'enorgueillissait secrètement d'avoir su donner autant de plaisir à l'homme qui partageait désormais son lit.

Le lendemain soir, ils firent de nouveau l'amour. Mais cette fois, ils y mirent tant de passion, de violence et de sensualité que leurs ébats se terminèrent dans les larmes, la sueur, et même le sang des morsures et griffures qu'ils s'étaient infligées dans le feu de l'action.

La fois suivante, ce fut encore différent, car au lieu de se déshabiller, Andrianna revêtit un teddy de dentelle noir avec des jarretelles qui retenaient des bas-résille assortis. Chaussée d'escarpins rouges à talons aiguilles, elle dansa devant son amant.

Au bout de quelques semaines, Andrianna se rendit brusquement compte qu'ils ne se comportaient pas comme des amants ordinaires, à la poursuite d'une même finalité. Là encore, il y avait le maître et l'élève, Gino lui apprenant à devenir l'amante idéale, experte dans l'art subtil de satisfaire un homme.

Mais elle ne songea pas à s'en offusquer. Après tout ce que Gino avait fait pour elle, elle ne désirait rien tant que le satisfaire. Elle l'aimait ! Comment aurait-il pu en être autrement ? Et de toute évidence, il l'aimait aussi, et le lui prouvait de mille et une façons plus convaincantes les unes que les autres.

Le jour où Gae rentra des Etats-Unis avec son diplôme en poche, prêt à seconder son père dans l'entreprise familiale, ils donnèrent une grande réception à la villa pour fêter l'événement. Comme d'habitude, Andrianna s'était occupée de tout.

Elle avait décidé de placer cette réception sous le signe du blanc : des nappes et serviettes de table aux fleurs et à la marquise de toile, en passant par les mets eux-mêmes et les cartons d'invitation qui indiquaient aux invités que le blanc était de rigueur, tout, absolument tout était blanc.

En robe de mousseline blanche, ses cheveux de jais offrant un contraste saisissant avec le grand chapeau blanc dont elle s'était coiffée pour la circonstance, Andrianna admirait secrètement Gae. Jamais encore, même pas à Marbella où pourtant il s'habillait souvent en blanc, elle ne l'avait trouvé aussi beau. Il avait à présent la maturité et la confiance en soi qui lui faisaient défaut alors.

— Je te trouve particulièrement belle, aujourd'hui, ma petite Anna, déclara-t-il en la serrant dans ses bras.

— Comme c'est amusant ! s'exclama-t-elle en riant. J'étais justement en train de me dire la même chose de toi.

— On ne dit pas d'un homme qu'il est beau. Or, j'en suis un, maintenant. Désormais, tu dois dire que je suis séduisant.

— Je regrette de te contredire, Gae, mais pour moi, le père est séduisant, et le fils, beau.

— Ah, papa me fera donc toujours de l'ombre ! Je suis encore le joli garçon, et lui, le seul homme de la famille...

Gae plaisantait, mais elle sentit, au ton de sa voix, qu'il était vaguement excédé.

— Mais non, Gae, tu n'y es pas du tout ! protesta-t-elle en lui prenant le bras. Il se trouve simplement que pour moi, tu scras toujours beau. Tu n'es pas fâché, dis ?

Il secoua la tête.

— Bien sûr que non ! Comment pourrais-je jamais t'en vouloir, à toi qui garderas toujours dans mon cœur une place de choix ?

Andrianna espérait qu'il se souviendrait de ces paroles lorsqu'il découvrirait que son père et elle étaient amants. Elle se demanda quand Gino le lui apprendrait. Ce soir ? A moins qu'il ne préférât attendre le lendemain, que tout fût rentré dans l'ordre et que Gae se fût remis des fatigues du voyage...

— Ton père est fier de toi, et ravi à l'idée de te voir bientôt travailler avec lui, dit-elle.

— Puis-je te confier un secret ?

Il se pencha pour lui parler à l'oreille.

— En vérité, ce qui m'intéresse dans les voitures, c'est moins de les fabriquer que de les piloter !

Elle rit et secoua la tête, feignant la désapprobation.

— Décidément, tu n'as pas changé, Gae ! Toujours aussi rebelle !

— Tu ne voudrais pas que je change du tout au tout, quand même ?

Non, songea-t-elle, car elle l'aimait tel qu'il était.

— Toi, en revanche, tu *as* changé, affirma-t-il pensivement. Terriblement changé.

— Peut-être parce que je vais bien, maintenant. Relativement bien, disons.

Ou peut-être est-ce parce que j'ai grandi...

— C'est vrai que cela fait déjà presque un an que tu es tirée d'affaire. Je suis tellement content, Anna !

De nouveau, il l'étreignit et l'embrassa. Tout sourires, Gino arriva juste à ce moment-là. Il les prit tous les deux dans ses bras, heureux de voir qu'ils étaient restés amis. Puis Gae les abandonna pour aller retrouver leurs invités.

— Tu ne lui as encore rien dit ? demanda Gino.

— Non, je pensais que tu préférais peut-être le mettre au courant toi-même.

— Oui, mais rien ne presse. Gae apprendra la nouvelle bien assez vite. Mieux vaut lui laisser le temps de se retourner.

C'était la première fois qu'ils abordaient la question ; et en son for intérieur, Andrianna se reprocha d'avoir attendu le dernier moment pour le faire.

— Pourquoi ? murmura-t-elle. Tu as peur qu'il... qu'il le prenne mal ?

Gino haussa les épaules.

— On ne sait jamais... Je ne veux pas risquer de me disputer avec lui maintenant qu'il est enfin sur le droit chemin.

Puis, comme il suivait toujours Gae des yeux, il se rembrunit.

— Regarde avec qui il est ! Lucianna Capriatto ! Cette croqueuse de diamants ! Elle court après tous les hommes beaux et riches. Pourquoi l'as-tu invitée ?

— Parce que Gae et Lucianna sont des amis d'enfance, répondit Andrianna en riant. Tu voulais que j'invite tous les amis de Gae, non ? Tu exagères, de toute façon. Lucianna est une très jolie fille qui a elle-même beaucoup d'argent.

— Je ne l'aime pas. Les gens qu'elle fréquente ne pensent qu'à faire la fête et à se montrer. C'est mauvais signe. Tu sais bien, Anna, que quand il s'agit de juger quelqu'un, je ne me trompe jamais. Rends-moi service, s'il te plaît : va les rejoindre. Prends Gae par le bras et présente-le aux invités qu'il ne connaît pas.

Il se faisait tard et la plupart des invités étaient partis. Epuisée, Andrianna attendait avec impatience le moment où ils se retrouveraient enfin tous les trois, Gino, Gaetano et elle, pour terminer la soirée à bavarder tranquillement. Mais Gino, infatigable, invita tout le monde à aller souper chez Galcassi, sur la Piazza Santa Maria di Trastevere.

Il était plus de minuit lorsqu'ils sortirent du restaurant. Gino, cependant, ne semblait pas pressé de rentrer. Ils se rendirent tous dans une discothèque, le 84, où ils investirent les tables du fond, réservées à la bonne société romaine et aux personnalités de passage. Grand seigneur, Gino convia quelques connaissances à se joindre à eux, leur expliquant que ce qui l'attirait au 84, c'était l'orchestre. Mais curieusement, il refusa de danser avec Andrianna, prétextant qu'il était fatigué et ne se sentait pas à la hauteur, étant donné son âge. Il insista pour qu'elle dansât avec Gae, un partenaire à sa mesure, avec lequel elle formait un couple charmant que tout le monde admirait.

Lorsque, enfin, ils regagnèrent la villa, il était plus de 4 heures du matin. Cette nuit-là, Andrianna ne rejoignit pas Gino dans sa chambre. Le lendemain matin, elle trouva un mot dans lequel il expliquait qu'il avait dû partir à Milan de toute urgence et que ses affaires le retiendraient probablement là-bas pendant quelques jours. Mais il ne fallait pas que ce fâcheux contretemps les empêche de profiter de la croisière prévue à bord du *Gaetano*. Puisque le capitaine et l'équipage du yacht les attendaient, pourquoi Gae et elle ne partiraient-ils pas sans lui ? Il les verrait à son retour.

Ils passèrent quatre jours en mer, quatre jours de rêve à se détendre et à évoquer l'époque où ils faisaient les quatre cents coups au Rosey. Quand ils rentrèrent, ils trouvèrent Gino en plein travail, si occupé, en vérité, qu'il prit à peine le temps de les embrasser. Et ils n'étaient pas plus tôt arrivés qu'il leur annonça qu'il les envoyait en mission au Japon, où il envisageait d'ouvrir une usine Forenzi. Andrianna était à présent suffisamment compétente pour s'acquitter de cette tâche avec brio, et pour Gae, ce serait une excellente occasion de se mettre dans le bain. Quoi qu'il en soit, Gino avait déjà pris ses dispositions pour qu'ils partent dès le lendemain.

Ce soir-là, Gino sortit de son côté, au grand dam d'Andrianna qui tenait absolument à lui parler en tête à tête avant son départ pour le Japon. Mais lorsque, un peu plus tard, elle voulut le rejoindre dans sa chambre, elle n'obtint aucune réponse quand elle frappa à sa porte.

A Tokyo, seule dans sa chambre d'hôtel, elle commença à se demander si ce voyage d'affaires n'était pas purement et simplement une invention de Gino. Ils n'étaient pas venus pour travailler. La preuve : Gae était sans cesse parti visiter une maison de thé ou se faire masser dans l'un de ces établissements spécialisés.

Les pièces du puzzle s'ordonnèrent alors d'elles-mêmes dans sa tête. Au lit, comme ailleurs, Gino avait été avant tout son maître, son but ayant été moins de faire d'elle sa maîtresse que sa disciple. Il l'avait formée à être la meilleure des épouses : compagne cultivée et raffinée, maîtresse de maison irréprochable, femme d'affaires avisée, amante experte et passionnée.

Elle n'éprouvait aucune colère, seulement des regrets. Gino l'estimait au point de l'avoir choisie entre toutes pour devenir l'épouse de Gaetano. Le problème, c'était qu'en agissant de la sorte, il les avait trompés tous les trois.

— Il faut que je m'en aille, Gino. Ça ne peut plus durer.

— Tu ne dois pas partir sur un coup de tête, Anna. Tu as besoin de nous, et nous — Gae et moi —, de toi. Il n'y a personne d'autre qui...

— Tu n'as donc pas compris ? Tu as fait fausse route, Gino. Dès le départ tu aurais dû te douter qu'entre Gae et moi, c'était terminé. Si l'affection que nous éprouvions l'un pour l'autre n'a en rien diminué, elle a cependant pris une autre forme. Aujourd'hui, Gae et moi sommes simplement amis, amis de cœur si tu préfères, mais ça ne suffit pas pour que nous ayons envie de concrétiser tes projets.

— Et nous ? Toi et moi ?

Elle sentait qu'il cherchait seulement à gagner du temps, à retarder le plus possible le moment où il lui faudrait réellement s'en aller.

— Je n'oublierai jamais tout ce que tu as fait pour moi, Gino. Tu m'as probablement sauvé la vie et je t'en serai toujours reconnaissante. Mais toi et moi, nous ne formons pas un couple viable, nos relations ayant été faussées dès le départ. Tu sais aussi bien que moi qu'il est toujours très difficile de rattraper une situation comme celle-là.

— Je t'aime sincèrement, Anna. J'aurais tellement voulu que tu...

Il se passa les doigts dans les cheveux.

— Mais n'en parlons plus... Tu peux rester ici et travailler avec nous jusqu'à ce que tu te sentes prête à voler de tes propres ailes.

— Je suis prête.

— Ne dis pas de bêtises, Anna !

— Ce ne sont pas des bêtises.

— Mais où iras-tu ? Que feras-tu ?

Comme Gae et Gino l'avaient si souvent fait, elle haussa les épaules avec désinvolture.

— Je verrai bien.

Lorsqu'il comprit que sa décision était prise et que rien ni personne ne la ferait plus changer d'avis, Gino s'inclina.

— Laisse-moi au moins te verser une rente. Ne serait-ce que de quoi te permettre de...

— Non. Je te remercie, Gino, mais je dois me débrouiller seule. Il est grand temps que je me prenne en main. Je vais d'ailleurs te rendre tous tes bijoux.

— Pas question ! Quelles qu'aient été mes intentions — et on ne peut pas vraiment me reprocher d'avoir voulu pour mon fils la plus merveilleuse et la plus courageuse des femmes —, ces bijoux, je te les ai offerts en gage d'amour... d'un amour plus grand, sans doute beaucoup plus grand que tu n'imagines.

Il la suppliait de comprendre et son regard était plus éloquent que les mots.

Et soudain, elle comprit. Au nom de l'amour, de l'amour pour son fils, Gino Forenzi consentait au sacrifice suprême. Il l'aimait elle aussi, certes. Jamais elle n'en douterait une seule seconde. Mais il aimait Gaetano par-dessus tout, et il ne voulait pas prendre le risque de le blesser, de le choquer en lui révélant qu'Andrianna était sa maîtresse ou même, en lui annonçant qu'elle allait devenir sa femme.

— Je comprends, murmura-t-elle.

— Dans ce cas, tu dois garder les bijoux. Il paraît que les rendre porte malheur, à celui qui les redonne comme à celui qui les reprend. Et puis, il y a une autre chose dont j'aimerais que tu te souviennes : tu es en sursis, Anna, et un jour ou l'autre, tu pourrais bien avoir besoin de vendre tout ce que tu as pour faire face. Ces bijoux te serviront à parer à une telle éventualité. Mais ne les vends pas à moins d'y être vraiment obligée. Car rappelle-toi bien ceci, Anna : tes amis peuvent un jour te tourner le dos, la maladie te frapper de nouveau, les entreprises les plus florissantes peuvent faire faillite, les nations s'effondrer et leurs devises avec elles, mais il y a une chose qui reste stable et garde toujours sa valeur : l'or et les pierres précieuses. Celui ou celle qui en possède s'en sortira toujours.

Il s'interrompit un instant avant d'ajouter :

— Si tu ne devais retenir qu'une chose de tout ce que je t'ai appris, Anna, que ce soit celle-là. Où que tu sois et quelle que soit ta situation, ne te défais jamais ce qui peut se convertir en espèces sonnantes et trébuchantes. Et n'oublie pas que je suis ton ami, que je t'aime, et que tu pourras toujours compter sur moi.

— Oh, Gino... Gino ! s'écria-t-elle, éperdue, de grosses larmes roulant sur ses joues.

Oui, elle pourrait toujours compter sur lui, parce qu'il était son ami et qu'il l'aimait. Tout cela, Andrianna le savait. Mais pourquoi, alors, avait-elle l'impression d'avoir été dupée ?

19.

Mardi, en fin d'après-midi

— Maintenant que nous sommes Chez Cipriani, il faut que tu prennes un Bellini ! déclara Penny en se débarrassant de son manteau.

— Pourquoi ?

— Parce que tu adores le champagne, et qu'un Bellini est un cocktail au champagne et au jus de pêche qui a été lancé pour la première fois au *Harry's Bar* de Venise. Hemingway lui-même en raffolait.

— Passionnant ! Mais je crois que je prendrai plutôt une Evian. J'ai bu assez de champagne pour le moment. Et comme tu as pour ta part ingurgité pas mal de vodka, je te conseillerais d'en faire autant.

— Tu as raison. Plus de vodka ! Pour changer, je vais prendre un Marty, qui est un Martini tel qu'on le servait jadis, avant qu'on se mette à le trafiquer en remplaçant le gin par de la vodka.

— Sacrilège ! On a osé trafiquer le Martini ?

Penny secoua sa crinière rousse.

— Tu n'as jamais rien pris au sérieux, Annie. Les choses importantes pas plus que le reste !

— Oh ? Et quelles sont les choses importantes, Penny chérie ?

— Tu le sais très bien : se marier avec un homme

merveilleux, avoir une maison, des enfants, un solide compte en banque...

— Et boire un Martini digne de ce nom, bien sûr !

Avec une ironie amère, Andrianna songea qu'elle n'avait *aucune* de ces choses que Penny considérait comme importantes. Mais elle chassa résolument ses idées noires, déterminée à partager le bonheur de son amie.

Dès que le serveur eut pris la commande, elle demanda d'un ton enjoué :

— Combien d'enfants désirez-vous, Gae et toi ?

— Eh bien, à vrai dire, étant donné mon âge...

Penny eut l'air embarrassé, soudain.

— Allons, Penny, nous avons le même âge, toi et moi ! Pourquoi en faire tout un mystère ? Ne me dis pas que tu as menti à Gae ?

— A lui, non, répondit Penny en allumant une cigarette.

— A qui, alors ?

— A son père. A Gino. Mais tu ne le lui diras pas, n'est-ce pas ?

— Bien sûr que non. De toute façon, il y a des années que je n'ai plus aucun contact avec Gino. Et je ne le reverrai probablement pas de sitôt.

— Détrompe-toi. Mon mariage est prévu pour janvier, à Los Angeles... à Bel-Air, en fait, et plus précisément à l'hôtel Bel-Air, où vous êtes invités tous les deux. Gino va être le témoin de Gae, et toi et Nicole, mes demoiselles d'honneur.

Andrianna était sidérée. Comment pourrait-elle assister à un mariage dans lequel Gae était le marié et Gino le témoin, et qui de surcroît avait lieu à Los Angeles, la ville où habitait Jonathan West ? C'était absolument exclu, même si toutes ses raisons de *ne pas* y assister étaient irrationnelles.

— Attends une seconde, Penny. Je n'ai jamais dit que je serais ta demoiselle d'honneur...

— Tu ne peux pas refuser, de toute façon, alors autant en prendre ton parti tout de suite.

— Mais je ne suis même pas sûre de *pouvoir* y être...

— Ah oui ? Et où seras-tu au mois de janvier ? Pas sur la lune, j'imagine ! Je précise que Bel-Air, à Los Angeles, est aujourd'hui facilement accessible de n'importe quel endroit du globe et que...

Andrianna comprit qu'elle perdait son temps.

— D'accord. J'accepte. Je viendrai à ton mariage puisque tu insistes. Alors, raconte. Combien de printemps as-tu avoués à Gino ?

— Trente-cinq.

— Tant que ça ! Mais pourquoi avoir rogné seulement deux petites années ? Tant qu'à mentir, tu aurais pu en enlever un peu plus !

— Non, parce que si je lui avais fait croire que j'avais trente ou trente-deux ans, il aurait peut-être trouvé que je faisais plus que mon âge, et en définitive, je n'y aurais rien gagné. Bien au contraire ! De plus, je ne voulais pas mentir *à ce point.*

— Pourquoi mentir tout court, alors ?

— A cause des enfants, justement. Je tiens à ce que Gino Forenzi voie en moi une belle-fille acceptable. Et comme il veut une demi-douzaine de petits-enfants... Plus Gae aura d'enfants et plus son père aura l'impression qu'il se stabilise et rentre dans le rang. Si je lui avais dit que j'avais trente-sept ans, Gino aurait eu vite fait de calculer que tout ce que je pouvais espérer, c'était deux, voire trois enfants.

Le serveur leur apporta leurs consommations et Penny s'empara aussitôt de son verre.

— Oh, Annie, je voudrais tellement lui plaire !

— Si tu veux plaire à Gino, tout ce que tu as à faire, c'est de lui prouver que tu aimes Gae à la folie et que tu es une femme formidable. Ce qui ne devrait pas te poser trop de problèmes... Mais surtout, ne t'avise pas de penser qu'en lui faisant du genou sous la table, tu entreras plus facilement dans ses bonnes grâces.

Penny faillit s'en étrangler d'indignation.

— Enfin, Annie ! Comment peux-tu imaginer qu'il me viendrait une idée pareille ?

Comme Andrianna lui jetait un regard lourd de sens, elle esquissa un léger sourire.

— Bon, j'avoue ! s'exclama-t-elle. Il est possible, effectivement, que l'idée m'ait traversé l'esprit. Mais je ne l'aurais pas fait ! Entre nous, tout sexagénaire qu'il est, Gino Forenzi est encore très séduisant ! Et comme dirait Lily Mae Turner : « Je ne m'en plaindrais pas, si je trouvais un de ces quatre ses vieilles pantoufles sous mon lit. »

Elles pouffèrent comme des collégiennes, presque comme au bon vieux temps, puis Penny but une nouvelle gorgée de Martini.

— Alors ? Comment le trouves-tu ? A-t-il le goût du Martini d'antan ? demanda Andrianna.

— Comment veux-tu que je le sache ? Je n'étais même pas née, à l'époque. En fait, la seule fois où j'ai bu du gin, c'était l'année de mes seize ans. Et tu sais où ? A Marbella, au Fripon, justement. Nous adorions le gin-tonic, tu t'en souviens ?

Si elle s'en souvenait ? Oh que oui ! Comment pourrait-elle jamais oublier le passé, avec Penny qui s'évertuait à le lui rappeler... ?

— Il y a une chose que je ne comprends pas très bien, murmura Andrianna. Pourquoi vous mariez-vous à Los Angeles, Gae et toi ? Si mes renseignements sont exacts, traditionnellement, le mariage est célébré dans la ville de résidence de la mariée, ou à la rigueur, dans celle du marié.

— En effet. Mais papa s'est mis dans la tête qu'il devait avoir lieu à l'hôtel Bel-Air, au cœur de Beverly Hills. Aux beaux jours d'Hollywood, toutes les grandes stars le fréquentaient. Il n'a d'ailleurs rien perdu de sa notoriété. C'est là que les Reagan ont marié leur fille. Papa dit qu'il n'y a pas de raison qu'il n'en fasse pas autant avec la sienne. De plus, la propriétaire de l'hôtel est une fille de chez nous, Caroline Shoellkopf, qui fait partie du clan des Hunt de Dallas. Cela ne te dit probablement pas grand-chose, mais pour te donner une idée, les Ewings du feuilleton font figure de pauvres à côté des Hunt.

« Il paraît que Caroline et son père résidaient à l'hôtel, et qu'un jour, Caroline a dit à son père qu'elle aimerait bien qu'il le lui achète. Le vieux n'a fait ni une ni deux : il a mis l'argent sur la table, et c'est comme ça que Caroline est devenue propriétaire du Bel-Air. Eh bien figure-toi que *mon* père a décidé de l'offrir à *sa* fille en cadeau de mariage ! A Dallas, tu sais, les magnats du pétrole se livrent une guerre sans merci. Puisque H.L. Hunt l'a fait, papa ne voit pas pourquoi il ne le ferait pas aussi. C'est donc là que nous allons organiser le mariage, histoire de nous rendre un peu mieux compte de ce que vaut l'hôtel. S'il nous plaît, papa fera une offre.

— Il est à vendre ? demanda ingénument Andrianna, étourdie par le flot de paroles qui venaient de se déverser sur elle.

— Là n'est pas la question. *Tout* est à vendre, comme dit papa. Il suffit de faire une offre convaincante. Tu saisis ?

Andrianna acquiesça d'un signe de tête. En réalité, elle était perplexe. Elle savait depuis longtemps que les gens très riches étaient différents des autres, mais elle commençait tout juste à se rendre compte que les Américains — notamment les Texans et les Californiens — étaient *encore plus* différents. Qu'en était-il de Jonathan West ? se demanda-t-elle. Ce qui était sûr, c'était qu'il était différent des hommes qu'elle avait connus jusque-là...

Lorsqu'elle avait quitté sa suite, sur le *Queen Elizabeth II*, il n'avait pas réagi comme les autres l'auraient probablement fait. Il était furieux, certes, mais sa colère n'était pas celle d'un homme qui se trouve soudain dépossédé d'un bien qu'il croyait avoir acheté... ou volé. C'était la rage douloureuse d'un homme trahi.

— Je viens d'avoir une idée ! déclara Penny en sortant de son sac un tube de mascara et un petit miroir.

— Doux Jésus ! J'espère au moins qu'elle est bonne.

— Tout dépend de ta manière de voir les choses. Nous devons être chez Nicole à 7 heures, n'est-ce pas ?

— Il me semble que c'est ce que tu as dit.

— Compte tenu, d'une part, qu'elle ne nous fera pas passer à table avant 10 heures, et de l'autre, que mon avion pour Dallas décolle à 1 heure du matin, je risque de ne pas avoir beaucoup de temps pour manger. Tu sais ce que nous devrions faire ?

— Non, je t'écoute.

— Nous devrions débarquer chez elle à l'improviste.

— Mais il est à peine plus de 5 heures ! Je ne pense pas qu'elle appréciera beaucoup de nous voir arriver avec presque deux heures d'avance.

— Oh ça, non ! Tu la connais. Avec elle, tout est toujours si scrupuleusement planifié ! Je suis sûre que quand elle a pris l'avion ce matin, ses domestiques étaient déjà sur le pied de guerre. Le majordome a dû recevoir des instructions précises concernant l'argenterie à astiquer pour ce soir, et la cuisinière a sans doute été informée du menu par fax sur le télécopieur qu'elle lui a fait installer à cet effet, juste à côté des pots de fines herbes. En tout cas, c'est l'occasion ou jamais de la prendre au dépourvu. Elle sera encore en peignoir, pas maquillée, et les mises-en-bouche ne seront pas prêtes ! Elle va faire une de ces têtes !

— Non, Penny. On ne peut pas lui jouer ce tour.

— Oh, allez ! En souvenir de l'époque où nous passions notre temps à faire des blagues. On ne se posait pas tant de questions, à ce moment-là... Je t'en prie, Annie. Ça me fera plaisir, et ça ne fera pas de mal à Nicole d'être un peu bousculée dans ses habitudes. Il faudrait qu'elle apprenne à être moins inflexible, parce que si elle continue comme ça, elle va finir par se transformer en statue de pierre. Et ce sera *ta* faute ! Quand elle sera exposée dans un musée, tu t'en mordras les doigts. Mais il sera trop tard ! Tu te diras que si tu m'avais écoutée, ce ne serait pas arrivé. Nicole jouerait encore les femmes du monde au lieu de trôner sur une stèle de musée !

Andrianna en pleurait de rire.

— D'accord, on y va ! bredouilla-t-elle entre deux hoquets. Pas question d'abandonner Nicole à un sort aussi cruel !

Il y avait des années qu'Andrianna n'avait pas ri d'aussi bon cœur; elle regrettait simplement que ce fût aux dépens de Nicole.

— Alors, dis-moi, Penny, le Cipriani de New York vaut-il celui de Rome, à ton avis ?

Elle s'attendait à un commentaire plein d'humour, mais Penny secoua tristement la tête.

— Comment veux-tu les comparer ? Ce sont deux mondes différents, et deux époques différentes, déclara-t-elle d'un ton empreint de nostalgie. Lorsque nous traînions Via Veneto, nous avions vingt ans et ne pensions qu'à nous amuser. Ce n'est pas pour rien qu'on dit : « Voir Rome et mourir » ! Mais aujourd'hui, nous sommes à New York, et la vie continue malgré tout.

— Certes. Mais on dit : « Voir *Naples* et mourir », rectifia-t-elle avec un sourire.

— Qu'est-ce que ça change ? Il y a peut-être un *Harry's Bar* à Naples...

Quelques minutes plus tard, elles se trouvaient de nouveau sur la Cinquième Avenue.

— La Trump Tower est un peu plus bas, dit Penny en prenant le bras d'Andrianna.

Elles n'avaient pas fait trois pas qu'Andrianna se figeait, pâle comme un linge. Elle venait d'apercevoir la limousine de tout à l'heure !

Secouant la tête, elle tenta de se raisonner. Les limousines se ressemblaient toutes, et quoi qu'il en soit, Jonathan West était à Los Angeles.

— Que se passe-t-il, ma chérie ? demanda Penny. Pourquoi t'arrêtes-tu ? Tu crois qu'on est parties dans le mauvais sens ?

— Non. En fait, je n'en sais rien. Je suis en territoire inconnu, ici.

— En territoire inconnu, nous le sommes partout, Annie chérie...

— Elles entrent dans la Trump Tower, patron.

— Faites-moi plaisir, Rennie, arrêtez de m'appeler patron ! rétorqua Jonathan, exaspéré.

Il perdait son temps à courir après une femme qu'il connaissait à peine. Et pendant qu'il faisait le pied de grue devant les ascenseurs, les restaurants et les bars, ses affaires partaient à vau-l'eau. Et tout ça pour quoi ? Pour apprendre que la femme qu'il avait connue sous le nom d'Andrianna DeArte occupait au Plaza la suite du milliardiare Gaetano Forenzi sous le pseudonyme d'Anna della Rosa, et qu'elle avait une amie rousse qui semblait affectionner la cuisine russe et les cocktails chez Cipriani !

— Appelez-moi Jonathan, ou M. West, si vous préférez. Au besoin, vous pouvez même m'appeler vieux. Mais surtout pas patron ! Compris ?

— Entendu, monsieur West. Tout ce que vous voudrez. Mais qu'est-ce qu'on fait, maintenant ? On attend tranquillement qu'elles ressortent de la Tour du Don ?

— La Tour du Don ?

— Don pour Donald, évidemment ! C'est Ivana, sa femme, qui l'appelle comme ça.

— Ah bon ? Quoi qu'il en soit, Rennie, on ne va pas attendre qu'elles ressortent. *Moi*, je vais attendre, et vous, vous allez entrer dans le hall et essayer de savoir où elles sont allées.

— Bigre ! On voit bien que vous n'avez pas l'habitude de filer les gens ! Si vous croyez que les gardiens vont me dire qui va où... En tout cas, le Don et son Ivana se sont réservés tout le dernier étage. Vous imaginez la taille de l'appartement ? J'ai lu qu'il y avait même un jardin et un terrain de jeux pour leurs gosses, avec des statues, des cascades et des belvédères. Après ça, on comprend que l'immeuble soit bien gardé !

Rennie avait sûrement raison. Donald Trump n'était pas idiot ! Contrairement à lui... qui était le plus grand crétin de New York et L.A. réunies !

Pas étonnant que Trump fût plusieurs fois milliardaire alors que lui n'avait même pas encore atteint les cinq cents millions de dollars... Don ne perdrait pas son temps à poursuivre des chimères ! Cette femme, lui, il l'aurait déjà oubliée...

Non, ça ne pouvait plus durer ! Demain, il rentrait. Après tout, si vous en preniez bien soin, et à condition de ne penser qu'à lui et de veiller à ce qu'il se développe correctement, un million de dollars pouvait rendre un homme aussi heureux que n'importe quelle femme. A moins, bien sûr, d'être le Don, qui avait à la fois le pactole et Ivana...

20.

Mardi soir

— Grâce à Dieu, vous voilà enfin ! J'avais tellement peur qu'il vous soit arrivé quelque chose ! s'écria Nicole en leur plaquant sur chaque joue un gros baiser sonore, à la manière européenne.

Penny n'en revenait pas. Nicole était venue leur ouvrir la porte non pas affublée d'un vieux peignoir, comme elle s'y attendait, mais vêtue d'une ravissante robe de cocktail de soie noire. Elle était en outre maquillée à la perfection et impeccablement coiffée.

Nicole les aida à se débarrasser de leurs manteaux, qu'elle tendit au majordome, Charles, au garde-à-vous près de la porte. Dans le salon, un bon feu flambait, et des verres, ainsi qu'un seau à glace Cartier attendaient sur une desserte.

Constatant avec dépit que tout était prêt, et qu'elle avait bel et bien raté son coup, Penny demanda :

— Pourquoi voulais-tu qu'il nous soit arrivé quelque chose, Nicole ? Comment as-tu pu te fourrer une idée pareille en tête ?

— J'étais inquiète parce que je n'arrivais pas à vous joindre. J'ai appelé le Plaza, mais vos deux noms ne leur disaient rien.

— Et pour cause ! Je n'y ai pas mis les pieds, puisque

je ne suis venue que pour la journée. Quant à Annie, elle occupe la suite de Gae, mais sous le nom d'Anna della Rosa. Et pourquoi cherchais-tu à nous joindre ? Tu nous croyais perdues ?

— Non, idiote ! Je voulais vous demander de venir plus tôt que prévu, puisque tu repars à Dallas ce soir. Mais apparemment, vous avez eu la même idée. Tant mieux ! Asseyez-vous, à présent ; je vais vous apporter à boire.

Comme elle se dirigeait vers la desserte, Andrianna en profita pour glisser à Penny :

— Alors ? Pas si inflexible que ça, en fin de compte !

Pour toute réponse, Penny secoua ses boucles rousses, et désigna les bouquets de fleurs qui trônaient sur des guéridons aux quatre coins de la pièce. Uniquement des tulipes, dans toutes les nuances possibles et imaginables, disposées dans des cache-pot en faïence, des vases en cristal et des coupes en porcelaine de Limoges, conformément à ses prévisions.

— Alors, je sais de quoi je parle, non ?

Elle prit place à côté d'Andrianna sur le canapé recouvert de soie bleu pâle.

— Qu'est-ce que je vous sers ? demanda Nicole. Un apéritif ? Du vin blanc ? A moins que vous ne préfériez du champagne ?

Andrianna opta pour le champagne, mais Penny réclama un Martini.

— Un Martini ? Une boisson fortement alcoolisée ? Ne compte pas sur moi pour le préparer ! déclara sévèrement Nicole. Si tu y tiens absolument, Charles acceptera peut-être de s'en charger quand il apportera les hors-d'œuvre froids. Mais je ne peux rien te garantir, dans la mesure où, étant lui aussi français, il partage probablement mon avis et pense que les femmes ne devraient boire que du vin, ne serait-ce que par égard pour leur apparence physique.

— Oh, tu m'embêtes, Nicole Austin, avec tes hors-d'œuvre froids et ton larbin français ! Je vais me le faire moi-même, ce Martini, puisque c'est comme ça !

Penny se leva et s'approcha de la desserte. Elle se prépara son Martini sous le regard désapprobateur de Nicole qui lui prédit qu'elle le regretterait, le jour où ses poches sous les yeux résisteraient aux crèmes décongestives et autres pilules-miracles. Penny lui rétorqua aussitôt qu'elle aussi ferait bien de boire un peu d'alcool, ne serait-ce que pour se comporter de manière moins guindée.

— Du calme ! lança alors Andrianna. Nous ne pourrions pas parler d'autre chose ? Nous nous voyons à peu près une fois par an, et vous trouvez encore le moyen de vous chamailler sans arrêt !

Elle savait cependant que ce n'était pas près de changer. Au Rosey, déjà, Penny et Nicole passaient leur temps à se disputer. Elles étaient si différentes l'une de l'autre que, n'eût été leur amitié commune pour Andrianna, elles ne se seraient probablement jamais liées. Elles avaient toujours eu beaucoup de mal à se supporter. Nicole était trop française au goût de Penny, qui lui reprochait de toujours tout faire à la perfection. A côté d'elle, forcément, les autres se sentaient toujours inférieures. Ce que Nicole trouvait le plus gênant, chez Penny, c'était son exubérance, sa franchise et sa totale insouciance.

Non sans une pointe d'amertume, Andrianna songea que pour sa part, elle les enviait toutes les deux. Nicole, parce qu'elle savait exactement où était sa place dans le monde, et Penny, parce qu'elle était persuadée de le tenir dans sa main. Mais plus que tout, elle leur enviait leur amitié tumultueuse et pourtant inaliénable. Car au cours des années, Nicole et Penny s'étaient vues plus souvent qu'elles ne l'avaient vue elle, et malgré les liens qui les unissaient toutes les trois depuis le collège, le stratagème qu'Andrianna avait mis en place pour brouiller les pistes de sa vie l'éloignait chaque année un peu plus des autres. Elle les écoutait lui parler de *leur* vie, et s'arrangeait pour éluder les questions qu'elles lui posaient à propos de la sienne. Si bien qu'Andrianna ressentait de plus en plus ce sentiment d'exclusion ; elle faisait partie du décor, comme une photo décolorée que ses amies garderaient en souvenir du bon vieux temps.

L'arrivée de Charles portant un immense plateau en argent l'arracha à ses pensées. Nicole ordonna au majordome de le poser sur la table basse et le renvoya dans sa cuisine, où il avait beaucoup à faire.

— Que se passe-t-il, Nicole ? s'enquit Penny en suçant une olive. Charles s'occupe des manteaux, Charles apporte les hors-d'œuvre, et Charles prépare le dîner. Où est donc passé le reste de ton personnel ?

— Tu retardes, ma chérie, répondit Nicole avec un sourire. Ça ne se fait plus du tout d'avoir une nombreuse domesticité. Cela passerait pour de la démesure et du gaspillage. Dans le monde d'aujourd'hui, avec tous ces pauvres et ces sans-logis, de quoi aurions-nous l'air si nous gardions du personnel dans un pied-à-terre que nous utilisons aussi peu souvent ?

Un point pour Nicole !

— Je suis on ne peut plus d'accord avec toi, ma petite Nicole, mais quelle décadence, tout de même ! s'exclama Penny. Il n'y a rien de pire, comme je dis toujours, que le luxe qu'on néglige. Les tonnes de poussière sur les commodes Louis XVI et les cafards qui font la course dans la cuisine...

— Que tu peux être drôle, Penny chérie ! Mais tu ne trouveras pas un seul cafard dans tout l'appartement ni le moindre grain de poussière nulle part. Charles se fait aider par des femmes de ménage qui viennent à sa demande, quand il l'estime nécessaire.

Encore un demi-point pour Nicole !

Le regard de Penny se posa alors sur le plateau de

hors-d'œuvre — des canapés au caviar surmontés de crème aigre, des crevettes roses et leur sauce rouge sang, de fines tranches de saumon fumé sur du pain de seigle et des cœurs d'artichaut farcis au crabe —, et elle s'écria d'une voix haut perchée :

— Et *ça*, ce n'est pas de la démesure et du gaspillage, peut-être ? Nous ne sommes que trois, et il y a à manger pour un régiment !

Là, c'est au tour de Penny de marquer !

Mais cette fois, Nicole ne chercha pas à la contredire. Secouant ses cheveux blonds, dont une partie tombait sur sa joue tandis que l'autre était tirée en arrière, elle fit remarquer :

— Tu es vraiment ingrate, Penny. Si je me suis donné tant de mal, c'était pour te faire plaisir. Imagine que je n'aie servi que les cœurs d'artichaut et que tu n'aies pas aimé les cœurs d'artichaut. Que se serait-il passé ? Nous aurions été toutes les deux bien embêtées.

— Ce qui se serait passé ? dit Penny, l'air un peu penaud. Eh bien, s'il n'y avait eu que les cœurs d'artichaut, qu'effectivement je déteste, je n'en aurais pas fait une jaunisse ! J'aurais pris mon mal en patience et attendu le dîner. Et si pour une fois, tout n'avait pas été parfait, le monde ne se serait pas écroulé, tu sais. Mais à propos de dîner, tu en as prévu un, n'est-ce pas ? demanda Penny en trempant une crevette dans le bol de sauce.

Nicole éclata de rire et se reservit du champagne.

— Evidemment ! Connaissant la voracité de ma chère Penny, comment aurais-je pu faire l'impasse sur le dîner ?

— Mieux vaut être vorace que complètement coincée ! observa Penny. Alors, dis-moi, qui a préparé à dîner ? Tu as fait appel à un traiteur ou tu as mis Charles aux fourneaux ?

— Charles veille à ce que rien ne brûle, mais c'est moi qui ai fait la cuisine.

— Toi ? répéta Penny avec des yeux ronds. Je n'arrive pas à le croire !

— Oh, je n'ai rien fait de très compliqué, précisa Nicole avec modestie. Et puis, la cuisine, tu sais, c'est un peu mon rayon. N'oublie pas que je suis française.

— Ça, on ne risque pas de l'oublier !

Le dîner ne comportait que trois plats : une salade de cresson et champignons, suivie d'une côte de veau aux artichauts et tomates, et d'une charlotte aux pommes pour le dessert. Mais chaque plat fut servi avec un vin différent, de grands crus français sur lesquels Nicole ne tarissait pas d'éloges.

Au bout d'un moment, naturellement, Penny sortit de ses gonds.

— Tu sais, Nicole, tu me casses vraiment les pieds avec tous tes merveilleux produits français ! Si tu aimes tant ce qui est français, pourquoi diable as-tu épousé un Américain ? Etais-tu à ce point amoureuse de lui ?

L'espace d'un instant, Nicole, qui pendant le repas avait dominé la conversation avec entrain et suffisance, parut sur le point de s'effondrer. Mais elle se ressaisit très vite et déclara d'une voix contrainte :

— J'ai épousé Edward parce qu'il était pour moi le mari idéal, et je ne l'ai jamais regretté.

— Vraiment ? insista Penny. En es-tu bien sûre ?

Penny ne plaisantait plus, à présent, mais Andrianna se rendait bien compte que son but n'était pas de taquiner Nicole. Elle voulait *savoir*. Cependant, à en juger par la tête que faisait Nicole, cette curiosité n'était pas appréciée.

— Au fait, lança soudain Andrianna comme on se jette à l'eau, pendant que j'y pense, Penny, je voulais te demander si tu tenais à ce que Nicole et moi portions les mêmes robes, pour le mariage... Si oui, Nicole et moi allons devoir nous mettre d'accord.

Mais ni l'une ni l'autre ne tint compte de cette remarque.

— Je suis sûre d'avoir fait le bon choix, affirma Nicole. Edward m'a donné ce que j'attendais, et il n'a pas perdu au change. Chacun y a trouvé son compte. Car le mariage n'est rien d'autre qu'un contrat. Et j'ai rempli le mien ! Oh, je sais bien ce que tu penses ! Qu'il est vieux et décati. Et que ses prouesses au lit sont limitées. Mais je ne me suis pas mariée pour le sexe. Ni par amour, d'ailleurs. Maman m'avait prévenue que quand on faisait un bon mariage, l'amour venait automatiquement par la suite, et elle avait raison.

— Si je comprends bien, tu aimes Edward ? demanda Penny, implacable.

— Tout dépend de ce que tu entends par aimer. Si tu parles d'affection et de respect, oui. Edward est gentil et prévenant, et d'une fidélité irréprochable. C'est l'une des raisons pour lesquelles je l'ai épousé... lui, un Américain... un Américain beaucoup plus âgé que moi. Les Français ont souvent des liaisons — sur lesquelles tout le monde ferme les yeux, dans la mesure où de son côté, la femme est libre de coucher avec qui elle veut. J'en connais qui trouvent cela très commode, mais ce n'est pas mon cas. Je refuse de m'abaisser à ce genre de compromissions, déclara Nicole en fronçant le nez, comme si elle avait senti une odeur nauséabonde. Et je ne la supporterais pas chez mon mari. En épousant Edward, je savais exactement ce que j'aurais, ce qui fait que je n'ai pas été déçue.

Elle regarda fixement le contenu de son verre de vin.

— Edward ne m'a jamais déçue, répéta-t-elle avec conviction.

— Autrement dit, si tu as épousé Edward, c'était parce que tu avais peur, reprit Penny. Peur d'être déçue, peur de...

— Penny ! Tu vas trop loin, protesta Andrianna.

— Non, Ann, laisse-la dire. Elle critique, mais son palmarès n'est pas brillant : deux mariages ratés et deux divorces compliqués ! Et voilà qu'à présent, elle se jette tête la première dans un troisième mariage ! Et avec qui ? Gaetano Forenzi, qui est non seulement riche mais aussi, contrairement à Edward, relativement jeune, romantique et séduisant. Très, très séduisant, même. Mais est-il stable, respectable, sincère, digne de confiance ?

Ses lèvres s'étirèrent en un rictus amer.

— Les premiers temps, pendant la lune de miel, il sera tellement impatient de lui faire l'amour qu'il lui arrachera ses vêtements. Mais au bout de quelques mois, c'est ceux d'une autre qu'il arrachera — d'une minette de dix-huit ans, peut-être, avec une peau plus douce et un corps plus ferme. De son côté, Penny prendra des amants. Jeunes, vieux, beaux, laids... peu importe. Elle prendra ce qui se présentera. Et que se passera-t-il ensuite ? Une fois de plus, le mariage tournera mal et débouchera tôt ou tard sur un divorce à problèmes.

— Espèce de sale petite pimbêche ! s'écria Penny. L'idée que Gae et moi soyons amoureux l'un de l'autre t'est insupportable, n'est-ce pas ? Et pour cause, puisque toi, tu n'as jamais été amoureuse ! Ou si tu l'as été, tu n'as pas osé te lancer dans l'aventure.

Andrianna ne voulait pas les entendre s'insulter. Si seulement elle avait pu les arrêter... Mais les mots lui manquaient. Et puis, de quel droit se serait-elle immiscée dans cette conversation ? Que savait-elle de la vie, en vérité ? Pas grand-chose. Elle était toujours restée sur la touche, dans l'ombre, comme un joueur qui attend son tour.

Qui avait raison ? Penny la fonceuse, qui s'essayait, goûtait, touchait à tout ? Un jour ou l'autre, elle se brûlerait, et ce serait la douche froide, mais en attendant, elle profitait au maximum de la vie.

Ou était-ce la prudente Nicole, qui ne prenait jamais le moindre risque, refusant de chausser des skis ou même simplement de boire des « boissons fortement alcoolisées », ou encore de désobéir à sa mère en ne faisant pas un « bon mariage » ? Nicole ne portait que du noir, pour être sûre de ne pas se tromper. Et son appartement new-yorkais, qu'elle aurait pu décorer avec un peu de fantaisie, ressemblait comme deux gouttes d'eau à son intérieur parisien : tons pastel et meubles Louis XVI. Là encore, elle ne misait que sur des valeurs sûres. Pourquoi changer, puisque c'était parfait ainsi ?

Quand les éclats de voix eurent cessé et que le calme régna enfin dans la pièce, Andrianna prêta de nouveau attention à ce que disaient ses amies.

— Si ton mariage est si merveilleux, et ta vie si satisfaisante, pourquoi n'avez-vous pas d'enfants ? demanda gravement Penny. A l'âge d'Edward — que tu as épousé il y a quinze ans — les hommes peuvent encore concevoir, et la plupart, d'ailleurs, veulent un héritier. Alors, pourquoi pas vous ?

Pendant quelques secondes, la pièce fut plongée dans un silence pesant, puis Nicole répondit d'un ton digne et mesuré :

— Je t'aime beaucoup, Penny, et je sais que nous nous comprenons, toi et moi, mais il y a certaines choses qui ne doivent pas sortir du couple.

A ces mots, Andrianna vit Penny rougir jusqu'à la racine des cheveux, honteuse d'avoir été prise en flagrant délit d'indiscrétion. En attendant, Nicole n'avait pas répondu à sa question.

Pourquoi n'avaient-ils pas d'enfants ? Sans doute parce que mettre au monde des enfants était aussi risqué que d'acheter sans le voir un objet aux enchères. On n'était jamais sûr de ce qu'on allait avoir...

De nouveau, Andrianna se demanda laquelle des deux avait raison : Penny, qui jouissait sans retenue des plaisirs de la vie, et s'exposait ainsi aux chagrins et déconvenues, ou Nicole, avec ses « valeurs sûres » ?

Qui ne tente rien n'a rien, lui soufflait une petite voix, tout au fond d'elle-même.

⁂

Elles continuèrent sur leur lancée, et plusieurs fois au cours de la soirée, Andrianna eut l'impression que tous les coups étaient permis. Mais lorsqu'elle rappela à Penny qu'elle avait un avion à prendre, et qu'elle risquait de le manquer si elle ne partait pas tout de suite, elle fut stupéfaite d'entendre son amie répliquer :

— Je m'en fiche ! Il y en aura bien un autre demain matin, non ? Tu ne vois pas que je suis en grande conversation avec Nicole ?

Sa surprise fut à son comble quand elle vit Nicole sourire, ses yeux verts pétillant de malice.

— Puisque ma chère Penny a changé ses plans, et qu'elle a monopolisé la conversation toute la soirée, à tel point que j'ai à peine pu échanger deux mots avec toi, Ann chérie, j'insiste pour que vous passiez toutes les deux la nuit à la maison. Comme ça, nous pourrons bavarder jusqu'à l'aube, comme au bon vieux temps.

Ravie, Andrianna haussa les épaules en riant, puis elle se laissa aller contre le dossier du canapé et enleva ses chaussures.

— Nous avons encore tant de choses à nous raconter ! lança joyeusement Nicole en retirant ses escarpins et repliant sous elle ses longues jambes gainées de soie noire. Il faut que nous parlions de ton mariage, Penny chérie, et que nous décidions de ce qu'Ann et moi allons porter à cette occasion. Il faut également que nous mettions au point le menu et la liste des vins, toutes questions sur lesquelles je tiens à te faire bénéficier de mon vaste savoir.

— Je n'y vois aucun inconvénient, répondit Penny, mais il est hors de question de ne proposer que des plats et des vins français. Je dois prendre en compte les goûts de mon futur beau-père italien, de mon papa texan, et m'accommoder des contraintes imposées par l'hôtel, qui propose une cuisine continentale, adaptée à la Californie. Je me demande comment ils réagiront quand je leur ferai part des exigences des uns et des autres.

— Ne t'inquiète pas, Penny Lee. En tant que femme d'ambassadeur, je suis devenue experte dans l'art de satisfaire toutes sortes de gens aux goûts les plus divers, et parfois aussi les plus étranges. Quant à l'hôtel, je me charge de les amadouer. Il suffit que j'y fasse un saut ; je te jure qu'ensuite, ils seront doux comme des agneaux.

— Ce serait formidable, murmura Penny.

— Et quand nous en aurons terminé avec le menu, ou bien avant, je demanderai à Ann ce qui a bien pu l'amener sur le continent américain. Tu es venue pour un rôle, ma chérie, ou bien à cause d'un homme ?

— Excellente idée ! s'exclama Penny en se déchaussant à son tour. Tu réussiras peut-être là où j'ai échoué. Tout l'après-midi, j'ai essayé de lui extorquer la vérité. Moi, je dis que c'est à cause d'un homme...

Un sourire énigmatique et provocant aux lèvres, Andrianna s'apprêtait docilement à jouer le jeu, à débouter la curiosité insatiable de ses amies, à éluder leurs questions par des traits d'humour et des plaisanteries. Cela finissait toujours par une bonne partie de rigolade, qui les distrayait un moment de leurs soucis et de leurs doutes...

Si seulement elle pouvait oublier complètement, l'espace d'une petite demi-heure, que sa vie était construite sur des sables mouvants, et qu'elle était tributaire du passé et d'un avenir incertain... obsédée par l'image d'un homme à qui, si elle osait, elle pourrait se lier pour le reste de ses jours... si ceux-ci ne lui étaient pas comptés... Dieu qu'elle était lasse du vide de son existence ! Lasse de vivre sans espoir et sans amour...

⁂

— Je sais que c'est un homme, dit Penny. Pourquoi nepas avouer, Annie ? J'ai une idée ! Nous allons jouer au jeu du questionnaire. Tu dois répondre par oui ou par non, et jurer de dire la vérité. Tu le jures ?

— Je le jure.

— Parfait. Je commence, alors. Est-il grand, fort et beau ? Et si oui, n'es-tu pas une petite veinarde ?

21.

Mercredi

D'un geste las, Jonathan consulta sa montre. 7 h 20. Il ne faisait pas encore complètement jour, mais la Cinquième Avenue était déjà animée. Il jeta un coup d'œil à Rennie, qui dormait toujours sur le siège avant, et décida de ne pas le réveiller pour le moment. Après tout, rien ne pressait. Il n'avait pas besoin de lui, et comme Rennie ne s'était pas endormi avant au moins 1 heure du matin... Il le savait parce que lui, il n'avait pas fermé l'œil une seule seconde, attendant toute la nuit en vain qu'Andrianna sorte de l'immeuble. A croire qu'il avait voulu donner à cette histoire qui ne rimait à rien, à cette quête inutile, un dénouement tout aussi dérisoire.

Ça devait être une sacrée réception ! songea-t-il avec indifférence. Mais que lui importait, à présent ? Il allait dormir quelques heures, et ensuite, il prendrait l'avion pour Los Angeles. Alors Andrianna DeArte pouvait bien aller au diable, si cela lui chantait !

Mais il attendrait tout d'abord que Rennie se réveille. Il ne l'avait pas ménagé, le pauvre, durant ces deux derniers jours. Deux jours qui lui avaient semblé une éternité...

⁂

A 9 h 10, la rousse sortit de l'immeuble, l'œil vif et le teint frais comme une rose, constata Jonathan avec amertume, malgré une nuit qui n'avait pas dû être de tout repos. Puis une limousine s'arrêta à sa hauteur, et elle s'y engouffra.

A 9 h 45, juste au moment où le soleil tentait une timide percée dans la grisaille, *elle* parut à son tour, et malgré sa résolution de l'effacer le plus vite possible de sa mémoire, Jonathan se redressa sur son siège. Son corps, ce félon, réagissait violemment à la présence d'Andrianna...

Soudain, il se figea et retint son souffle : elle regardait droit dans sa direction ! Puis il comprit que les vitres teintées, à l'arrière, le protégeaient. Elle ne voyait que Rennie, qui se réveillait et s'étirait sur le siège avant.

Il fit la moue, dépité. A quoi cela lui servirait-il d'affronter son regard ? A rien, sinon à se sentir un peu plus humilié. Pourtant, il ne pouvait s'empêcher de souhaiter cette confrontation...

Il la suivit des yeux, et constata qu'elle était aussi élégante que la veille, et n'avait rien perdu de son allure de reine.

— Hé ! Mais la voilà ! cria Rennie en apercevant Andrianna qui traversait la rue. Pourquoi n'avez-vous rien dit ? Je mets le moteur en route et on...

— Laissez tomber.

— Vous êtes sûr ?

— Sûr et certain.

Mais ni l'un ni l'autre ne pouvaient détacher les yeux de la fine silhouette qui se dirigeait vers le Plaza, à l'intérieur duquel ils la virent disparaître.

Jonathan poussa un profond soupir.

— Mieux vaudrait vous garer devant l'hôtel, suggéra-t-il.

— Vous ne voulez pas que je reste dans la voiture, prêt à démarrer, au cas où...

— Non, ce n'est pas la peine. Allez, venez, on va manger un morceau.

⁂

— C'est la première fois que je mets les pieds au restaurant du Plaza, déclara Rennie en jetant des regards admiratifs autour de lui. Quel luxe ! Je parie que toutes ces huiles se demandent ce qui vous prend de déjeuner avec votre chauffeur.

Jonathan étouffa un petit rire.

— En fait, ils se demandent ce que ce chauffeur à la mise impeccable fait avec une cloche aux yeux rouges et aux vêtements chiffonnés qui a de toute évidence cuvé son vin dans une allée.

— Désolé, chef. Vous auriez dû me réveiller.

— Ecoutez, Rennie, si vous voulez venir travailler pour moi à L.A., il faut que vous arrêtiez de m'appeler patron ou chef, ou quoi que ce soit de ce genre. D'accord ?

— Navré, monsieur West. De toute façon, j'ai bien réfléchi, et je crois que je ne vais pas accepter votre offre.

— A cause du salaire ? Si c'est une question d'argent, ça peut peut-être s'arranger. Et si...

— Non, c'est pas le salaire. Ni rien de tout ça. C'est à cause de cette amie que j'ai ici...

— Ah bon ? dit Jonathan en reposant la carte sur la table. Elle et vous, c'est vraiment sérieux ?

— En ce qui la concerne, je ne saurais vous dire avec certitude, mais pour moi, oui. Elle s'appelle Judy Bryant et elle est institutrice. Elle travaille dans le Bronx, dans les quartiers sud. Vous qui venez de Californie, vous n'avez probablement pas idée de la saleté et de la misère qui règnent dans les quartiers sud du Bronx.

— J'en ai entendu parler.

— Vous savez donc que c'est un sale coin. Et comme Judy habite dans le West Side, elle doit faire chaque jour la navette entre son domicile, 32e Rue, et le Bronx. Ce qui me donne beaucoup de soucis, évidemment. Quand mes horaires me le permettent, je l'accompagne à son travail et je vais la chercher. Vous allez peut-être trouver ça idiot, mais à L.A., je n'arrêterais pas de penser que pendant que je me dore au soleil, Judy est dans le métro ou dans ce quartier ignoble, et j'aurais des remords, vous comprenez.

Jonathan hocha la tête.

— Je regrette que vous ne veniez pas, mais je comprends votre point de vue, Rennie. Et je suis sûr que cette Judy Bryant est une fille formidable.

— Ce n'est pas une beauté comme Mlle DeArte, mais elle est quand même formidable. Judy est irlandaise, alors inutile de vous dire qu'elle n'est pas commode, qu'elle est têtue comme une mule et n'a pas la langue dans sa poche.

— Rien de tel qu'une femme qui sait ce qu'elle veut, affirma Jonathan d'un ton légèrement ironique. J'espère simplement que c'est *vous* qu'elle veut. Mais... j'ai une idée. Pourquoi ne l'emmèneriez-vous pas en Californie avec vous ? Vous ne vous feriez plus de soucis pour elle, et vous pourriez profiter ensemble de la belle vie, aller au champ de courses et à la plage, et...

Rennie sourit et secoua la tête.

— Vous ne la connaissez pas ! Judy n'est pas du genre à se laisser enlever comme ça. Elle a sa vie et elle aime New York. Elle adore aller au théâtre, à l'opéra, au cinéma... Le dimanche, quand je suis de congé, nous allons visiter les musées...

Jonathan se mit à rire.

— Los Angeles n'est pas un désert culturel, même si les New-Yorkais ont tendance à le penser. Nous avons des musées, nous aussi. Mais vous pouvez en discuter ensemble, et si l'envie vous prend de venir, passez-moi un coup de fil. Je vous garde la place au chaud.

— Vous êtes vraiment un chic type, chef ! Enfin, je veux dire, monsieur West. Des gens comme vous, on n'en rencontre pas tous les jours.

— Cela ne paraît pas être l'avis de Mlle DeArte, observa Jonathan d'un ton désabusé. En tout cas, je jette l'éponge. Je vais aller faire un somme, et après, je rentrerai à L.A. Vous êtes libre pour la journée. Vous pourrez même aller chercher Judy à l'école, cet après-midi. Tout ce que je vous demande, c'est de passer me prendre après pour me conduire à l'aéroport. D'accord ?

— D'accord, si c'est vraiment ce que vous voulez. Mais je trouve un peu dommage que vous...

Il s'interrompit, et Jonathan esquissa un sourire mélancolique.

— ... que j'abandonne, c'est ça ? Je pense que c'est la seule chose à faire, Rennie. Et je vais vous dire pourquoi. Il y a quelque temps, à Beverly Hills, un hôtel a été mis en vente. Un hôtel de luxe très connu où toutes les grandes stars d'Hollywood sont passées. Je voulais l'acheter. Pas pour l'argent, mais pour le prestige. Simplement pour avoir le plaisir de déjeuner et de dîner tous les jours dans la plus célèbre salle à manger du monde, de recevoir toutes sortes de personnalités, de me sentir comme un roi...

« Mais il y avait un hic. Financièrement, l'hôtel était une mauvaise affaire. Les acheteurs ne manquaient pas, pourtant, tous poussés par les mêmes raisons que moi. Des gros bonnets se sont mis sur les rangs.

« Quoi qu'il en soit, je figurais parmi les premiers à avoir fait une offre, et pendant des semaines, tandis que les négociations suivaient leur cours, je n'ai pas arrêté d'y penser. Je me torturais l'esprit à chercher un moyen de l'emporter. Mais je n'avais pas de solution, et entretemps, plusieurs belles affaires me sont passées sous le nez, parce que je voulais garder la possibilité d'investir dans ce satané hôtel. Après, j'ai compris que je devais abandonner la partie. Cet hôtel représentait une sorte de fantasme inaccessible, auquel j'aurais dû renoncer dès le départ, un rêve que je ne pouvais pas me permettre. C'est exactement la même chose avec Andrianna DeArte. Elle est un rêve inaccessible.

« Oh, je pourrais la suivre pendant des semaines, voire des mois... et laisser tout le reste tomber, mais cela ne servirait à rien. Elle ne veut pas de moi, ce qui rend toute tentative inutile. Ces deux derniers jours, j'ai complètement perdu la tête, mais le moment est venu de regarder la réalité en face. Cette femme n'est pas à ma portée, et je perdrais mon temps à lui courir après. »

— Je suis vraiment désolé, monsieur West.

— C'est la vie ! S'il suffisait de vouloir très fort quelque chose pour l'obtenir...

— Oui, évidemment, mais je ne peux m'empêcher de penser qu'elle est folle. Un type comme vous, si j'étais une fille, je ne le laisserais pas filer !

Il baissa les yeux, soudain conscient de l'ambiguïté de ses paroles. Jonathan partit d'un grand éclat de rire tandis que le serveur s'approchait pour prendre la commande.

— Dès que j'aurai ma réservation, je vous dirai à quelle heure vous devez venir me chercher. Pour la limousine, je vous réglerai ce soir, par carte bancaire. Mais le pourboire, je vais vous le donner maintenant, déclara Jonathan en tirant un chéquier et un stylo de la poche intérieure de sa veste.

— Vous me donnerez tout en même temps, monsieur West.

— Non, ça, je préfère le faire maintenant.

Il remplit le chèque, le détacha et le tendit à Rennie.

— Nom d'une pipe ! s'exclama Rennie en en lisant le montant. Je ne peux pas accepter mille dollars ! Je n'ai rien fait pour les mériter.

— Ne soyez pas idiot, Rennie. Quand on vous paie pour des services rendus, prenez l'argent sans vous poser de questions. Et réjouissez-vous d'avoir donné satisfaction.

— Ce n'est pas une raison...

— Ecoutez, Rennie, vous avez suivi mes consignes à la lettre, sans jamais vous plaindre de faire des heures supplémentaires ou de sauter des repas. Un ami n'aurait pas été plus dévoué, et je vous en suis reconnaissant. C'est aussi simple que cela.

— Mais vous ne payez pas un ami, quand il vous rend service...

— En général, non. Mais j'ai les moyens de le faire, et c'est pour cela, justement, que je veux que vous acceptiez cet argent. Faites-le pour Judy, pour lui acheter un cadeau, une jolie montre, par exemple, ou peut-être une bague de fiançailles. Un cadeau bien choisi suffit souvent à amadouer les femmes, même les Irlandaises têtues et pas commodes.

Mais même avec un cadeau bien choisi, ça ne marche pas à tous les coups...

— D'accord, *patron*, j'accepte, dit Rennie avec un sourire. Puisque finalement je ne travaille pas pour vous, je peux bien vous donner le nom que je veux.

— Pas si vite ! Vous travaillez pour moi jusqu'à ce soir.

— Très juste, monsieur West. C'est vous le patron !

— Laissez-moi descendre ici, Rennie. Cela vous évitera de chercher une place de parking.

— Hé ! Mais c'est que je tiens à accompagner mon ami jusqu'à la porte d'embarquement ! Pour la voiture, pas de problème. Je peux la laisser là. Vous n'avez pas encore compris, chef, que personne ne s'attaquait aux limousines ? Elles forcent le respect.

— Comme vous voudrez, rétorqua Jonathan en riant. C'est vous le patron !

— Puisque vous le dites !

⁂

Il leur restait quelques minutes avant l'embarquement.

— Au fait, Rennie, avez-vous acheté quelque chose pour Judie ?

— En fait, je n'ai pas eu le temps. Je voulais vous en parler, justement.

— O.K., je vous écoute. Racontez-moi tout, puisqu'il me reste encore cinq ou six minutes.

— Quand je vous ai quitté, ce matin, au pied de l'ascenseur, devinez qui j'ai croisé en sortant de l'hôtel ? Mlle DeArte ! Après avoir rendu la clé de la chambre à la réception, elle s'est engouffrée dans une limousine avec tous ses bagages...

Jonathan pinça les lèvres.

— Je vous avais pourtant dit que c'était fini. Que le chapitre était clos...

— Je sais, mais ça m'ennuyait de vous voir baisser les bras.

— Je vous ai exposé mon point de vue, expliqué que pour moi, c'était sans issue.

— Oui, bien sûr. Il n'empêche que... Oh, et puis zut, Jonny ! J'avais envie de vous faire un cadeau, moi aussi.

— Ce n'était vraiment pas la peine, marmonna Jonathan, qui ne put cependant s'empêcher de demander :

— Et alors ? Vous l'avez suivie ?

— Oui. La limousine l'a déposée devant l'hôpital.

— Elle est allée rendre visite à quelqu'un ?

— Je n'en sais rien. En tout cas, la limousine l'attendait. Et comme tous ses bagages étaient restés à l'intérieur, je me suis dit qu'elle allait ressortir. Alors, l'air de rien, j'ai abordé son chauffeur. C'est un gars que je connais — nous nous étions parlé une fois où nous étions toute une bande à attendre devant une ambassade ou quelque chose dans ce genre. Pour tuer le temps, dans ces cas-là, on taille une bavette.

— Oui, et ensuite ? Que vous a-t-il raconté ?

— Eh bien, que la fille... excusez-moi, Mlle DeArte... lui avait dit qu'elle en aurait pour au moins quatre heures, et qu'ensuite, elle prenait un avion pour la Californie. Le vol PanAm de 5 h 10.

Machinalement, Jonathan regarda l'heure, bien qu'il *sût* qu'il était bien plus de 5 heures et que son avion était un vol TWA et non PanAm. Une vague de regret le submergea. Ils avaient failli se retrouver sur le même avion...

A quoi cela m'aurait-il avancé ? Nous avons passé cinq jours sur le même bateau, puis trois à New York dans le même hôtel, et à certains moments, nous nous sommes quasiment frôlés. Et tout ça n'a servi à rien...

Tout à coup, il se souvint que Rennie attendait toujours sa réaction, espérant sans aucun doute des félicitations pour cette révélation de dernière minute, et s'imaginant probablement que Jonathan était content d'apprendre qu'Andrianna se rendait elle aussi en Californie. Une telle coïncidence, c'était sûrement un signe du destin, n'est-ce pas ?

Ne voulant pas décevoir Rennie, il lui décocha son sourire le plus radieux.

— Merci, vieux.

Visiblement ravi, Rennie lui prit la main.

— Non, pas de remerciements, Jonny. Il faut bien que les amis servent à quelque chose ! Je n'arrivais pas à me faire à l'idée qu'un type comme vous puisse abandonner. Je suppose que là-bas, sur votre propre terrain, vous n'aurez pas de mal à retrouver sa trace. Et cette fois, surtout, ne vous contentez pas de la suivre. Allez-y franchement ! Vous voyez ce que je veux dire ?

— Je pense que oui.

Il était temps pour Jonathan de rejoindre la salle d'embarquement.

— Si ça ne vous ennuie pas, chef, j'aimerais bien que

vous me teniez au courant de l'évolution de la situation. Je vous donne ma carte. C'est le numéro de téléphone de ma boîte, mais ils savent toujours où me joindre.

— Et vous, vous savez où me joindre si vous décidez de venir à L.A. Mon immeuble se trouve dans Century City, sur l'avenue des Stars. Il y a un grand panneau : *West Immobilier*. D'accord? Attendez une seconde. Je vais vous donner ma carte, moi aussi, avec mon numéro de téléphone personnel. Mais gardez-le pour vous. C'est la ligne que je réserve à mes amis.

— D'accord, vieux, dit Rennie en lui serrant la main.

Il était dans les airs depuis au moins une heure, un verre de scotch à la main, regardant pensivement par le hublot, lorsqu'il se rendit soudain compte que Rennie avait simplement dit qu'Andrianna prenait un vol PanAm en direction de la Californie. *Mais où en Californie ?*

Rennie et lui étaient partis du principe que la Californie signifiait L.A., mais il y avait des centaines d'autres villes, en Californie, dont cinq ou six importantes où Andrianna pouvait tout aussi bien se rendre.

Après moult réflexion, il lui apparut cependant que pour une comédienne, Los Angeles semblait être la destination la plus probable. Elle y avait d'ailleurs sûrement des amis. La communauté hollywoodienne regorgeait d'Européens, et Andrianna connaissait sans aucun doute la plupart des Anglais, qui se serraient tous les coudes comme les membres d'une même caste. Il n'y avait pas très longtemps, justement, il en avait aperçu quelques-uns dans un bar de Market Street — Jackie Collins, Caine, Connery et comparses...

Si elle allait à L.A, un jour ou l'autre, il risquait de la rencontrer. Dans un lieu public, un restaurant, une réception mondaine... leurs chemins se croiseraient peut-être.

Mais rien ne prouvait, encore une fois, qu'elle ne se rendait pas plutôt dans le nord de la Californie.

Jonathan leva le bras et pressa le bouton d'appel, au-dessus de sa tête. Trois secondes plus tard, un steward apparut.

— J'aimerais connaître la destination du vol PanAm de 17 h 10 au départ de Kennedy, cet après-midi. Tout ce que je sais, c'est que l'avion a mis le cap sur la Californie.

— Je vais me renseigner, monsieur. Je vous tiens au courant.

Puis Jonathan repensa à l'autre information que lui avait donnée Rennie... à propos de l'hôpital. Etait-il possible qu'elle ait passé quatre ou cinq heures au chevet d'un ami malade ? Mais pourquoi pas, après tout ? Andrianna restait pour lui tellement mystérieuse...

Oh, et puis zut ! A force, toutes ces questions lui donnaient le tournis. Il avait pourtant décidé de ne plus penser à elle. Alors, pourquoi se préoccupait-il tant de savoir où son avion allait atterrir ?

— J'ai obtenu le renseignement demandé, monsieur, annonça le steward à ce moment-là. Le vol PanAm 623 de 17 h 10 arrive à...

— Laissez tomber !

— Bien, monsieur.

Jonathan reprit sa contemplation. Il ne pouvait détacher son regard du hublot, comme s'il s'attendait à voir surgir de la nuit l'avion de la PanAm, volant en tandem avec le sien...

Andrianna était morte de fatigue lorsque, enfin, elle prit possession de sa chambre au Stanford Court, à San Francisco. La journée lui avait paru interminable, d'autant qu'il y avait trois heures de décalage avec la côte Est.

Nicole, Penny et elle ne s'étaient pas couchées avant 4 heures du matin, tant elles avaient de choses à se raconter, de souvenirs à évoquer. Elles avaient parlé du Rosey, bien sûr, et des camarades de classe qu'elles ne voyaient plus que de loin en loin. Les langues étaient allées bon train lorsqu'il s'était agi de savoir qui avait épousé qui, et qui avait eu recours à la chirurgie esthétique avant quarante ans, combien d'enfants avait une telle et combien de divorces comptabilisait telle autre. Sur toutes, Penny avait quelque chose de drôle à raconter, y compris sur les malheureuses qui séjournaient régulièrement en maison de repos.

Tout à coup, Nicole s'était rappelée qu'elle était censée donner le signal du coucher et qu'il était *très* tard. Après leur avoir prêté des chemises de nuit et des robes de chambre, et leur avoir précisé qu'elles « trouveraient dans les salles de bains tout le nécessaire », elle expédia ses amies au lit d'autorité.

— Etant donné que vous devez l'une comme l'autre partir de bonne heure demain matin, je vous mets dans la même chambre, d'accord ?

Elle les poussa dans une chambre à deux lits et disparut, les laissant toutes deux médusées et perplexes.

— Qu'est-ce qui lui a pris ? demanda Penny à Andrianna. Nous bavardions bien tranquillement, et puis, je ne sais pas quelle mouche l'a piquée, mais il n'y a plus eu moyen de la faire tenir en place. Je racontais comment Gae et moi avions rencontré par hasard Ursula Van Huber à Venise, et comment elle nous avait parlé pendant un quart d'heure de sa lune de miel avec ce minable qui la dévorait des yeux et ne pouvait s'empêcher de la tripoter, à tel point qu'ils avaient finalement abrégé la conversation pour retourner à l'hôtel et s'envoyer en l'air pour la quatrième fois de la journée... Tu crois que j'ai pu la choquer avec mes histoires ? Nicole est d'une telle pruderie !

Après quelques secondes de réflexion, Andrianna conclut que non. A son avis, ce que Nicole ne supportait pas, c'était d'entendre parler de la lune de miel et de la passion des autres. Et elle comprenait parfaitement sa réaction.

— Il est 4 heures du matin, tu sais, dit-elle simplement. Nicole avait peut-être envie de se coucher.

Puis, malgré l'heure, Penny et elle recommencèrent à bavarder, chuchotant et riant sous les draps, comme au temps du pensionnat.

Elles furent tirées de leur sommeil par les coups énergiques que Nicole frappa à la porte à 7 heures précises en leur enjoignant de se lever et de se préparer si elles ne voulaient pas se mettre en retard. Elle leur annonça que le petit déjeuner serait servi à 7 h 40 dans la salle à manger secondaire.

— Oh, va te faire voir avec ta salle à manger secondaire ! maugréa Penny avant de se rendormir.

Un quart d'heure plus tard, hagarde et titubante, elle se rendit dans l'une des trois salles de bains réservées aux invités. Lorsqu'elle en ressortit, elle était en pleine forme et aussi élégante qu'une gravure de mode. Mais il était si tard qu'elle dut se contenter de deux ou trois gorgées de café.

Après les avoir embrassées, Penny s'était ruée sur la porte, son vanity-case à la main et son manteau de zibeline sur les épaules, et avait disparu, laissant derrière elle un nuage d'Opium.

Penny avait à peine refermé la porte que Nicole, qui buvait son café noir le petit doigt en l'air, se mit à la critiquer et à la traiter de sotte.

— Elle parle de grand amour, mais en réalité, si elle épouse Gae, c'est parce qu'elle s'imagine qu'il va la sauver. Mais comme il est aussi sot qu'elle, il ne sauvera jamais personne.

Puis, sans laisser à Andrianna le temps de s'exprimer sur la question, elle entreprit de lui expliquer que si elle avait choisi le rose comme teinte dominante pour le décor de la salle à manger secondaire, c'était afin que ses invités aient meilleure mine dans la lumière crue du petit matin.

— C'est l'heure la plus redoutable de la journée pour une femme de plus de trente-cinq ans, dit-elle d'un ton désespéré.

Mais ce matin, le rose ambiant semblait sans effet sur la mine de Nicole, constata Andrianna. Peut-être n'avait-elle pas dormi de la nuit... Ses yeux verts étaient cernés et de minuscules rides, invisibles la veille, marquaient le tour de sa bouche.

A quoi avait-elle bien pu penser? Au mariage prometteur de Nicole avec Gae? A son propre mariage, remis en question par Penny? A moins que ce ne fût au départ précipité d'Ursula Van Huber et de son compagnon, qui passaient leur temps au lit. Etaient-ce les regrets qui avaient empêché Nicole de dormir?

Pauvre Nicole... Elle qui s'était toujours vantée de croire en elle-même et en ses choix de vie, elle avait peut-être passé la nuit à se demander si, en définitive, elle avait eu raison de privilégier la sécurité... au détriment de l'amour.

A sa façon, Andrianna aussi avait eu peur de prendre des risques, préférant compter sur les ressources de son coffre à bijoux plutôt que sur les gens, et en ce qui concernait les hommes, prônant que plus ils étaient nombreux, moins il y avait de danger. Les gens, même ceux qui vous sont les plus proches, ne vous aiment parfois pas assez, ou pas pour les bonnes raisons, et peuvent vous laisser tomber au moment où vous avez besoin d'eux. Tandis que les bijoux, eux, restent éternellement beaux et ne se dévaluent jamais. En outre, les amants de passage n'exigent ni promesses, ni engagements, ni même la vérité. Et avec eux, il n'y a aucune désillusion possible ni aucune trahison.

Elle comprit alors, assise en face de Nicole, impeccable dans son ensemble noir de chez Adolfo, qu'elle ne voulait pas vivre comme elle, en sécurité, mais seule et timorée.

A l'instar de Penny, elle voulait prendre un pari sur la vie, sur l'amour, au risque de se retrouver fauchée, le cœur brisé. Oui, elle était prête à affronter tous les dangers pour Jonathan West !

Après des heures et des heures d'examens, les médecins corroborèrent le diagnostic de leurs homologues londoniens. La maladie était toujours en sommeil, et pour l'instant, Andrianna se portait aussi bien que n'importe quelle femme de son âge... à cette différence près qu'en ce qui la concernait, on devait s'attendre, à tout moment, à un nouvel assaut de la maladie.

Une fois de plus, Andrianna posa la seule question qui lui tenait vraiment à cœur : si les symptômes réapparaissaient, quelle serait son espérance de vie ? Car raisonnablement, elle ne pouvait pas aimer un homme et se faire aimer de lui si le pronostic était mauvais.

Mais cette fois encore, les médecins lui répondirent qu'il leur était difficile de se prononcer. Ils ne pouvaient se baser que sur des statistiques, une moyenne, de laquelle chaque patient se rapprochait plus ou moins. Cependant, ils avaient un message d'espoir pour elle : le taux de survie était encourageant et en constante augmentation.

Si elle ne retombait pas malade, son espérance de vie était comparable à celle des autres : tout était affaire de chance.

Sans compter, en outre, que la médecine faisait sans arrêt de nouvelles découvertes. Quand elle rechuterait, si cela arrivait un jour, on saurait peut-être guérir le lupus érythémateux disséminé. Et la voilà qui recommençait avec ses *si* et ses *quand*...

Et ses chances d'avoir des enfants ? Elle voulait les connaître, même si elle approchait de la limite d'âge. *Pouvait*-elle avoir un enfant ? Un enfant normal ? Et dans quelle mesure l'enfant risquait-il d'être également porteur de la maladie ?

A condition que tout se passe bien pendant la grossesse et à la naissance, il n'y avait aucune raison pour qu'elle n'ait pas un enfant normal. Simplement, les risques d'accouchement prématuré étaient plus grands chez elle que chez une autre femme. En l'état actuel des connaissances, on supposait qu'il existait une prédisposition génétique favorable au développement de la maladie, mais ce qui était sûr, en tout cas, c'était que le LED ne passait pas dans l'ADN. Les risques concernaient la mère et non l'enfant. La grossesse serait un peu difficile en raison des problèmes rénaux que la maladie engendrait. Une aggravation était susceptible de se produire en cours de grossesse, nécessitant de fréquentes hospitalisations. Mais elle pouvait tout aussi bien passer neuf mois sans le moindre problème, et avoir une poussée invalidante *après* la naissance.

Elle se le fit répéter une seconde fois, comme pour mieux s'en convaincre : oui, elle pouvait concevoir et mettre au monde un enfant normal. C'était parfaitement possible, mais cela dépendait de ce qu'elle se sentait capable d'endurer et des risques qu'elle était prête à prendre.

Des risques... Ces risques qu'elle fuyait depuis vingt ans. *Mais la vie est faite de risques. Et le plus grand est de ne pas vivre, et la pire des souffrances de vivre sans amour...*

Ayant remarqué, en consultant son dossier, qu'Andrianna ne savait pas de quoi ses parents étaient morts, les médecins lui demandèrent s'il n'y avait vraiment pas moyen d'obtenir ces informations, surtout en ce qui concernait sa mère, le LED touchant plus souvent les femmes que les hommes.

— Cela nous intéresserait beaucoup de connaître votre passé génétique. Pour vous soigner, bien sûr, mais aussi pour faire avancer la recherche. Il suffirait que nous nous mettions en contact avec le médecin traitant de votre mère.

Le médecin traitant de sa mère... *Le Dr Hernandez*. Andrianna se souvenait de son nom, et puisqu'elle allait en Californie, justement...

Cet après-midi, elle partait pour San Francisco et cette petite ville de la Napa Valley où tout avait commencé. Avant de songer à tout recommencer, il fallait d'abord en finir une bonne fois avec le passé, ce qu'elle aurait déjà dû faire des années plus tôt...

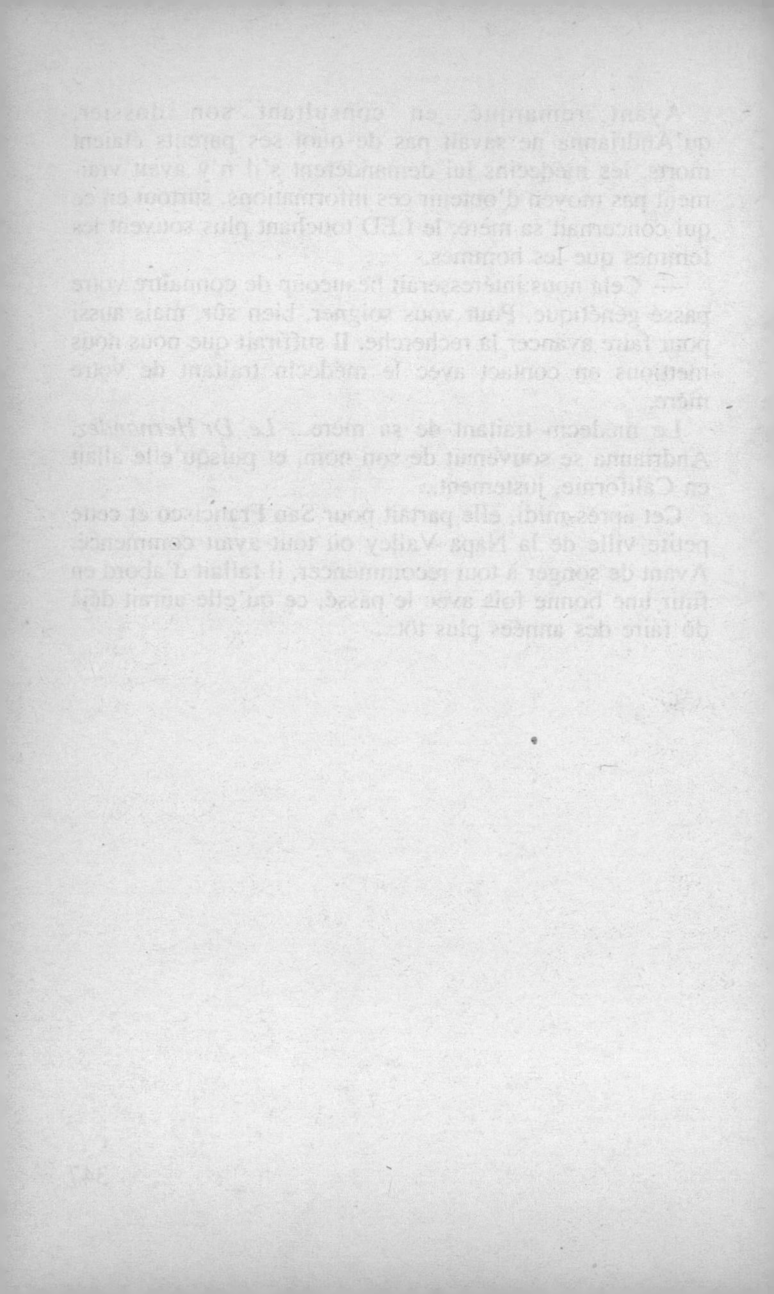

TROISIÈME PARTIE

La Californie du Nord et Los Angeles 17-21 novembre 1988

22.

Jeudi

La Napa Valley était aussi belle que dans ses souvenirs : verte et luxuriante, même en plein mois de novembre. C'était l'un des miracles de la Californie, songea Andrianna. Mais ce n'était pas le seul... le plus prodigieux étant à ses yeux que Jonathan West y résidât !

Son chauffeur la conduisit à La Paz sans problème, mais il leur fallut plus d'une heure pour retrouver la maison où elle avait vécu. Andrianna se rappelait seulement qu'à proximité du petit pavillon et de son jardin rempli de roses, il y avait une église toute blanche, un cimetière et une école de quartier. Un peu plus loin se trouvait un groupe d'habitations vétustes.

La maison n'avait pratiquement pas changé. C'était le jardin qu'elle reconnaissait le moins bien, car à présent il y poussait des légumes. Ce qui, au fond, n'était pas plus mal, les légumes étant résistants et servant à quelque chose, contrairement aux fleurs, jolies et agréables à regarder, mais fragiles et non indispensables. En un certain sens, les roses ressemblaient à Elena : on pouvait s'en passer.

Andrianna sortit de la voiture, remonta lentement

l'allée, s'avança vers le perron, le cœur battant d'appréhension. Les doigts tremblants, elle sonna à la porte.

Si tu crois aux fantômes, ma vieille, c'est le moment de croiser les doigts...

Elle ne croisait pas les doigts, mais souhaitait de tout son cœur que ce fût Rosa qui vînt lui ouvrir la porte. *Mon Dieu, je vous en supplie, faites que ce soit Rosa!*

Mais la femme qui parut sur le seuil était à peu près de son âge. Svelte et bien coiffée, elle portait un fuseau en élasthane noir et un pull de mohair trois tailles au-dessus de la sienne. A son cou, Andrianna remarqua une chaîne en or au bout de laquelle pendaient une croix et un petit cœur incrusté de minuscules diamants.

La femme considéra pensivement le manteau de vison que portait Andrianna et ses escarpins en python. Puis son regard se porta sur la limousine garée dans l'allée. Elle se mit à rire.

— Vous n'êtes pas la dame de chez Avon, n'est-ce pas? Celles que j'ai vues à la télévision, dans les spots publicitaires, ne vous ressemblent pas. En plus, je suis sûre qu'elles ne roulent pas en limousine!

— Non, certainement pas! En effet, je ne suis pas la dame de chez Avon. Il se trouve simplement... que j'ai habité ici avec ma mère et une vieille amie qui s'appelait Rosa. Mon nom est...

Elle s'interrompit. Il y avait des années qu'elle n'avait pas prononcé ce nom à haute voix.

— Je m'appelle Andrianna Duarte.

Une étincelle brilla dans les yeux de la femme.

— Je me souviens très bien de vous! Nous n'étions pas dans la même classe, à l'école, mais je vous revois encore. Vous aviez toujours des robes magnifiques et une quantité de poupées que tout le monde vous enviait. Maman disait que c'était parce que votre mère avait un petit ami millionnaire. Oh, elle ne faisait pourtant pas partie des commères qui la critiquaient et la surveillaient derrière leurs carreaux ! Mais pour autant que je me souvienne, elle déplorait qu'une femme aussi belle qu'Elena Duarte ne se fût jamais mariée.

Elle admira de nouveau le manteau d'Andrianna et tendit la main pour le toucher, caresser la fourrure.

— Vous, en tout cas, vous avez réussi, on dirait ! Je m'appelle Gladys Garcia. Entrez, si vous voulez.

Andrianna examina la salle de séjour, y chercha des repères, quelque chose qu'elle reconnaîtrait, mais l'intérieur de la maison avait beaucoup changé. Lorsqu'elle y habitait, le mobilier et la décoration, quoique agréables et confortables, étaient ordinaires. Aujourd'hui, la pièce respirait la sophistication et la modernité, et faisait penser aux intérieurs que l'on voyait dans les pages glacées des magazines.

Les coquelicots et les fleurs des champs du papier peint s'harmonisaient parfaitement avec les canapés blancs, moelleux à souhait et garnis de coussins de couleurs vives, et avec la moquette de laine bleu pervenche. Le clou du salon, cependant, était le téléviseur, le plus grand qu'Andrianna ait jamais vu, auquel était assorti un magnétoscope tout aussi impressionnant avec sa multitude de boutons.

Manifestement très fière de son œuvre, la femme guettait sa réaction.

— Tout à fait charmant, déclara Andrianna. J'ai rarement vu un salon aussi gai et accueillant !

— Nous venons d'acheter le magnétoscope. Je n'y connaissais strictement rien. Tony... je veux dire Antonio, mon mari... m'avait dit de prendre le meilleur. Mais mon fils, Tony Jr., qui a dix-neuf ans, a voulu m'accompagner. Vous savez comment sont les jeunes, de nos jours. L'électronique, ils connaissent ça sur le bout des doigts. Si bien qu'en fait, c'est lui qui a choisi !

— Vous avez un fils de dix-neuf ans ? demanda Andrianna, incrédule.

— Oui, répondit Gladys avec un sourire qui révéla des dents éclatantes de blancheur. Et ce n'est pas l'aîné. Son frère Al a vingt et un ans. Richie en a dix-huit, et Véronica seize. Ils sont quatre au total. Je me suis mariée à dix-sept ans. Mais après la naissance de Véronica, j'ai décidé que cela suffisait comme ça. Je ne tenais pas à mettre au monde un enfant par an. Alors je me suis fait ligaturer les trompes, sans demander l'avis de personne. Après tout, cette décision, c'était à moi seule de la prendre, non ? Cela ne regardait pas Antonio ni même le père Gilberto. Je vous offre une tasse de café ?

— Volontiers.

Andrianna suivit Gladys dans la cuisine, qu'elle trouva également très gaie, et ultramoderne avec son lave-vaisselle et ses fours encastrés, son immense réfrigérateur comportant des distributeurs d'eau fraîche et de glaçons. Sur les plans de travail carrelés étaient exposés toutes sortes de petits appareils électroménagers, ainsi qu'un téléviseur portatif.

En versant le café dans des mazagrans à grandes marguerites jaunes, assortis aux faïences des murs, Gladys expliqua :

— Le réfrigérateur fabrique des glaçons. Je l'ai depuis à peine un an. J'avais toujours rêvé d'avoir un réfrigérateur qui fabriquait des glaçons.

— Quelle cuisine magnifique ! s'exclama Andrianna. Ce doit être un plaisir d'y préparer de bons petits plats. Depuis combien de temps habitez-vous ici ?

Cette question lui brûlait les lèvres depuis qu'elle avait mis les pieds dans la maison. Elle voulait savoir quand Rosa était partie.

— Depuis que je suis mariée, c'est-à-dire près de vingt-trois ans. Une bonne vingtaine d'années... cela correspond à la différence d'âge existant entre Tony et moi. Il a presque soixante-cinq ans, et prendra bientôt sa retraite. Cela vous étonne ? Les gens qui ne le connaissent pas sont toujours surpris. Mais je vais vous dire comment les choses se sont passées. A dix-sept ans, tout ce qui m'intéressait, c'étaient les garçons, et accessoirement les vêtements et les discothèques, où j'aimais aller danser. J'avais surtout un faible pour les garçons qui jouaient les gros durs, un peu voyous sur les bords — ceux qui avaient des yeux de braise, des mains baladeuses, et des corps de rêve; ceux qui savaient parler d'amour, piloter de grosses motos, et... envoyer les filles au septième ciel en moins de temps qu'il n'en faut pour le dire.

« Mais ma mère, paix à son âme, était originaire du coin et non mexicaine, et elle ne cessait de me répéter que les filles qui fréquentaient ce genre de garçons, ou bien les clandestins qui ne connaissaient pas deux mots d'anglais, risquaient de se retrouver avec une demi-douzaine de marmots sur les bras, et de passer leur vie dans la misère. Trouve-toi un bon mari, disait toujours maman, et l'amour suivra. Eh bien, figurez-vous qu'elle avait raison! Elle m'a fait rencontrer Tony, qui n'était pas vendangeur mais contremaître au Domaine de Monticello, et comme elle l'avait prédit, j'ai emménagé dans cette maison, où je me sens comme un coq en pâte. Je n'ai jamais eu besoin de travailler et j'ai toujours eu tout ce que je désirais. Mes enfants aussi. L'aîné, Al, est dans les assurances, et Tony Jr. prépare un B.T.S. d'informatique. Mais c'est Richie le plus intelligent. On aimerait bien qu'il devienne avocat. Quant à Véronica, je lui souhaite d'épouser un homme sérieux, qui lui donnera la sécurité et l'aisance matérielle. »

Elle plongea son regard dans celui d'Andrianna comme si elle attendait une remarque de sa part, mais Andrianna n'avait rien à répondre. A tout hasard, elle émit quelques « mmm » d'approbation.

— Et vous, Andrianna? Etes-vous mariée? Avez-vous des enfants?

— Non, je suis célibataire, sans enfant.

Gladys sourit, caressa de nouveau le vison.

— Comme votre mère, hein? Vous n'avez pas envie de leur passer la bague au doigt, si je comprends bien?

Jugeant préférable de changer de sujet de conversation, Andrianna demanda à Gladys si elle savait ce qu'était devenue Rosa.

— Quand j'ai quitté la Californie, expliqua-t-elle, elle vivait dans cette maison. Ensuite, je l'ai perdue de vue. Mais il y a trente ans de cela. Si vous habitez ici depuis vingt-trois ans, il reste sept ans sur lesquels on ne sait rien. A qui votre mari a-t-il acheté la maison?

— A une banque, je crois. J'aimerais bien pouvoir vous aider, d'autant que j'ai l'impression que vous avez vraiment envie de retrouver la trace de cette Rosa, mais je ne me souviens absolument pas d'elle. Il y aura bien quelqu'un, dans le quartier, qui pourra vous renseigner. La meilleure chose à faire est de demander un peu partout...

— Oui, c'est sûrement ce que je vais faire, dit Andrianna en se levant. Merci pour tout.

— Pour quoi? Je n'ai rien fait!

— Mais si! Vous avez été... si gentille de m'inviter à entrer et à prendre un café.

— Attendez, je viens d'avoir une idée. Asseyez-vous et reprenez du café. Pendant ce temps, je vais passer un coup de fil à Lily, ma sœur. Etant donné qu'elle a sept ans de plus que moi, elle se souviendra probablement de Rosa et pourra peut-être même nous dire ce qu'elle est devenue. D'accord? Lily habite à San Francisco. Elle s'est drôlement bien débrouillée, elle aussi. Elle a épousé un Italien qui a un atelier de carrosserie. Ces types-là s'y entendent pour gagner de l'argent! Parfois, je regrette de ne pas avoir rencontré un homme habitant à Frisco. Je ne me plains pas, bien sûr, mais il y a des jours où je trouve le temps long, ici, et où je me dis que ça doit être formidable de vivre dans une grande ville.

⁂

Lily se souvenait de Rosa. Tout comme elle se souvenait du décès de cette dernière, six mois à peine après celui d'Elena Duarte. En apprenant la nouvelle, Andrianna se prit à regretter d'avoir cherché à savoir.

Oh, Rosa, ma chère Rosa! J'avais tellement besoin de te voir!

— Elle n'a pas été enterrée à La Paz. Lily dit qu'un homme — son frère, peut-être — est venu de Mexico et s'est arrangé pour que le corps reparte là-bas. Lily dit qu'elle est morte d'une attaque.

Mais Andrianna n'en croyait rien. En réalité, Rosa était morte de chagrin.

— Il y a une autre personne que j'aimerais bien contacter : un certain Dr Hernandez. Je crois qu'il s'appelait Geraldo, mais je n'en suis pas sûre. C'était le médecin de ma mère, expliqua Andrianna. J'ai deux ou trois questions à lui poser. Vous le connaissez? Son nom vous dit-il quelque chose?

— Oui, bien sûr. Son fils, le Dr Jerry Hern, est mon médecin traitant. A la mort de son père, il y a une dizaine d'années, Jerry a repris le cabinet. Jerry et moi, nous étions dans la même classe, au lycée... du moins jusqu'à ce que j'arrête mes études pour épouser Tony. Son cabinet se trouve sur Vista Way, dans un complexe résidentiel nouvellement construit. Vous savez, La Paz s'est beaucoup étendu, en trente ans... Et si vous pouviez voir la villa que Jerry et sa femme se sont fait bâtir en dehors de l'agglomération! Une merveille! Jerry est la crème des hommes, mais sa femme, Melissa — une blonde pas très souriante —, ne parle jamais à personne. D'ailleurs, cela ne m'étonne pas vraiment. Je ne la connais pour ainsi dire pas, mais j'ai l'impression qu'elle ne se prend pas pour rien. Ce n'est pas une fille d'ici, vous comprenez...

Gladys riait, mais on sentait l'amertume percer dans sa voix.

— Il paraît que c'est elle qui l'a incité à changer de nom. Evidemment, Jerry Hern sonne mieux que Geraldo Hernandez... Elle faisait peut-être partie de ces filles qui trouvaient irrésistible le regard latin de Geraldo, mais ne voulaient pas ce qui allait avec ! Remarquez, ce n'est peut-être pas elle, mais sa famille, qui est en cause. Il est possible que ses parents n'aient pas approuvé son mariage...

Elle rit de nouveau, mais Andrianna crut détecter dans ce rire une certaine nostalgie.

— En tout cas, Jerry est extrêmement gentil, et c'est un excellent médecin. Je suis sûre qu'il fera tout ce qu'il peut pour vous aider.

Oui, elle irait le voir, décida Andrianna. Car même s'il n'avait jamais entendu parler du cas d'Elena Duarte, il avait sûrement gardé les archives de son père, puisqu'il avait hérité de son cabinet. Elle saurait alors si pour sa part, elle avait hérité de la maladie de sa mère.

Avant de monter dans la limousine, elle fit au revoir de la main à sa nouvelle amie, qui la regardait depuis le seuil de sa maison. Gladys lui rappelait étrangement Nicole, une Nicole en fuseau noir et non en robe griffée, une Nicole fière de son magnétoscope et de son réfrigérateur dernier cri et non de ses relations mondaines et de ses réceptions huppées à Palm Beach...

Andrianna se pencha pour indiquer au chauffeur la direction du cimetière où était enterrée sa mère. Pendant le trajet, elle se demanda si la nuit, à côté de son Antonio, Gladys rêvait parfois à tous ces mauvais garçons qu'elle avait connus dans sa folle jeunesse... A moins que celui qui hantât ses nuits ne fût ce Jerry au regard latin irrésistible, celui dont elle disait qu'il était « la crème des hommes »... ?

⁂

Jonathan était au bureau depuis une heure — il était arrivé un peu avant 7 heures, soucieux de rattraper le temps perdu —, lorsque sa secrétaire vint lui demander s'il voulait du café.

— Non, merci, Patti. Je m'en suis préparé tout à l'heure. Pourriez-vous appeler Paul Banks à son bureau et prévenir Bob Halpern que je veux le voir tout de suite ?

— Je m'en occupe. Mais je vous rappelle que le journaliste de *Time* sera là dans une quinzaine de minutes.

— Bon sang ! Je l'avais complètement oublié, celui-là ! Pourquoi ne m'avez-vous pas averti plus tôt que l'interview était prévue pour ce matin ?

— Je l'ai fait, répondit Patti, visiblement vexée. Ou du moins j'ai essayé. Hier soir, j'avais posé votre agenda sur le bureau, au cas où vous seriez passé. J'ai aussi appelé chez vous et laissé un message à la femme de ménage. Et pour plus de sûreté, j'ai rappelé un peu plus tard et enregistré un message sur votre répondeur.

— Ah !

Lorsqu'il était arrivé, la veille au soir, Jonathan était si fatigué qu'il n'avait pas fait attention aux petits mots qu'avait disposés Sarah à côté du téléphone, ni au voyant rouge du répondeur.

— Toutes mes excuses, dans ce cas. Appelez-moi Banks, quand même. Pour Halpern, nous verrons plus tard, après le passage du journaliste.

— Très bien, monsieur West. A propos, comment s'est passée la traversée sur le *Queen Elizabeth 2* ? Est-ce aussi sensationnel qu'on le dit ?

— Ça s'est bien passé. Très bien, même.

— Pourquoi vous donnez-vous tant de mal, monsieur West ? demanda Anthony Parks, le journaliste de *Time*.

Vous possédez déjà un demi-milliard de dollars, une somme que la plupart des gens n'arrivent pas à gagner en l'espace de toute une vie. Il y en a qui pensent à leurs enfants, à la transmission du patrimoine, mais vous, vous n'êtes pas marié...

— Pas encore. Mais j'estime qu'à mon âge, tout n'est pas perdu. En temps voulu, moi aussi j'aurai une femme et des enfants.

— Est-ce pour eux que vous faites tout cela ? Vous voudriez bâtir une fortune qui vous survivra, comme les Rockefeller, par exemple ?

Jonathan haussa les épaules.

— Les Rockefeller étaient une famille nombreuse. Leur fortune a été tellement divisée, entre les différentes générations, qu'au bout du compte, il n'en est pas resté grand-chose. Et puis, il y a les droits de succession. En toute honnêteté, monsieur Parks, je trouve ça dommage.

— Alors, je vous repose la question : pourquoi vous donnez-vous tout ce mal, monsieur West ?

— Pour le plaisir d'avoir plus, toujours plus, et de pouvoir dépenser sans compter. Du moins était-ce ainsi au début... Après, c'est un peu différent. On le fait par habitude, sans se poser de questions, simplement pour voir sa fortune doubler, tripler, puis décupler. Dans un monde où l'argent est la valeur suprême, en gagner beaucoup est un signe de réussite.

— Et dans un monde où l'argent ne *serait pas* la valeur suprême ?

Jonathan sourit.

— Le jour où ce monde existera, j'aviserai.

L'interview se poursuivit avec les questions habituelles — les fameux Qui, Quoi, Quand et Où si chers aux journalistes. Jonathan répondait machinalement, mais lorsque Parks arriva au Comment final, il dut réfléchir quelques instants.

Sur le point de lui débiter son histoire de « couteaux dans le dos », il se ravisa.

— La clé de ma réussite ? lança-t-il. Le travail avant tout ! Ni vacances ni loisirs.

A partir de maintenant, en tout cas, ce sera comme ça !

Puis il regarda ostensiblement sa montre et déclara tout net que l'interview était terminée. Puis il chargea Patti de raccompagner le journaliste, qui paraissait quelque peu vexé.

Andrianna posa une main sur le marbre froid de la tombe et ferma très fort les paupières pour essayer de refouler ses larmes. *Dis-moi, maman, est-ce que ça valait vraiment la peine ? As-tu pensé jusqu'au bout que l'amour en plein jour était merveilleux ? N'as-tu jamais rien regretté ? N'aurais-tu pas eu une vie plus heureuse, peut-être plus longue et plus épanouissante avec un Antonio Garcia, qui aurait bien pris soin de toi, et t'aurait donné beaucoup d'enfants qui auraient porté son nom ?*

Ou bien un Jerry Hern, qui par amour pour toi aurait accepté de changer de nom ?

Oh, maman, ne t'es-tu jamais dit que ta vie aurait été très différente si tu avais aimé un autre homme ? Un homme qui aurait tenu davantage à toi ? Si tu t'étais donné la peine de le chercher ? Peut-être même un homme comme Jonathan West ?...

Ces questions ne reçurent évidemment aucune réponse. Mais la réponse, Andrianna la connaissait. Elena avait fait un pari, un pari sur la vie et sur l'amour. Le seul problème, c'était qu'elle n'avait pas choisi le bon numéro. C'était toujours le risque, quand on jouait à la roulette...

Et de quoi es-tu morte, maman ? J'ai absolument besoin de savoir. Est-ce le LED qui t'a tuée, ou bien le chagrin ?

Avant de s'en aller, Andrianna envoya un baiser vers le rectangle de terre où reposait Elena. Cette terre californienne qui, au cours de toutes ces années, n'avait jamais cessé d'être la sienne. Depuis trente ans, son seul lien avec la Californie du Nord, c'était ce droit qu'elle avait acquis à sa naissance. Sa patrie était la Californie, cet Eldorado où tous les rêves étaient censés se réaliser. Et pourquoi pas les siens... ?

Demain, elle irait voir le Dr Jerry Hern, et avec un peu de chance, il lui dirait si oui ou non, elle avait le droit de parier sur Jonathan West.

— Alors, cette interview ? Elle s'est bien passée ? s'enquit Patti en tirant les rideaux pour protéger du soleil les boiseries du bureau de Jonathan.

— Pas trop mal, il me semble. Sauf qu'il m'a posé les questions qu'une dizaine de ses confrères m'avaient posées avant lui... et que je n'ai pas dû être très original dans mes réponses.

— Oh, mais je suis sûre que ce sera parfait ! Je me souviens de la dernière. Vous donniez vraiment l'impression d'être un battant.

— C'est vrai ? dit-il en riant. Je suppose que c'est ce que les lecteurs attendent...

— Bien sûr. Il faut que les gens vous envient, ou vous respectent... ou bien les deux. C'est cela qui compte, n'est-ce pas ?

— Je n'en sais rien. A vrai dire, Patti, je ne suis plus tellement sûr de savoir ce qui compte, dans la vie.

— Voyons, monsieur West, il ne faut pas dire ça ! J'ai l'impression que le décalage horaire ne vous réussit pas. Demain, ça devrait aller mieux. Voulez-vous que je fasse venir Bob Halpern tout de suite, ou préférez-vous tout d'abord jeter un coup d'œil à vos messages téléphoniques ? Hugh Lansing a dit qu'il fallait qu'il s'entretienne avec vous de toute urgence des décisions de l'urbanisme en ce qui concernait le chantier Oceanic, et Jane Perkins, de la comptabilité, voudrait...

— Quelle heure est-il ?

— Presque 13 heures.

— Ecoutez, j'ai toute une pile de papiers à signer. Tout ce que je vous demande, c'est une heure ou deux de tranquillité. Je vous appelle dès que j'ai terminé.

— Parfait. Je tiens tout de même à vous signaler que ce soir, à l'Equidome, vous êtes censé jouer dans ce match de polo où s'affrontent toutes sortes de personnalités.

— Oh, non ! C'est ce soir ?

Patti soupira.

— Eh oui ! Vous allez y aller ? Vous vous sentez d'attaque ?

— Evidemment, que je vais y aller !

— Si je pose la question, monsieur West, c'est parce que... si je puis me permettre, je ne vous trouve vraiment pas dans votre assiette. Vous pourriez peut-être vous faire remplacer ? Après tout, vous n'avez pas eu le temps de vous entraîner et...

— Ça ira. Que voulez-vous qu'il m'arrive ? Vous avez peur que je me casse une jambe, deux ou trois côtes, ou encore le nez ?

— Il ne faut pas plaisanter avec ces choses-là, monsieur West.

— Qui vous dit que je plaisante ? En tout cas, il y a au moins une chose qu'on ne risque pas de se briser au polo.

— Laquelle ?

— Le cœur. Et là, je suis sérieux !

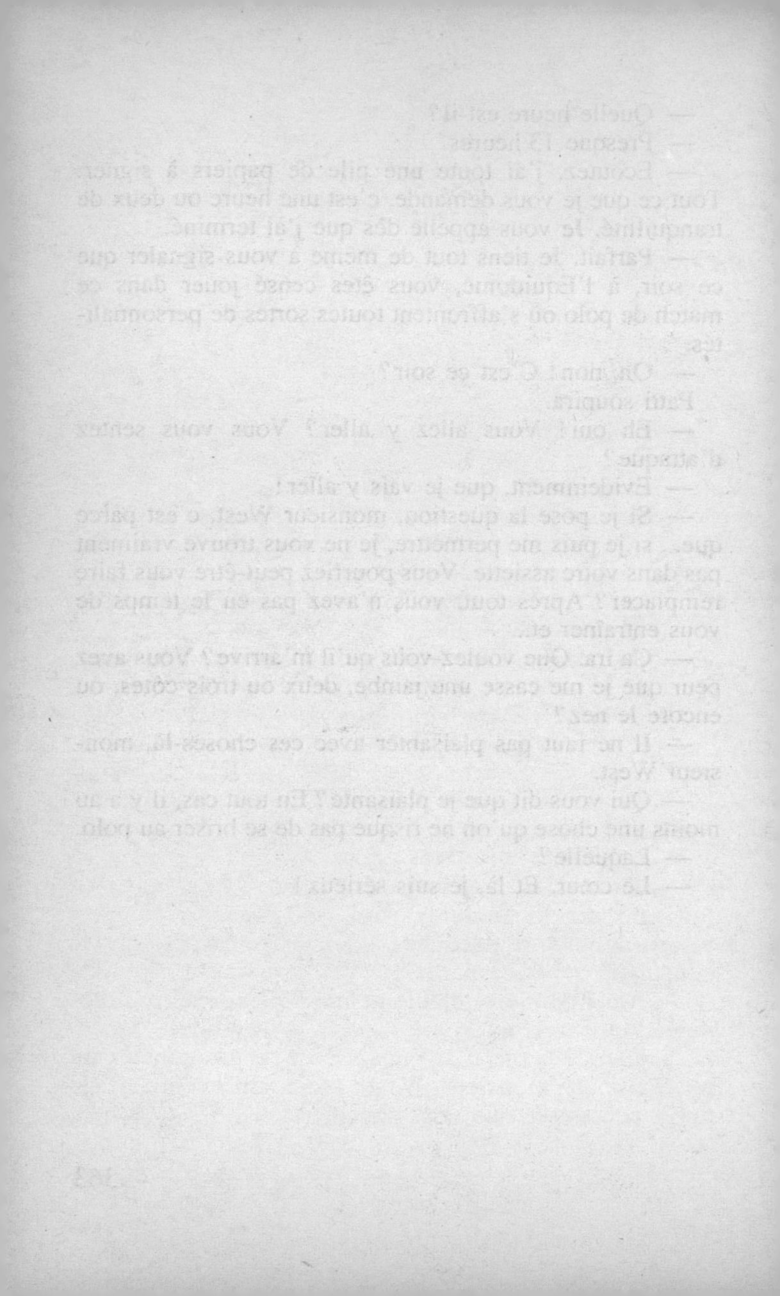

23.

Vendredi

— Bonjour, monsieur West ! lança joyeusement Patti lorsque Jonathan arriva au bureau, un peu plus tard que d'habitude. Vous n'avez pas eu de chance, hier soir, à ce qu'on m'a dit ?

— Nous avons perdu, si c'est ce que vous voulez savoir.

— Quel dommage ! Mais vous n'avez rien de cassé, c'est déjà quelque chose !

— Rien de visible, en tout cas...

Avec un hochement de tête compatissant, Patti le suivit dans son bureau, une pile de papiers à la main.

— Jason Watts attend d'être reçu, et voici les papiers concernant...

— Que veut-il ?

— M. Watts ? Il avait rendez-vous à 9 heures et ça fait plus de dix minutes qu'il vous attend ! Tout est inscrit dans votre agenda. Le soir, d'habitude, vous le consultez, avant de partir.

— Mais pourquoi diable ne me l'avez-vous pas rappelé ?

— Jusque-là, je n'ai jamais eu à vous rappeler un rendez-vous, monsieur West. Mais à l'avenir, je le ferai, si c'est ce que vous souhaitez.

— Ne vous fâchez pas, Patti. C'est ma faute. Ce doit être le décalage horaire... A quelles autres réjouissances dois-je m'attendre aujourd'hui ?

— Pour autant que je sache, à aucune autre. Si l'on excepte le gala au Hilton, ce soir, en faveur des sans-abri.

— J'ai acheté des billets ?

— Oui, monsieur.

— Parfait. J'ai rempli mon rôle, en ce cas, et rien ne m'oblige à y aller.

— Je crois que si, malheureusement. Il me semble que vous avez promis à Merv Griffin que vous y seriez. De plus, vous avez réservé une table pour dix personnes et invité pas mal de gens. Et au cas où vous l'auriez oublié aussi, vous y accompagnez Staci Whitley.

Jonathan la regarda avec des yeux ronds.

— Staci Whitley ? Qui est-ce ?

— Franchement, monsieur West ! Elle joue dans cette comédie de boulevard intitulée : *Es-tu bien sûre que ce sont mes gosses ?* Vous vous êtes engagé auprès de votre ami Peter Darwin, son attaché de presse, à l'accompagner à ce gala, expliqua Patti d'un ton exaspéré. Voulez-vous que j'appelle M. Darwin pour que vous lui annonciez que vous ne pouvez pas y aller ?

— Non, répondit Jonathan avec un soupir résigné. Une promesse est une promesse. Arrangez-vous avec un taxi, je vous prie, pour faire prendre Mlle Whitley chez elle. Je la retrouverai là-bas. A quelle heure est ce gala ?

— Le carton d'invitation se trouve sur votre bureau, monsieur West. Bon, je vais chercher M. Watts. Vous savez, il paraît que les effets du décalage horaire peuvent durer plusieurs jours...

— Vous êtes sûre ?

⁂

Andrianna avait appelé la veille pour s'assurer que le Dr Hern aurait le temps de la recevoir et pour lui annoncer sa visite, afin qu'il ne soit pas surpris lorsqu'elle se présenterait à son cabinet.

En fait, ce fut elle la plus surprise. Jerry Hern avait le physique d'un acteur de cinéma des années trente. Il possédait cette beauté classique et terriblement romantique des grandes idoles que toutes les femmes, à l'époque, vénéraient et rêvaient de rencontrer. Avec ses pommettes hautes, sa mâchoire aux contours presque trop accusés, ses sourcils très noirs, soulignant comme un trait l'architecture ordonnée du visage, son nez droit, ses dents étincelantes entre ses lèvres sensuelles, le médecin n'avait rien à envier à Tyrone Power, Laurence Olivier, ou même Rudolph Valentino.

Quant aux yeux de Jerry Hern, ils étaient tels que Gladys les avait décrits : insoutenables de douceur, de séduction... Ses prunelles étaient si foncées qu'un reflet bleuté y luisait. Pas étonnant que sa femme, la froide Melissa, ait perdu la tête pour lui et défié sans hésiter toute sa famille !

Et si Gladys avait eu l'occasion de faire sa conquête, aurait-elle pu résister ? Si elle avait vraiment eu le choix, aurait-elle sacrifié Jerry Hern sur l'autel de la sécurité que lui proposait Tony Garcia ? Andrianna en doutait sérieusement.

— Andrianna Duarte ! dit-il de sa voix chaude et mélodieuse en se portant à sa rencontre, les deux mains ouvertes devant lui. Je me souviens très bien de vous. Comment aurais-je pu oublier la petite fille qui avait ces extraordinaires yeux de chat ? Je vois qu'ils sont toujours aussi beaux, d'ailleurs. Un peu plus mordorés, peut-être... Avant de me prononcer, je demande à étudier la question.

Séduisant et absolument charmant...

Le Dr Hern savait parler aux femmes, songea Andrianna. Mais elle avait rencontré tant d'hommes, dans sa vie, qu'elle était devenue insensible à leurs discours élogieux.

Elle s'assit sur la chaise qu'il lui avança et déclara :

— J'aimerais pouvoir vous dire que je me souviens de vous, mais il n'en est rien. J'ai l'impression que j'étais une petite fille très égocentrique qui ne s'occupait que d'elle-même...

— *Tous* les enfants ont tendance à être égocentriques, et on ne peut pas le leur reprocher. Après tout, c'est le seul moment de leur vie où ils peuvent se le permettre.

— Il n'empêche que vous, qui étiez un grand de septième, vous aviez remarqué la petite de dixième que j'étais !

— Oh, mais cela ne signifie pas pour autant que j'étais moins égocentrique que les autres ! Cela prouve simplement que j'avais déjà l'œil quand il s'agissait de repérer une jolie fille !

Ils rirent de concert, et Andrianna se demanda si Jerry Hern se comportait ainsi avec ses clientes, s'il leur faisait à toutes du charme et du boniment.

Comme s'il avait lu dans ses pensées, il la rassura d'un sourire qui semblait lui dire, « Allez-y, vous pouvez me faire confiance. »

Son sourire n'était pas moins charmeur que le reste, mais il avait quelque chose en plus qu'elle avait du mal à définir. Et soudain, elle comprit. C'était la manière dont il illuminait son regard ardent, comme s'il venait de l'intérieur. Jerry Hern était un homme droit, elle en avait la certitude, à présent !

— Si j'ai bien compris, commença-t-il, vous revenez à La Paz après quelque chose comme trente ans d'absence. C'est bien cela ?

— Oui. C'est très long.

— De deux choses l'une : ou vous vous plaisiez vraiment beaucoup à l'étranger, ou vous détestiez vraiment beaucoup la Napa Valley !

— Ni l'un ni l'autre, en réalité. C'est plus ou moins le hasard, ou plutôt les circonstances qui m'ont tenue éloignée de la Californie. Ce qui m'amène à vous exposer l'objet de ma visite, qui empiète sur votre précieux temps.

— Non, pas du tout. Je ne prends jamais de rendez-vous le vendredi. Ce jour-là, j'en profite pour lire, me mettre au courant des dernière découvertes médicales. Je vous écoute, mademoiselle Duarte. Que puis-je faire pour vous ?

— Je comprends fort bien que vous souhaitiez savoir précisément de quoi est morte votre mère, car il existe *peut-être*, en effet, une prédisposition génétique à développer le LED. Mais à mon avis, cette éventualité ne devrait en rien influencer votre décision de vous marier et d'avoir des enfants. Il est vrai qu'aujourd'hui, le lupus est quelque peu mystérieux, mais la science finira par lever le voile sur cette maladie. Un jour, on saura *sûrement* la guérir. De sorte que même si vos enfants en étaient atteints, ce ne serait pas dramatique. On a déjà fait d'énormes progrès dans le diagnostic et la mise au point de traitements palliatifs. A condition que le patient et son médecin traitant soient vigilants, l'évolution du LED peut généralement être contrôlée.

« Le problème, bien sûr, c'est que les recherches dans ce domaine sont très peu nombreuses. Mais en attendant de pouvoir guérir complètement cette maladie, on devrait bientôt être en mesure d'allonger les périodes de rémission... jusqu'à les rendre, j'espère, indéfinies.

— Dieu vous entende ! Ce serait merveilleux si tous

les médecins se montraient aussi encourageants que vous. Mais dans l'immédiat, mon problème est de découvrir de quoi ma mère est morte. Pourriez-vous me dire, docteur, s'il y a un moyen de consulter son dossier ?

Elle retint son souffle, tant elle craignait qu'il lui répondît par la négative.

— C'est que... il y a un petit problème, commença-t-il d'une voix hésitante.

Le cœur d'Andrianna se serra.

— Etant donné le manque de place, toutes les archives de mon père se trouvent à présent dans un entrepôt. Je ne peux pas vous donner ce renseignement immédiatement.

Son soulagement fut si intense qu'Andrianna se mit à rire.

— J'ai bien cru que vous alliez m'annoncer que vous aviez été obligé de vous en débarrasser !

— Non, aucun risque ! Les dossiers des malades représentent une véritable mine d'informations pour la recherche. Et la recherche est ma grande passion. Si vous voulez, je vais envoyer mon assistante à l'entrepôt, où elle pourra commencer à trier les archives. Pendant ce temps, je vous emmène déjeuner. Cela me donnera l'occasion de vous parler longuement de moi, de vous dire pourquoi je suis à La Paz, et ce que j'y fais. Le marché vous semble-t-il équitable ?

— Je crois que j'ai tout à y gagner.

Ils bavardèrent en dégustant des huîtres succulentes et des filets de saint-pierre délicieusement fondants.

— Je me suis spécialisé en pédiatrie, expliqua Jerry Hern, au début du repas. Je voulais me consacrer à la recherche fondamentale. Mon rêve était de pouvoir guérir un jour toutes les maladies qui affectent les enfants privés de défenses immunitaires. Je me prenais pour un héros. Si bien que quand mon père m'a demandé de venir travailler avec lui, parce qu'il y avait à La Paz et dans les environs beaucoup d'enfants démunis qui auraient bien eu besoin d'un pédiatre, j'ai refusé. Que voulez-vous, je ne me voyais pas délivrer des ordonnances à longueur de journées ! J'avais de plus nobles ambitions. Ne vous avais-je pas dit que *tous* les gosses étaient égocentriques ? J'avais pourtant une bonne vingtaine d'années, à ce moment-là.

— Mais vous *aviez* de nobles ambitions, protesta Andrianna.

Il eut un sourire mi-figue mi-raisin.

— Vous croyez ? Je me demande si en fait de recherche, je ne cherchais pas tout simplement à me faire plaisir... Je ne pensais guère à mon père, en tout cas, et à tout ce que je lui devais. Il avait connu la misère, dans son enfance, comme n'importe quel autre petit Mexicain de sa condition, et il avait dû se battre pour devenir médecin. Pendant ses études, il lui est arrivé plus d'une fois de ne pas manger à sa faim. Ensuite, il a fait de moi un médecin — la voie était toute tracée, je n'ai eu qu'à la suivre. Il m'a envoyé à Stanford, et tout ce qu'il me demandait en échange, c'était de venir travailler avec lui, pas seulement pour réaliser son rêve, mais parce qu'il avait besoin de mes compétences. Et moi, j'ai refusé. J'ai dû lui briser le cœur... Dire que j'ai même renié son nom ! Car entre-temps, voyez-vous, Geraldo Hernandez Jr. est devenu Jerry Hern.

Andrianna songea à sa femme, et à ce que lui avait dit Gladys à son sujet. Si elle avait voulu qu'il change de nom, il était normal qu'il le fît. Le bonheur de son épouse ne passait-il pas avant tout le reste ? Il se devait de tout faire pour la satisfaire. Sinon, à quoi bon se marier ?

— Je suis persuadée que vous aviez de bonnes raisons de changer de nom, murmura-t-elle.

— Je le croyais. J'étais encore étudiant, à l'époque. Je me disais qu'avec un nom pareil, je serais en butte à tous les préjugés à l'encontre des Latino-Américains, et que je ne parviendrais jamais à intégrer un grand laboratoire. Or, pour mener à bien mes projets philanthropiques, il fallait que je puisse travailler dans les meilleures conditions possibles.

Sa femme n'y était donc pour rien ! songea Andrianna.

— Mais c'était parfaitement légitime... de vouloir changer de nom pour cette raison.

— Vous le pensez vraiment ? Diplômé de Stanford, je n'aurais probablement eu aucun mal à me faire accepter dans une bonne équipe de recherches. En réalité, je pense que je voulais me débarrasser de ce que je considérais comme un stigmate.

— Je suis sûre que vous vous trompez. C'est totalement ridicule.

— C'était l'avis de ma femme. Melissa ne comprenait pas pourquoi je tenais tellement à changer de nom. Elle disait que...

Il baissa la tête, l'air gêné.

— Oui ? Que disait Melissa ?

— Que mon nom faisait partie intégrante de ma personnalité, et que si je construisais sur ce que j'étais en naissant, je serais d'autant plus fier d'arriver tout en haut de l'échelle — les différentes parties de mon moi s'ajoutant les unes aux autres et s'enrichissant les unes des autres. C'est ainsi que Melissa voyait les choses.

Lorsqu'il parlait de sa femme, il avait des étoiles plein les yeux, constata Andrianna. Il était plus fier d'elle que de lui-même, ce qui était une magnifique preuve d'amour. Elle comprit alors que Gladys avait mal jugé Melissa.

Très émue, elle baissa les yeux.

— Votre femme a l'âme d'un poète, dit-elle dans un souffle.

— Oui, mais je ne l'ai pas écoutée, et j'ai bel et bien changé de nom. Pour rien. Car personne ne s'y est laissé prendre. Tout le monde savait qui j'étais et ce que j'étais. Comment dit-on, déjà : « On ne juge pas quelqu'un sur son nom mais sur ses actions. » Je pense que c'est ce que Melissa avait essayé de me faire comprendre. Mais quand je m'en suis aperçu, il était trop tard pour reculer. J'avais déjà perdu une partie de mon moi.

— Oh, non ! s'écria Andrianna. Quel que soit le nom que vous portez, vous restez vous-même !

Elle s'interrompit brusquement, effarée de constater qu'elle parlait pour elle autant que pour lui.

— Mais vous ne m'avez toujours pas expliqué comment vous aviez abouti ici, à La Paz, s'empressa-t-elle de dire.

— En fait, je ne suis revenu qu'après la mort de mon père. Je faisais de la recherche dans un grand hôpital de San Francisco, que j'ai quitté du jour au lendemain, juste après l'enterrement. C'est comme si un déclic s'était produit quand j'ai vu tous ces gens, lors de la cérémonie — des centaines de personnes venues de toute la vallée qui pleuraient et se lamentaient en suivant le cercueil. Et je me suis dit qu'il allait affreusement leur manquer.

« Ces gens-là ne pouvaient se permettre de consulter des médecins non conventionnés ou d'aller se faire soigner dans une grosse clinique de San Francisco, alors qu'ils n'avaient ni argent ni mutuelle. Mon père, qui était issu du même milieu qu'eux et leur avait consacré toute sa vie, était leur sauveur et leur ami.

« J'ai compris alors combien était importante la tâche qu'il avait accomplie. Sans doute aussi importante que la recherche. Et pas si différente, à la réflexion. Exercer dans un cabinet, c'est faire de la recherche en prise directe avec la maladie, sur le terrain plutôt que retiré dans un laboratoire. C'est ainsi que ce jour-là, j'ai pris ma décision; une décision que je n'ai jamais regrettée depuis.

Il marqua une brève pause avant d'ajouter en riant :

— Même quand je rencontre mes anciens collègues de fac et qu'ils me disent combien ils gagnent...

Elle sourit, mais en réalité, Andrianna avait envie de pleurer. *J'ai pris ma décision; une décision que je n'ai jamais regrettée depuis...* Quelles paroles merveilleuses !

— Vos patients ont bien de la chance de vous avoir comme médecin, et Melissa est une femme comblée.

Et elle, songea-t-elle, elle avait eu de la chance de faire sa connaissance. Car même si elle ne devait jamais le revoir, elle n'oublierait pas Jerry Hern, qui lui avait fait don de son amitié.

Il s'était confié à elle sans honte et sans fausse pudeur, avec humilité, et lui avait montré qu'il fallait garder espoir, qu'aucun choix n'était jamais définitif, et qu'on pouvait tout recommencer, même après avoir changé de nom.

Alors, elle se mit à lui parler d'elle, à lui raconter toutes ces choses qu'elle n'avait jamais dites à personne. C'était comme si une fois lancée, elle ne pouvait plus s'arrêter...

— Et ensuite, qu'avez-vous fait ? Qu'êtes-vous devenue après avoir quitté la maison de Gino Forenzi ?

— Ne voulant pas rester à Rome, dans la même ville que Gae et Gino, je suis partie à Paris. J'y avais quelques amis, une en particulier, plus quelques relations. J'ai été invitée à toutes sortes de réceptions, ce qui m'a permis de rencontrer d'autres gens, qui m'ont invitée à leur tour. De sorte qu'au bout de quelque temps, je connaissais un monde fou. Grâce à ce cercle d'amis, et à ma petite formation artistique, j'ai trouvé du travail dans une galerie de peinture. Ma tâche consistait essentiellement à inciter les gens que je fréquentais à visiter la galerie et à acheter. Ce n'était pas passionnant, mais je me débrouillais plutôt bien.

— Puisque vous aviez été le bras droit de Gino, vous auriez sûrement pu trouver une place intéressante et faire carrière dans les affaires, non ?

— Peut-être, mais pour décrocher un emploi d'assistante de direction dans une entreprise, il aurait fallu que je fasse prévaloir mon expérience chez Forenzi. Je n'aurais jamais su alors si j'avais eu le poste parce que j'avais produit une bonne impression ou parce que Gino était intervenu. Or j'éprouvais vraiment le besoin de m'affranchir de lui. Et puis surtout, faire carrière signifiait prévoir à long terme, miser sur l'avenir, ce à quoi je me refusais farouchement. Si j'avais fait des projets, j'aurais été obligée de tenir compte d'une éventuelle récidive de la maladie. Alors je préférais vivre au jour le jour, en considérant les choses et les gens comme transitoires. A Paris, pendant un temps, j'ai eu une liaison avec un homme, quelqu'un de très bien au demeurant, mais quand les choses ont commencé à se préciser, et qu'il s'est mis à exiger de moi plus que je ne pouvais lui donner, j'ai pris peur. Il était temps que je m'en aille.

« Mon travail à la galerie de peinture ne m'intéressait plus du tout, à cette époque — manipuler les gens n'était pas très agréable, surtout quand on avait été soi-même manipulée comme je l'avais été par Gino. J'ai donc plié bagage et je suis partie à Londres, après avoir pris congé de mon « fiancé », emportant cependant les bijoux qu'il m'avait offerts. Je n'avais pas oublié le conseil de Gino.

Elle marqua une pause, avant d'ajouter d'un ton cynique :

— Ce n'est que bien plus tard que j'ai compris qu'en agissant de la sorte, je me rendais coupable de la pire sorte de manipulation qui existait.

« A Londres, comme je ne voulais pas être poursuivie par l'homme que j'avais abandonné, j'ai changé de nom. Je m'appelais désormais Anna della Rosa. Ce nouveau nom présentait en outre l'avantage d'être plus exotique à Londres qu'Ann Sommer.

« Pour changer de la peinture, je suis devenue danseuse. J'étais douée pour le flamenco, et en dehors du flamenco, j'avais pris quelques cours. Mais j'allais bientôt découvrir qu'on ne s'improvisait pas danseuse du jour au lendemain. Ma technique n'était pas vraiment au point...

« Cela n'avait guère d'importance, car il se trouvait toujours des gens — en particulier des hommes — pour me venir en aide. Après, je suis partie ailleurs, dans une autre grande ville, Berlin ou Madrid, je ne sais plus très bien. J'ai été chanteuse, puis comédienne avant de repartir une fois de plus... de changer de nom, de profession, de relations, de « fiancé ». Avant de m'embarquer pour les Etats-Unis, j'étais de nouveau installée à Londres, en tant que comédienne connue sous le nom d'Andrianna DeArte. »

— DeArte ? Une seule lettre vous sépare encore de la jolie petite Andrianna Duarte que vous étiez, fit remarquer Jerry en souriant.

— Si ce n'était que cela... Vous m'avez dit vous-même, il y a quelques instants, que passé un certain temps, il était trop tard pour faire machine arrière — qu'une partie de soi-même était définitivement perdue.

— La partie en question n'est peut-être pas si importante que cela. Il est peut-être possible de se reconstruire une identité en affrontant la vérité, en acceptant enfin d'être soi-même. En assumant son passé et en se préparant un avenir plus beau, plus sain.

En fin de compte, l'homme le plus sage qu'elle eût jamais rencontré, ce n'était pas Gino Forenzi, comme elle l'avait longtemps cru, mais Geraldo Hernandez Jr. Quant à Jonathan West, elle ne pouvait pas se prononcer, et ignorait s'il était partisan, lui aussi, d'affronter la vérité. Le connaissant à peine, elle ne savait pas comment il réagirait en apprenant qui elle était réellement et comment elle avait vécu jusque-là. Cette seule pensée la rendait nerveuse.

Car sa seule certitude à son sujet, c'était qu'elle aimait, et que cet amour était réciproque.

Jerry s'arrêta sur le parking contigu à l'immeuble qui abritait son cabinet, et désigna d'un geste toutes les voitures en stationnement qui luisaient sous le soleil.

— Regardez-moi ça ! N'est-ce pas malheureux de penser qu'un endroit aussi bien exposé au soleil et au grand air soit investi par des voitures ? J'espère voir un jour un hôpital pour enfants se dresser ici. Mais je crains que cela ne reste qu'un rêve.

— Pourquoi ? Qu'est-ce qui l'empêche de devenir réalité ?

— Le manque d'argent, bien sûr. Et aussi le manque de temps. Si j'étais un peu plus disponible, j'irais frapper à toutes les portes pour essayer de réunir les fonds.

— Je peux peut-être faire quelque chose.

— Vous ? Mais comment, puisque vous n'envisagez même pas de vous installer dans la région ?

— Comme je vous l'ai dit, j'ai beaucoup de relations. Je connais des gens riches.

— Possible, mais les gens qui ont de l'argent n'ont pas nécessairement envie de le donner.

Il avait raison. Qui, mieux qu'elle, savait que les riches étaient totalement imprévisibles ?

Rikki, l'assistante de Jerry, les attendait, le dossier d'Elena dans les mains.

— Simple comme bonjour ! expliqua-t-elle gaiement. Tous les dossiers sont classés par ordre alphabétique.

— Parfait, dit Jerry en prenant le dossier.

Passant un bras autour des épaules d'Andrianna, il la fit entrer dans son cabinet.

Andrianna s'assit et attendit sagement, les mains croisées sur ses genoux, que Jerry eût pris connaissance des documents. De temps à autre, il passait plusieurs pages, pour aller plus vite, sentant sans doute que l'attente lui devenait intolérable. Ou bien il s'interrompait pour lui sourire, la rassurer.

Lorsqu'il parla enfin, Andrianna perçut dans sa voix un profond soulagement.

— Votre mère n'est pas morte d'un lupus. Elle avait des problèmes cardiaques.

— Vous êtes sûr ? Est-ce bien la vérité ou simplement un pieux mensonge ?

— Andrianna ! protesta-t-il. Jamais je ne vous mentirais.

Ces mots, songea-t-elle avec un pincement de cœur, Jonathan les avait lui-même prononcés quelques jours plus tôt.

Je ne t'ai pas menti, Andrianna. Jamais je ne te mentirai.

Elle se rendit compte alors que Jerry et Jonathan avaient beaucoup de points communs. Ils avaient le même regard droit et résolu, reflétant cette honnêteté foncière qui faisait toute leur force. Et tous deux possédaient en outre cette franchise qui témoignait de leur confiance en soi et de leur courage — la confiance de ceux qui savent qu'ils seront acceptés, le courage d'assumer pleinement leurs convictions et les conséquences de leurs actes.

L'un comme l'autre étaient des géants parmi les hommes : Jonathan parce qu'il avait, malgré son jeune âge, déjà bâti une fortune colossale, et Jerry, parce qu'il exerçait la médecine comme un apostolat. A sa façon, chacun d'eux était une sorte de héros, la seule différence résidant dans la nature de leurs rêves. Jonathan rêvait de gagner encore plus d'argent par défi personnel, pour son seul plaisir et son seul usage, alors que Jerry rêvait d'en trouver afin de construire un hôpital pour enfants. Et c'était peut-être là que se situait la frontière entre le personnage héroïque et le *vrai* héros.

Mais quand on aimait un homme merveilleux, on ne l'aimait pas moins parce qu'il n'avait pas franchi la frontière au-delà de laquelle il serait devenu un héros à part entière. On l'aimait pour ce qu'il était déjà, et pour ce qu'on espérait qu'il deviendrait un jour...

Oh, Jonathan!

L'un des obstacles qui s'élevaient entre eux venait de tomber, puisque sa mère n'était pas morte d'un lupus.

Mais à peine avait-elle formulé cette pensée qu'un doute horrible se faisait jour dans l'esprit d'Andrianna. Les problèmes cardiaques qui avaient entraîné la mort d'Elena n'étaient-ils pas liés à un lupus? Car le LED s'attaquait aux organes vitaux tels que les reins et le cœur...

A l'expression de son visage, Jerry devina les questions qu'elle se posait. Il se leva et contourna son bureau pour lui poser une main sur l'épaule.

— Les problèmes cardiaques de votre mère n'avaient rien à voir avec le lupus. Depuis son plus jeune âge, elle était suivie par mon père, qui avait une bonne vingtaine d'années de plus qu'elle. Apparemment, dès la première consultation, il avait diagnostiqué chez elle une faiblesse du cœur.

— Pauvre maman ! Elle n'a pas eu de chance, décidément. Etait-ce un problème congénital ?

— Difficile à dire. Mais d'après le dossier, elle aurait souffert de rhumatisme articulaire aigu. Or à cette époque, cette maladie passait souvent inaperçue et *pouvait*, notamment chez les enfants, laisser des séquelles au niveau du cœur.

— Y avait-il un moyen de la guérir ? Une opération chirurgicale aurait-elle pu la sauver ?

Elle pensa à Andrew Wyatt et se demanda s'il avait aimé Elena autant qu'il l'aurait fallu.

— Si l'on s'était mieux occupé d'elle, aurait-elle survécu ? murmura-t-elle.

— Inutile de vous torturer avec des si, Andrianna. Votre mère est morte il y a trente ans. La médecine a tellement progressé depuis... Aujourd'hui, une greffe serait peut-être envisageable. Qui peut vraiment le dire ?

— Je ne parlais pas des soins qu'elle a reçus, mais de l'amour qu'elle n'a peut-être pas eu.

Il lui sourit tristement et secoua la tête.

— L'amour ?... Qui peut vraiment le dire ?

Puis, il se replongea dans la lecture du dossier médical d'Elena, et elle dans ses réflexions. Il lui apparut alors, qu'en définitive, l'intensité de l'amour d'Andrew Wyatt pour Elena n'avait pas vraiment d'importance. Ce qui comptait, c'était qu'elle, Elena, l'eût aimé à la folie et que, au moins à une époque, elle eût connu ses précieux instants de plénitude volés à l'éternité. Une éternité qui avait pour elle duré jusqu'à la fin des temps...

Ce dont Andrianna se réjouissait intérieurement.

— Voilà, dit Jerry en posant le dossier. Rien n'indique que votre mère ait été atteinte d'un lupus. C'était bien ce que vous vouliez savoir, n'est-ce pas?

— Oui. Mais...

Elle sourit.

— Ne croyez pas que vous allez vous en tirer à si bon compte, docteur Hern.

— Ah? Que puis-je faire pour vous? Je vous écoute, Andrianna.

— J'ai des projets, docteur Hern. S'ils aboutissent, je vivrai à San Francisco, donc pas très loin d'ici. Je voudrais, par conséquent, que vous soyez mon médecin traitant. Etant donné que je suis dans une période de rémission, il n'est pas nécessaire qu'on se voie souvent. Au besoin, je pourrais toujours venir en avion... Je vous en prie, Jerry, dites oui!

— Mais je ne suis pas spécialiste! Et pourquoi vouloir un médecin qui vit si loin de votre domicile? Sans compter que vous n'aurez que l'embarras du choix à San...

Il se tut et la fixa intensément.

— Andrianna! dit-il enfin d'un ton désapprobateur. Vous n'allez pas faire ça!

— Faire quoi? Vous demander d'être mon médecin? Auriez-vous oublié le serment d'Hippocrate, docteur Hern? N'avez-vous pas juré de venir en aide à quiconque vous le demanderait?

— N'essayez pas de noyer le poisson; vous savez très bien de quoi je veux parler! L'homme que vous envisagez d'épouser *doit* tout savoir de vous. Bon sang! Andrianna, vous ne pouvez pas lui cacher la vérité! S'il vous aime, il acceptera les faits tels qu'ils sont. Et si vous l'aimez, il faut que vous ayez confiance en lui. Sinon, à quoi bon l'épouser?

Sur le principe, elle était d'accord. Mais il se trouvait que pour la première fois de son existence, elle pariait sur l'amour, sur la vie. Or, n'ayant pas l'habitude de ce genre de paris, elle préférait mettre toutes les chances de son côté.

— Tout à l'heure, dit-elle, au restaurant, quand vous m'expliquiez les circonstances dans lesquelles vous avez changé de nom, vous avez dit que lorsque vous vous étiez rendu compte de votre erreur, il était déjà trop tard pour faire machine arrière. Une partie de votre moi était irrévocablement perdue.

« Ce n'est pas mon avis, du moins en ce qui vous concerne. Pour moi, c'est différent. Il n'y a pas de retour en arrière possible. La seule solution est de faire avec. Jonathan m'aime suffisamment, je pense, pour m'accepter telle que je suis. Je tâcherai de me montrer digne de sa confiance, d'être pour lui la meilleure des épouses. Il n'y a rien de mal à cela — de vouloir faire de mon mieux pour le rendre heureux —, n'est-ce pas ? »

— Non, au contraire. Mais comment pouvez-vous envisager de vivre dans le mensonge ?

— Ce n'est plus vraiment un mensonge quand il est inspiré par l'amour...

— Et lui ? Partagera-t-il ce point de vue s'il découvre la vérité ?

C'était une éventualité à laquelle elle préférait ne pas penser.

— Pour l'instant, la discussion est purement théorique puisque je n'ai pas encore vraiment décidé de ce que j'allais faire. Je voulais seulement m'assurer que, le cas échéant, je pourrais compter sur vous.

— Je ne refuse pas de vous aider, Andrianna. Mais je ne suis pas qualifié pour le faire. Ce qu'il vous faut, c'est un spécialiste...

— Vos compétences me suffisent. Je vous rappelle que je suis en rémission ; et personne ne peut prédire combien de temps encore durera ce sursis. J'ai le sentiment que quand le moment sera venu pour moi de consulter un médecin capable de me prendre en charge, vous, le grand chercheur, aurez alors le profil requis. En attendant, tout ce que je vous demande, c'est un simple contrôle de routine de temps en temps. Rien de très sorcier. J'ai toute confiance en vous, docteur Hern. Et le jour où je serai enceinte, je suis sûre que vous saurez me suivre pendant ma grossesse.

Il lui jeta un regard atterré.

— Enceinte ? Ce serait beaucoup trop risqué pour vous.

— Message reçu cinq sur cinq, docteur. Je ne serai enceinte que s'il le demande. *Si* Jonathan dit qu'il veut un enfant.

Jerry Hern émit un grognement dont la signification échappa à Andrianna. Elle lui demanda alors quelques éclaircissements.

— Je veux dire par là que si je deviens votre médecin, je vous engage vivement à réfléchir, et à bien peser votre décision, avant de vous lancer dans l'aventure. L'enfant ne risque rien — dès lors qu'il naît à terme —, mais vous, vous risquez de graves poussées en cours de grossesse et après la naissance. C'est pourquoi je ne saurais trop vous conseiller de vous abstenir.

— Dois-je comprendre que vous acceptez ? Que vous êtes d'accord pour être mon médecin ?

— Je n'ai pas vraiment le choix, il me semble.

— Oh, mais c'est que *toute* la problématique est celle du choix, justement ! Et des risques à prendre... ou à ne pas prendre. Merci, Jerry, de *me* donner le choix et de me laisser courir le risque.

Oh, Jonathan, nous voilà tout proches, à présent.

Eperdue de reconnaissance, elle jeta les bras autour du cou de Jerry pour l'embrasser. Il baissa la tête et lui rendit son baiser, sur la bouche. Ses lèvres n'étaient pas aussi douces que celles de Jonathan, ce dont elle lui fut également reconnaissante.

— Je vous mettrai au courant dès que ma décision sera prise. S'il veut encore de moi après ce que je lui ai fait...

— Soyez tranquille de ce côté-là, Andrianna. Il faudrait être le dernier des imbéciles pour ne pas vouloir de vous !

Pendant quelques instants, elle se demanda ce qui se serait passé si Andrianna Duarte n'avait jamais quitté la Napa Valley, s'il n'y avait pas eu d'Ann Sommer, ni de Gae, ni de Gino, ni toute cette série d'hommes qui avaient traversé sa vie comme des météorites. Et si, pour Geraldo Hernandez Jr., il n'y avait pas eu de Jerry Hern ni de Melissa. Le grand garçon de septième et la petite de dixième auraient-ils fini dans les bras l'un de l'autre ?

Leurs regards se croisèrent, et Andrianna eut l'impression qu'il se posait la même question qu'elle. Elle le vit rougir, puis baisser les yeux. C'était une question qui resterait sans réponse, et cela valait beaucoup mieux pour tous les deux.

Elle sentit, cependant, les larmes lui monter aux yeux. Jamais encore elle n'avait éprouvé aussi fort le sentiment d'être comprise.

De son sac en python, elle tira un chéquier.

— Qu'est-ce que vous faites ?

— Un chèque. Vous avez un stylo ? Je suis obligée de l'établir en livres. Je n'ai pas encore eu le temps d'ouvrir un compte dans une banque américaine.

Il secoua la tête.

— Pas question, Andrianna. On ne se fait pas payer pour un service rendu par amitié envers une ancienne camarade d'école. Surtout quand il s'agit d'un *mauvais* service !

— Voilà que vous recommencez à être égocentrique ! railla-t-elle. Je n'ai jamais dit que j'allais *vous* payer. Ce chèque est le premier don pour la construction de cet hôpital dont vous me parliez tout à l'heure, sur le parking. Vous n'allez pas m'ôter ce privilège, tout de même ! Car si c'est le premier don, c'est aussi la première fois de ma vie que je contribue à une cause quelconque. Vous qui êtes désormais mon médecin, vous devez absolument comprendre que ce geste est essentiel à mon équilibre mental.

« Jerry, poursuivit-elle d'un ton beaucoup plus grave, je vous supplie d'accepter. Jusque-là, je n'ai jamais rien fait d'autre que prendre, accaparer le plus possible afin de thésauriser en prévision des mauvais jours. Ce don prouve que j'ai enfin confiance en l'avenir, que je n'ai plus peur des mauvais jours. Aujourd'hui, pour la première fois, le soleil brille à l'horizon, et je peux me permettre d'être généreuse. Laissez-moi contribuer, modestement, à la réalisation de votre projet. J'en ai les moyens. »

— Avec ou sans l'argent de Jonathan West ?

Cette question brutale la décontenança un peu, mais elle n'en voulut pas à Jerry de la lui avoir posée. Avec un haussement d'épaules, elle répondit :

— Avec ou sans, cela ne change rien. J'ai *besoin* de le faire.

— Dans ce cas, au nom des enfants de la Napa Valley, j'accepte votre don... et vous en remercie.

— C'est moi qui vous remercie.

Il la raccompagna jusqu'au parking, où l'attendait la limousine.

— Une limousine... ! Vous serez dans votre élément à Los Angeles, et plus exactement à Beverly Hills, observa-t-il en souriant.

— Je suis descendue au Stanford Court, à San Francisco. Pour venir ici, il fallait bien que je prenne une voiture avec chauffeur...

Cette tentative de justification le fit rire.

— N'importe qui aurait loué une voiture, sauté dedans et démarré sur les chapeaux de roues. N'importe quelle Américaine, j'entends !

Elle soupira.

— Que voulez-vous... ? Je n'ai rien de l'Américaine typique ! A vrai dire, je n'ai pas l'habitude de conduire. Mais si ce n'est que ça, je vais m'y mettre ! Je tiens à devenir une véritable Californienne, quitte à devoir prendre le volant !

Il l'embrassa de nouveau.

— Vous êtes formidable, Andrianna Duarte, murmura-t-il. Vous partez demain matin, alors ?

— Non. J'ai encore une ou deux affaires à régler avant de me décider pour de bon.

— Ah ?

— Oui, se contenta-t-elle de répondre, estimant que le Dr Jerry Hern en savait déjà beaucoup trop sur son compte.

Elle regarda autour d'elle.

— Que ferez-vous de toutes ces voitures quand l'hôpital sera construit ?

— Sous terre, elles seront très bien. Seuls les vivants ont besoin d'être au grand jour et au soleil. Et cela vaut aussi pour *vous*, Andrianna. J'aimerais tant vous voir sortir de la pénombre... Promettez-moi d'essayer. Qui sait ? Vous y prendrez peut-être goût.

Son ton était désinvolte, mais son regard intense, et ferme la pression de ses mains sur ses épaules.

Pendant quelques secondes, elle le contempla sans rien dire. Puis elle rétorqua en riant :

— Franchement, docteur, vous devriez pourtant savoir que le soleil peut me faire beaucoup de mal ! En l'état actuel des choses, je ne peux pas m'exposer totalement. Mais je ne dis pas que je ne le ferai pas un jour. Le moment venu...

Il referma la portière.

— Vous me souhaitez bonne chance? dit-elle derrière la vitre.

— Mieux que cela. Je vous souhaite de vivre le grand amour...

Staci Whitley était une adorable blonde, très agréable à regarder dans sa courte robe de cocktail à paillettes. Mais lorsque Madison Short le prit à part, Jonathan ne fut pas particulièrement fâché de la quitter.

— Je reviens tout de suite, lui dit-il.

— Nous sommes quatre sur le coup, expliqua Madison dès qu'ils furent seuls. Il nous faut un cinquième larron. Ça t'intéresse?

— Tout dépend de ce que vous avez en tête, dit Jonathan en lui arrangeant son nœud papillon. Il s'agit d'un simple investissement, ou d'un projet immobilier?

— D'un projet. La construction d'un grand centre commercial. J'ai besoin de ta réponse rapidement.

— Compte sur moi, vieux ! assura Jonathan avant de regagner la table où l'attendait Staci Whitley.

— Comment s'écrit votre nom, Staci?

— Avec un I... Pourquoi ? demanda-t-elle en posant une main sur sa cuisse.

— Comme ça. J'ai constaté récemment que le Y était en disgrâce. C'est la grande mode du I, on dirait?

— En fait, ce n'est pas une question de mode, objecta-t-elle en montant à l'assaut de son entrejambe. Il s'agit simplement de se démarquer de toutes celles dont le nom s'écrit avec un Y. Vous comprenez?

— Plus ou moins.

Elle s'était mise à le caresser sous la table.

— Chez vous ou chez moi? murmura-t-elle, les yeux mi-clos.

— Plutôt chez moi... mais il y a un petit problème.

Juste après vous avoir déposée, il faut que je parte. Une affaire urgente m'appelle sur la côte.

— Quel dommage ! sussura-t-elle avec une petite moue. Vous me promettez de m'appeler à votre retour ?

Il avait horreur de promettre à tort et à travers.

— Je vous promets d'essayer... dès que je le pourrai.

Andrianna se mit au lit, son plateau-repas d'un côté, l'annuaire téléphonique local de l'autre. Mais c'était une adresse dont elle avait besoin, pas un numéro de téléphone. Car elle ne se voyait pas appeler l'un des membres de la famille Wyatt. Que lui dirait-elle ? Par où commencerait-elle ? Seule une conversation en tête à tête était envisageable.

Comme elle n'avait pas de prénom en tête, elle chercha à « Banques » dans l'index par profession. Elle tomba sur Wyatt & Co, S.A.R.L. Suivait toute une liste d'établissements bancaires regroupés sous une seule adresse. Satisfaite, Andrianna referma l'annuaire.

Lorsqu'elle eut terminé de manger, elle alluma la télévision. Si seulement il pouvait y avoir une émission suffisamment intéressante pour l'empêcher de penser à sa mission du lendemain... Ou suffisamment soporifique pour l'endormir...

Une dernière fois, elle consulta cependant la liste des Wyatt, dans l'annuaire. Il y avait une Dorothea Wyatt, demeurant dans Broadway Street. S'agissait-il de *sa* Mme Wyatt ?

Et Bernard et Mortimer Wyatt étaient-ils ses demi-frères ? Existait-il une chance pour qu'ils aient eu connaissance de son existence ? Peut-être avaient-ils longtemps cherché à retrouver sa trace ? Peut-être même l'accueilleraient-ils à bras ouverts ?

Tu te fais des illusions, ma vieille ! Les contes de fées n'existent que dans les livres. Tu pourras t'estimer heureuse s'ils ne te jettent pas dehors comme une malpropre!

Cependant, elle s'endormit le sourire aux lèvres, avec la télévision allumée. Ce ne fut qu'à son réveil qu'elle prit conscience qu'on était samedi, et qu'il lui faudrait attendre le lundi pour aller braver les Wyatt.

Encore deux jours à patienter... Deux jours avant de savoir qui avait été réellement son père... Deux jours avant de pouvoir, tel un oiseau, s'envoler vers le Sud, vers le soleil. Il était peut-être temps, en effet, de sortir de l'ombre, de s'accorder une infinité d'après-midi merveilleux...

Il faisait nuit noire lorsque Jonathan se gara devant le bungalow. Il n'entra pas tout de suite, cependant. Empruntant l'escalier de derrière, il grimpa sur la terrasse pour regarder la mer, paisible et infiniment reposante. Puis il leva la tête et contempla la lune et les étoiles, si rares dans le ciel de Malibu. La plupart du temps, le brouillard ou la pollution les rendaient invisibles.

Alors il se mit à les compter, une par une...

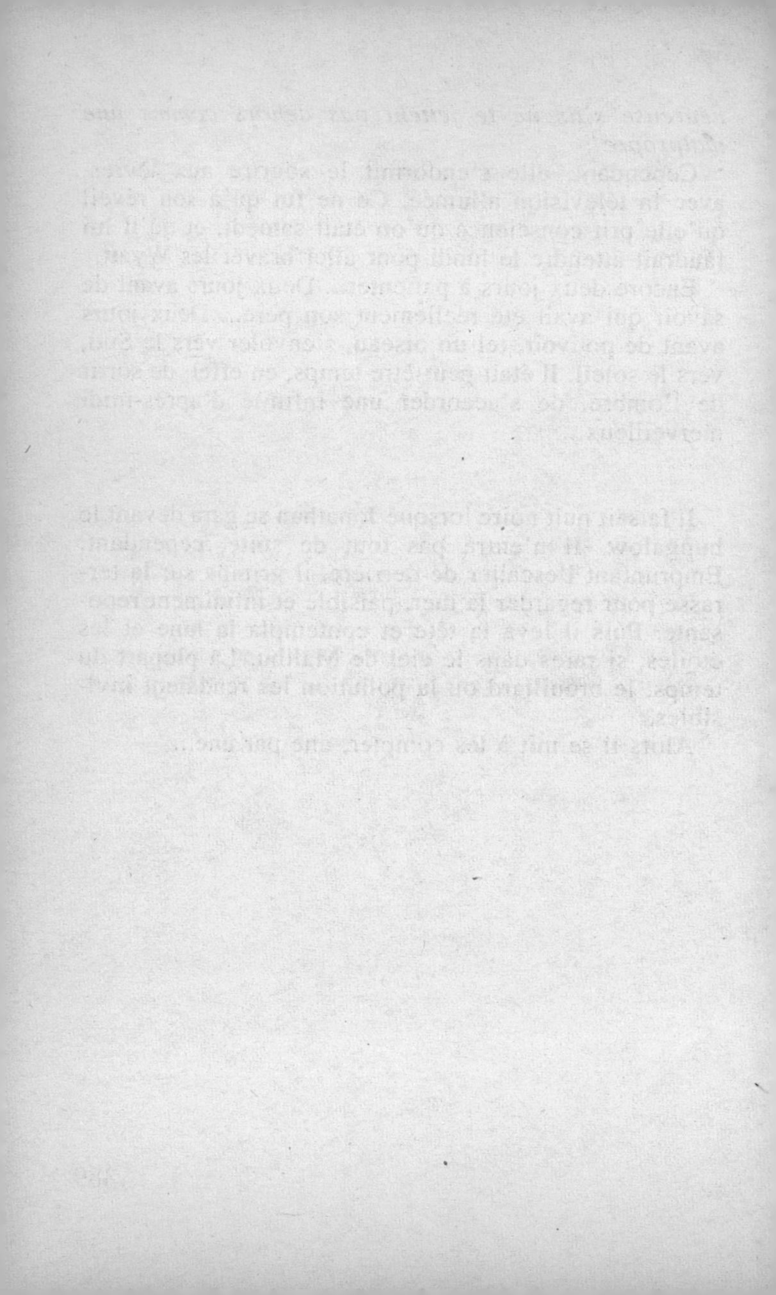

24.

Lundi

Andrianna monta jusqu'au dernier étage, où se trouvaient les bureaux de la direction. L'ascenseur en marbre et en cuivre était aussi rapide que l'éclair, mais encore plus éblouissant.

Les Wyatt n'étaient pas de simples millionnaires. Comme disait Jonathan West, les millionnaires fleurissaient à tous les coins de rues, depuis quelques années. Leur immeuble — de la taille d'un pâté de maisons, avec un hall tout en marbre rempli de lustres en cristal, de tableaux, de sculptures et de tapis somptueux — appartenait visiblement à une famille qui, toutes générations confondues, était probablement au moins milliardaire.

— M. Wyatt, je vous prie.

Mais ni son ton cordial ni son grand sourire n'eurent d'effet sur la réceptionniste, qui la toisa avec méfiance.

— Lequel ? Andrew, William, ou Sinclair Wyatt ? Avec lequel des trois avez-vous rendez-vous ?

Andrianna se lova dans son manteau de lynx et rejeta les épaules en arrière.

— Dites à Andrew Wyatt qu'Andrianna Duarte souhaite le voir, ordonna-t-elle.

Andrew était probablement l'aîné puisque, comme elle, il avait hérité du prénom de son père...

Mais la réceptionniste ne se laissa pas davantage impressionner par les grands airs qu'affichait Andrianna.

— Vous n'avez pas de rendez-vous, si je comprends bien. Je vais informer la secrétaire de M. Wyatt de votre présence, mais sans rendez-vous, vous n'avez aucune chance d'être reçue, déclara-t-elle d'un ton triomphant.

Andrianna s'offrit le luxe d'un léger sourire. Si cette jeune impudente s'imaginait qu'elle allait lui en remontrer, elle se trompait !

— Il me recevra, affirma-t-elle d'un ton glacial. Assurez-vous simplement d'avoir bien compris le nom.

Elle le lui épela lentement, puis le lui répéta en le prononçant à l'espagnol.

Haussant les sourcils avec dédain, la réceptionniste décrocha le téléphone, enfonça une touche, et annonça dans l'appareil :

— Il y a là une dame qui souhaite rencontrer M. Wyatt. Elle n'a pas de rendez-vous, mais insiste pour le voir.

Elle pivota dans son fauteuil et, tournant le dos à Andrianna, poursuivit à mi-voix.

Puis, sans la regarder, elle lui lança :

— Vous pouvez vous asseoir.

— M. Wyatt va me recevoir maintenant ?

— Il faut attendre. Quelqu'un va venir dans un instant.

Après quoi, de mauvaise grâce, elle lui proposa du café, qu'Andrianna refusa, oubliant à dessein de la remercier.

Ignorant les profonds canapés de velours gris, Andrianna s'assit sur une chaise dure, le dos droit comme un I, les jambes croisées à une certaine hauteur. Malgré cette pose étudiée, elle sentait sa belle assurance la déserter. La confrontation s'annonçait plus difficile qu'elle ne l'avait pensé. Voilà ce que c'était que de croire aux contes de fées ! songea-t-elle avec une dérision amère.

Au bout d'une petite heure, un jeune homme aux joues roses fit irruption dans le hall. La réceptionniste lui désigna Andrianna.

— Mademoiselle *Do-Arty* ? dit-il en s'approchant.

Le cœur d'Andrianna se mit à battre plus vite. Puis elle réfléchit que cet homme en costume trois-pièces était beaucoup trop jeune pour être Andrew.

— Oui ?

— Voulez-vous me suivre, je vous prie ?

Elle longea des corridors interminables avant d'être introduite dans une autre pièce de réception. Là, une femme aux cheveux gris trônait derrière un immense bureau. Le jeune homme annonça « mademoiselle *Do-Arty* » et s'esquiva.

— Je vous en prie, mademoiselle *Do-Arty*, asseyez-vous. M. Wyatt va vous recevoir tout de suite, dit la femme en la regardant à peine.

— Ce n'est pas Do-Arty, mais Duarte, rectifia sèchement Andrianna.

Soixante minutes plus tard exactement, la femme se leva d'un seul coup et se dirigea vers l'une des portes à deux battants. Elle frappa une seule fois.

— Vous pouvez y aller, déclara-t-elle en ouvrant la porte.

Quatre hommes l'attendaient dans le bureau lambrissé évoquant la bibliothèque d'un manoir anglais, et l'observaient avec curiosité, comme une punaise sous la lentille d'un microscope. L'homme assis derrière le bureau, en costume gris perle et lunettes demi-lune, se leva et l'accueillit d'un laconique : « Mademoiselle Duarte. » Mais au moins, il n'écorchait pas son nom !

— Je suis Andrew Wyatt, et voici mon frère William.

Il désigna un homme dégarni en costume de flanelle anthracite.

William se leva pour se rasseoir aussitôt, sans lui offrir la moindre poignée de main.

— Et voici mon frère Sinclair.

Sinclair, en complet gris à fines rayures, était le plus jeune des trois et ressemblait à son père, constata Andrianna. Il se leva à demi de sa chaise, juste ce qu'il fallait pour ne pas passer pour le dernier des goujats.

— Et enfin, Porter Jameson, le mari de notre sœur Hillary, poursuivit Andrew d'une voix monocorde. Porter est notre avoué. Il fait partie, en outre, du comité de direction.

Porter ne prit pas la peine de se lever ou de lui adresser le moindre signe de tête. Tel un gros crapaud ventru, grotesque dans son costume chiffonné, il se contenta de la regarder en clignant des yeux.

Sans attendre d'être invitée à le faire, Andrianna s'assit en face des quatre hommes. S'ils avaient décidé de se dispenser des formalités d'usage, elle ne voyait pas pourquoi elle devrait rester debout devant eux, comme une élève attendant le bon vouloir de ses maîtres.

Elle fit glisser sa fourrure sur ses épaules, et croisa les jambes.

— Messieurs, dit-elle d'un ton plein d'assurance.

De toute évidence, ils savaient à qui ils avaient affaire. Tels des conspirateurs, ils s'étaient réunis au grand complet dans le bureau d'Andrew pour se concerter et préparer l'offensive. Ils l'avaient fait attendre deux bonnes heures, alors, à présent, à eux l'honneur !

Porter releva le défi.

— Vous ne vous faites pas représenter ? demanda-t-il.

Elle lui décocha un grand sourire.

— Est-ce bien nécessaire ?

Porter recommença à cligner des yeux, et Andrianna plaignit cette pauvre Hillary d'avoir eu la fâcheuse idée d'épouser cette grosse limace.

— Quelles sont, précisément, les raisons pour lesquelles vous souhaitiez me voir, mademoiselle Duarte ? demanda Andrew.

— Appelez-moi Andrianna, dit-elle avec un nouveau sourire. Après tout, nous sommes de la même famille. N'est-ce pas, Andy ?

Puis elle regarda tour à tour William et Sinclair.

— N'est-ce pas, Billy chéri ? N'est-ce pas, mon petit Clair ? Mais peut-être devrais-je dire Sin ?

Sinclair gloussa nerveusement, tandis que William s'agitait sur sa chaise et que Porter remuait les pieds.

— Que voulez-vous ? demanda Andrew de sa voix sans timbre. Ou plutôt, *combien* voulez-vous ?

— Combien ? répéta Andrianna.

Puis elle éclata de rire. Mais bien sûr ! Ils s'étaient imaginé qu'elle était venue leur extorquer de l'argent. Pas une seule seconde l'idée ne les avait effleurés qu'elle avait pu venir pour autre chose. Parce qu'elle voulait s'assurer que leur père, que *son* père, avait vraiment aimé sa mère...

— Vous avez raison de ne pas répondre trop vite à cette question, mademoiselle Duarte, dit soudain Porter. Je vous signale au passage que nous n'avons rien à craindre de vous. Devant un tribunal, vos revendications n'auraient strictement aucune valeur. Mais comme aller en justice nous ferait perdre un temps précieux, nous sommes prêts, dans un souci de rentabilité, à acheter votre silence, à condition qu'ensuite, bien sûr, nous n'entendions plus jamais parler de vous.

Ces mots lui firent l'effet d'un coup de poignard en plein cœur.

— Mais je suis votre sœur ! protesta-t-elle avec colère, en s'adressant à Andrew.

Andrew eut l'air contrarié, non pas parce qu'elle l'avait touché, mais plus vraisemblablement parce qu'elle se conduisait mal, comme une sale gosse qui ne savait pas se tenir.

William croisa et décroisa les jambes, puis il parla pour la première fois, d'une voix qui parvenait à être douce et menaçante à la fois.

— Comprenez bien, mademoiselle Duarte, que vous n'êtes pas la première à vous présenter devant nous avec ce genre de doléances. Depuis la mort de papa, nous avons vu au moins une dizaine de soi-disant héritiers.

— Et notre mère pourrait vous dire que des quantités de personnes sont allées la trouver *avant* la mort de papa, prétendant être des enfants illégitimes de papa, ajouta Sinclair avec hauteur. Toutes les familles riches sont confrontées à ce genre de problème.

— Peu importe ! intervint Porter en jetant à Sinclair un regard méprisant. Ce qui nous intéresse, mademoiselle Duarte, ce sont les preuves attestant que vous êtes la fille illégitime d'Andrew Wyatt.

— Les preuves ? J'ai hérité de son prénom ! cria Andrianna, qui avait renoncé à garder son sang-froid. Quand ma mère est morte, j'avais presque huit ans, et votre père venait encore à la maison en Rolls-Royce. Leur liaison a duré au moins neuf ans. Ensuite, ma mère disparue, il m'a prise à sa charge. C'est lui qui s'est arrangé pour me faire placer dans une famille anglaise, lui qui a envoyé chaque mois de l'argent pour mon éducation. Croyez-vous qu'il l'aurait fait, si je n'avais pas été sa fille ? Vous n'êtes qu'une bande d'hypocrites et de menteurs ! Vous ne m'attendiez pas, puisque je ne vous avais pas prévenus de ma visite, et pourtant, vous êtes là pour moi, je me trompe ? Ce qui montre bien que vous étiez tous au courant de mon existence... et saviez qu'un jour ou l'autre je me manifesterais. Sinon, vous n'auriez pas pris la peine de me recevoir.

— Bien sûr que nous étions au courant de votre existence, mademoiselle Duarte, admit Andrew Wyatt d'un ton las, en époussetant sur son revers un grain de poussière imaginaire. Juste après la mort de notre père, l'avoué qui gérait votre... compte, dirons-nous, nous a mis au courant de l'arrangement qui avait été pris avec cette Mme Sommer. Il nous a également parlé des chèques qui, pendant des années, ont assuré la subsistance de votre mère et la vôtre. Le problème, mademoiselle Duarte, est que vous n'êtes pas la seule dans ce cas. Jusqu'à sa mort, papa a entretenu au moins trois autres enfants illégitimes. Le sens du devoir ? Les scrupules ? J'ignore ce qui le poussait à le faire, mais le connaissant, je pense que c'était pour lui la façon la plus simple de régler une situation délicate et potentiellement embarrassante.

Andrianna était effondrée. Elle avait toujours craint, au fond d'elle-même, d'apprendre un jour que son père n'avait cherché qu'à se débarrasser d'elle et de sa présence encombrante.

Porter consulta ses notes.

— Il y a une Andrea Hodges à Sonoma, un Andy Cutter un peu plus au nord, à Eureka, et une...

— Tous ces détails sont inutiles, Porter, coupa sèchement Andrew. Si cela peut vous consoler, mademoiselle Duarte, sachez que la liaison de notre père avec votre mère a été la plus longue de toutes.

La plus longue de toutes ! Quelle dérision..., songea Andrianna en repensant à sa mère et à ses histoires d'amour en plein jour.

— Il n'empêche que je suis sa fille. Il y a peut-être eu d'autres femmes dans la vie de votre père, mais ma mère, elle, n'a jamais eu personne d'autre que lui.

William Wyatt, qui n'arrêtait pas de croiser et décroiser ses jambes, laissa fuser un rire sarcastique.

— Vous n'étiez qu'une enfant, mademoiselle Duarte. Qu'en saviez-vous ? Et comment pouvez-vous être si sûre que votre père était le nôtre ? Qui vous dit qu'à l'époque, votre mère n'avait pas une demi-douzaine d'amants ?

— Si vous l'aviez connue, vous ne diriez pas de pareilles horreurs...

Porter se frotta le nez.

— Reconnaissez au moins qu'étant donné la profession de votre mère, il y a de quoi se poser des questions !

A ces mots, Andrianna vit rouge et se leva d'un bond.

— Espèce de salaud ! Vous n'êtes qu'un...

Une porte s'ouvrit brusquement, et tous les regards convergèrent dans sa direction. Une femme dans un fauteuil roulant entra dans la pièce et s'avança vers eux. Agée d'environ soixante-dix ans, elle était encore belle et élégante, dans sa robe de soie du même bleu que le nœud de velours qui agrémentait son chignon.

Du coup, Andrianna se rassit. Pas un instant elle n'avait imaginé qu'elle rencontrerait Mme Wyatt en chair et en os !

— Belle-maman ! protesta Porter.

— Maman ! s'exclama à son tour Andrew. Tu avais dit que tu n'interviendrais pas, que tu nous laisserais régler le problème...

— Ce n'est pas en vous battant comme des chiffonniers que vous allez le régler ! répliqua Babs Wyatt d'un ton acerbe.

Elle jeta à Porter un regard particulièrement méprisant.

— Votre attitude est inqualifiable ! C'est honteux !

Visiblement, elle était furieuse, mais Andrianna se demanda si sa colère n'était pas une façon de masquer son humiliation et sa souffrance. Pourquoi les fils et le gendre de Mme Wyatt ne s'étaient-ils pas assurés qu'elle ne risquait pas de surprendre leurs propos ? Leur devoir aurait été de lui épargner une telle épreuve, d'autant qu'elle était handicapée.

— Je suis désolée que vous ayez entendu..., commença-t-elle.

— Evidemment, que j'ai entendu ! coupa Mme Wyatt. J'écoutais par l'Interphone, dans le bureau d'à côté. Pour tout vous dire, j'étais curieuse de voir, après toutes ces années, comment la fille d'Elena Duarte s'en sortait.

Porter et Andrew émirent quelques grognements désapprobateurs, craignant qu'elle ne fasse un aveu compromettant, mais elle leur imposa le silence d'un geste de la main.

— Les autres, avant vous, ne m'intéressaient pas, poursuivit-elle. Nous avons payé ce qu'il fallait, simplement pour en être débarrassés. Mais votre mère et vous, c'est très différent. D'habitude, les liaisons d'Andy ne duraient pas. Avec votre mère, elle a duré des années... Et de tous ses héritiers présumés, vous êtes la seule dont il se soit aussi généreusement occupé. Vous avez fréquenté les meilleures écoles, voyagé, séjourné en divers endroits pendant les vacances. Il devait avoir un faible pour vous, bien vous aimer... à sa manière. Mais je crois que cela, je l'avais deviné dès votre naissance, lorsqu'il a acheté cette maison pour votre mère et son amie, cette Rosa qui vivait avec vous.

Andrianna n'en revenait pas d'entendre cette femme lui faire toutes ces confidences. Et à en juger par la tête qu'ils faisaient, ses fils et son gendre n'étaient pas moins surpris qu'elle.

— Vous voulez dire que... vous étiez au courant... depuis le début? demanda Andrianna.

— Exactement.

— Mais pourquoi n'avez-vous pas...

Babs Wyatt eut un sourire crispé.

— Pourquoi je n'ai rien fait? Parce que quand Andy a rencontré votre mère, lui et moi avions depuis longtemps conclu une sorte de pacte. C'était ce qu'on appellerait aujourd'hui un mariage libre. Tout ce que je lui demandais, c'était de rester discret. Votre mère n'était ni sa première ni sa seule maîtresse, loin s'en faut. Et ce n'est pas à cause d'elle que nous nous sommes battus, ce qui m'a valu de finir ma vie dans un fauteuil roulant.

Elle ponctua ses propos d'un coup de poing sur le bras du fauteuil, ajoutant encore à la consternation générale.

— Maman ! s'écria Andrew d'un ton réprobateur.

— Vous n'avez pas bientôt fini de crier « Maman » toutes les trois secondes ? Ce que je vous raconte là n'est pas si surprenant, tout de même ! Et vous n'avez plus six ans, que diable !

— Nous *sommes* surpris, maman, déclara William d'une voix presque inaudible. Tu ne nous avais jamais dit que papa était responsable de ton infirmité. Nous avons toujours cru qu'il s'agissait d'un accident.

— Oh, je ne prétends pas que votre père m'ait *délibérément* poussée dans l'escalier. Mais sa responsabilité ne fait malgré tout aucun doute. Nous nous disputions au sujet d'une de ses maîtresses — la première de la liste, je pense. Je me suis jetée sur lui et j'ai perdu l'équilibre.

— Pourquoi ne nous l'avais-tu jamais dit ?

— Ce n'est pas le genre de choses dont on se vante ! On préfère au contraire les passer sous silence, au même titre que ta dépendance vis-à-vis de la cocaïne, William, ou que l'alcoolisme de Sinclair, les déboires conjugaux d'Andrew, ou encore le penchant de Porter pour les films pornos.

— Voyons, je... Belle-maman, avez-vous perdu la tête ? bredouilla Porter.

— Et vous, poursuivit Mme Wyatt, *vous*, la fille d'Elena Duarte, pourquoi me regardez-vous comme ça ? Qu'ai-je dit de si choquant ? Vous n'êtes pourtant pas née de la dernière pluie !

— Pardonnez-moi. Tout cela est tellement fou... Je n'arrive pas à croire que vous soyez restée avec lui malgré tout. Pour ma mère, c'était différent. Elle était naïve, confiante, et le vénérait comme un dieu. Le peu qu'il lui donnait, elle s'en contentait. Mais vous, une femme de votre qualité, une maîtresse femme, qui aviez l'argent, le pouvoir, et les moyens de mettre fin à cette imposture, comment avez-vous pu rester avec lui et gâcher votre vie ? Voilà ce que je trouve choquant !

Soudain, le visage de Mme Wyatt se durcit. Son teint était gris et sa bouche amère. Elle semblait épuisée.

— De quel droit osez-vous porter un jugement ? Si vous aviez eu, comme moi, un nom, une réputation et une famille à protéger du scandale, auriez-vous agi différemment ? J'ai avant tout pensé à mes parents, à mes enfants et au nom que je portais. A la fortune familiale, aussi. Un grand nom et une grande fortune engendrent pour celui qui les possède des responsabilités et des obligations qui échappent à une femme de votre condition.

« Un divorce risquait de porter atteinte à l'intégrité de la fortune familiale et à l'image de l'entreprise dans l'esprit du public. Les dirigeants des établissements financiers Wyatt & Co se doivent d'être moralement irréprochables. Comme vous l'avez dit, mademoiselle Duarte, je *suis* une maîtresse femme, qui a toujours fait passer ses responsabilités et ses obligations avant son bonheur personnel. C'est donc ce que j'ai fait en la circonstance, et je ne l'ai jamais regretté !

Malgré la véhémence de ses propos, Mme Wyatt, effondrée dans son fauteuil, semblait à deux doigts d'éclater en sanglots.

— Mais le jeu en valait-il vraiment la chandelle ? demanda Andrianna. Ma tante Helen tenait le même discours, et cela ne lui a guère réussi.

— J'avais d'autres chats à fouetter que de m'occuper du bonheur d'Helen Sommer ! rétorqua Mme Wyatt. Mais elle était certes plus à plaindre que moi, avec les penchants hautement condamnables de son mari.

Devant l'expression perplexe d'Andrianna, elle s'étonna.

— Comment ? Vous n'étiez pas au courant ? Dieu sait pourtant que les perversions d'Alex Sommer — qui affectionnait les fouets, les chaînes, et préférait aux femmes les hommes ou les enfants — étaient connues, malgré les efforts de sa femme pour les tenir secrètes !

Andrianna se sentit blêmir. Helen l'avait donc crue lorsqu'à treize ans, elle lui avait raconté ce qu'Alex lui avait fait subir... Cependant, sa tante avait essayé de la persuader que c'était *elle* qui était anormale. Plus grave encore, *beaucoup* plus grave, était pour Andrianna le fait d'apprendre que son père, lui aussi, savait. Il savait à qui il confiait sa propre fille. Et apparemment, il n'avait pas hésité...

Andrianna était anéantie, mais elle ne regrettait pas sa visite. Elle était reconnaissante à Babs Wyatt de ses confidences, lui savait gré d'avoir partagé avec elle d'aussi terribles secrets, et d'avoir répondu aux questions qui la tourmentaient depuis tant d'années. A présent, au moins, elle savait. Un grand poids venait de lui être ôté des épaules.

Elle s'aperçut alors des efforts déployés par la vieille dame pour se ressaisir, pour se redresser dans son fauteuil, où elle se tenait à présent droite comme un piquet. Et elle ne put s'empêcher d'admirer son courage et sa détermination.

Babs Wyatt avait le cran qui faisait défaut à ses fils. Elle avait toujours affronté dignement l'adversité, surmonté ses problèmes conjugaux, son handicap, ses espoirs déçus, et tout cela sans jamais lâcher les rênes de l'empire familial.

— Pour l'amour du ciel, Porter, finissons-en avec cette histoire sordide ! tempêta la vieille dame. Donnez donc son chèque à la fille d'Elena Duarte et faites-la sortir d'ici.

Un chèque ? Elle qui croyait que la veuve d'Andrew Wyatt, contrairement à ses fils, avait compris le sens de sa requête !

Elle se leva pour protester, leur crier qu'elle ne voulait pas de leur sale argent... Mais déjà, Porter lui brandissait le chèque sous le nez — un chèque de 50 000 dollars ! — ainsi qu'un document qu'il lui demandait de signer.

Les mots moururent alors sur ses lèvres.

Elle parcourut rapidement le document, qui spécifiait qu'en acceptant ces 50 000 dollars, elle s'engageait à renoncer à toutes revendications éventuelles concernant le nom ou la fortune des Wyatt. Andrianna comprit alors pourquoi ils l'avaient fait attendre deux heures avant de la recevoir : ils préparaient ce document.

Très digne, elle déchira le chèque en deux, s'avança vers Mme Wyatt et lui jeta les morceaux de papier sur les genoux.

— Je ne suis pas à vendre ! Ou en tout cas, pas à bas prix ! En outre, je devrais suivre votre exemple, madame Wyatt, essayer de vous égaler. Lorsque *vous* vous êtes vendue, c'était pour préserver l'intégrité de la fortune familiale. Raisonnablement, je ne peux pas céder pour une somme aussi dérisoire.

Mme Wyatt ramassa les deux morceaux du chèque, les regarda, et secoua la tête.

— Vous n'êtes qu'un imbécile, Porter, doublé d'un grippe-sou ! Evidemment, que c'est trop peu ! Je comprends que vous vous sentiez insultée, Andrianna Duarte. Vous valez *effectivement* bien davantage. Andrew a couché avec votre mère une dizaine d'années, il ne faut pas l'oublier !

Andrianna faillit protester, mais elle se ravisa juste à temps.

— Combien estimez-vous valoir, Andrianna ?

— Un million de dollars.

Elle avait tout d'abord pensé répondre un demi-million, mais la remarque désobligeante de Babs Wyatt à l'encontre de sa mère l'avait incitée à ne pas se contenter d'une demi-mesure. Avec cette somme, à laquelle s'ajoutait ce que représentait le contenu de son coffre à bijoux, elle se retrouvait deux ou trois fois millionnaire. Belle revanche pour une enfant abandonnée !

— Parfait. Allons-y pour un million de dollars, dit la

veuve. Occupe-toi de faire rédiger le chèque, Andrew, veux-tu ?

— Tout de suite, maman, répondit Andrew en chaussant ses lunettes avant de décrocher le téléphone..

— Mettez-le à l'ordre de l'Hôpital des Enfants de La Paz, je vous prie, précisa Andrianna.

Puis elle se tourna vers Porter qui, rouge comme un coquelicot, se frottait le menton de dépit.

— Ce n'est pas le nom officiel de l'hôpital, expliqua-t-elle. En fait, il n'a pas encore de nom. Mais il en aura un bientôt. De sorte que cela ne devrait pas poser de problèmes. Qu'en pensez-vous, Porter ?

Porter ne souffla mot.

— Tant pis ! On prend le risque !

Elle barra la somme qui figurait sur le document, inscrivit à la place « 1 000 000 $ », parafa à côté de la correction, tandis que cinq paires d'yeux suivaient un à un chacun de ses gestes.

En souriant, elle signa Andrianna Duarte au bas de la page. Comparée à celle-là, la somme dont elle avait fait don à Jerry Hern était une misère ! Mais cette fois, le projet du médecin philanthrope commençait à prendre tournure. Des cendres des rêves consumés naîtrait bientôt un nouveau rêve, infiniment plus beau, songea Andrianna, en proie à un extraordinaire sentiment d'exaltation.

— Oh, et pour plus de sûreté, pouvez-vous demander de préférence un chèque certifié ? Cela ne pose aucun problème, je suppose, puisque vous avez cette magnifique banque à portée de main au rez-de-chaussée. C'est très pratique. Les gens très riches ne font pas les choses à moitié.

— Vous auriez pu être riche, vous aussi, si vous aviez gardé le chèque pour vous, déclara la veuve en considérant pensivement Andrianna.

Après quelques secondes, elle ajouta :

— Vous auriez dû épouser Gino Forenzi, vous savez. Vous auriez fait un excellent mariage.

Soudain, il vint à l'esprit d'Andrianna que Mme Wyatt avait continué, même après la mort de son mari, à garder un œil sur elle, à suivre une à une ses tribulations. Pourquoi ?

Parce que ce fameux pacte qu'elle avait conclu avec son mari lui avait coûté en fait beaucoup plus qu'elle ne voulait bien l'avouer. Parce qu'en réalité, elle avait été jalouse d'Elena, jalouse d'Andrianna. Elle s'était efforcée de garder intacts la fortune et le nom des Wyatt, mais en définitive, quoi qu'elle en dise, le jeu n'en valait peut-être pas la chandelle.

Bien plus tard, alors qu'elle se trouvait déjà dans l'avion, en route pour Los Angeles — rongée par le doute, se demandant toujours si elle avait raison de se conformer à ce que lui dictait son cœur —, Andrianna comprit que la veuve de son père était, comme Gladys Garcia, une autre Nicole, qui avait préféré la sécurité au bonheur et à l'amour. Gladys avait son magnétoscope dernier cri, Nicole ses réceptions huppées, et Babs Wyatt sa réputation et sa fortune.

Le choix qu'avait fait sa mère ne lui paraissait plus si mauvais, à la réflexion. Peut-être Elena était-elle, en fin de compte, la plus intelligente des quatre. Elle s'était peut-être fait avoir, mais elle, au moins, avait eu ses précieux instants de plénitude...

Cette fois, la décision d'Andrianna était prise. Si Jonathan était toujours d'accord, elle tenterait l'aventure... vivrait à son tour ces précieux instants de plénitude volés à l'éternité.

QUATRIÈME PARTIE

Los Angeles 1989-1990

25.

Dimanche, 8 janvier 1989

On était en janvier, mais il faisait un temps splendide et Andrianna se sentait gaie comme un pinson.

A la télévision, le présenteur de la météo venait d'annoncer une matinée radieuse avec des températures très agréables, un degré d'humidité pratiquement nul et un ciel relativement dégagé.

Certes, songea-t-elle en respirant à pleins poumons, aujourd'hui était vraiment un jour exceptionnel. Depuis les portes-fenêtres de sa nouvelle chambre à coucher (meublée pour l'instant très spartiatement d'un vaste lit à baldaquin et d'une coiffeuse Art déco), dans sa nouvelle maison perchée au sommet d'une colline, elle distinguait la ligne d'horizon, au-dessus de la mer. Cela ne devait pas arriver tous les jours, quoi qu'en disent les agents immobiliers qui vendaient à Bel-Air des propriétés somptueuses valant plusieurs millions de dollars...

Pour un mariage, en tout cas, c'était une journée idéale; un temps pareil ne pouvait qu'augurer favorablement de l'avenir. Penny et Gae seraient sans aucun doute très heureux ensemble... aussi heureux, peut-être, que Jonathan et elle. Quoi qu'il en soit, la cérémonie et la réception pourraient se dérouler à l'extérieur, conformément aux plans de Penny.

Andrianna fut soudain parcourue d'un frisson.

Gae! Et Gino! Elle ne les avait pas revus depuis des années. Gae et elle se téléphonaient de temps à autre, et peu de temps auparavant, elle l'avait appelé pour le féliciter et lui souhaiter bonne chance. Ce coup de fil avait été sa façon à elle de tirer définitivement un trait sur cette époque lointaine où, alors qu'ils n'étaient encore que des enfants, ils avaient joué à l'amour. Bien sûr, ils avaient l'un comme l'autre versé quelques larmes, à l'époque, mais ils avaient bien vite séché leurs pleurs, les chagrins d'amour se révélant finalement plutôt formateurs.

Avec Gino, elle échangeait de loin en loin des petits mots, histoire de garder le contact. Il y avait aussi les cartes de vœux et les cartes d'anniversaire, plus impersonnelles, qui mettaient parfois plusieurs mois à lui parvenir.

Mais aujourd'hui, non seulement ils allaient tous se revoir — Gae, Gino, Penny, et Nicole —, mais Andrianna s'apprêtait en outre à leur présenter le mari dont ils n'avaient même jamais entendu parler. Non parce qu'elle l'avait voulu ainsi, parce qu'elle avait préféré garder son mariage secret, mais les habitudes avaient la vie dure, et quand elle avait eu Penny ou Nicole au téléphone, les mots lui avaient manqué pour leur expliquer la situation.

Elle ne leur avait même pas communiqué son numéro de téléphone, tant elle avait eu en outre envie de savourer seule son bonheur pendant quelque temps. Mais ses amies ne s'en étaient pas étonnées, car très souvent dans le passé elle s'était comportée ainsi, en adepte du « Ne cherche pas à me joindre; c'est *moi* qui t'appellerai ».

Comme toujours, elle s'était arrangée pour éluder leurs questions. Penny et Nicole n'avaient pas réussi à lui soutirer le moindre renseignement. Mais devineraient-elles, à l'instant où elles la verraient, que pour elle, tout avait changé?

Et bien qu'elle appréhendât un peu de revoir Gae et Gino, et de leur présenter Jonathan, elle savait qu'ils ne la trahiraient pas. Ni l'un ni l'autre ne feraient allusion à sa maladie, la seule chose qu'elle tenait à ne pas révéler à Jonathan.

Ce n'était même pas vraiment un secret, d'ailleurs, dans la mesure où Jonathan ne l'avait jamais questionnée sur son passé. Et elle s'en réjouissait, car pour rien au monde elle n'aurait voulu qu'une ombre vînt gâcher le tableau idyllique de leur vie à deux. Cependant, quand ils ne faisaient pas l'amour, ne partageaient pas d'interminables fous rires, ne s'extasiaient pas sur leur nouvelle maison, elle se surprenait parfois à souhaiter qu'il posât des questions, car elle désespérait de jamais trouver le moment opportun pour tout lui raconter.

Par chance, toutes les réceptions que Penny avait données avant son mariage avaient eu lieu à Dallas, de sorte qu'Andrianna avait pu invoquer la fatigue d'un long voyage pour ne pas y assister. Mais cette fois, elle n'y couperait pas : aujourd'hui, son présent allait bel et bien rejoindre son passé.

La veille, elle avait réussi à échapper au dîner, à l'hôtel, où les futurs mariés, les parents de Penny, les demoiselles d'honneur et Gino, qui était le témoin de Gae, avaient passé la nuit.

Aujourd'hui, la confrontation serait facilitée par l'effervescence qui régnerait autour des mariés. On ne ferait pas trop attention à elle, la reine de la journée étant Penny Lee Hopkins Forenzi.

Avec un peu de chance, elle traverserait cette épreuve sans dommage, songea Andrianna.

Lorsque Jonathan la rejoignit près de la fenêtre et la prit dans ses bras, la mordillant et la couvrant de baisers, ses yeux s'emplirent de larmes.

— Qu'est-ce qui ne va pas? demanda-t-il, bouleversé.

— Rien, je t'assure. Je pensais au mariage de Penny et de Gae. Je les connais depuis si longtemps, tous les deux... Mais il fait un temps magnifique et je m'en réjouis pour eux. Les jardins de l'hôtel Bel-Air, avec toutes ces fleurs et cet étang merveilleusement romantique, constituent un cadre idéal pour un mariage.

— Tu regrettes que nous n'ayons pas fait un grand mariage, c'est ça? Que nous soyons simplement allés remplir un formulaire à Las Vegas? En fait de romantisme, il y a mieux, je suppose. Mais quand je t'ai vue arriver dans mon bureau, j'ai eu l'impression d'entendre des cloches sonner à toute volée dans ma tête. J'ai immédiatement compris qu'elles annonçaient notre mariage, et je n'ai eu de cesse de voir ton nom au bas de ce contrat. Pour un homme d'affaires, c'est une règle primordiale. Dès que le marché est conclu, il faut signer, ne pas laisser au client le temps de changer d'avis.

— Oh, Jonathan! En aucun cas je n'aurais changé d'avis. Mais j'ai adoré cette excursion à Las Vegas et ce mariage précipité. Je ne connais rien de plus romantique, au contraire! Sans compter que cette formule expéditive nous a permis de gagner un temps précieux. Pour tout l'or du monde, je n'échangerais pas ces jours de mariage en plus!

— Pourtant, cette chapelle ouverte vingt-quatre heures sur vingt-quatre, avec son enseigne au néon, était une véritable usine à mariages! Tu te souviens de cet officier de l'état civil qui bâillait à s'en décrocher la mâchoire pendant que sa femme, attifée d'un peignoir de bain en flanelle, jouait de l'harmonium?

— Avoue qu'elle jouait très bien les marches nuptiales!

— A dix dollars chacune, elle pouvait s'appliquer!

— Tu as été drôlement chic avec eux. Tu n'as même pas cherché à marchander.

— D'autant plus qu'après, j'ai dû sortir vingt dollars supplémentaires pour le bouquet !

— C'est vrai ! Des œillets roses...

— Même pas tes fleurs préférées...

— Le rose est quand même ma couleur préférée.

— Et tu oublies l'anneau ! Cette harpie m'a compté l'alliance vingt-cinq dollars, et elle n'était même pas en argent !

— Mais tu m'en as acheté une autre le lendemain, lui rappela Andrianna en contemplant la bague en diamant et topaze qu'elle portait à l'annulaire. Magnifique, de surcroît !

— Quand je pense que je l'ai achetée dans la galerie commerciale du César Palace ! s'exclama Jonathan en riant.

— Ah ! le César Palace... Je me souviendrai toute ma vie des deux jours que nous y avons passés. Quelle fantastique lune de miel !

— Si les choses avaient été un peu moins précipitées, je t'aurais emmenée à Paris.

— A Paris ? Qu'est-ce qui te fait croire que j'aurais préféré aller à Paris ?

Si elle lui avait tout raconté, jamais il n'aurait suggéré de l'emmener à Paris... Ni à Londres, Marbella ou Rome, d'ailleurs !

— Deux jours avec toi à Las Vegas valent pour moi infiniment plus qu'un long séjour avec un autre à Paris ou ailleurs. D'ailleurs, nous n'avons pas beaucoup mis le nez dehors. Dans ces conditions, inutile d'aller à Paris...

Elle n'était pas dans son bureau depuis cinq minutes qu'il décidait, sans autre forme de procès, de l'emmener immédiatement à Las Vegas.

— Las Vegas ? Mais pour quoi faire ?

— Ce soir même, nous serons mariés. Sans préavis, ni aucune formalité contraignante.

Elle ouvrait la bouche pour protester, lui expliquer qu'elle aurait préféré attendre un peu, mais Jonathan ne lui en laissa pas le temps.

Criant à Patti qu'il voulait que sa voiture soit devant la porte lorsque l'ascenseur arriverait en bas, il entraîna Andrianna hors du bureau et lui fit traverser les couloirs au pas de charge.

Une fois dans l'ascenseur, elle ne put placer un mot : il la réduisit au silence d'un baiser fougueux. Dans la voiture... puis dans l'avion, elle n'eut pas davantage l'occasion de lui dire toutes les choses qu'elle avait prévu de lui dire. Il ne pensait qu'à l'embrasser, à la caresser, à lui murmurer des mots d'amour...

Il faisait nuit lorsqu'ils atterrirent à Las Vegas. Au lieu de commander une voiture avec chauffeur, ce qui aurait pris un certain temps, ils sautèrent dans un taxi et se firent conduire jusqu'à l'une des chapelles du Strip spécialisées dans les mariages rapides. Jonathan précisa qu'il souhaitait ne pas trop s'éloigner du César Palace, où ils descendraient le temps de leur séjour.

Andrianna fut consultée à deux ou trois reprises : pour choisir le nombre de marches nuptiales qu'elle souhaitait entendre et les fleurs qu'elle préférait pour la cérémonie. Une simple orchidée ou un bouquet d'œillets.

Elle les essaya tour à tour, mais comme elle n'arrivait pas à se décider, elle sollicita l'avis de Jonathan.

— Pourquoi ne prendrais-tu pas les deux? suggéra-t-il.

— Tu crois?

Elle épingla l'orchidée à son épaule, prit le bouquet d'œillets et le tint devant elle, contre son ensemble de faille noir.

La tête penchée comme pour mieux juger de l'effet, Jonathan réfléchissait.

— Tu ne penses pas que ça fait un peu clinquant? demanda-t-elle, entrant dans son jeu.

— Je n'en sais rien. Et vous, qu'en dites-vous?

Il se tourna vers l'officier de l'état civil et sa femme, qui les regardaient faire en silence, sans se douter une seconde qu'il s'agissait d'une farce.

— Très joli, déclara la femme.

— Tout à fait charmant, renchérit son mari.

— Mmm. Tu as peut-être raison, ma chérie. Les deux, ça risque de faire un peu clinquant. Choisis l'un ou l'autre.

Elle reposa les œillets pour enlever l'orchidée.

— Je prends les œillets. Le rose est plus gai pour un mariage, tu ne trouves pas?

— Absolument!

Elle n'hésita qu'une fraction de seconde avant de signer *Ann Sommer* sur le registre, sous le regard stupéfait de Jonathan.

— Qu'y a-t-il? s'enquit-elle en essayant de sourire. Je t'ai pourtant bien dit qu'Andrianna DeArte était mon nom de théâtre.

— Mais tu ne m'avais jamais dit que ton vrai nom était Ann Sommer.

— Tu ne l'aimes pas?

— Si. C'est un joli nom, mais...

— Mais quoi?

Elle détourna les yeux, soudain terrifiée. Comment allait-il réagir? Elle avait si peur que l'incident ne tournât mal et que l'enchantement ne prît fin brutalement...

— Je trouve simplement que tu ne ressembles pas à une Ann Sommer, déclara-t-il.

— Ah? Et à qui est-ce que je ressemble, d'après toi?

— A Andrianna DeArte West. Je pense que je ne pourrais jamais t'appeler autrement qu'Andrianna. Ça ne t'ennuie pas?

L'heure de vérité avait-elle sonné? Elle brûlait de lui

confier qu'Ann n'avait jamais vraiment existé, et qu'Andrianna, envers et contre tout, était toujours restée Andrianna. Mais son hésitation dura à peine le temps d'un battement de cils.

— Ça ne m'ennuie pas du tout, répondit-elle. Andrianna DeArte West sonne d'ailleurs très bien.

— Parfait. Si je ne me retenais pas, je t'embrasserais sur-le-champ. Finissons-en vite que je puisse enfin agir en toute légalité !

Le cœur débordant de joie, Andrianna prit son bouquet d'œillets tandis que résonnaient les premières notes d'une marche nuptiale. L'officier de l'état civil prononça un discours, Jonathan glissa à son doigt l'anneau de métal argenté, et ils furent déclarés mari et femme.

— Vous pouvez embrasser la mariée.

Jonathan ne se fit pas prier, prolongeant son baiser au point que l'officier de l'état civil fut obligé de tousser plusieurs fois.

Puis, main dans la main, Andrianna serrant ses œillets contre elle, ils coururent jusqu'à l'hôtel.

— Que vont-ils penser? dit-elle soudain. Nous n'avons pas de bagages.

— Tu as ton bouquet.

— Mais pas la moindre réservation...

— Laisse-moi faire. Je m'occupe de tout.

En quelques instants, comme par enchantement, tout fut arrangé. On les conduisit dans ce qui était probablement la suite la plus luxueuse de l'hôtel. Il y avait une salle de bains double, avec des baignoires encastrées, une débauche de marbres, de miroirs, et de robinetteries dorées. Le salon était incroyablement kitsch, et la chambre, immense, avec un lit de la taille du Ritz.

Andrianna s'assit sur le lit, recouvert d'un édredon piqué en satin rose, et rebondit une ou deux fois pour tester le matelas.

— Excellent ! décréta-t-elle. Ce lit mérite vingt sur vingt.

Jonathan s'assit à côté d'elle, heureux de pouvoir souffler un peu après le marathon de l'après-midi et de la soirée.

— Très moelleux, en effet.

— Qu'est-ce qu'on fait, maintenant ? demanda-t-elle d'une voix pleine d'innocence. Et si on descendait jouer au casino ? J'adore les machines à sous.

— Je n'en ai pas très envie. Mais nous pourrions aller acheter une alliance digne de ce nom... Nous n'avons même pas besoin de sortir de l'hôtel. Il y a une magnifique galerie marchande au rez-de-chaussée.

— Oh, ça peut attendre ! Celle-ci me convient tout à fait ! Mais nous pouvons aller acheter une chemise de nuit, si tu veux.

Il lui passa un bras autour des épaules.

— Tu n'en as pas réellement besoin. Tu arriveras bien à t'en passer pour cette nuit, non ?

— J'essaierai. Que dirais-tu alors d'un bon bain chaud, si nous ne sortons pas ? Ce serait vraiment dommage de ne pas se servir d'aussi jolies baignoires, qu'en penses-tu ?

Il l'embrassa dans le cou.

— Je n'aime que les bains moussants, et comme nous n'avons rien apporté...

— Ne t'inquiète pas, il y a tout ce qu'il faut ! J'ai vu sur la tablette des flacons entiers de bain moussant et de sels parfumés.

— C'est vrai ? Tu es très observatrice, fit-il remarquer en lui déboutonnant sa veste. Mais je ne me sens pas sale du tout. Et toi ?

— *Sale* ? A vrai dire, pas vraiment. Mais...

Il fit glisser la veste de ses épaules, sur lesquelles ne restaient plus que les fines bretelles d'un teddy de dentelle noir.

— Nous trouverons bien quelque chose à faire pour nous distraire, poursuivit Andrianna à mi-voix tandis qu'il abaissait les bretelles du teddy et lui embrassait les seins. Oh, je sais ! Nous pourrions regarder la télévision.

— Non, dit-il en la poussant pour la forcer à s'allonger. J'ai consulté le programme. Il n'y a strictement rien d'intéressant.

— Mais j'ai entendu dire que dans ce genre d'hôtels, il y avait des chaînes spéciales qui ne passaient que des films... des films *érotiques,* murmura-t-elle, le souffle court.

Il lui retira sa jupe, puis son teddy. Lorsqu'il ne lui resta plus que son collant et ses chaussures, il commença à l'embrasser sur tout le corps, en commençant par sa gorge et en descendant, centimètre par centimètre.

— Il paraît qu'ils sont très, *très* érotiques...

— Je dirais plutôt soporifiques, rectifia-t-il en lui enlevant ses chaussures.

Quand il eut fait glisser doucement le collant le long de ses jambes, il entreprit de nouveau de l'embrasser partout, mais cette fois, il commença par les orteils en remontant.

— Si tu veux de l'érotisme, en voilà ! Il suffit de demander.

Il se leva pour se déshabiller. Puis, lorsque, enfin, il fut nu lui aussi, il se pencha sur elle et leurs lèvres se joignirent.

— Je t'aime, murmura-t-il.

— Je t'aime.

Jugeant soudain que la plaisanterie avait assez duré, Andrianna l'attira à elle en suppliant :

— Fais-moi l'amour, Jonathan... maintenant !

Mais il se releva.

— Non, protesta-t-elle en lui tendant les bras. Viens, je t'en supplie !

— Encore une minute de patience, mon amour.

Il se dirigea vers les fenêtres et ouvrit tous les rideaux. La lumière des milliers de néons qui clignotaient sur le

Strip éclaira la pièce comme en plein jour. Puis, estimant sans doute que ce n'était pas suffisant, il fit le tour de la chambre en allumant partout.

— Non, Jonathan, ce n'est pas la peine. Nous n'avons pas besoin de lumière. C'est *déjà* l'amour en plein jour... la plus merveilleuse des surprises !

— Il n'empêche qu'une lune de miel de seulement deux jours, c'est un peu court. Je persiste à penser que je me suis mal débrouillé.

— Mais non ! J'ai eu beaucoup plus de plaisir à courir les magasins pour aménager cette maison que je n'en aurais eu à déguster du champagne sur les Champs-Elysées. Et ne me parle pas de partir avant que j'en aie fini avec l'ameublement et la décoration de la maison et du jardin. Ensuite, j'ai décidé de me mettre à la cuisine. J'ai envie d'apprendre à préparer ces spécialités Tex-Mex qu'on trouve dans tout le sud de la Californie.

Il rit, mais elle n'avait pas encore tout à fait gagné la partie.

— Je parie que ton ami le play-boy italien, Gaetano Forenzi, emmènera sa femme à Paris, *lui*...

— Crois-moi, Penny ne court pas après l'Europe non plus. Elle a passé beaucoup de temps à l'étranger, mais sous ses airs de grande dame, elle est restée une fille du Texas qui n'aime rien tant que rentrer à Dallas.

« D'ailleurs, aux dernières nouvelles, pour leur lune de miel, elle avait prévu de faire visiter à Gae le Texas profond. En fait, je ne serais pas étonnée qu'elle ait une idée derrière la tête, et essaie de le convaincre d'acheter un ranch là-bas ou peut-être même des puits de pétrole. Pendant quelque temps, ils devraient habiter à Los Angeles. D'après Penny, son père envisage d'acheter l'hôtel Bel-Air et de le leur offrir en cadeau de mariage. La propriétaire actuelle serait elle-même originaire de Dallas, une certaine Caro... »

— Caroline Hunt Schoelkopf.

— Exactement. Mais comment le sais-tu ?

— N'oublie pas que je travaille dans l'immobilier, et que je suis moi-même propriétaire de deux ou trois hôtels. Mais le Bel-Air est vraiment à part. Il compte parmi les cinq plus grands hôtels du monde. S'il était mis sur le marché, la compétition serait rude, y compris avec les acheteurs étrangers. Le Berverly Hills Hotel a été acheté par le sultan de Brunei, et le Bev Wilshire par un consortium de Hong-Kong. Et si les promoteurs étaient seuls en lisse... Mais de nos jours, tout le monde veut acheter des hôtels !

« Quoi qu'il en soit, je ne savais pas que le père de ton amie avait l'intention d'acheter le Bel-Air. Je me demande s'il est mieux informé que nous sur la question... En tout cas, je n'ai jamais entendu dire que la Schoelkopf était prête à vendre. Enfin, quoi qu'il en soit, cela ferait un beau cadeau de mariage ! Qu'en penses-tu ? Tu le voudrais, toi, cet hôtel ?

— Moi ? J'ai déjà eu deux cadeaux de mariage.

Il l'embrassa, promena doucement ses lèvres sur les siennes.

— Deux ? Quel est donc le second ?

— Il y a cette maison, et toi.

— Moi ? Mais je compte pour du beurre.

— Pas du tout. Tu comptes beaucoup plus que tu ne croies...

— Il y a une chose que je crois, dit-il en enfouissant son visage entre ses seins. Tu veux savoir laquelle ?

— Dis-moi ?

— Je crois que si nous nous dépêchons, nous aurons juste le temps...

Elle lui posa un doigt sur les lèvres.

— Tu perds du temps, mon amour.

— Préparons-nous vite, dit Andrianna en sortant du lit. La cérémonie ne commence qu'à midi, mais tous les invités ont été conviés à 11 heures, et comme je fais partie du cortège et qu'il va y avoir une répétition, je suppose qu'il faut que j'y sois à 10 heures. Allez, gros paresseux, lève-toi !

— Tu es sûre que c'est à midi ? Où est l'invitation ? Je vais vérifier, dit-il en attrapant son peignoir.

— Nous n'avons pas d'invitation, marmonna Andrianna.

— Comment cela ? Un mariage aussi élégant...

— Penny en a sûrement fait faire, mais nous n'en avons pas reçu. A quoi cela aurait-il servi puisque Penny et moi, nous n'avons pas arrêté de nous téléphoner ?

— Et suppose qu'elle ait changé d'avis et ne veuille plus nous inviter ? De quoi aurons-nous l'air, sans invitation ?

— Arrête de dire des bêtises ! Je suis sa demoiselle d'honneur.

— Il n'empêche que nous aurions dû recevoir une invitation.

— En fait, Penny... n'a pas mon adresse.

— Ah bon ? Mais pour quelle raison ?

— Parce que... parce que je ne la lui ai pas donnée.

— Quelle idée ! Je croyais pourtant qu'elle était ta meilleure amie. Tu n'as pas honte de ton adresse, n'est-ce pas ? Je te rappelle que ce quartier est le plus chic de L.A. Est-ce la maison qui te chagrine ? Pourtant, une villa de style méditerranéen comprenant vingt-deux pièces et neuf salles de bains, sans compter l'aile réservée aux domestiques et le pavillon pour les amis... Ah, j'oubliais la piscine et le court de tennis...

Il la taquinait, bien sûr, mais pourquoi insistait-il à ce point ?

— Jonathan West, tu es vraiment idiot ! J'*adore* cette maison et tu le sais très bien. Pourquoi voudrais-tu que j'en aie honte ?

— Je vous connais, vous les femmes ! Toujours à vous jalouser ! Etant donné que ton amie va avoir une maison plus grande et plus luxueuse que toi, je me disais que tu étais peut-être un peu...

— Ils n'auront pas beaucoup mieux que cette maison ! Pourquoi dis-tu cela ?

— D'une part parce que sa résidence principale sera en Italie, et que les riches, là-bas, vivent dans des palaces. D'autre part, parce que son futur mari est bien plus riche que moi.

A présent, elle n'était plus très sûre qu'il plaisantait. Aussi préféra-t-elle changer de sujet de conversation.

— Tu es vraiment impossible, Jonathan ! Quand on est riche, quelle différence cela fait-il que l'autre soit un peu plus riche ? Et tu as le culot de dire que ce sont les femmes qui se jalousent ! C'est le monde à l'envers, ma parole !

— Il est possible, en fait, que les hommes se jalousent autant que les femmes, mais pas pour les mêmes raisons. Les hommes s'intéressent à la réussite professionnelle et à l'argent, tandis que les femmes s'envient leurs maisons, leurs bijoux, et même leurs époux.

— C'est *peut-être* vrai pour Penny ou Nicole, mais ça ne l'est sûrement pas pour moi ! protesta Andrianna.

— Je me le demande...

Elle crut déceler dans sa voix une pointe de mélancolie, mais lorsqu'elle se tourna vers lui, il avait recouvré son sourire narquois.

— Les hommes, pour certains, s'envient aussi les femmes qu'ils attirent dans leurs lits, ajouta-t-il.

— C'est vrai ? demanda-t-elle en essayant de garder son sérieux.

— Oui, mais ce n'est pas mon cas. Et tu sais pourquoi ?

— Je sens que tu ne vas pas tarder à me le dire.

— Parce que je sais que sur ce terrain, je suis imbattable.

— Oh, mais c'est formidable ! s'exclama-t-elle en plissant le nez. J'aimerais seulement être de cet avis !

Et elle s'enfuit vers la salle de bains, Jonathan sur ses talons.

Pendant qu'elle se maquillait, Jonathan se rasait, chacun devant son miroir.

— Tu ne m'as toujours pas dit pourquoi tu n'avais pas donné ta nouvelle adresse à tes amis.

Andrianna laissa échapper un léger soupir. Que pouvait-elle répondre ?

Je ne suis pas d'un tempérament très communicatif, si bien qu'à moins d'y être obligée, je ne dis jamais rien à personne.

Elle pouvait aussi en rire, et affirmer que cela contribuait à son mystère.

— J'avais de bonnes raisons de ne pas le faire. On voit bien que tu ne connais pas mes amis ! Ils ont l'habitude d'aller les uns chez les autres, et d'y rester des semaines entières. En Europe, certaines personnes passent leur temps à se faire inviter — c'est presque un mode de vie. En outre, si tu tiens à le savoir, je n'ai dit à personne que je m'étais mariée.

— Ah ! nous y voilà ! C'est de moi, en fait, que tu as honte !

— Voyons, Jonny, je voulais te garder pour moi toute seule le plus longtemps possible, et leur faire la surprise !

— Alors ? Qu'en penses-tu ?

Andrianna tournoya devant Jonathan pour lui faire admirer la robe de taffetas jaune que Penny avait choisie chez Neman à Dallas, et qu'elle-même avait achetée à la succursale de Beverly Hills. La robe, qui bruissait à chaque pas, avait un décolleté vertigineux et une jupe ample. Par bonheur, elle n'avait pas eu besoin de beaucoup de retouches. Pour qu'elles fussent parfaitement assorties, Andrianna avait fait teindre ses sandales en satin, et ses cheveux étaient retenus souplement sur son crâne par un énorme nœud jaune du plus bel effet.

— Z'êtes vraiment ravissante, Mam'zelle Scarlett! déclara Jonathan en prenant une grosse voix.

— Arrête de te moquer de moi! Je n'y peux rien si c'est la robe que Penny a choisie. Cela dit, je vois mal Nicole habillée comme ça. Elle a la même, pourtant, mais dans un coloris différent. Si tu la connaissais, tu comprendrais! Nicole ne porte quasiment que du noir.

— Seigneur! Qu'est-ce qui a pris à ton amie Penny de jeter son dévolu sur un modèle pareil?

— Elle voulait que nous soyons des fleurs dans son jardin d'amour. C'est pourquoi il fallait que ma robe soit jonquille, celle de Nicole, violette, et vert feuille celles des autres demoiselles d'honneur. Les fillettes qui jetteront des pétales sont toutes les deux en rose, pivoine pour l'une et gardénia pour l'autre. Quant à la mère de Penny, je crois qu'elle est en mauve.

— Tout à fait charmant. Et moi, comment me trouves-tu?

Il prit la pose caricaturale d'un Monsieur Muscles, ce qui était d'autant plus cocasse qu'il portait un costume en soie gris pâle à veste croisée, qu'elle avait acheté avec lui quelques jours plus tôt. Il était superbe, avec ses cheveux blonds plaqués en arrière.

— Mmm... En temps normal, je dirais que tu tiens à la fois de Robert Redford et de John Kennedy, mais...

— Zut, alors! Moi qui espérais que tu allais dire Arnold Schwarzenegger!

— Mais puisque que tu as eu le toupet de me comparer à la Scarlett d'*Autant en emporte le vent*, et puisqu'il s'agit d'un mariage à l'ancienne, tu me ferais plutôt penser à Ashley Wilkes...

— Ashley Wilkes ! Alors, ça, c'est la meilleure ! En quoi, dis-moi, me trouves-tu une ressemblance avec cette mauviette ?

— Enfin, Jonathan, sois réaliste ! Tu n'as pas l'envergure d'un Rhett Butler...

Elle s'assit devant sa coiffeuse afin de mettre la dernière touche à son maquillage. Viendrait ensuite le moment de choisir les bijoux qu'elle porterait avec sa robe... Ce n'était pas tant le fait de les choisir qui l'ennuyait que le fait de sortir sa boîte de Pandore du coffre-fort encastré dans le mur du dressing attenant à leur chambre. Elle l'avait rangée là le jour où ils avaient emménagé, et depuis, elle ne l'avait pas touchée. Jonathan ne lui avait posé aucune question. Elle ne savait si c'était par indifférence ou par discrétion. Toujours était-il que pour prendre ses bijoux, elle allait être obligée d'aller chercher le coffret et de l'ouvrir sous ses yeux...

Le moment était-il bien choisi pour faire découvrir à Jonathan le contenu de la boîte ?

Dans le doute, elle décida que son alliance suffisait amplement. Ce fut alors que sans un mot, Jonathan arriva derrière elle, lui prit la main et glissa une bague à son doigt. Jamais elle n'avait vu de pierre aussi énorme — encore plus grosse que l'émeraude que lui avait offerte Gino bien des années plus tôt.

— Jonny ! cria-t-elle, surexcitée. Qu'est-ce que c'est ?

Amusé par sa réaction, il se mit à rire.

— Ça se voit, non ? C'est un solitaire, mon ange.

— Je vois bien que c'est un diamant, mais...

— Je ne t'avais pas offert de bague de fiançailles. La voilà.

— Mais puisque nous sommes mariés, je n'avais pas besoin...

— *Besoin ?* En dehors d'un croûton de pain, d'un

verre d'eau et d'un toit au-dessus de nos têtes, nous autres humains n'avons besoin de rien, si tu vas par là.

— Et l'amour, qu'en fais-tu ?

— Et d'amour, bien sûr ! Il n'est question que de ça, au cas où tu ne l'aurais pas compris. Et puis, tu ne crois pas que j'allais te laisser aller au mariage de ton amie, où toutes ces femmes du Texas arboreront des diamants aussi gros que le Taj Mahal, avec pour tout bijou une simple alliance, comme une misérable ! Andrianna DeArte West ! Pense un peu à ton image, fillette !

Tout en lui souriant, gênée, elle se demanda si ce n'était pas plutôt à son image à lui qu'il avait pensé.

— Il te manque encore un petit quelque chose, déclara-t-il en faisant apparaître une boîte de velours provenant de chez Van Cleef & Arpels.

Il l'ouvrit et en sortit un collier de diamant et topaze qui brillait de mille feux.

Médusée, elle pencha légèrement la tête lorsqu'il lui mit le collier et l'embrassa.

— Les topazes sont assorties aux pierres de ton alliance, et *pratiquement* de la même couleur que tes yeux.

— Oh, Jonathan, il est magnifique ! Mais pourquoi deux cadeaux le même jour ?

— La bague, c'est pour nos fiançailles, que nous n'avons pas eu le temps de fêter, et le collier est un cadeau de mariage.

— Mais cette maison était *déjà* un cadeau de mariage. Et puis, tu m'as acheté une voiture.

— La maison ne compte pas puisqu'elle est pour nous deux. Quant à la voiture, ce n'est qu'un moyen de transport ; on ne peut pas appeler ça un cadeau...

Jonathan avait demandé à Freddy de sortir la limousine du garage, mais au dernier moment, Andrianna eut envie de prendre sa propre voiture.

— La Rolls nous attend, objecta Jonathan. Je te signale d'autre part que pratiquement tous les invités arriveront en limousine. A Bel-Air, c'est toujours comme ça. Quand le parking de l'hôtel affiche complet, les chauffeurs vont se garer dans Stone Canyon Road. Tiens-tu vraiment à te rendre à ce mariage au volant d'une petite voiture ordinaire ?

— Je me moque de ce que font les autres. Je veux montrer à Penny, Nicole, et à toutes mes anciennes camarades du Rosey que la femme de Jonathan West conduit comme une vraie Californienne.

— D'accord, mais je te préviens, je tiens à arriver entier !

Il ordonna à Freddy de sortir la Lincoln.

Lorsqu'il avait été question d'acheter une voiture à l'usage personnel d'Andrianna, Jonathan lui avait donné le choix entre une Rolls, une Mercedes, une Jaguar, une Lamborghini, et même une Forenzi, mais elle avait absolument voulu une voiture américaine.

— Puisque c'est en Amérique que tu gagnes ton argent, il est logique que tu le dépenses dans des produits américains. D'un point de vue strictement financier, l'argument est imparable, non ?

— Ma femme est un génie de la finance ! s'était-il exclamé, une fois revenu de sa stupéfaction. Quelles autres surprises me réserves-tu ? Y a-t-il encore d'autres choses que tu me caches ?

Il ne s'agissait heureusement que d'une plaisanterie.

Elle attacha sa ceinture et lui demanda d'en faire autant.

— Le trajet nous prendra deux minutes tout au plus, dit Jonathan, mais si cela peut te faire plaisir, je l'attache.

— Parfait. On y va.

— Attends un peu... Nous ne sommes pas *tout à fait* prêts.

A ces mots, le cœur d'Andrianna manqua un battement.

— Ah bon ?

— Avant de partir, il y a deux ou trois choses qu'il faut que je te dise.

Oh, mon Dieu, non ! Pas maintenant !

— Maintenant ? murmura-t-elle. Nous sommes déjà en retard. Cela ne peut vraiment pas attendre ?

— Non. Cela fait déjà si longtemps que je voulais t'en parler... C'est une question de franchise. Dans un couple, on ne doit pas avoir de secrets l'un pour l'autre, tu es d'accord ?

Elle *n'était pas* d'accord, mais elle pouvait difficilement le lui dire.

— Si cela ne peut attendre, alors allons-y, dit-elle, résignée.

Jonathan lui avoua alors qu'au début de leur rencontre, il avait demandé une enquête sur son passé, puis qu'il l'avait finalement décommandée. Dans l'intervalle, il avait appris son nom et découvert qu'elle s'était produite sur des scènes londoniennes. Il reconnut en outre qu'il l'avait suivie à New York. Il savait qu'elle était descendue au Plaza sous le nom d'Anna della Rosa, et qu'elle avait occupé la suite de Gaetano Forenzi. Puis qu'elle avait retrouvé Penny dans un restaurant, d'où elles s'étaient rendues ensemble à la Trump Tower.

— Nous sommes allées chez Nicole, expliqua-t-elle. Nous avons passé la nuit chez elle.

— Et le lendemain, je sais que tu es allée rendre visite à quelqu'un à l'hôpital, avant de prendre un avion pour la Californie...

— C'est tout ? demanda-t-elle d'une voix mal assurée. C'est tout ce que tu voulais me dire ?

— Oui, mais je voulais que tu le saches. Je ne suis pas très fier de moi... Le début d'enquête, tout d'abord, puis cette filature ridicule... Mais je ne pouvais pas te le cacher plus longtemps. J'espère que tu ne m'en veux pas. Tu me pardonnes ?

Elle acquiesça d'un signe de tête, incapable de le regarder en face. Elle ne voulait pas qu'il voie ses larmes. Des larmes de soulagement et des larmes de regret...

C'était le moment ou jamais de tout lui avouer. Il n'avait rien demandé, mais il lui avait en quelque sorte tendu une perche. A elle de la saisir. Une occasion pareille ne se représenterait sans doute jamais plus. Elle savait, cependant, qu'elle la laisserait s'échapper. Dans sa vie, elle n'avait jamais rien fait au bon moment...

De plus, il était tard, et ils devaient y aller. Elle espérait simplement qu'il n'était pas *trop* tard.

— Alors, tu me pardonnes ? demanda-t-il une seconde fois.

Elle lui décocha un sourire éblouissant et tourna la clé de contact.

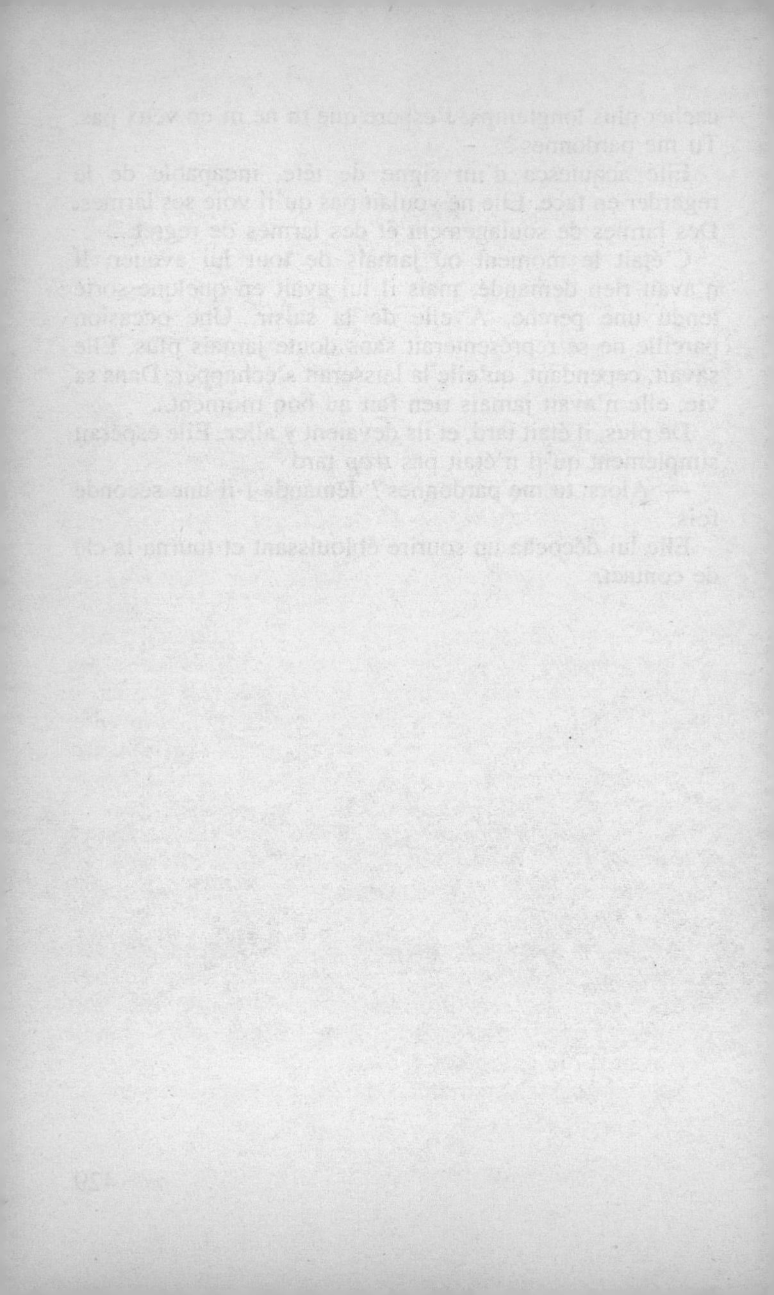

26.

Dimanche après-midi

Andrianna et Jonathan n'étaient pas plutôt passés sous le dais surmontant l'entrée de l'hôtel qu'Eloïse Hopkins, la mère de la mariée, se précipitait sur eux.

Andrianna et Eloïse se connaissaient bien, car à l'époque du pensionnat, Eloïse venait souvent rendre visite à Penny. Elle arrivait les bras chargés de cadeaux et invitait Penny, Nicole et Andrianna à dîner dans les meilleurs restaurants de la région, ou même à passer le week-end à Lausanne, dans l'hôtel le plus chic de la ville. Depuis, Andrianna l'avait souvent revue : il suffisait que Penny soit en Europe pour que sa mère y arrive à son tour, par l'un des vols suivants.

Une mère aussi dévouée ne se rencontrait pas tous les jours, mais Penny, tout en étant très attachée à Eloïse, lui reprochait de toujours tout vouloir diriger et de se mêler un peu trop de sa vie privée.

— Annie Sommer, vilaine fille, tu es en retard! s'exclama Eloïse en agitant un doigt sous le nez d'Andrianna. La répétition est commencée, et cela fait des heures que je t'attends ici, avec l'ordre de t'y emmenener au triple galop dès ton arrivée.

Elle embrassa Andrianna, qui se prêta docilement au jeu.

— Ça me fait tellement plaisir de te voir, Eloïse! Pouvait-on rêver d'un temps plus splendide pour le mariage de Penny? J'avais vraiment peur qu'il ne fasse pas assez chaud pour...

Mais, les yeux rivés sur Jonathan, Eloïse ne l'écoutait pas.

— Doux Jésus! Qui est cet Apollon qui t'accompagne? Pour être aussi blond, il ne peut venir que de Californie. Je me trompe? Vous ne vous éclaircissez pas les cheveux, j'espère?

— Il est beau, n'est-ce pas? dit Andrianna en prenant le bras de Jonathan.

— Pas mal du tout, j'en conviens.

— Eloïse Hopkins, laisse-moi te présenter mon mari, Jonathan West.

— Ravi de faire votre connaissance, madame Hopkins. Quant à mes cheveux, je vous le confirme, il s'agit bien de leur couleur naturelle.

Jonathan lui souriait gentiment, mais Eloïse, à présent, n'avait d'yeux que pour Andrianna.

— Ton *mari*? Tu as donc fini par assurer ta prise, Annie? Moi qui disais toujours à Penny, cette fille n'a aucun mal à les attraper, le problème, c'est qu'elle n'arrive pas à les sortir de l'eau! Mais j'ai compris, maintenant. En réalité, tu les *rejetais* à l'eau. Ils n'étaient jamais assez gros pour toi!

— Eloïse! protesta Andrianna en rougissant jusqu'à la racine des cheveux.

Du coin de l'œil, elle s'assura cependant que Jonathan n'avait pas mal pris la remarque d'Eloïse.

— Il vaudrait mieux que je rejoigne les autres, sinon je vais manquer la répétition, murmura-t-elle. Où sont-ils?

— A côté du belvédère, expliqua Eloïse. Mais dis-moi, avant de filer, quand t'es-tu mariée? Penny ne m'en a pas parlé.

— Il y a à peu près six semaines. Mais Penny n'est pas

au courant, ni personne d'autre, d'ailleurs. Je voulais vous faire la surprise.

— Pour une surprise, c'en est une ! Et tout à fait charmante, je le reconnais. Mais on ne t'a jamais dit, Annie, que quand on va au mariage d'une amie, on apporte un cadeau et non une surprise ? demanda-t-elle avec un sourire crispé. C'est un peu comme si tu arrivais en robe de satin blanc, pour éclipser la mariée, lui voler la vedette.

Andrianna aurait voulu disparaître dans un trou de souris.

— Cela n'a jamais été mon intention, je te le jure ! Comment peux-tu penser une chose pareille ? J'*adore* Penny.

L'air pensif, Eloïse reporta son attention sur Jonathan tandis qu'il passait un bras protecteur autour des épaules de sa femme.

— Je le sais bien, ma chérie, affirma-t-elle d'un ton soudain radouci. Je voulais juste te faire marcher.

Elle sourit à Jonathan.

— Votre épouse supporte très mal la plaisanterie. Elle a toujours été d'une susceptibilité maladive. Ce n'est pas comme Penny, qui encaisse tout sans broncher, et ne rechigne pas à finir les restes d'Annie !

Nous y voilà ! Ce qui la chagrine, en fait, c'est que Gae ait été mon amant avant d'être celui de Penny. De là à parler de restes... Jonathan doit se demander ce que tout cela signifie. Quelle idiote j'ai été de l'amener ici ! Cette journée s'annonce vraiment catastrophique !

Elle risqua de nouveau un regard du côté de Jonathan, qui souriait poliment à Eloïse.

— Je vous demande pardon, je n'ai pas très bien saisi, déclara-t-il.

— Je disais que Penny ne rechignait pas à finir les restes d'Annie. Oh, mais j'espère que je n'ai pas mis les pieds dans le plat ! Vous n'ignoriez tout de même pas que votre femme et Gaetano Forenzi avaient été... Vous n'étiez donc pas au courant ? Annie, ma chérie, tu aimes *vraiment* les surprises, j'ai l'impression !

— Je crois que c'est encore ce que je préfère chez elle, déclara Jonathan en décochant un clin d'œil à Andrianna. Avec toutes ces surprises, au moins, on n'a pas le temps de s'ennuyer !

Il prit Andrianna par le bras.

— Il vaudrait mieux y aller, à présent, sinon Andrianna risque de manquer entièrement la répétition.

Eloïse prit l'autre bras de Jonathan, et ils se mirent en route pour le belvédère.

— Dites-moi, Jonathan, si je ne suis pas trop indiscrète — mais à mon âge, et avec l'argent que j'ai, grâce à Dieu, je crois que je peux me permettre ce genre de questions —, quel âge avez-vous donc ? Non que cela ait beaucoup d'importance, mais il me semble que vous êtes un peu plus jeune que notre Annie...

Andrianna aurait voulu pouvoir tourner les talons et filer. Mais Jonathan, lui, éclata de rire.

— Ce qui est vrai, madame Hopkins, c'est que l'âge, comme la beauté, est dans les yeux de celui qui regarde. Et ma femme rajeunit et embellit à chaque instant.

Eperdue de reconnaissance, Andrianna sourit à son mari. Après tout, la journée ne s'annonçait pas si mal que cela. Jonathan, apparemment, allait très bien s'en tirer.

Andrianna assista à la cérémonie dans une sorte d'état second, enregistrant des impressions éparses.

De part et d'autre de l'allée conduisant au belvédère, les invités étaient assis sur des chaises blanches ornées de rubans et de fleurs multicolores. Le son argentin d'une flûte résonnait dans l'air. Gae, en costume blanc, et Gino en beige, étaient debout l'un à côté de l'autre, non loin d'un essaim de demoiselles d'honneur tout en vert.

Nicole et elle se sourirent béatement avant de descendre l'allée d'un même pas, en compagnie des deux petites porteuses de corbeilles qui lançaient à pleines poignées des pétales roses et blancs autour d'elles. Puis les premiers accords de la marche nuptiale retentirent et Penny parut, en robe de mariée de satin et de dentelle, comportant des mètres et des mètres de tulle, une traîne d'une longueur incroyable, et une débauche de fleurs d'oranger, conformément à ses rêves.

Le cortège et les invités se transportèrent ensuite jusqu'au parc, où les attendaient une piste de danse, des tables rondes et abondamment fleuries, deux bars couverts de seaux à champagne en argent et de verres en cristal, et trois gigantesques buffets croulant sous des mets plus exquis les uns que les autres, également décorés de fleurs et de tourterelles sculptées dans de la glace...

Lorsque la mariée elle-même proposa de porter un toast à Andrianna et au « petit veinard qui l'avait épousée, » Andrianna, touchée par la générosité de son amie, se détendit un peu. Tout se passait bien, finalement, et mise à part la petite altercation qu'elle avait eue avec Eloïse en arrivant, elle n'avait pas à se plaindre.

Elle revit d'anciennes camarades de pensionnat, reçut des félicitations et des compliments, chacune s'extasiant sur la taille du diamant de sa bague de fiançailles et lui enviant son Adonis de mari...

Mais le plus émouvant, pour elle, fut de retrouver Gae, son cher et tendre Gae, presque inchangé malgré les années, arborant aujourd'hui une moustache de jais. Tandis que les autres buvaient, mangeaient et dansaient, Gae et elle, un peu en retrait, bavardaient comme deux vieux amis.

— Anna, dis-moi, que penses-tu de ce mariage? Tu crois que nous avons nos chances, Penny et moi?

— Pourquoi pas ? Il suffit que vous vous aimiez très fort et que vous ne laissiez rien ni personne troubler votre bonheur.

— Et toi ? Cet Américain que tu as épousé, tu l'aimes ?

— Je l'aime, oui.

— Et lui ? T'aime-t-il autant que tu le mérites ?

— Il m'aime déjà plus que je ne le mérite, Gae, et je crois que si je veux me montrer à la hauteur, il va falloir que je fasse de sacrés efforts.

— C'est drôle ce que tu dis là. Tu es sans doute la personne la plus droite que je connaisse.

Cette remarque la fit rire.

— Alors, c'est que tu me connais mal ! A moins que ce ne soit ta mémoire qui te joue des tours ! Avec le recul, tout paraît toujours plus beau.

— Bien sûr que si, que je te connais ! Il m'arrive encore souvent de penser à toi, tu sais. Parfois même, tous ces souvenirs m'empêchent de dormir...

Comme il fixait sur elle son regard de velours, une vague d'émotion la submergea et les larmes lui montèrent aux yeux. Elle effleura ses boucles brunes, si familières, et l'embrassa sur la joue.

Juste à ce moment-là, Jonathan parut sur la piste de danse, tenant la mariée dans ses bras. Comme si de rien n'était, sans cesser de valser, il les salua joyeusement tandis que Penny leur adressait de grands signes de la main.

Lorsqu'ils eurent disparu, Andrianna se tourna vers Gae.

— Tu veux que je te dise, Gae ? Toi et moi, il va vraiment falloir que nous fassions des efforts. Nous arriverons peut-être à nous montrer à la hauteur, mais ce ne sera pas facile.

— Tu as sûrement raison, Anna. J'ai toujours dit que c'était toi la plus sensée de nous deux.

⁂

Lorsque Jonathan vint la chercher, il donna une tape amicale sur le dos de Gae et le félicita d'avoir trouvé une épouse aussi merveilleuse que Penny. Puis il entraîna Andrianna sur la piste.

— Je sais, maintenant, pourquoi *je suis* Ashley, dit-il avec un petit sourire triste. Parce que Rhett Butler, *c'est lui !*

Mais comme elle protestait, s'apprêtant à lui jurer ses grands dieux qu'il était l'homme de sa vie, Jonathan la rassura.

— Je parlais de la ressemblance physique — les cheveux noirs, la moustache, le costume blanc... Il est italien, mais il pourrait tout aussi bien être sudiste. Pour moi, c'est le type même du mauvais garçon dans toute sa splendeur !

Elle sut alors que Gae avait eu tort. Car la seule personne vraiment sensée ici, c'était son mari.

Jamais elle n'aurait imaginé qu'elle verrait Nicole danser le boogie-woogie avec Gae !

Aujourd'hui, son amie avait apparemment laissé sa réserve au vestiaire. Le champagne y était peut-être pour quelque chose. A moins que ce ne fût la température printanière. Ou encore Edward, tout simplement, qui, vissé à sa chaise, un sourire plaqué sur les lèvres, la regardait se démener comme une folle d'un air approbateur. « Vas-y, ma chérie, amuse-toi. Profites-en », semblait-il dire.

Du coup, Nicole voyait d'un œil plus serein le mariage de Gae et de Penny. Ce qu'elle considérait, quelques semaines plus tôt, comme une « pure folie » était soudain devenu un « merveilleux conte de fées ».

⁂

Elle dansait avec Gino, un Gino encore très séduisant avec ses cheveux gris et son air blasé à la Marcello Mastroianni.

— Comment vas-tu, petite Anna? Dis-moi, où en es-tu du point du vue santé?

— Je vais très bien, Gino. La rémission dure toujours.

— Tant mieux! Je suis content pour toi.

Il la serrait contre lui, un peu trop au goût d'Andrianna, en proie à un trouble étrange. Mais elle s'aperçut que les sensations qui déferlaient en elle procédaient d'un simple réflexe... vieux d'une quinzaine d'années.

Elle se demanda alors à quoi songeait Gino. Que ressentait-il, de son côté. Avait-il des regrets?

— Ce mariage, aujourd'hui, est une terrible erreur, déclara-t-il soudain avec amertume, comme s'il avait deviné ses pensées.

— Pourquoi dis-tu cela?

— Ton amie Penny... Elle n'est pas pour Gae.

— Elle est folle de lui, et il l'aime aussi. Laisse-les tranquilles, Gino.

Haussant les sourcils, il prit un air sévère.

— Tu crains que je ne m'en mêle, c'est cela?

— Oui, tu en serais parfaitement capable.

— Je ne veux rien d'autre que le bonheur de Gae, et faire de lui un homme.

— Alors laisse-le vivre sa vie. Laisse-les vivre *leur* vie de couple, Gino, et tu risques d'avoir de bonnes surprises.

— Non, dit-il en secouant énergiquement la tête. Ce mariage est une erreur. Des Texans! Tu imagines? Ils ont la démesure dans le sang! C'est toi, petite Anna, que Gae aurait dû épouser...

Voilà donc à quoi songeait Gino! Elle savait à présent ce qu'il regrettait. Rien n'avait changé : pour lui, Gaetano passait toujours avant tout le reste. Son amour paternel primait, et cette fois, elle ne put que s'en réjouir.

— Et toi, accusa-t-il avec colère, qu'est-ce qui t'a pris d'épouser cet... cet Américain ? Ne sais-tu donc pas que les Américains et les Européens ne font pas bon ménage ? Ils sont aux antipodes les uns des autres. Les Américains ne pensent qu'à leur sacro-saint dollar. Ils se moquent de la famille, des sentiments, et ne connaissent rien à l'amour !

S'il avait pu se douter qu'elle-même était américaine, pensa Andrianna. Mais s'il l'avait su, Gino aurait-il tenu un autre langage ? Probablement pas. Pour Jonathan aussi, il avait faux sur toute la ligne. En matière d'amour, Jonathan aurait pu lui en remontrer...

— J'ai épousé Jonathan parce que je l'aime et parce qu'il m'aime. Parce qu'avec lui, je passe en premier !

Comme il n'était pas sot, il comprit l'allusion, et rétorqua presque froidement :

— Je te souhaite de ne jamais déchanter, Anna. J'espère que ton Jonathan West ne sera jamais confronté à une situation critique l'obligeant à définir ses priorités... surtout si tu venais à rechuter. Tu comprends, je ne voudrais pas qu'il te déçoive.

Non, je ne vais pas laisser Gino me saper le moral ! Je ne veux pas penser à ce que Jonathan ferait si je tombais malade...

— Oh, Gino ! Comment peux-tu me parler de ma maladie et des risques de rechute alors que je nage en plein bonheur ? C'est *toi* qui me déçois, en l'occurrence !

Comme il n'était pas méchant, il se répandit en excuses et la supplia de lui pardonner.

— Anna, si tu savais comme je t'aime ! confia-t-il, des trémolos dans la voix. Je t'aime sincèrement, crois-moi, et je voudrais tant te savoir heureuse ! Je pense souvent à toi. Je suis inquiet pour ta santé, et pour ton bonheur, aussi !

Elle lui sourit à travers ses larmes. Son amour était ce qu'il était, et elle ne lui en voulait plus de ne pas lui avoir donné, à une époque, autant qu'elle l'aurait désiré.

— Je *sais* que tu m'aimes, Gino. Et c'est pour ça, justement, que je tiens à ce que tu saches qu'avec Jonathan, je suis en bonnes mains. Il m'aime réellement. Au point qu'il n'a jamais éprouvé le besoin de me poser des questions. Il m'a prise telle que j'étais. Je voudrais que tu te réjouisses pour moi et que tu croies sans réserve à mon bonheur. En es-tu capable, Gino ?

— Mais bien sûr, ma petite Anna !

Il s'arrêta au milieu de la piste de danse pour la serrer très fort dans ses bras, comme si rien au monde ne pouvait les séparer.

Ce fut alors que Jonathan, qui dansait avec Nicole, passa à côté d'eux. Nicole prit un air catastrophé, mais Jonathan décocha un grand sourire à sa femme et lança :

— Nous sommes faits pour nous rencontrer, décidément !

Andrianna attendait avec impatience le moment où elle pourrait parler en tête à tête avec Jonathan, et lui expliquer pourquoi Gino la serrait dans ses bras. Mais à peine s'étaient-ils assis, une assiette pleine de victuailles devant eux, qu'arrivait Cole Hopkins, tenant dans ses mains un plat de côtelettes grillées.

— Penny a dit qu'il fallait *absolument* que nous goûtions à tous ces trucs exotiques — par égard pour les invités étrangers —, mais rien ne vaut un bon plat de côtelettes comme on les fait chez nous, au Texas ! N'est-ce pas que j'ai raison, monsieur West ?

— Vous avez sûrement raison, monsieur Hopkins.

Jonathan, qui dégustait des crevettes roulées dans des filets d'espadon, se sentait plus ou moins en territoire neutre. Andrianna, en revanche, était en plein dans la ligne de mire, son assiette étant garnie exclusivement de « trucs exotiques » — du veau aux noisettes et des raviolis à la langouste.

Elle essaya donc de transiger avec l'attaquant.

— Vous devriez goûter les raviolis, monsieur Hopkins. Ils sont vraiment délicieux.

— Si cela ne vous fait rien Annie, je préfère m'abstenir. Je ne cours pas après la cuisine étrangère, voyez-vous. Et pour tout vous avouer, je ne cours pas non plus après les étrangers, y compris les don Juan italiens...

Et c'était reparti ! songea Andrianna, contrariée, et d'autant plus inquiète que, visiblement, Cole Hopkins avait beaucoup bu.

— Entre nous, West, je me demande bien pourquoi ma fille a voulu épouser cet Italien. Ce ne sont pourtant pas les Américains qui manquent, que diable ! Ici, c'est plein de types bien, alors pourquoi aller chercher ailleurs ce qu'on peut trouver sur place ?

— Je suis sûr que Gaetano Forenzi est un type bien, s'empressa d'affirmer Jonathan avec diplomatie.

— Oh oui, monsieur Hopkins, ajouta Andrianna. Gae est quelqu'un de merveilleux.

— S'il est si bien que ça, comment se fait-il que *vous* ne l'ayez pas épousé ?

— Moi ? dit-elle en manquant s'étrangler avec un ravioli à la langouste.

— Ben oui, vous ! Forenzi et vous, à une époque, ça marchait plutôt bien ! Mais intelligente comme vous l'êtes, Annie, vous avez préféré aller voir ailleurs. Je vois que vous avez fait le bon choix, un choix que j'apprécie, ma foi ! Tenez, prenez donc une côtelette, mon garçon, et appelez-moi Cole.

— Merci, Cole. Pour la côtelette, ce n'est pas de refus.

Jonathan prit une côtelette et mordit dedans. Puis, la bouche pleine, il s'adressa à Andrianna.

— Mmm, un *vrai* régal ! Tu devrais en goûter une, ma chérie.

Jonathan poussait un peu loin l'amabilité, songea-t-elle.

— Elles ont l'air délicieuses, en effet. Je vais peut-être y goûter, moi aussi.

— Vous voyez ? claironna Cole en brandissant triomphalement une côtelette à demi rongée sous le nez de Jonathan. Quand je vous disais qu'elle était intelligente ! Elle sait reconnaître ce qui est bon, elle ! Et n'allez pas croire que je ne sais rien de vous, mon garçon. Vous avez la réputation d'avoir la tête sur les épaules. Un de mes amis de Dallas, présent au mariage, dit que vous êtes un homme d'affaires redoutable. Il paraît que vous avez eu votre photo en couverture de *Time*, et que l'immobilier en Californie n'a plus de secrets pour vous. D'après ce que j'ai compris, vous avez vous-même investi dans quelques belles affaires...

Affectant un air modeste, Jonathan haussa les épaules.

— Je me débrouille...

— Ecoutez, mon garçon, vous n'êtes pas n'importe qui. Vous devriez être fier de votre réussite. Si vous ne chantez pas vos propres louanges, personne ne le fera à votre place !

— Vous avez raison, Cole. Mais d'après ce qu'on m'a dit, vous vous intéressez vous-même à l'immobilier en Californie. Le bruit court que vous avez l'intention d'acheter cet hôtel. C'est vrai ? demanda Jonathan d'un ton tout à la fois respectueux et innocent.

Cole Hopkins se mit à rire.

— Je reconnais bien là l'homme d'affaires ! Vous aimeriez savoir si l'hôtel est en vente, hein ? Inutile de nier, j'ai compris, allez ! Vous êtes malin, mais ce n'est pas à un vieux singe tel que moi qu'on apprend à faire la grimace ! Pas la peine de vous fatiguer, la propriétaire ne veut rien entendre. Je lui ai fait une offre intéressante, mais il n'y a pas eu moyen. Elle ne veut pas vendre, vieux.

Andrianna remarqua qu'en l'espace de quelques minutes, Cole Hopkins était passé de « mon garçon » à « vieux ». Mais ce détail n'avait pas échappé à Jonathan.

— Vraiment, *monsieur Hopkins* ? Quel dommage ! Mais vous avez tort de croire que je convoite l'hôtel Bel-Air. A supposer qu'il m'intéresse, je ne couperais pas l'herbe sous le pied à un ami, or vous en êtes *forcément* un, puisque je suis invité au mariage de votre fille et que ma femme est l'une de ses meilleures amies.

— Bien sûr ! Je me doute bien que vous n'iriez pas surenchérir, si l'hôtel vous faisait envie et si vous pensiez avoir la moindre chance de l'emporter, railla Cole. Oui, tu as décidément fait le bon choix, Annie. Je *te* tire mon chapeau !

Dès qu'ils furent débarrassés de Cole Hopkins, Jonathan secoua la tête d'un air désapprobateur.

— Tu sais, je n'aime pas du tout cette manie qu'a le clan Hopkins de toujours t'appeler Annie. Moi, je trouve qu'Andrianna te va très bien.

Dans un élan de gratitude, elle posa une main sur la sienne et lui sourit tendrement.

Quand Nicole, son assiette à la main et Edward sur les talons, s'assit à leur table, Jonathan se leva pour aller chercher du champagne, entraînant Edward à sa suite.

— J'aimerais que vous me donniez votre avis sur le déficit de la balance commerciale, Ed. Vous qui avez vos entrées au gouvernement, dites-moi un peu...

Andrianna remarqua que Nicole n'avait pris qu'un peu de salade : une mousse d'avocat sur un lit de radis et pamplemousse, recouverte d'une sauce rouge parsemée de petits morceaux jaunes et verts. Elle goûta la mousse du bout des lèvres et repoussa son assiette.

— Tu n'as pas faim, Nicole ?

— A vrai dire, je trouve cette salade... un peu bizarre.

— Ah bon ?

— Oui. Au départ, au moment d'établir le menu, quand le chef cuisinier a parlé d'une mousse d'avocat, j'ai plutôt été séduite. Mais je ne m'attendais pas que la mousse soit servie avec cette espèce de sauce... Le coulis de tomate, passe encore, mais les grains de maïs et ces petits trucs verts ! Je me demande bien ce que c'est, d'ailleurs...

— Des *jalapenos*, répondit Andrianna en riant. J'ai l'impression que tu ne connais pas grand-chose à la cuisine mexicaine.

— C'est bien possible, admit Nicole avec un soupir las. Mais quelle importance, en vérité ?

— Aucune, reconnut Andrianna, gagnée par la morosité de son amie.

Puis Nicole tendit un doigt pour toucher le collier de diamant et topaze.

— Très impressionnant ! Presque autant que le jeune et séduisant Jonathan. Ainsi, Ann, après tout ce temps, tu as fini par avoir tout ce que tu voulais, n'est-ce pas ? *Vraiment tout ?*

Une longue minute, Andrianna sonda Nicole du regard, ne sachant comment prendre sa question. Etait-elle aussi mesquine qu'elle en avait l'air ?

Elle s'humidifia les lèvres.

— Oui, j'ai tout, en effet. Du moins, je l'espère, et le souhaite de tout mon cœur. Et comme je sais que tu es une amie, Nicole, et que tu m'aimes beaucoup, je suis sûre que tu me le souhaites aussi. N'est-ce pas ?

Nicole lui jeta les bras autour du cou, et l'embrassa sur les joues, murmurant avec une ferveur inaccoutumée :

— Espèce d'idiote ! Evidemment que je te le souhaite ! Je sais que ça n'a pas toujours été facile pour toi, et j'ai souvent prié pour que les choses s'arrangent. Je suis si contente de te voir enfin heureuse qu'aucun mot n'est assez fort pour exprimer ce que je ressens.

Les mots étaient inutiles : les joues d'Andrianna étaient inondées des larmes de Nicole.

⁂

Lorsque Jonathan revint avec Edward et une bouteille de perrier-jouët, il regarda tour à tour les deux femmes et lança :

— Nicole, acceptez-vous, Edward et vous, de vous joindre à Andrianna et moi pour un nouveau toast ?

— Avec plaisir. En l'honneur de qui levons-nous nos verres ?

— En l'honneur des amies de ma femme. Nous avons passé une journée merveilleuse, et c'est en grande partie grâce à *vous*.

— Ah ? dit Nicole en battant des cils et en affichant son sourire le plus charmeur. Comment cela ?

— Eh bien, ce n'est pas tous les jours que je rencontre une Française en robe de bal d'une autre époque, si belle, en vérité, que les femmes des planteurs du siècle dernier doivent toutes se retourner dans leurs tombes !

Rougissant sous le compliment, Nicole se tourna vers Andrianna.

— Ton mari est décidément charmant, Ann.

Edward émit un petit rire qui semblait indiquer qu'il partageait cet avis. Un peu plus tard, lorsque Jonathan et Andrianna se levèrent pour aller danser, il déclara :

— J'ai eu grand plaisir à discuter avec vous, Jonathan. Ann, ma chère, je vous félicite d'avoir épousé un homme aussi sympathique, et aussi intelligent. Nous sommes vraiment très contents pour vous, Nicole et moi. N'est-ce pas, ma chérie ? Si vous saviez combien de nuits blanches Nicole a passées à cause de vous ! Elle craignait tellement pour votre avenir... se demandait si vous vous rangeriez un jour et feriez un bon mariage. Surtout à l'époque où vous viviez avec Gino Forenzi. Elle se faisait un sang d'encre. Pour elle, il était évident que vous perdiez votre temps... Mais tout est bien qui finit bien, n'est-ce pas ?

Il rit de nouveau, de ce même rire bref, qui se transforma en quinte de toux. Avec un regard navré pour Andrianna, Nicole se mit à lui tapoter le dos.

Andrianna aurait voulu lui dire de taper plus fort, d'en profiter pour flanquer une bonne raclée à cet imbécile. *Seigneur! Comment avait-il pu être diplomate?*

Puis, tandis que Jonathan l'entraînait sur la piste et la prenait dans ses bras, elle se reprocha de n'avoir rien dit. Elle aurait pu rétorquer à Edward que si elle avait effectivement travaillé avec Gino, et même habité sous son toit, elle n'avait pas vécu avec lui à proprement parler. L'affaire aurait été réglée. Il était toujours temps de le dire à Jonathan, mais elle préférait attendre qu'ils aient fini de danser.

Au bout de quelques minutes, cependant, elle n'y tint plus.

— A quoi penses-tu? risqua-t-elle.

— A tes amis, Nicole et Ed. Je les trouve très sympathiques, mais il y a une petite chose qui me gêne, chez eux. Je n'aime pas qu'ils t'appellent Ann; j'ai toujours l'impression qu'ils parlent de quelqu'un d'autre. Pour moi, tu es Andrianna. Andrianna est le plus beau prénom qui existe et il est normal qu'il soit porté par la plus belle femme du monde. Ils sont inséparables.

— Vos capacités de réflexion m'étonneront toujours, monsieur West.

Les mariés venaient de couper la gigantesque pièce montée, lorsque Andrianna, pour la première fois de la journée, se retrouva seule avec Penny, qui lui pinça le bras.

— Aïe! Qu'est-ce qui te prend? protesta-t-elle en se frottant le bras.

— Ça t'apprendra à faire des cachotteries! Comment as-tu pu garder cet homme pour toi pendant toutes ces semaines? Dire que moi, je n'ai jamais eu le moindre secret pour toi ! Espèce d'ingrate, va ! Où et quand l'as-tu rencontré ?

— Sur le *Queen Elizabeth 2*, entre Southampton et New York.

— Tu venais de le rencontrer, alors, quand tu l'as épousé ?

— Oui, mais nous avons vite fait connaissance, tu sais.

— Oh, pour ça, je te fais confiance ! Quand je pense qu'à New York, tu m'as fait croire que tu étais venue aux Etats-Unis pour ta carrière ! Quelle hypocrite, tout de même !

— Pas du tout ! dit Andrianna en riant. C'est toi qui mélanges tout, comme d'habitude. Je t'ai dit la vérité, ne t'en déplaise. Quand je me suis embarquée pour New York, je ne connaissais pas encore Jonathan. Ce n'est donc pas pour lui que j'ai quitté l'Europe. Et si, finalement, je suis venue en Californie, c'est parce qu'il y vit. Notre maison est ici.

— Aurai-je un jour l'occasion de la voir ?

— Oh, mais bien sûr, Penny ! Tu seras toujours la bienvenue.

— Je te jure que si Gae et moi n'avions pas prévu de partir au Texas ce soir, je t'aurais prise au mot ! C'est chez vous que nous aurions passé notre lune de miel, avec Jonathan et toi. Ça aurait été bien, non ? Exactement comme au bon vieux temps !

— Non, Penny, il faut laisser le passé où il est. Tu sais, le meilleur est encore à venir.

— Je voudrais tellement que tu aies raison ! murmura Penny, au bord des larmes.

Tirant un ravissant mouchoir de dentelle de la manche de sa robe, elle se tamponna les yeux.

— Oh, Annie, tu crois vraiment que le meilleur est encore à venir ?

— Je ne le crois pas, Penny ; j'en suis sûre !

Comme elle pleurait aussi, Penny lui passa le mouchoir en dentelle.

— Zut ! s'écria-t-elle trois secondes plus tard. J'avais complètement oublié que c'était le mouchoir de Nicole ! Elle me l'a prêté, mais il est très ancien, et elle y tient comme à la prunelle de ses yeux. Je vais me faire tuer, si je ne le lui rends pas en parfait état !

— Ne t'inquiète pas. Je le ferai nettoyer et je le lui renverrai. Il sera comme neuf.

— Envoie-le en recommandé, surtout.

— En recommandé et en exprès. Promis, juré, Penny !

— Merci, Annie, tu es mon sauveur ! Je te pardonne de ne m'avoir rien dit, pour Jonathan West. C'était une merveilleuse surprise. Et je te dis un grand merci.

— Tu me remercies pourquoi, au juste ? Pour le mouchoir ?

— Pas seulement. Je te remercie surtout de ne pas avoir épousé Gae, et de m'avoir laissé une chance de l'aimer. Merci aussi de m'avoir dit que pour toi et moi, le meilleur était encore à venir.

— Qu'est-ce qui est encore à venir ?

Nicole les avait rejointes, une grosse part de gâteau dans les doigts.

Discrètement, Andrianna fit disparaître le mouchoir mouillé dans sa manche avant d'expliquer à Nicole qu'elle parlait du bonheur.

— Et moi ? protesta Nicole en faisant la moue. Ai-je moi aussi de beaux jours devant moi ?

— Mais oui, Nicole, toi aussi, évidemment !

— Alors, il faut que nous portions un toast, proposa Nicole. Que nous buvions à nous trois et à notre bonheur futur !

Les prenant chacune par une main, Penny les entraîna vers l'un des bars, où le photographe les fixa sur la pellicule, pour l'album-souvenir de Penny — la mariée et sa suite, trois femmes proches de la quarantaine, belles et épanouies, souriant à l'objectif.

L'espace d'un instant, Andrianna les revit toutes les trois, au Rosey, jeunes et insouciantes, rêvant d'un avenir prometteur... d'un monde qui les traiterait comme les princesses qu'elles étaient...

Revenant au présent, elle se remit à enregistrer, photographier, mémoriser les scènes dont elle voulait garder le souvenir. Pour plus tard.

Penny, relevant des kilomètres de tulle et de dentelle pour montrer sa jarretière, comme une mariée de dix-huit ans... Nicole se battant avec la traîne de Penny, qui s'était enroulée autour d'elles trois... Penny arrachant son voile et sa couronne pour les lui essayer, et juger de leur effet sur sa chevelure noire...

Grisée par l'ambiance délirante de la fête, Andrianna releva ses jupes bouffantes et se mit à danser le flamenco, tapant des pieds, faisant claquer ses doigts au-dessus de sa tête, tandis que Penny et Nicole poussaient des cris de joie pour l'encourager.

L'orchestre suivit, et toute l'assistance, massée autour d'elle, commença à battre des mains en rythme. De nouveaux clichés vinrent alors s'ajouter aux précédents. Gae applaudissant à tout rompre... Gino s'essuyant les yeux avec un mouchoir de soie rouge... Jonathan, très fier, qui l'embrassait et lui confiait dans le creux de l'oreille : « Je ne savais pas que tu dansais aussi bien le flamenco ! Pourquoi ne m'avais-tu rien dit ? Tu devrais avoir honte, espèce de petite cachottière ! »

Le moment vint ensuite de porter ce fameux toast. Nicole proposa de boire en même temps à leur amitié, ce que Penny approuva avec enthousiasme.

— Vas-y, Annie, à toi l'honneur.

— D'accord, dit Andrianna en levant son verre. Buvons, mes amies, à l'époque merveilleuse qui commence pour nous trois... à l'amour et au bonheur qu'elle nous réserve... et à notre amitié, qui nous réchauffera le cœur et nous soutiendra toujours... jusqu'à la fin des temps...

— C'est *vraiment* magnifique, Ann. N'est-ce pas, Penny ?

— J'en pleure ! Cette Annie est une petite garce ! Elle me fait le coup à chaque fois ! Avec toutes ces larmes, mon maquillage est complètement à refaire !

Andrianna nageait dans le bonheur... des larmes de bonheur.

Les invités commençaient à s'en aller, et Andrianna cherchait désespérément Jonathan. Enfin, elle le vit... en grande conversation avec Gae et Gino. Un frisson glacé la parcourut. Elle se rendit compte alors que le jour baissait et que l'air fraîchissait. Qu'allait-il ressortir de cet entretien ? Qu'allait-il advenir de ses beaux jours encore à venir, de tout l'amour et le bonheur qu'ils lui réservaient ? Lui seraient-ils ôtés avant même qu'elle eût le temps d'y goûter ?

27.

Dimanche soir, et la semaine suivante

Il n'était pas tard, mais Andrianna et Jonathan s'apprêtaient à se coucher. Tout en suspendant son costume à un cintre, et en rangeant ses boutons de manchette, Jonathan fredonnait les airs sur lesquels ils avaient dansé tout l'après-midi. Il déclara qu'il avait bien aimé le solo de flûte, pendant la cérémonie. Puis ils échangèrent leurs impressions sur le pasteur que Cole Hopkins avait fait venir de Dallas, sur la nourriture, l'orchestre, les différents invités, et même sur les anciennes camarades de pensionnat d'Andrianna.

A les écouter, songea Andrianna, on les aurait pris pour un couple normal — un couple harmonieux dans lequel il n'y aurait pas de secrets — marié depuis plusieurs années, discutant tranquillement de la réception à laquelle ils venaient d'assister.

Il lui semblait pourtant que les questions que se posait probablement Jonathan sur la nature de ses rapports avec les Forenzi se dressaient entre eux tel un mur invisible qu'elle n'aspirait qu'à raser. Mais par où commencer ? Et où s'arrêter ? Sa liaison avec Gae s'expliquait sans doute assez bien, mais que dire de celle qu'elle avait eue avec Gino ? Avec le recul, toute cette histoire lui paraissait tellement bizarre...

Elle secoua la tête, comme pour essayer de mettre de l'ordre dans ses idées. Parfois, elle se disait que c'était elle, en fait, qui était bizarre. A force de ressasser inlassablement les mêmes pensées.

— Je sens que tu vas t'endormir comme une masse. Jonathan lui massait doucement les épaules pendant qu'elle se brossait les cheveux, assise devant sa coiffeuse, en chemise de nuit, prête à se mettre au lit.

— Je suis épuisée, admit-elle avec un sourire. Pendant que j'y pense, tu sais, pour Gae et moi... tu te souviens de ce qu'Eloïse a dit, qu'il était...

— Ah, oui ! dit-il en riant. Elle l'a comparé à un reste. Quelle drôle d'idée ! Il faut dire que Mme Hopkins est un sacré personnage. Un vrai poème ! Elle ne supporte pas de penser qu'à l'époque du collège, Gae ait pu te préférer à Penny. Personnellement, je le comprends. Entre Penny et toi, c'est toi que j'aurais choisie, moi aussi. Sans l'ombre d'une hésitation ! Il aurait vraiment fallu que Gae soit fou pour la préférer à toi, même avec ses gros seins... A l'époque, d'ailleurs, je suppose qu'elle ne les avait pas encore. Je me trompe ?

Andrianna fut bien obligée d'en rire et de reconnaître qu'en effet, à l'époque du collège, Penny était plate comme une limande.

— Cela dit, Penny ne manque pas de charme. Encore faut-il aimer les rousses, bien entendu ! Ce qui n'est pas mon cas. Moi, ce serait plutôt les brunes.

— Je m'en réjouis. C'est une preuve supplémentaire de ton intelligence, une intelligence exceptionnelle, comme le soulignait Cole Hopkins. Quand je pense à toutes les horreurs qu'il a dites ! Quel toupet il a eu de t'accuser d'essayer de lui souffler l'hôtel sous le nez !

— Oh, laisse tomber ! Ce genre de type est irrécupérable, de toute façon. Le mieux est encore de faire comme s'il n'existait pas, assura-t-il en soulevant la masse de sa chevelure pour lui embrasser la nuque.

— A vrai dire, celui qui m'a le plus contrariée, ce n'est pas lui, déclara Andrianna d'une voix qu'elle voulut naturelle. C'est Edward Austin, quand il a dit que Nicole et lui s'étaient fait beaucoup de soucis pour moi à l'époque où j'habitais chez Gino. A ce moment-là, je travaillais pour lui... et le plus commode pour moi, le plus simple... était que j'habite sous son toit. Il avait une grande villa. A entendre Edward, on aurait pu croire que... En fait, j'étais son assistante de direction et...

— Tu as travaillé dans son entreprise ? Tu ne me l'avais jamais dit.

— Ce n'était pas de tout repos, tu peux me croire. Quel boulot, quand j'y repense !

— C'est formidable ! lança Jonathan en se mettant au lit. Que tu aies travaillé dans l'industrie automobile. Je m'en souviendrai. On ne sait jamais, des fois que j'aie l'occasion de racheter General Motors !

Il plaisantait !

Avec lui, il n'y avait pas moyen de parler sérieusement. Ce n'était pourtant pas faute d'essayer ! Non, ce qu'elle essayait de faire, en réalité, c'était de noyer le poisson, comme d'habitude. De se justifier à coups de semi-vérités et de faux-fuyants. Après tout, Jonathan ne lui demandait rien...

— Viens donc te coucher, ma jolie assistante de direction, pardon, ma jolie danseuse de flamenco ! Quelle splendide prestation, tout à l'heure ! J'ai bien envie de t'acheter une robe de danseuse de flamenco. Comme ça, tu n'auras pas d'excuses pour ne pas danser pour moi ! Quoique, tout bien réfléchi, on devrait pouvoir se passer de la robe. Ce serait peut-être même mieux sans...

Il pesait le pour et le contre, indécis.

— A voir, conclut-il. Nous essaierons les deux. En attendant, je me demande ce que tu fabriques...

— J'en ai pour une seconde. Je vais juste ranger mon collier.

Elle disparut dans le dressing, et en ressortit quelques instants plus tard avec son coffret à bijoux, qu'elle posa sur sa coiffeuse. S'apprêtant à ranger le collier dans son écrin, elle suspendit son geste.

— Au fait, de quoi parlais-tu avec Gino et Gae ? La conversation s'est prolongée un bon bout de temps. Tu as donc tant de choses en commun avec eux ?

— Pourquoi pas ? Tu crois qu'ils sont trop riches pour un pécore comme moi ? Trop haut placés dans l'élite internationale ?

— Oh, arrête de faire l'idiot ! Tu me fais penser à Cole Hopkins. Tu sais très bien ce que je veux dire. Tu n'as pas grand-chose en commun avec eux, et cela se comprend, dans la mesure où...

— Où quoi ? Où ils sont milliardaires, alors que je ne suis qu'un simple millionnaire ?

Est-ce encore une de ses pitreries ? Pourquoi parle-t-il d'argent, tout à coup ?

— Tu n'as pas bientôt fini ? Ce que je veux dire, c'est que les Forenzi étant européens jusqu'au bout des ongles, et toi, si typiquement américain, vous...

— Je n'aime pas beaucoup ton « typiquement ». Je suis unique en mon genre, non ?

— Et si tu arrêtais de dire des bêtises, pour changer ?

— D'accord. Mais regarde notre couple, par exemple. Tu es anglaise, de mère espagnole, et moi typiquement américain, et pourtant, nous avons des tas de choses en commun. Du moins, nous *aurions*, si tu consentais à te coucher...

— Jonny, je te préviens, si tu n'arrêtes pas de plaisanter...

— O.K., message reçu ! Je vais te dire de quoi nous parlions, tous les trois. De l'influence des Japonais sur l'économie de nos pays respectifs, notamment sur l'industrie automobile italienne et sur le marché de l'immobilier en Californie. Les Forenzi et moi, nous avons au moins un souci en commun —en dehors de toi, bien entendu —, les Japonais !

— Qu'entends-tu par là ? Que je suis une autre *chose* que vous avez en commun, ou que vous vous faites tous les trois du souci pour moi ?

— Ce n'est pas tout à fait comme ça que je formulerais les choses. Il est normal que je me préoccupe de ton bonheur. Après tout, je suis ton mari, je t'aime, et je suis prêt à tout pour te rendre heureuse. Les Forenzi, eux, te considèrent comme une amie très chère. Et à ce titre, ils se préoccupent également de ton bonheur. Ils veulent s'assurer que tu es en bonnes mains.

« La sollicitude dont ils font preuve à ton égard m'a beaucoup touché. Gae a tellement chanté tes louanges, vanté tes qualités de cœur, évoqué avec tant de poésie les bienfaits dont tu l'avais comblé que j'ai fini par avoir honte... »

— Honte ? Mais de quoi, grands dieux ?

— De mes sentiments pour toi. Je crains qu'ils ne soient pas aussi élevés... qu'ils soient plus terre à terre. L'attirance que j'éprouve pour toi est avant tout physique, sensuelle... *sexuelle*.

— J'en remercie le ciel !

Merci à toi aussi, Gae, d'avoir su trouver les mots justes.

— Quant à Gino Forenzi, il m'a soumis à une sorte d'examen de passage, à tel point que j'avais l'impression de me trouver devant ton père. Il a voulu savoir quels étaient ma situation financière et mes projets d'avenir, et si j'étais prêt à m'occuper de toi comme tu le méritais. A l'évidence, il cherchait à sonder la profondeur de mes sentiments à ton égard... comme s'il tenait à s'assurer que je t'aimais sincèrement et que j'étais digne de toi.

« Sa réaction m'a terriblement impressionné. Un père

en extase devant sa fille n'aurait pas fait mieux. A vrai dire, j'ai ressenti une grande fierté en l'écoutant. »

— De la fierté ?

— Oui, de penser que j'étais marié à cette merveille que tous ses amis portaient aux nues. Mais laissons tes amis où ils sont et préoccupons-nous plutôt de l'instant présent. Car je t'avouerai que pour le moment, seul le *présent* m'intéresse.

Mais il sait. Il se doute de quelque chose. Il faut que je lui explique...

— Il y a certaines choses qu'il faut que je te dise.

— Quelles sortes de choses ?

Même si tu n'y attaches pas d'importance, je tiens à ce que tu saches...

— A propos de Gae, de Gino, et d'autres encore...

— *Mais non, tu n'as rien à me dire du tout !* Je me doute bien qu'une femme comme toi n'est pas née la veille du jour où nous nous sommes rencontrés. Sans passé, sans cicatrices.

« Bon sang, Andrianna, essaie de comprendre ! Ce genre de femme sans âme ne m'intéresse pas. Je t'accepte telle que tu es, puisque je sais exactement qui tu es et que je t'aime ainsi. Il y a *une* chose, cependant, que j'aimerais te demander. »

Le cœur d'Andrianna se mit à battre la chamade. Quelle était cette question qui semblait lui tenir à cœur ?

— Oui ?

— La prochaine fois que tu verras les Forenzi, pourrais-tu leur demander de ne plus t'appeler Anna, ou petite Anna ? C'est déroutant, et agaçant, à la fin, tous ces prénoms différents !

Il terminait sur une note d'humour, mais pour le reste, Jonathan parlait sérieusement. Si grands étaient son amour pour elle et sa foi en elle qu'ils éclipsaient toute curiosité qu'il aurait pu avoir à l'égard de son passé. Quelle plus belle preuve d'amour aurait-il pu lui donner ?

Et elle ? Que lui offrait-elle en retour ? Des mensonges et des secrets. Et si encore il s'agissait seulement des hommes qu'elle avait connus avant lui... Mais non ; en réalité, sa vie entière était une imposture. Pourtant, elle croyait en lui et en leur avenir, et voulait le lui montrer. Ses yeux se posèrent sur le coffret à bijoux. Sa fameuse couverture de survie. Son dernier refuge en cas de coup dur. En le lui offrant, elle lui prouverait sa foi en l'avenir... en *leur* avenir... sa certitude que tant qu'ils étaient ensemble, aucun coup dur ne pouvait lui arriver.

Elle ouvrit le coffret, en sortit quelques bijoux : le jonc que Jonathan lui avait offert sur le bateau, les bagues de sa mère, son bracelet de naissance, la gourmette que Gae lui avait donnée avant son départ pour l'université, le petit cœur offert par Gino au tout début, deux bagues en argent qui lui venaient de Penny et de Nicole en gage de leur amitié, les grandes boucles d'oreilles en argent qu'elle avait portées à Marbella, le soir où elle avait dansé le flamenco... Le passé restait pour elle quelque chose de sacré. Il n'y avait aucune raison d'y toucher.

Elle ouvrit les écrins de velours, les vida, et déballa les bijoux enveloppés dans de la peau de chamois.

— Qu'est-ce que tu fabriques encore ?

— Je prépare ta dot.

— Ah bon ? Je ne savais pas que j'avais droit à une dot.

— Tiens, la voilà.

Elle retourna sens dessus dessous le coffret sur le lit, et une pluie de bagues, bracelets, colliers et broches en tout genre tomba sur Jonathan. C'était un déluge d'or, jaune, rose et gris, de platine et de diamant, d'émeraudes, rubis, et saphirs, de citrines, améthystes, et topazes, de jade et de perles, blanches, ivoire, et noires...

Jonathan prit un bracelet, l'examina, puis le lâcha pour s'intéresser à un collier ancien en corail et or patiné. L'énorme émeraude de Gino retint plus longtemps son attention.

— Celle-ci doit valoir à elle seule pas loin de deux cent mille dollars, remarqua-t-il d'un ton neutre en hochant pensivement la tête.

— C'est ma dot, répéta Andrianna. Un gage d'amour, si tu préfères.

— Ne te crois pas obligée de te débarrasser de tout ça. Tu sais... pour moi, ce ne sont que des pierres et du métal... Il n'est pas nécessaire que tu t'en sépares.

— Si. C'est *absolument* nécessaire, au contraire. Crois-moi.

— Comme tu voudras. Mais que vais-je faire de tout ça ?

Il prit une poignée de bijoux et les laissa glisser entre ses doigts.

— Je n'en sais rien. Tu ne veux pas les garder ?

— Je *pourrais* les garder pour toi, si tu veux, au cas où tu changerais d'avis.

— Non, aucun risque. En plus, si tu les gardes pour moi, ce cadeau n'a plus aucun sens.

— Très juste.

Elle s'assit sur le lit, poussant les bijoux, dont certains tombèrent par terre.

— Nous pouvons les donner, suggéra-t-elle. Je veux dire, les vendre et donner l'argent.

— Cela représente une belle somme. Qui serait l'heureux donataire ?

— En fait, le donataire est tout trouvé. Je pense à mes amis de la Napa Valley, ceux que je suis allée voir avant de venir à Los Angeles. Melissa et Jerry Hern. Lui est médecin, et Melissa est une femme formidable. Tous deux se préoccupent beaucoup du sort des pauvres et des enfants des milieux défavorisés. Ils essaient de réunir des fonds pour la construction d'un hôpital pédiatrique où pourraient se faire soigner les gosses des ouvriers viticoles du coin.

— Ce sont principalement des Mexicains, je suppose ?

— Oui. Le problème est que cet hôpital représente un énorme investissement. C'est pourquoi il me semble que ce serait merveilleux si tout... tout ce fatras... pouvait les aider. Qu'en penses-tu ?

— Eh bien, tout d'abord, j'aimerais que tu ne traites pas *mon* cadeau de fatras. Tu as commencé par me dire que c'était un gage d'amour, et maintenant tu me parles de *fatras* ! Ensuite, je me dis que je pourrais peut-être doubler la somme que rapportera ce gage d'amour...

— Oh, Jonathan ! Tu ferais ça ?

— Je le ferai... à condition que tu enlèves toute cette cochonnerie de mon lit et que tu viennes te coucher. Qu'en dis-tu ?

— Cette cochonnerie ? Et tu oses me reprocher le mot *fatras* ? Si tu veux mon avis, Nicole serait choquée par ton laisser-aller. Elle te traiterait de balourd.

— Ta Nicole, elle nous emmerde, si tu veux savoir !

— Oh ! protesta Andrianna en se jetant sur lui. Tu vas voir un peu...

A son réveil, Andrianna constata que Jonathan était déjà habillé. En jean et T-shirt, il était clair, cependant, qu'il n'allait pas au bureau.

— Je vais à Malibu, au bungalow, expliqua-t-il en réponse à la question qu'il avait devinée sur ses lèvres. Tu veux venir ?

— Evidemment ! Mais en quel honneur ? Le lundi matin, tu travailles, d'habitude. Ce n'est pas férié, aujourd'hui, si ?

— Mon Dieu ! Ce que tu peux être compliquée...

— Tu trouves ?

— Tu n'as pas bientôt fini avec toutes tes questions ? Ce matin, il se trouve que j'ai décidé d'aller à la plage plutôt qu'au bureau. C'est aussi simple que cela.

— Oui, mais pourquoi ?

— Tu recommences avec tes questions ! Eh bien parce que je n'ai pas envie de travailler ! Ce matin, je m'accorde des vacances.

— C'est donc bien ce que je disais. Ce lundi, exceptionnellement, tu es en congé. C'est bien cela ?

— Oui, c'est *cela* !

D'un coup sec, il tira le drap et le couvre-lit.

— Mais si tu ne te lèves pas tout de suite, je pars sans toi. A moins que, tout bien réfléchi, murmura-t-il en considérant sa nudité d'un œil lascif, je ne te viole d'abord. A toi de choisir.

— Viole-moi d'abord. Je me dépêcherai après, pour que tu ne partes pas sans moi.

Elle avait insisté pour prendre le volant et conduisait à vive allure dans Sunset Boulevard.

— Alors, maintenant que je suis au volant et que je te tiens à ma merci, tu ferais mieux d'avouer la raison pour laquelle tu as décidé de ne pas aller travailler.

— Tu veux savoir pourquoi ? Eh bien, figure-toi que ce matin, en me réveillant, je me suis dit : « West, tu es un imbécile ! Tu as une femme merveilleuse, et tu vas aller t'enfermer dans un bureau, à perdre ton temps, alors qu'elle et toi pourriez profiter l'un de l'autre ? » Et tu sais combien j'ai horreur de perdre mon temps...

Ils passèrent une journée magnifique, dont elle se souviendrait toute sa vie, bien qu'aucun événement marquant ne se produisît. Ils se promenèrent le long de la plage, main dans la main, déjeunèrent sur le sable d'hamburgers et de frites en discutant de ce qu'ils feraient l'après-midi. Allaient-ils se reposer sur la terrasse du bungalow, caracoler à cheval dans les collines, échanger quelques balles sur le court de tennis que Jonathan partageait avec quelques voisins ?

— Je sais, Jonny. J'avais envie de garnir tous ces bacs à fleurs vides sur la terrasse. Pourquoi n'irions-nous pas dans une pépinière acheter un peu de terreau, des plantes et tout ce qu'il faut ?

— Mais je n'y connais absolument rien ! Il vaudrait peut-être mieux faire appel à un jardinier, non ?

— Ce n'est pas sorcier, tu sais. Une plante, il suffit de savoir s'il lui faut du soleil ou de l'ombre, beaucoup d'eau ou très peu, et le tour est joué ! Ne t'en fais pas, je te montrerai.

— Toi ? Que tu saches arranger un bouquet, je comprends ! Mais qu'une femme du monde aussi sophistiquée que toi s'y connaisse en jardinage, alors là, ça me dépasse !

— Je m'y connais, pourtant. Ce que tu oublies, c'est qu'avant d'être la femme du monde sophitisquée que tu as sous les yeux, j'ai été une petite fille très serviable, qui aidait sa maman à prendre soin du plus merveilleux des jardins...

— Parle-moi de cette époque, demanda-t-il, son visage reflétant un intérêt très vif. Tu ne parles jamais de...

Elle secoua la tête.

— Je n'aime pas en parler. Ma mère... est morte si jeune... alors que j'étais encore toute petite. Je préfère ne pas y penser. Mais crois-moi, c'est formidable de tripoter la terre.

— D'accord pour le jardinage, alors ! dit-il en se levant et en lui tendant la main pour l'aider à se remettre debout.

— On mange ici ou au restaurant ? demanda Jonathan du fond de son fauteuil, en sirotant l'apéritif qu'Andrianna lui avait promis une fois leurs plantations terminées.

— Mmm, on est si bien que je n'ai pas la moindre

envie de bouger. Tout à l'heure, j'irai préparer quelque chose pour le dîner. Qu'en dis-tu? Nous ne sommes pas obligés d'aller au restaurant, n'est-ce pas? On est tranquilles, ici, et la vue est vraiment superbe, non?

Jonathan contempla un instant les grosses vagues qui venaient s'écraser sur le sable, puis il se mit à rire.

— Qu'est-ce qu'il y a de drôle?

— Toi. Avec tes sempiternelles questions!

En riant, il se leva et avec un geste plein d'emphase, annonça :

— Que souhaite Madame pour son dîner? Je lui conseillerais les spaghettis à la West, et comme boisson, le chocolat glacé. Nous avons en cave un excellent millésime.

Andrianna le regardait, atterrée.

— Alors, ces spaghettis? Madame a-t-elle apprécié?

— C'était... assez original. Puis-je me permettre de demander la recette de la sauce?

Le sourire de Jonathan s'élargit encore.

— Un mélange de ketchup et de beurre fondu, répondit-il avec candeur.

— Oh, mon Dieu, dans quel pétrin t'es-tu fourré! Attends un peu que je raconte ça à Nicole! Un mélange de ketchup et de beurre fondu! Je suis sûre qu'elle dira que c'est un cas de divorce.

— Ta Nicole, elle a beau être française et dîner de temps en temps à la Maison Blanche, il n'empêche qu'elle a encore beaucoup à apprendre!

Les jours suivants furent tout aussi idylliques pour Andrianna. Apparemment, Jonathan avait décidé de la gâter toute la semaine.

Le mardi matin, il la réveilla de bonne heure pour l'emmener à l'aéroport de Santa Monica.

— Nous partons quelque part ?

— Si tu veux. Nous pouvons aller n'importe où de par le vaste monde. Il suffit de demander. Les vœux d'Andrianna seront immédiatement exaucés.

Ce jour-là, cependant, l'aventure se termina au lit, car ils regagnèrent leur maison de Bel-Air tout de suite après avoir vu le jet que Jonathan venait d'acheter à un magnat du pétrole saoudien qui avait besoin de liquidités. Sur le flanc de l'avion, en grosses lettres couleur d'ambre, Jonathan avait fait peindre *Andrianna*.

Lorsqu'elle lui demanda *pourquoi*, il répondit que ce jet était une affaire et qu'il y avait déjà longtemps qu'il se promettait d'en acheter un.

Mais elle savait qu'il omettait le principal. L'avion, ou du moins le nom que Jonathan lui avait choisi, était un gage d'amour...

Le mercredi, ils allèrent ensemble faire des emplettes pour la maison. Comme ils passaient devant Tiffany, Jonathan insista pour entrer. Il lui acheta un collier en or et en rubis.

— Jonathan, es-tu sûr de pouvoir te permettre de me consacrer tout ce temps ?

— Je suis sûr de ne *pas* pouvoir me permettre de ne *pas* te consacrer tout ce temps.

Un nouveau gage d'amour...

Le mercredi, ils reçurent un coup de fil de Penny, qui avait appelé au bureau de Jonathan.

— Nous sommes à Aspen, dans le Colorado, expliqua-t-elle. Gae en avait assez du Texas et voulait faire du ski. Nous avons loué un chalet pour au moins dix personnes. Pourquoi ne viendriez-vous pas nous rejoindre ?

— Pendant votre lune de miel ? demanda Andrianna, incrédule. Je ne pense pas que ce soit possible, de toute façon. Jonathan va devoir reprendre son travail.

Mais Jonathan affirma qu'il n'avait aucun devoir, autre que celui de rendre sa femme heureuse. D'ailleurs, il avait très envie de connaître un peu mieux ses amis et de skier à Aspen.

Ils partirent donc dans le Colorado, ce qui leur donna l'occasion d'essayer leur avion. Et s'y amusèrent comme des fous. A voir Jonathan et Gae, on aurait pu croire qu'ils se connaissaient depuis toujours. Mais Andrianna savait que tout le mérite en revenait à Jonathan.

Encore un gage d'amour...

28.

Printemps 1989

Allongée sur la méridienne de sa chambre, Andrianna feuilletait un magazine de décoration en attendant le retour de Jonathan. La journée avait été épuisante. Jamais elle n'aurait cru qu'une femme n'exerçant pas d'activité professionnelle, n'ayant pas d'enfants de surcroît, puisse être à ce point occupée... et fatiguée en fin de journée !

Mais elle ne voulait pas que Jonathan s'en aperçoive. Il risquait d'en conclure qu'elle se dépensait trop, que la décoration et l'entretien de la maison, ses cours de cuisine et sa formation de scénariste suffisaient amplement à l'occuper sans qu'elle aille encore en plus se démener en vue de l'acquisition d'un terrain pour la construction d'un hôpital pédiatrique au fin fond de la Napa Valley.

Peut-être même lui conseillerait-il d'abandonner ce projet, auquel ils avaient largement contribué, pour se consacrer aux organisations caritatives de Los Angeles. Elles étaient probablement tout aussi honorables, et Andrianna se doutait que Jonathan aurait été assez fier de voir le nom de sa femme figurer dans le carnet mondain de la ville, comme commanditaire de tel ou tel bal de charité, ou vice-présidente d'une quelconque action humanitaire.

Il fallait lui rendre cette justice, cependant, que Jonathan s'était porté volontaire pour aller sur place s'occuper personnellement de toutes les démarches administratives, l'achat de terrains étant sa spécialité. En plaisantant, il avait déclaré : « C'est que je suis partie prenante, moi, dans cette affaire ! Après tout, c'est *ma* dot qui a donné au projet son impulsion décisive. »

Bien sûr, Andrianna avait essayé de l'en dissuader. Elle ne tenait pas à ce qu'il se rendît à La Paz, même si elle savait qu'elle pouvait compter sur la discrétion de Jerry Hern et de sa femme.

Au fil de ses excursions à La Paz, Andrianna avait fini par bien la connaître, elle aussi. Melissa Hern était un modèle de générosité et de dévouement, et Andrianna lui vouait une profonde admiration. Généreux, Jonathan l'était aussi, mais pas de la même manière que les Hern.

Même s'il en avait eu les moyens, il ne serait probablement jamais venu à l'idée de Jerry d'offrir à sa femme une énorme émeraude, comme Jonathan venait de le faire. L'émeraude de Gino Forenzi, la pièce qui avait rapporté le plus d'argent lorsqu'ils avaient mis en vente sa collection de bijoux, n'était évidemment pas étrangère à ce coup de folie.

Lorsque Jonathan lui offrit cette émeraude, elle lui demanda si elle *devait* la porter en permanence, comme sa bague de fiançailles.

— Quelle question ! s'indigna-t-il. Evidemment que tu dois la porter tout le temps ! Cette pierre n'est pas faite pour rester dans un coffre. Il faut la montrer, la laisser briller de tous ses feux.

Et si les esprits chagrins y trouvaient à redire, tant pis pour eux !

— Je te prierai de ne pas demander son avis à Nicole. Pour tout t'avouer, je ne tiens pas tellement à connaître son opinion sur la question. J'entends d'ici ses commentaires sur les m'as-tu-vu qui arborent des bijoux tapageurs...

Pour plus de sûreté, Andrianna décida de ne jamais parler à Nicole de cette émeraude d'une vingtaine de carats, encore plus impressionnante que celle que Gino lui avait offerte.

Jonathan fit brusquement irruption dans la chambre.

— Ah, tu es là ! En ne te voyant pas en bas, j'ai cru que tu n'étais pas encore rentrée de La Paz. C'est de la folie de faire l'aller et retour dans la journée.

— Penses-tu ! En avion, il ne faut guère plus d'une heure.

Désireuse de changer de sujet de conversation, Andrianna lui montra les photos du chalet qu'un de ses amis avait récemment construit à Aspen, et auquel *Architectural Digest* consacrait un article.

— Il n'est pas mal, tu ne trouves pas ?

— Un peu petit, peut-être, non ?

— En fait, je voulais surtout avoir ton avis sur le mobilier et la décoration.

— Ils n'ont rien d'extraordinaire, surtout comparés aux prodiges que tu as réalisés dans notre bungalow de Malibu. A côté, ce chalet est minable. Nous devrions contacter *Architectural Digest*. Je suis sûr qu'ils seraient intéressés, autant par cette maison, lorsqu'elle sera terminée, que par celle de Malibu. Tu sais que je ne suis pas contre un peu de publicité.

— Dans ton métier, la publicité n'est pourtant pas indispensable.

— La publicité est partout, Andrianna. Dans l'image qu'on souhaite véhiculer, dans les articles et les comptes rendus de *Time* et *Architectural Digest*. Et pour tout t'avouer, j'aime ça. Quel mal y a-t-il à cela ?

— Aucun, mon chéri.

Après tout, pourquoi Jonathan devrait-il être plus altruiste et plus modeste que les autres ?

⁂

— Tu sais, je trouve que tu as vraiment l'air fatigué, Andrianna.

— Est-ce que je fais mon âge ?

— Ne cherche pas les compliments, s'il te plaît. Je me disais qu'au lieu d'aller à ce gala de charité, ce soir, nous pourrions passer la soirée tranquillement à la maison, en amoureux. Il y a longtemps que cela ne nous est pas arrivé.

C'était très tentant, mais elle savait qu'il y aurait à ce gala des gens influents — en particulier des banquiers — avec lesquels Jonathan souhaitait s'entretenir et discuter affaires en dehors des salles du conseil.

— Je vais très bien, je t'assure. Allons-y, puisque c'était prévu.

— Pas question. Qui commande, dans cette maison ?

— Vous, monsieur West. Incontestablement. Mais n'y avait-il pas, à cette soirée, des gens que tu voulais voir ? Ces banquiers de la vénérable Los Angeles First Trust ?

— Voir des banquiers toute la soirée ? Tu es folle, ma parole ! C'est toi que j'ai envie de voir !

— Comme tu voudras. Mais gare à toi si tu ne tiens pas tes engagements !

A la seconde où Jonathan pressa le bouton de la télécommande pour regarder le journal télévisé, Donald Trump parut sur l'écran, paradant devant un avion portant son nom. Visiblement impressionné, le présentateur expliquait que le jour même de la signature du rachat de la compagnie d'aviation, le richissime homme d'affaires avait fait moderniser tous les appareils, qui portaient désormais son nom.

— Tu vois, Donald ne rechigne pas à se faire un peu de publicité ! lança Jonathan. Il fait apposer son nom en lettres d'or sur tout ce qu'il achète. Jusqu'ici, seul le Plaza Hotel a échappé à cette règle, mais un de ces jours, Donald va sûrement le rebaptiser aussi.

La voix de Jonathan était pleine d'approbation. Cependant, Andrianna crut y détecter aussi une pointe de jalousie, ce qu'elle déplora, un sentiment aussi vil ne pouvant que nuire à Jonathan et à sa propre réussite.

— Tu sais, commença-t-elle, la valeur d'un homme ne se mesure pas uniquement à l'argent qu'il gagne.

— C'est possible, mais je suis prêt à parier qu'Ivana Trump est en extase devant Donald, bien que lui, il n'ait pas donné à *son* avion le prénom de sa femme. Tu sais comment elle appelle son mari en public? « Le Don »! Cela en dit long sur ce qu'elle pense de lui.

— Tu crois que c'est un compliment? demanda Andrianna, amusée.

— Et comment!

— Tu aimerais que je t'appelle comme ça?

— Tu sais bien que la question n'est pas là. Ce surnom fait partie de tout un ensemble. Pour Ivana, il est clair que Donald est un type épatant. A propos d'immobilier, devine ce que j'ai appris? L'hôtel Bel-Air est en vente, contrairement à ce que Cole Hopkins a essayé de nous faire croire lors du mariage de Penny.

— Pourquoi nous a-t-il menti, alors?

— Parce qu'il est malin. Il l'a dit lui-même, d'ailleurs. Il devait penser que je me mettrais sur les rangs. En mentant, il éliminait un rival, tu comprends...

— Et tu as l'intention de te mettre sur les rangs?

— Disons que j'aurais pu le faire.

— Mais il est trop tard, c'est cela?

— Non, ce serait encore possible, mais les règles du jeu, *moi*, je les respecte. Je lui ai dit que je ne chercherais pas à lui mettre des bâtons dans les roues, pas pour cet hôtel en tout cas, et je tiendrai ma promesse.

— Mais puisqu'il t'a menti, tu n'es plus tenu à rien.

— Contrairement à lui, je ne suis pas un fieffé menteur !

— Tu sais que moi aussi, parfois, je suis en extase devant toi. Vous êtes un type vraiment épatant, Jonathan West !

A ces mots, le visage de Jonathan se fendit d'un grand sourire.

— Tu viens seulement de t'en apercevoir ?

— Non, bien sûr. Mais si je ne te l'avais encore jamais dit, c'était pour t'éviter d'avoir la grosse tête.

Jonathan s'installa au lit avec l'article que *Architectural Digest* consacrait au chalet de son ami à Aspen, tandis qu'Andrianna, elle, avait apporté un bloc et un stylo.

— C'est pour dresser la liste des choses que j'ai à faire, expliqua-t-elle. Sinon, je suis sûre d'en oublier la moitié.

— En haut de la page, pense à écrire en gros : PAS DE SURMENAGE. Et n'oublie pas qu'il y a des priorités.

— Lesquelles ?

— La première est de toujours satisfaire ton mari.

— De quelle façon ?

— Dans ce domaine, il me semble que tu n'as pas vraiment besoin de directives, répondit Jonathan en frottant sa jambe contre celle d'Andrianna.

Avec un sourire mutin, elle reposa son stylo et son calepin.

Plus tard, incapable de trouver le sommeil, elle se glissa furtivement hors du lit et s'enferma dans le bureau attenant à leur chambre pour dresser sa liste en toute tranquillité.

Repensant à la conversation qu'elle avait eue avec

Jonathan au sujet des Trump, elle se demanda s'il vouait à Ivana la même admiration qu'à son mari.

Mme Trump, il est vrai, n'avait guère de défauts. Non seulement elle était la plus dévouée des épouses, la plus charmante des hôtesses, la plus efficace des maîtresses de maison, et la meilleure des mères pour leurs trois enfants, mais elle trouvait en plus le moyen de diriger l'un de leurs casinos ainsi que le Plaza. En outre, elle s'arrangeait pour être très active sur le plan caritatif, de façon à glorifier un peu plus le nom de son mari.

Jonathan ne méritait-il pas d'avoir une Ivana, lui aussi ?

Forte de cette pensée, elle s'attela à la tâche. Après avoir écrit, tout en haut de la page, « Toujours satisfaire Jonathan », elle commença : (1) S'impliquer davantage dans les œuvres de bienfaisance. (2) S'intéresser de plus près à l'entreprise de Jonathan. Lui proposer ma collaboration ; dans l'un de ses hôtels, par exemple. (3) Une fois la maison entièrement décorée, recevoir souvent. (4) Contacter *Architectural Digest*. (5) Arrêter les cours de cuisine et la formation de scénariste. Trop accaparants. (6) Penser aux vitamines. *Très important*. (7) Se reposer plus souvent.

En bas de la liste, elle écrivit : Avoir un bébé ; *commencer* à y penser.

Comme elle l'avait promis à Jerry, elle attendrait que Jonathan en exprimât le souhait. Cela ne l'empêchait pas, cependant, de se faire doucement à cette idée.

Une semaine plus tard, elle dut reprendre sa liste. Jonathan lui offrit un chalet à Aspen. Son nom figurait sur l'acte de propriété ainsi que sur la plaque au-dessus de la porte d'entrée.

Bien fait pour toi, Ivana ! Toi, tu n'as pas de chalet qui porte ton nom.

Elle ajouta à sa liste : Décorer le chalet d'Aspen aussi vite que possible et prendre rendez-vous avec *Architectural Digest* pour qu'ils viennent le photographier, quitte à faire le siège de leurs bureaux. Puis elle souligna la mention *Avoir un bébé*.

L'avenir était incertain, mais il y avait au moins une chose dont elle était sûre : Jonathan, qui lui avait fait de lui un don total, méritait qu'elle lui offrît le meilleur d'elle-même... Il méritait le plus beau, le plus grand des cadeaux... Un gage d'amour *vivant*.

29.

Automne 1989

— Les résultats des examens sont tout à fait normaux, déclara Jerry, assis derrière son bureau. Mais je ne vous cacherai pas, Andrianna, que je n'aime pas vous voir dans cet état. Vous avez une tête de déterrée.

— Merci du compliment ! Ce matin encore, pourtant, mon mari affirmait que j'étais plus belle que jamais.

— De deux choses l'une : soit il a besoin d'une paire de lunettes, soit il est trop occupé à gagner de l'argent pour vous regarder. S'il prenait le temps de le faire, il s'apercevrait que vous avez les traits tirés et une mine de papier mâché. Il vous épuise avec toutes ses exigences.

— Ne vous avisez pas de critiquer Jonathan, docteur ! D'autant qu'il ne me demande rien. Ce n'est pas son genre. Au contraire, il n'arrête pas de me répéter d'y aller doucement, de me ménager. C'est moi qui me suis mise en tête de faire le maximum pour ne pas qu'il soit désavantagé parce qu'il avait épousé une femme qui... Oh, et puis à quoi bon ? Nous en avons déjà parlé au moins cent fois. Mais croyez-moi, Jerry, Jonathan est le plus merveilleux des hommes. Il est gentil et incroyablement généreux. Figurez-vous qu'il m'offre quelque chose à chaque fois qu'il est en congé. Le moindre jour férié est prétexte à me gâter. Le 4 juillet, il m'a offert un bracelet bleu, blanc, rouge, composé de rubis, saphirs et perles fines.

— Un peu criard, non ?

— Pas du tout, espèce de mauvaise langue ! Je me demande bien pourquoi je vous garde comme médecin.

— Parce que vous avez besoin de moi pour vos desseins infâmes.

— Oh, Jerry, nous n'allons tout de même pas nous disputer ! En plus, il faut absolument que je parte.

— Pourquoi ? Le jet privé de votre cher mari vous attend ?

— Non. Jonathan n'est même pas au courant de ma visite, si vous voulez tout savoir. Décidément, je vous trouve vraiment odieux, aujourd'hui. Et d'une ingratitude rare ! Je suis sûre que personne n'a contribué comme Jonathan à la construction de cet hôpital.

— La belle affaire ! Avec tout l'argent qu'il a... Sans compter que ses dons lui ont permis d'obtenir des déductions fiscales.

— Bon, je m'en vais. J'en ai assez entendu pour aujourd'hui. Dire que la première fois que je vous ai vu, je vous ai pris pour un saint ! Je vous avais trouvé si gentil, si bon, si compréhensif, et si diablement séduisant !

— Et maintenant ?

— Toujours aussi diablement séduisant, je l'admets. Mais pour le reste, je ne vous reconnais plus. Quelle mouche vous a donc piqué, Jerry ?

Par jeu, il prit l'une des boucles de cheveux d'Andrianna et l'enroula autour de ses doigts.

— Il se peut que je sois un peu jaloux, déclara-t-il avec un sourire énigmatique.

— Jaloux ? Mais de quoi, Seigneur ?

— Mieux vaudrait demander de qui.

Devinant la réponse, elle s'abstint de poser la question.

— Les travaux commencent officiellement dans

quinze jours, déclara-t-il. Viendrez-vous à l'inauguration du chantier ? Ce serait tout à fait normal dans la mesure où sans vous...

— Non, Jerry. Je ne pense pas venir. Mon rôle est terminé. Puisque les fonds sont réunis, il est préférable que je me retire. En outre, si je venais, Jonathan insisterait pour m'accompagner. Or je ne serais pas tranquille s'il faisait une chose pareille.

— Pourquoi ne lui dites-vous pas la vérité ? Vous n'arrêtez pas de chanter ses louanges, mais en même temps, vous ne lui faites pas confiance puisque...

— La vérité, vous seul la connaissez. Mais vous ne comprenez pas, Jerry, ou ne *voulez* pas comprendre. Cette fois, je m'en vais. Au revoir et bonne chance pour l'inauguration du chantier. Mes amitiés à Melissa.

— Je n'y manquerai pas. Je vous raccompagne.

Sur le pas de la porte, il ajouta, comme à chaque fois :

— Surtout, n'oubliez pas vos vitamines. Et pour l'amour du ciel, reposez-vous et remettez à plus tard vos projets de maternité. Compris ?

Elle lui fit un pied de nez.

Le lendemain matin, cependant, tandis qu'elle attendait dans la serre que Jonathan vînt la rejoindre pour le petit déjeuner, elle repensa aux mises en garde de Jerry. Avait-elle aussi mauvaise mine qu'il le prétendait ? Depuis quelque temps, elle se sentait anormalement fatiguée. Peut-être aurait-elle intérêt, en effet, à se ménager un peu. Ce n'était probablement pas le moment de mettre en route un bébé. Mieux valait attendre encore.

Car si par malheur sa rémission prenait fin — si le monstre se réveillait sans crier gare — elle n'aurait plus qu'à renoncer à tout ce qu'elle avait construit, tout ce qu'elle rêvait de construire, à cette vie merveilleuse qu'elle partageait avec Jonathan.

Non, elle ne voulait pas tout perdre, maintenant qu'elle avait enfin découvert l'amour. L'amour qui transfigurait tout ce qu'elle touchait, regardait et sentait. L'amour qui faisait de chaque moment de la journée une véritable fête. C'était avec un plaisir à chaque fois renouvelé que chaque matin, par exemple, elle retrouvait Jonathan dans la serre pour le petit déjeuner.

Elle croyait aux vertus des rituels, persuadée qu'ils étaient de précieux alliés... tissant entre Jonathan et elle des liens invisibles et pourtant inaliénables, que rien ne pourrait jamais défaire.

Jonathan avait applaudi à son idée du petit déjeuner dans la serre, au milieu des palmiers, des ficus et des orchidées. Jouissant d'une luminosité exceptionnelle, grâce à la forme octogonale de la pièce toute en baies vitrées, les plantes prospéraient et rendaient cet endroit très chaleureux.

Quoi qu'il en soit, Jonathan accueillait toujours ses initiatives avec beaucoup d'enthousiasme, considérant comme un don providentiel sa faculté de rendre agréable le moindre recoin de la maison.

Avant de s'asseoir, Jonathan l'embrassa, d'autant plus tendrement que leurs ébats avaient été passionnés, ce matin. Le contact de ses lèvres douces et chaudes sur sa nuque déclencha en elle une salve de frissons incontrôlables. Une fois de plus, elle se surprit à souhaiter d'être une fée pour pouvoir, d'un coup de baguette magique, fixer pour l'éternité ces instants de bonheur.

Tandis qu'elle sonnait pour informer Sylvia qu'elle pouvait servir, Andrianna fit semblant de s'intéresser à la tenue que portait Jonathan — un costume sombre, avec une chemise blanche et une cravate bordeaux.

— Jonny chéri, commença-t-elle, je continue de penser que tu es le plus bel homme que j'aie jamais rencontré, mais il me semble que par une aussi belle journée, tu aurais pu troquer ce déguisement de banquier ou de juriste contre quelque chose d'un peu plus décontracté.

Elle le taquinait souvent sur sa tenue. Cela faisait aussi partie du rituel matinal.

— D'accord, dit-il en hochant la tête avec solennité. Un de ces jours, je laisserai mon costume dans la penderie et sortirai sans rien... en tenue d'Adam. Mais il ne faudra pas venir te plaindre, si des hordes de donzelles me sautent dessus !

Il s'en tirait par une pirouette. Comme d'habitude !

La première fois qu'elle avait essayé de le convaincre d'adopter une tenue moins formelle, quelque temps seulement après leur mariage, elle y avait mis beaucoup de conviction. Depuis, elle avait compris que cette prédilection marquée pour le costume-cravate relevait chez lui de tout autre chose que d'une simple préférence. En fait, il cherchait à se donner un genre. Jonathan ne laissait jamais rien au hasard ; elle aurait pourtant dû le savoir.

Dans une ville où pratiquement tout le monde arborait une tenue décontractée, son costume sombre, sa cravate terne et sa chemise d'une blancheur éblouissante lui permettaient de se démarquer de la masse. Jonathan mettait évidemment un point d'honneur à ne jamais rien faire comme tout le monde. Son excentricité faisait partie de son image, une image dont il prenait le plus grand soin.

Ce matin, Jonathan était de particulièrement bonne humeur. La veille au soir, le présentateur de télévision Johnny Carson avait fait une plaisanterie à son sujet, ce qui semblait indiquer qu'il avait acquis une certaine notoriété parmi le grand public. Johnny avait déclaré à l'antenne qu'il s'attendait à se réveiller un matin, dans sa maison de Malibu, pour découvrir que son voisin avait installé au milieu de l'océan un immense panneau indiquant en lettres géantes : « Jonathan West's Pacific. »

Ses acolytes avaient aussitôt éclaté de rire. Il n'y avait pas eu la moindre hésitation, le moindre signe de perplexité sur leurs visages. Manifestement, ils savaient tous qui était Jonathan West.

⁂

Lorsque Sylvia apporta les verres de jus d'orange, fraîchement pressé et bien glacé, comme Jonathan l'aimait, elle posa au milieu de la table un petit écriteau blanc portant la mention : « Table appartenant à Jonathan West. »

— Très drôle ! s'exclama Jonathan en riant.

Sans un mot, Andrianna se leva, et sous prétexte d'admirer le jardin, lui tourna ostensiblement le dos. Sur son T-shirt, était écrit en gros : « Femme de Jonathan West. »

— Très très drôle ! déclara-t-il, s'esclaffant de plus belle.

Puis elle l'appela pour lui faire admirer les rosiers.

— Franchement, Jonathan, je parie que tu n'as même pas remarqué comme ils avaient fleuri, ces derniers temps ! Tu es devenu un personnage tellement important que tu n'as plus le temps de humer le parfum de tes roses.

Il confessa humblement qu'il y avait en effet un certain temps qu'il n'avait pas jeté un coup d'œil aux rosiers. Comme il tournait la tête dans leur direction, il vit au milieu du jardin un panneau indiquant : « Jardin de Jonathan West. »

— Par pitié ! Assez de panneaux ! Tu as gagné, ma chérie ! Plus jamais je n'aurai la grosse tête ! Quand je pense à ce pauvre Don, je le plains de tout mon cœur ! Son Ivana, apparemment, ne lui a pas appris à garder le sens de la mesure.

Sylvia vint alors apporter le courrier, au grand dam d'Andrianna, qui tenait à ce que le petit déjeuner fût un moment de détente absolue, où ils pouvaient profiter pleinement l'un de l'autre, bavarder de choses sans importance, ou faire des projets pour le week-end.

Mais en voyant le regard de Jonathan briller d'excitation à la perpective de dépouiller toutes ses lettres, elle n'eut pas le cœur à protester.

— Qu'espères-tu trouver dans cette pile, en dehors des factures d'électricité et de téléphone ? railla-t-elle. Une enveloppe surprise contenant un milliard de dollars ? Tu sais bien que tout le courrier important arrive à ton bureau.

— Oui, mais il n'y a pas que le courrier important. Il nous arrive aussi, me semble-t-il, de recevoir des invitations pour des réceptions très huppées, des galas de charité, ou des dîners « entre amis » où il n'y a *que* cinq cents personnes. Sans parler de tous ces prospectus avec de ravissants mannequins présentant les nouvelles collections de sous-vêtements féminins, et de tous les magazines dont je ne vois jamais la couleur.

— Tu exagères ! Tu es toujours en train de lire des magazines.

— Il faut voir lesquels ! *Business Week* et *Economics Today* ! Mais je sais pourquoi tu ne veux pas que je lise les tiens : parce que tu préfères m'annoncer toi-même les derniers potins mondains !

— Ridicule ! Les potins n'ont d'intérêt qu'*avant* d'être étalés dans la presse.

— Peut-être bien, admit-il en continuant de dépouiller le courrier. Il n'empêche que j'aime bien jeter un coup d'œil au courrier avant de partir. On ne sait jamais... des fois que je tombe sur une lettre d'amour d'un de tes nombreux prétendants...

Il mordit dans sa tartine, mâcha avec application, tout en prenant bien soin de ne pas quitter sa femme des yeux et de garder son sérieux.

— Tu es un incorrigible romantique ou un grand ignorant, Jonny, rétorqua-t-elle en riant. Il y a bien longtemps que les hommes n'envoient plus de lettres d'amour à leurs dulcinées ! Ils leur téléphonent de leur voiture, ou à la limite, leur envoient un fax.

Il poussa un profond soupir.

— Tu as sûrement raison. Alors, dis-moi, combien de fax intéressants as-tu reçus ces derniers temps ?

Sans attendre sa réponse, il se remit à trier les lettres.

— Tiens ! Penny ! annonça-t-il d'un ton enjoué. Une moisson de ragots tout frais en provenance d'Italie !

Il lui passa la lettre et ouvrit un magazine, un numéro spécial de *Forbes* qui, autant qu'elle pût en juger par le titre de couverture, contenait le fameux annuaire des quatre cents personnalités les plus riches du pays. Le cœur d'Andrianna se mit à battre plus vite. Il y avait si longtemps que Jonathan attendait cet instant...

En soupirant, elle ouvrit la lettre de Penny et commença à la lire. Elle ne voulait pas guetter l'expression de Jonathan tandis qu'il parcourait la liste, à la recherche de son nom. Mais dans le secret de son cœur, elle priait pour qu'il n'ait pas été classé parmi les derniers. Elle savait qu'il ne s'en remettrait pas...

Une phrase de Penny la divertit de cette horrible pensée : « Je suis enceinte, ma chérie, et Gae et moi sommes aux anges. Papa Gino semble tout aussi ravi. Des trois, je suis malheureusement la seule à souffrir de nausées. Je te tiendrai au courant de l'évolution de la grossesse. »

Andrianna s'apprêtait à annoncer la bonne nouvelle à Jonathan, mais comme elle levait la tête, elle le vit jeter rageusement le magazine à travers la pièce.

Oh, mon pauvre chéri !

— Tu arrives en quelle position ? demanda-t-elle. Et à combien ont-ils estimé tes revenus ?

— Aucune importance ! Ce n'est qu'une liste, et une évaluation très approximative. Personne n'y fait attention.

Lui, si, elle le savait. Mais elle n'allait pas le traiter de menteur.

— De plus ils n'ont pas pris en compte ce qui fait l'essentiel de ma fortune.

— Ah bon ? Qu'ont-ils laissé de côté ?

— Toi !

Si seulement il pouvait réellement le penser ! songea-t-elle.

— Tu sais ce que j'aimerais faire aujourd'hui, Andrianna, mon trésor ? Quelque chose qui me tient vraiment à cœur ?

— Quoi ? demanda-t-elle, pleine d'appréhension.

— J'aimerais prendre ma journée pour t'emmener au bungalow et te faire l'amour tout l'après-midi. Qu'en dis-tu ? Acceptes-tu de venir avec moi à Malibu et de me laisser t'aimer ?

Alertée par son ton empreint de gravité, presque solennel, Andrianna le considéra avec plus d'attention. C'était un peu comme s'il la demandait en mariage une seconde fois. Il semblait attendre d'elle un engagement, une promesse.

— Bien sûr, Jonny. Je t'accompagnerais jusqu'au bout du monde, si tu me le demandais. Et je ferai toujours tout ce que tu voudras...

C'était bel et bien un engagement.

— Tu veux connaître le fond de ma pensée, Andrianna ? Mon désir le plus ardent ? Ce qui compte pour moi plus que n'importe quoi ?

— Dis-moi.

— Je voudrais un enfant. Je veux que nous fassions un bébé.

Jonathan avait enfin prononcé les mots qu'elle attendait depuis des mois. Il l'avait dit ! C'était son désir le plus ardent, ce qui comptait pour lui plus que n'importe quoi... *Plus encore que de devenir milliardaire ?*

Oui, sans aucune doute. Jonathan s'était engagé à ne jamais lui mentir. Et elle, en échange, s'était juré de ne jamais lui refuser un gage d'amour qu'il était en son pouvoir de lui donner...

Il se pencha au-dessus de la table et lui prit la main.

— Alors ? Qu'en dis-tu ?

— Je dis oui, Jonny, cent fois oui !

Elle gravit quatre à quatre l'escalier conduisant à l'étage en essayant de ne pas penser aux objections que

Jerry Hern ne manquerait pas de soulever. En tout état de cause, il avait beau être un excellent médecin et un ami dévoué, elle ne pouvait le laisser prendre cette décision à sa place. C'était à elle de décider, avec son cœur, et avec la complicité de Jonathan.

Et puis, Jerry ne savait pas tout. Il ignorait qu'un enfant, parfois, était aussi un acte de foi, qui transcendait les espoirs qu'un millionnaire pouvait avoir de devenir un jour milliardaire...

Parfois un enfant était le gage d'amour *suprême*.

30.

Bel-Air,
Noël 1989

24 décembre ! Ce soir, pour le réveillon, elle annoncerait enfin à Jonathan qu'elle était enceinte. Que de joie, que de rires en perspective ! Elle savait qu'il n'y aurait pas pour lui de plus merveilleux cadeau. Il espérait depuis des semaines, depuis ce fameux jour au bungalow, mais elle n'avait pas voulu lui annoncer la nouvelle trop tôt, par crainte d'une fausse couche. Cependant, la période la plus critique était désormais passée et à ce stade, les risques à peu près écartés.

Quant à Jerry, elle avait décidé qu'elle n'irait pas le voir avant encore quelque temps. Puisqu'elle était en rémission, et seulement en début de grossesse, rien ne pressait.

Elle nageait dans le bonheur, et n'avait aucune envie d'entendre les prédictions sinistres et les sévères mises en garde de Jerry. Le problème, avec lui, était qu'il n'avait pas la foi. Contrairement à elle, Jerry ne croyait pas au miracle de la naissance. Mais il allait voir ! Elle se réjouissait d'avance en imaginant la tête qu'il ferait, dans quelques mois...

Jonathan lui fit cadeau d'une broche représentant une sorte de maison. Le toit était incrusté de rubis rouge sang semblables à des tuiles, la façade de rubis roses et le tour des fenêtres, elles-mêmes représentées par des diamants, de minuscules émeraudes.

— Elle a été faite sur commande, expliqua-t-il fièrement. C'est moi qui l'ai dessinée.

— Elle est magnifique. C'est une vraie maison californienne, rose et verte, mais tu avais un modèle précis en tête ?

— En fait, il ne s'agit pas d'une maison, mais d'un hôtel.

— Ah bon ?

Il éclata de rire en voyant son air éberlué.

— Tu te demandes bien lequel, n'est-ce pas ? C'est le Beverly Hills Gardens, sur Sunset Boulevard.

Elle le regarda avec des yeux ronds.

— Mais...

— Ce palace va être mis en vente très prochainement. Mais cette fois, je ne ferai de politesses à personne. J'ai bien l'intention de l'acheter. Coûte que coûte. Et cela d'autant plus qu'avec cet hôtel, je franchirai enfin le cap du milliard.

Il n'avait donc pas renoncé à son rêve ! Il aspirait toujours autant à devenir milliardaire, et rien n'avait vraiment changé...

— Mais par quel prodige l'achat du Beverly Hills Gardens pourrait-il te rendre milliardaire ? s'enquit-elle. Quand l'hôtel Bel-Air a finalement été vendu aux Japonais, tu m'as dit toi-même qu'ils l'avaient payé beaucoup trop cher par rapport au chiffre d'affaires qu'ils pouvaient espérer réaliser. Et tu m'as expliqué qu'avec les hôtels de prestige, c'était toujours ainsi.

« Je suppose, par conséquent, que toi aussi tu devras payer le prix fort si tu veux acquérir le Beverly Hills. Que cet hôtel contribue à ta notoriété et fasse ta fierté, je veux bien. Mais je ne vois pas comment il pourrait accroître ta fortune. *A priori*, ça ne tient pas debout !

— Pour tout t'avouer, j'ai une arme secrète.

Elle se mit à rire. Bien sûr ! Comment n'y avait-elle pas pensé ? Les héros avaient *toujours* des armes secrètes !

— Elle consiste à revendre séparément et plus cher que le prix d'achat global *certaines parties* du bien en question. Tu vois où se trouve le Bervely Hills Gardens ?

— Oui, tout à fait.

— Le terrain, sur cette partie de Sunset Boulevard, coûte plus cher au mètre carré que n'importe où ailleurs. Or l'hôtel occupe à lui seul des hectares et des hectares de terrain. Dans une ville comme Los Angeles, non seulement une telle superficie ne sert à rien, mais en plus, elle ne se justifie pas d'un point de vue financier. Garder l'hôtel tel qu'il est serait un très mauvais calcul. Je ne pense pas qu'il y ait beaucoup de clients qui choisissent le Beverly Hills Gardens à cause de son terrain de golf. Ces vastes étendues de pelouse ne rapportent quasiment rien. Quant aux sentiers de promenade, en pleine ville, ils semblent quelque peu déplacés. Le hall est plus vaste que celui du Waldorf, pour une capacité en chambres cinq fois moindre, et le salon, de réputation internationale, occupe un bâtiment à part, lui-même entouré de jardins.

« Mon idée est d'intégrer le salon au hall afin de récupérer du terrain. Car je revendrai tout, à l'exception de l'hôtel lui-même et des bungalows qui se trouvent juste derrière. Repensé et rénové, l'établissement sera infiniment plus rentable, sans pour autant perdre de son cachet. Et l'opération m'aura rapporté — je n'ai pas encore calculé exactement — de l'ordre de trois à quatre cent millions de dollars ! »

Son enthousiasme était tel qu'Andrianna avait l'impression de voir les flots d'adrénaline se déverser dans ses veines et de sentir l'air, autour de lui, se charger d'électricité. Visiblement, il mettait toute son énergie dans ce projet, comme si sa vie elle-même en dépendait. A croire que rien d'autre ne comptait davantage à ses yeux.

Même pas le bébé.

Même pas elle.

— Quand auras-tu la réponse ? demanda-t-elle.

— La foire d'empoigne a commencé, mais la décision finale ne sera prise que dans deux mois — le 14 février pour être précis. Ce jour-là, les trois plus gros enchérisseurs seront mis en concurrence.

— Je vois.

— C'est tout ce que tu trouves à dire ?

Au prix d'un effort surhumain, elle réussit à sourire.

— J'en suis sans voix, avoua-t-elle. Je m'y attendais si peu.

— Fais un effort, que diable ! Allez, dis quelque chose. N'importe quoi.

— Le 14 février est le jour de la Saint-Valentin. La fête des amoureux...

— Tu vois que tu peux, quand tu veux ! L'hôtel est donc un cadeau tout trouvé pour la Saint-Valentin. Mais ce que je voudrais, en fait, c'est que tu me dises que tu m'aimes...

— Tu le sais déjà, mais si tu y tiens, d'accord. Je t'aime, Jonathan West, plus que ma vie elle-même. Et je suis très heureuse pour toi. Je suis contente que ton rêve se réalise enfin.

Même si ce rêve-là n'a rien à voir avec le mien.

— Pourquoi me regardes-tu comme ça, Jonny ? Tu ne me crois pas ?

— Mais si, je te crois ! Jamais je ne mettrais en doute ta parole, tu le sais bien. J'étais seulement en train de me dire que je t'aimais à la folie, et que si jamais il t'arrivait quelque chose... Tu comptes pour moi plus que tout au monde, Andrianna !

— Plus qu'un milliard de dollars ? railla-t-elle.

— Evidemment ! Qu'est-ce qu'un milliard de dollars ? Ce n'est jamais que de l'argent !

Non, un milliard de dollars représente parfois infiniment plus qu'une simple somme d'argent. C'est parfois un rêve, le plus précieux des rêves.

— C'est toi, à présent, qui me regardes bizarrement, fit-il remarquer en riant. On dirait que tu ne me crois pas...

— Mais si, je te crois ! Je me souviens de ta promesse de ne jamais me mentir, et j'y crois de toute mon âme.

Aimer, n'était-ce pas justement avoir en l'autre une confiance absolue ? C'était un acte de foi, tout comme l'enfant qu'elle attendait. Elle aurait voulu pouvoir lui parler du bébé, lui confier son secret, mais elle en était incapable... comme d'habitude. A chaque fois qu'elle avait essayé de lui parler d'elle, elle avait dû renoncer.

Cette nuit-là, elle ne dormit pas. Elle pensait au bébé et au rêve de Jonathan, l'acquisition de ce grand hôtel, et priait pour qu'il réussisse son coup.

Tout d'abord, elle avait ressenti du dépit et de la jalousie lorsqu'il lui avait fait part de son projet. Elle avait tant besoin de passer en premier ! Puis, peu à peu, elle s'était rendu compte que ce rêve faisait partie de la personnalité même de Jonathan. Dans ces conditions, comment aurait-elle pu le lui reprocher ?

Le sommeil l'ayant bel et bien désertée, longtemps elle continua à remuer toutes sortes de pensées dans sa tête. Au cœur de la nuit, profitant de l'obscurité totale, les idées noires vinrent l'assaillir en force.

Elle redoutait surtout que Jonathan ne découvrît la vérité, toutes ces choses qu'elle lui avait cachées, et son angoisse était d'autant plus grande qu'elle songeait à présent à leur enfant. Si, à ce stade du jeu, Jonathan s'apercevait non seulement qu'elle avait triché, mais qu'en plus elle était malade, comment réagirait-il ? L'aimerait-il toujours ? Lui pardonnerait-il un jour de ne pas lui avoir fait confiance ?

Lasse de tourner dans son lit et de se torturer l'esprit, Andrianna se leva tout doucement puis alla se réfugier dans le bureau. La porte fermée, elle s'installa devant la télévision. Peut-être un film réussirait-il à lui changer les idées ou à l'engourdir au point qu'elle finirait par s'endormir ? songea-t-elle en actionnant la télécommande. Elle tomba sur un vieux mélodrame en noir et blanc. Dans l'état d'esprit où elle se trouvait, elle aurait évidemment préféré une comédie, alerte et drôle, mais *Les Hauts de Hurlevent* était juste en train de commencer, et si elle connaissait le livre, en revanche elle n'avait jamais vu le film...

Jonathan la trouva pelotonnée dans le grand fauteuil de cuir, les yeux rivés sur l'écran et pleurant à chaudes larmes.

— Andrianna, ma chérie, que se passe-t-il ?

— Je regarde *Les Hauts de Hurlevent*. C'est la fin. Cathy est en train de mourir. Tu vois, Heathcliff la tient dans ses bras, devant la fenêtre, pour lui faire admirer la lande une dernière fois.

— Mais Andrianna, ce n'est qu'un film.

Elle continuait à sangloter, inconsolable.

— Moi qui l'ai vu plusieurs fois, je peux t'assurer que tout finit bien, déclara Jonathan. Plus tard, ils se retrouvent. Leurs esprits, du moins, sont réunis. Regarde, c'est justement ce que Laurence Olivier est en train d'expliquer à Merle Oberon. Il l'attendra dans la lande toute sa vie s'il le faut, et quand enfin ils seront réunis, ils feront l'amour dans la bruyère. Ce n'est pas si triste que ça, finalement. Allez, mon ange, viens te coucher.

— Jonathan, tu ne comprends pas ! C'est une histoire d'amour merveilleuse mais affreusement tragique. Cathy se meurt et Heathcliff va la voir, mais c'est pour la maudire. Il condamne son âme à errer pour l'éternité sans pouvoir trouver le repos.

— C'est assez normal, dans le fond. Je te rappelle qu'ils s'étaient juré un amour éternel, et que quand Heathcliff a été obligé de partir de par le vaste monde pour gagner sa vie, elle s'est lassée de l'attendre, l'infidèle, et s'est empressée d'épouser le riche voisin, leur brisant le cœur à tous les trois. Reconnais qu'après un coup pareil, même s'il est un peu taciturne et bourru, Heathcliff a de bonnes raisons de lui en vouloir.

— Non, ce n'est pas ça du tout ! Il ne la maudit pas parce qu'elle lui a été infidèle, mais parce qu'elle meurt et l'abandonne. Sa mort est pour lui la pire des trahisons.

— Non, ma chérie. Il l'aime trop pour lui reprocher de mourir. Ce qu'il lui reproche, c'est son infidélité. Allons nous coucher, maintenant. Je te répète que ce n'est qu'un film, et qu'à la fin, leurs esprits se rejoignent. Ils ont alors l'éternité devant eux pour s'aimer. Que pourrait-on leur souhaiter de mieux ? dit-il en éteignant la télévision.

Docilement, elle se laissa ramener au lit. Mais les arguments de Jonathan ne l'avait pas convaincue. Elle restait sur ses positions. Ce qu'elle admettait le plus difficilement, c'était qu'en maudissant Cathy, Heathcliff s'était maudit aussi. Ses paroles terribles résonnaient encore à ses oreilles :

Catherine Earnshaw, puisses-tu ne pas trouver le repos aussi longtemps que je vivrai !... Hante-moi !... Sois toujours auprès de moi, sous la forme que tu voudras ! Ote-moi la raison ! Mais ne m'abandonne pas dans cet abîme où je ne peux te trouver. Oh, Dieu ! C'est inexprimable ! Comment vivre sans ma vie ? Comment vivre sans mon âme ?

Voilà ce qui les attendait tous les deux ! Ils erreraient

dans la lande pour l'éternité. Cette malédiction, Andrianna était prête à l'accepter pour elle, en expiation de ses péchés. Mais pour rien au monde elle ne voulait entraîner Jonathan dans sa disgrâce. Il n'avait rien fait pour mériter un sort aussi cruel...

31.

Cedars-Sinai,
15 février 1990

Lorsqu'elle ouvrit les yeux, Andrianna ne reconnut pas tout de suite les deux hommes qui l'observaient, de part et d'autre de son lit. L'un était brun et l'autre blond, mais chacun dans son genre, ils étaient tous deux très beaux. Et très mécontents, à en juger par leur air renfrogné. Le beau ténébreux était un vrai Heathcliff, à n'en pas douter, mais le blond était *son* Heathcliff à elle. Il était à la fois son Heathcliff et son Jonathan, et il avait juré de l'aimer jusqu'à la fin des temps. Mais Heathcliff n'était qu'un personnage de roman, de film. Il ne comptait pas vraiment.

Ne restait alors que Jonathan... son Jonathan... qui l'avait tant aimée... avant de découvrir sa trahison. Et même s'il n'était pas réellement Heathcliff, il ne manquerait pas de la damner. N'était-il pas venu pour ça, justement ?

Le beau ténébreux était Jerry Hern, évidemment. Mais que faisait-il ici ? Lui, il ne lui avait pas juré un amour éternel, mais il lui avait promis de garder son secret jusqu'à la fin des temps.

Recouvrant peu à peu ses esprits, elle regarda autour d'elle. En voyant que la pièce n'avait pas de fenêtre, elle se rappela où elle était et ce qu'elle faisait là.

— Le bébé ! cria-t-elle. Ai-je perdu le bébé ?

Jonathan se contenta de secouer la tête, incapable de prononcer une parole. Ce fut Jerry qui répondit d'une voix altérée par l'émotion :

— Non, vous n'avez pas perdu l'enfant, et votre état est stationnaire pour l'instant. Mais ce qui vous arrive, vous l'avez bien cherché, Andrianna. Comment avez-vous pu me cacher que vous étiez enceinte ?

Etrangement, elle prit la main de Jerry et lui demanda de lui pardonner, à lui qui n'était que son médecin, et non à Jonathan qu'elle avait trompé depuis le début.

Et elle évitait de regarder son mari, tant elle craignait de lire sur son visage sa déception et son dégoût.

— Comment ont-ils découvert que vous étiez mon médecin ? demanda-t-elle à Jerry. Comment êtes-vous venu jusqu'ici ?

— Votre mari m'a convoyé dans son avion privé, l'*Andrianna*.

Cette fois, elle fut bien obligée d'affronter le regard de son mari.

— Comment savais-tu que Jerry était mon généraliste ? s'enquit-elle.

— Il y a beaucoup de choses que je devine. Tu ne l'avais donc pas remarqué ? demanda-t-il d'un ton légèrement ironique. Je dois reconnaître que cette fois, l'énigme était d'une simplicité enfantine.

— Si je comprends bien, vous lui avez tout raconté, Jerry ?

— Oui, et ne comptez pas sur moi pour m'en excuser. Si cela vous déplaît, Andrianna Duarte, c'est vraiment regrettable. Mais il ne fallait pas me prendre comme médecin ! Bon, je vais vous laisser seuls, à présent. Je reviendrai plus tard. Je ne repartirai que dans deux ou trois jours, quand vous serez tirée d'affaire, mais ensuite, chère madame, je vous conseillerai de vous trouver un autre généraliste.

Malgré la colère évidente qu'il nourrissait contre elle, il lui prit la main et la baisa. Touchée par ce geste, Andrianna se mit à pleurer.

— Je vous aime, Jerry, bredouilla-t-elle.

— Je sais. Moi aussi. A tout à l'heure.

Jerry parti, le redoutable tête-à-tête ne put être évité plus longtemps. Andrianna se demandait ce que Jonathan pensait, et ne savait vraiment pas quoi dire pour détendre l'atmosphère. Par où devait-elle commencer ?

— Tu as manqué la Saint-Valentin, déclara-t-il tout à trac.

— Quand était-ce ?

— Hier. Je t'avais promis un cadeau : l'hôtel. Tu t'en souviens ? Mais il ne faut plus y compter, maintenant.

— Je m'en doute. Je ne l'ai vraiment pas mérité.

— Tu peux le dire ! Mais...

— Tu sais, Ivana non plus n'a pas eu de cadeau pour la Saint-Valentin. Le Don ne lui en a pas fait, cette année.

— Quoi ? dit-il, mi-figue mi-raisin. Qu'est-ce qui te prend de parler des Trump à un moment pareil ? Essaierais-tu de noyer le poisson, par hasard ? Je te connais. Ton petit manège, il y a longtemps que je l'ai répéré, tu sais.

— Oh, non, pas du tout ! C'était une remarque en passant, simplement parce que nous parlions de la Saint-Valentin. En fait de cadeau, la pauvre Ivana s'est fait remercier !

— Elle s'est fait remercier ? Mais comment cela ?

— C'est ce qui était écrit dans le journal. Celui que je lisais juste avant de... Pauvre Ivana ! Je savais bien qu'elle était en mauvaise posture. Que le Don ne tenait pas à elle autant qu'il l'aurait dû.

— Ah bon ? Et comment le savais-tu ?

— Parce que son nom ne figurait nulle part. Ni sur leur yacht ni sur leur avion...

Jonathan ferait sans doute débaptiser le leur, songea-t-elle. Mais elle ne pouvait pas lui en vouloir, compte tenu de...

— C'était sûrement un signe, tu ne crois pas? demanda-t-elle avec solennité. Tout était toujours au nom de Donald, de sorte qu'à présent, elle se retrouve sans rien, légalement parlant. Même le Plaza Hotel, que pourtant elle dirigeait, appartenait en fait à Donald. Je me demande si elle pourra...

Elle s'interrompit tout net, affreusement gênée en se rendant compte de l'ambiguïté de ses paroles. Elle avait vraiment bien choisi son moment pour évoquer les problèmes d'Ivana revendiquant l'hôtel de prestige de son mari! Celui qu'elle-même aurait dû recevoir en cadeau pour la Saint-Valentin appartenait à Jonathan...

Horrifiée, elle songea qu'il devait se dire qu'elle était en train d'essayer de le manipuler, de le convaincre de lui donner cet hôtel malgré tout...

— Je... Je ne cherchais pas..., commença-t-elle.

Mais elle renonça avec un haussement d'épaules et se contenta de lui sourire, tandis que les larmes roulaient sur ses joues.

— Quand je pense qu'il l'a remerciée! gémit-elle en secouant la tête.

— Andrianna! Voyons, ne te mets pas dans des états pareils! Ils vont peut-être se réconcilier, tu sais. Rien n'est perdu. Ils resteront peut-être ensemble, finalement, et l'année prochaine... qui sait? La Saint-Valentin revient chaque année. Alors ne pleure plus, et laisse-moi sécher tes larmes.

Tendrement, il lui tamponna les joues avec son mouchoir.

— Mais Jonathan, tu ne comprends pas. Je...

— Attends une seconde. Tu ne m'as même pas laissé finir ma phrase, tout à l'heure. Je m'apprêtais à t'expliquer pourquoi je ne t'offrais pas l'hôtel, pour la Saint-Valentin. En réalité, ce n'est pas parce que tu ne le mérites pas, mais parce que je ne l'ai pas. Tout simplement.

— Oh, Jonathan ! Tu n'as pas réussi à l'acheter, finalement ? A cause de moi... L'hôpital t'a appelé au beau milieu des transactions, n'est-ce pas ? J'ai tout fait rater !

Elle se remit à pleurer de plus belle.

— J'aimerais pouvoir te le faire croire, simplement pour que tu te sentes encore un peu plus coupable. Je te jure que tu le mériterais ! Mais puisque j'ai promis à une certaine Andrianna DeArte, la femme que je *pensais* avoir épousée, que je lui dirais toujours la vérité, je t'avouerai que tu n'y es pour rien. Si l'hôtel m'est passé sous le nez, ce n'est pas à cause de toi. Quand l'hôpital a téléphoné, l'affaire était pour ainsi dire dans la poche. Il aurait suffi, avant que je sorte comme un fou, que je lance la dernière enchère. Je savais que les deux autres n'iraient pas plus haut. Si j'avais vraiment voulu l'acheter...

Si j'avais vraiment voulu l'acheter !

— Mais Jonathan, n'était-ce pas ce que tu souhaitais ? C'était l'occasion pour toi de devenir milliardaire. C'était ton rêve.

Finalement, au lieu de la maudire, il lui sourit — de ce sourire éblouissant dont il avait la spécialité.

— Non, ce n'était pas mon rêve. Milliardaire, on peut le devenir n'importe quand. Il suffit de connaître la bonne formule mathématique, et comme à l'école, j'étais toujours premier en maths... Je ne te l'avais jamais dit ?

Tout en parlant, il essuya de nouveau ses joues maculées de larmes. Alors, le cœur d'Andrianna se mit à battre très vite.

— Jonathan, arrête de me faire marcher ! Pourquoi n'as-tu pas fait cette dernière enchère ?

— Parce que j'ai senti que ma fierté serait plus grande encore si je m'abstenais. Parce que j'avais quelque chose à me prouver. A *te* prouver.

— Quoi donc ?

— Que je me moquais de devenir ou non milliardaire. Quand on y réfléchit, deux ou trois cents millions de plus, qu'est-ce que ça change ? On a un peu plus d'argent à dépenser, et alors ? Pour tout t'avouer, je préfère en avoir moins et avoir plus de temps à te consacrer. Tu es diablement plus attrayante, même si tu es une fieffée menteuse !

— Oh, Jonathan, pourras-tu jamais me pardonner ?

— Je pense que oui. Je me dis que si tu n'as pas pu me parler d'Andrianna Duarte, la petite fille aux yeux de chat de la Napa Valley, ce doit être un peu ma faute. Je n'ai pas su te mettre en confiance. Alors, si tu es prête à me pardonner, je te pardonne aussi. Ainsi nous sommes quittes, et tout le monde est content. Le seul qui le soit un peu moins, c'est le Dr Hern, mais ce n'est pas plus mal. Il est un peu trop séduisant et trop prétentieux à mon goût.

— Jonathan ! protesta Andrianna. Jerry n'est rien de plus qu'un merveilleux ami...

— Je le sais bien ! dit-il, les yeux emplis de larmes. Et je lui en suis infiniment reconnaissant.

— Pourquoi, alors, Jerry devrait-il être mécontent ?

— Parce que mes dons, désormais, n'iront plus à son hôpital pour enfants mais dans la recherche contre le LED.

— Je suis sûre que Jerry n'y verra aucun inconvénient.

Il lui sourit, et la magie de ce sourire ensorceleur opéra de nouveau.

— J'en suis sûr aussi. Et je crois que j'ai décidément bien fait de ne pas acheter le Beverly Hills Gardens. Je me démènerai déjà assez pour la fondation que nous allons créer. Tu sais que quand j'ai un projet, je m'y consacre à fond. Je n'ai pas eu ma photo en couverture de *Time* pour rien ! En un rien de temps, tu seras tirée d'affaire, Andrianna. Définitivement ! La guérison totale est une question de mois, deux ou trois ans tout au plus. Tu me connais : « impossible » est un mot que j'ai depuis longtemps banni de mon vocabulaire.

Il se pencha vers elle, la prit dans ses bras et posa sur ses lèvres le plus doux des baisers. A leur grand regret à tous deux, une infirmière fit irruption dans la pièce juste à ce moment-là.

— Désolée, monsieur West, mais vous allez devoir partir. En service de réanimation, les visites ne doivent pas excéder cinq minutes, or vous les avez déjà très largement dépassées.

— D'accord. Mais Mme West va très bien, maintenant. Quand la transfère-t-on au huitième étage, dans une chambre avec vue ? Elle a besoin de la lumière du soleil.

— Cela ne dépend pas de moi, malheureusement, répondit l'infirmière en souriant. Parlez-en aux médecins.

— Ne t'en fais pas, Jonathan. Je peux attendre. Le soleil, je peux m'en passer quand tu es avec moi.

En prononçant ces mots, elle songea à ces quelques vers de *Roméo et Juliette* qu'elle adorait et qui l'avaient tant marquée dans sa jeunesse. Il y était question de Roméo, bien sûr, mais ces vers semblaient avoir été écrits pour Jonathan, qui avait franchi une frontière très ténue. De millionnaire, il n'était pas devenu milliardaire, certes, mais de simple personnage héroïque, il était devenu héros à part entière.

« En la face du ciel il la fera si belle
Que le monde sera amoureux de la nuit
Et ne rendra plus culte à l'éclatant soleil. »

Mais, par bonheur, contrairement à Roméo et Juliette, ou Heathcliff et Cathy, Jonathan et elle n'étaient pas des amants tragiques.

Leur bonheur bénéficiait de la double influence du soleil et des étoiles. Où qu'ils soient, quelle que soit l'heure, Andrianna savait que pour eux, ce serait toujours l'après-midi...

ÉPILOGUE

Malibu
1990

32.

Août 1990

Elle s'assit sur la terrasse pour donner le sein au bébé, sous le regard vigilant d'une puéricultrice.

— Tout va bien, Maria. Vous pouvez vaquer à vos occupations. Dès qu'il aura fini de téter, je vous appellerai ; ne vous inquiétez pas.

Comme à regret, Maria quitta la terrasse.

Andrianna avait eu beau répéter qu'elle n'avait pas besoin de puéricultrice, Jonathan et Jerry n'avaient rien voulu savoir.

Elle embrassa tendrement la mignonne petite tête, puis respira à pleins poumons l'air iodé en regardant la mer et les promeneurs sur la plage en contrebas. Quel bonheur, songea-t-elle, d'être à Malibu et d'avoir Jonathan pour elle seule !

Il arrivait sur la terrasse, le courrier à la main, et elle ne put s'empêcher, une fois de plus, d'admirer secrètement sa beauté.

Il les embrassa tous les deux, elle et le bébé.

— Comment va notre petite Elena, aujourd'hui ?

— A merveille ! Regarde comme elle tète goulûment...

— Je la comprends !

— On est si bien, ici...

— Oui, mais n'oublie pas les consignes de Jerry. Il a dit qu'il fallait que tu te reposes et que...

— Jerry n'y connait rien ! Et puis, il n'est même plus mon médecin.

— Il est bien davantage, et tu dois toujours l'écouter.

— Entendu ! Mais je te signale que si je l'avais écouté, Elena ne serait pas là aujourd'hui.

— Allons, Andrianna, tu sais parfaitement qu'il ne voulait que ton bien.

Comme il triait le courrier, Jonathan poussa soudain un cri de joie.

— Oh ! regarde un peu ça. C'est le dernier numéro de *Business Today.*

— Jonathan ! Ta photo est en couverture ! Pourquoi ne m'avais-tu rien dit ? Qu'est-ce qui est écrit ? demanda-t-elle en tendant le cou par-dessus la tête d'Elena. « Jonathan West : la philanthropie est une affaire sérieuse. » C'est formidable, Jonny ! Je suis si contente pour toi !

Sous la photo, il y avait aussi une citation : « Quel que soit le jeu, je joue toujours pour gagner ! »

— J'aime beaucoup cette citation, monsieur West.

— Moi aussi. Mais tu sais, dans le fond, financer la recherche est un jeu au moins aussi captivant que faire des affaires. Et bien moins accaparant. Je ne suis pas obligé d'aller au bureau chaque jour. Je peux rester avec Elena et toi, me consacrer à ma famille.

— Une famille qui s'agrandira peut-être encore, grâce aux bons offices de Jonathan West, le génie de la philanthropie !

— Non, Andrianna. Pas question ! Nous avons eu de la chance, mais il faut savoir être raisonnable.

Elle eut un sourire énigmatique.

— Bien sûr, Jonathan...

Mais elle n'en pensait pas moins. Après tout, elle avait une réputation à tenir : celle de ne jamais dire *toute* la vérité.

Quelques instants plus tard, Maria vint les rejoindre, et Andrianna lui tendit l'enfant.

— A quoi penses-tu, Andrianna? demanda Jonathan, qui l'observait. Que veut dire ce petit sourire?

— Ne pose pas de questions. Comme ça, je ne te raconterai pas de mensonges.

— Andrianna!

Elle s'enfuit vers l'escalier conduisant à la plage.

— Dépêche-toi! lança-t-elle par-dessus son épaule. Nous n'avons plus beaucoup de temps; le soleil va bientôt se coucher...

Chère lectrice,

Vous nous êtes fidèle depuis longtemps?
Vous venez de faire notre connaissance?

C'est pour votre plaisir que nous avons imaginé un rendez-vous chaque mois avec vos auteurs préférés, vos AUTEURS VEDETTE *dans les collections Azur et Horizon.*

Les AUTEURS VEDETTE *vous donneront rendez-vous pour de nouveaux livres vedette.*

Pour les reconnaître, cherchez l'étoile . . . Elle vous guidera!

Éditions Harlequin

HARLEQUIN

LE FORUM DES LECTRICES

CHÈRES LECTRICES,

VOUS NOUS ÊTES FIDÈLES DEPUIS LONGTEMPS ?

VOUS VENEZ DE FAIRE NOTRE CONNAISSANCE ?

SI VOUS AVEZ DES COMMENTAIRES, CRITIQUES À FORMULER, DES SUGGESTIONS À OFFRIR, N'HÉSITEZ PAS...
ÉCRIVEZ-NOUS À : LES ENTREPRISES HARLEQUIN LTÉE.
498 RUE ODILE
FABREVILLE, LAVAL, QUÉBEC.
H7R 5X1

C'EST AVEC VOS PRÉCIEUX COMMENTAIRES QUE NOUS ALLONS POUVOIR MIEUX VOUS SERVIR.

MERCI, À L'AVANCE, DE VOTRE COOPÉRATION.

BONNE LECTURE.

HARLEQUIN.

VOTRE PASSEPORT POUR LE MONDE DE L'AMOUR.

Composé sur le serveur d'Euronumérique, à Montrouge
par les Éditions Harlequin
Achevé d'imprimer en octobre 1995
sur les presses de l'Imprimerie Bussière
à Saint-Amand-Montrond (Cher)
Dépôt légal : novembre 1995
N° d'imprimeur : 2374 — N° d'éditeur : 5804

Imprimé en France